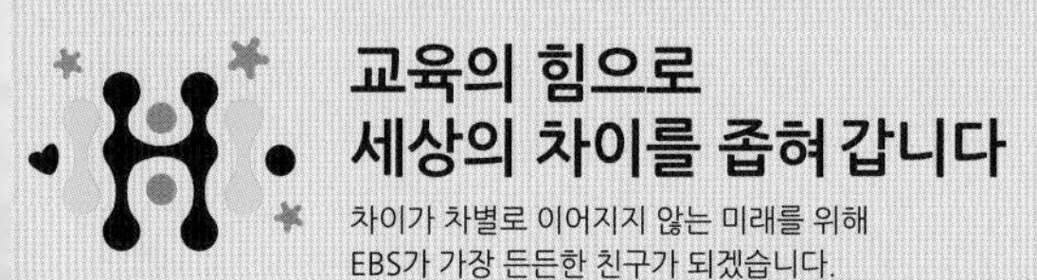

모든 교재 정보와 다양한 이벤트가 가득!
EBS 교재사이트 book.ebs.co.kr

본 교재는 EBS 교재사이트에서
eBook으로도 구입하실 수 있습니다.

2025학년도

수능 연계교재 수능완성

과학탐구영역 지구과학 Ⅱ

기획 및 개발
강유진
권현지
심미연
조은정(개발총괄위원)

감수
한국교육과정평가원

책임 편집
박지연

본 교재의 강의는 TV와 모바일 APP, EBSi 사이트(www.ebsi.co.kr)에서 무료로 제공됩니다.

발행일 2024. 5. 20. 1쇄 인쇄일 2024. 5. 13. 신고번호 제2017-000193호 펴낸곳 한국교육방송공사 경기도 고양시 일산동구 한류월드로 281
표지디자인 ㈜무닉 내지디자인 다우 내지조판 다우 인쇄 동아출판㈜ 사진 ㈜아이엠스톡, 이미지파트너스
인쇄 과정 중 잘못된 교재는 구입하신 곳에서 교환하여 드립니다. 신규 사업 및 교재 광고 문의 pub@ebs.co.kr

정답과 해설 PDF 파일은 EBS*i* 사이트(www.ebs*i*.co.kr)에서 내려받으실 수 있습니다.

교재 내용 문의
교재 및 강의 내용 문의는
EBS*i* 사이트(www.ebs*i*.co.kr)의 학습 Q&A 서비스를
활용하시기 바랍니다.

교재 정오표 공지
발행 이후 발견된 정오 사항을
EBS*i* 사이트 정오표 코너에서 알려 드립니다.
교재 → 교재 자료실 → 교재 정오표

교재 정정 신청
공지된 정오 내용 외에 발견된 정오 사항이 있다면
EBS*i* 사이트를 통해 알려 주세요.
교재 → 교재 정정 신청

2025학년도

수능 연계교재

수능완성

과학탐구영역

지구과학 Ⅱ

이 책의 차례 CONTENTS

이 책의 **구성과 특징** STRUCTURE

테마별 교과 내용 정리

교과서의 주요 내용을 핵심만 일목요연하게 정리하고, 하단에 더 알기를 수록하여 심층적인 이해를 도모하였습니다.

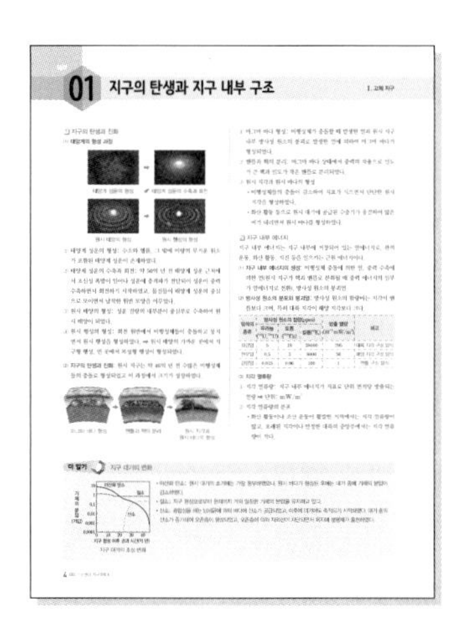

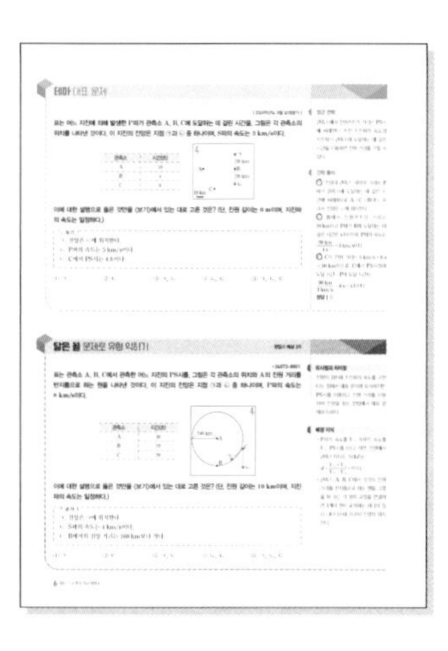

테마 대표 문제

기출문제, 접근 전략, 간략 풀이를 통해 대표 유형을 익힐 수 있고, 함께 실린 닮은 꼴 문제를 스스로 풀며 유형에 대한 적응력을 기를 수 있습니다.

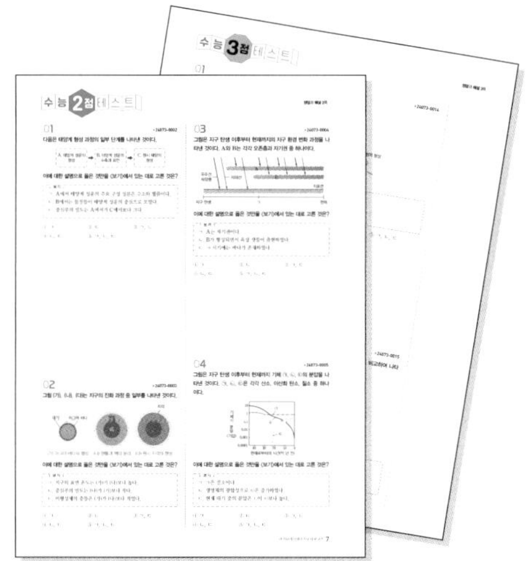

수능 2점 테스트와 수능 3점 테스트

수능 출제 경향 분석에 근거하여 개발한 다양한 유형의 문제들을 수록하였습니다.

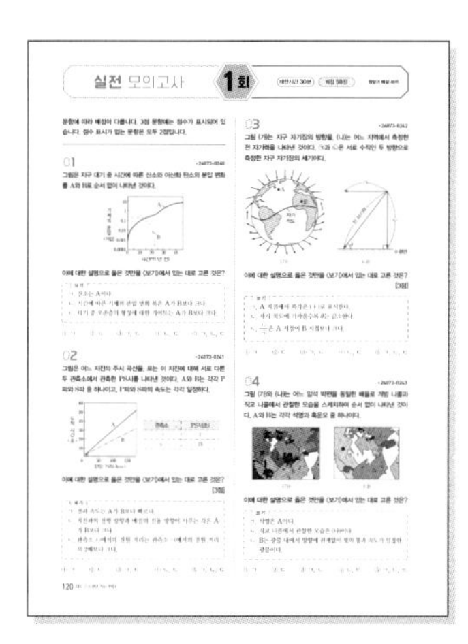

실전 모의고사 5회분

실제 수능과 동일한 배점과 난이도의 모의고사를 풀어봄으로써 수능에 대비할 수 있도록 하였습니다.

정답과 해설

정답의 도출 과정과 교과의 내용을 연결하여 설명하고, 오답을 찾아 분석함으로써 유사 문제 및 응용 문제에 대한 대비가 가능하도록 하였습니다.

학생

인공지능 DANCHGQ
푸리봇 문|제|검|색

EBS*i* 사이트와 **EBS*i* 고교강의 APP** 하단의 **AI 학습도우미 푸리봇**을 통해 문항코드를 검색하면 푸리봇이 해당 문제의 해설과 해설 강의를 찾아 줍니다. **사진 촬영으로도 검색**할 수 있습니다.

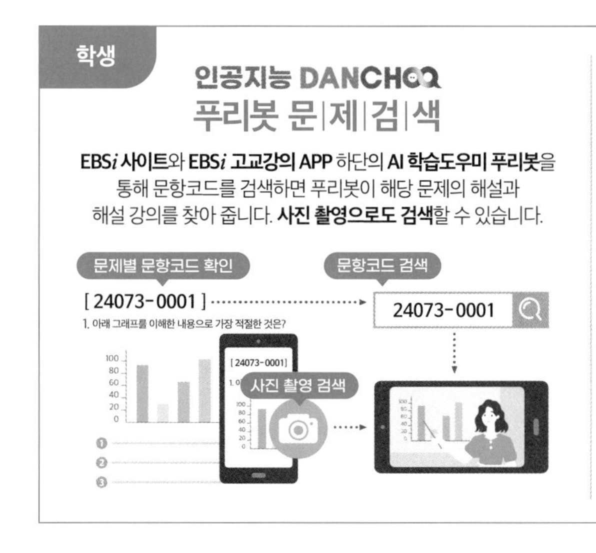

선생님

EBS 교사지원센터
교재 관련 자|료|제|공

교재의 문항 한글(HWP) 파일과 교재이미지, 강의자료를 무료로 제공합니다.

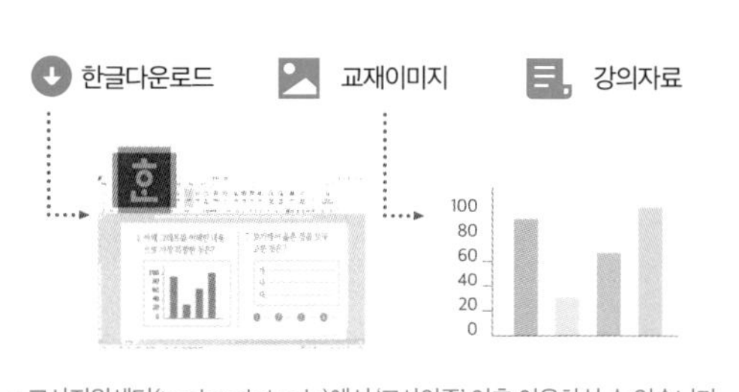

- 교사지원센터(teacher.ebsi.co.kr)에서 '교사인증' 이후 이용하실 수 있습니다.
- 교사지원센터에서 제공하는 자료는 교재별로 다를 수 있습니다.

테마

01 지구의 탄생과 지구 내부 구조

Ⅰ. 고체 지구

1 지구의 탄생과 진화

(1) 태양계의 형성 과정

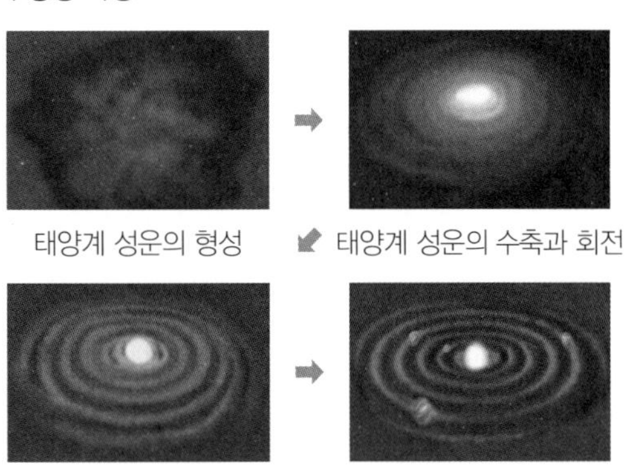

태양계 성운의 형성 / 태양계 성운의 수축과 회전 / 원시 태양의 형성 / 원시 행성의 형성

① 태양계 성운의 형성: 수소와 헬륨, 그 밖에 미량의 무거운 원소가 포함된 태양계 성운이 존재하였다.

② 태양계 성운의 수축과 회전: 약 50억 년 전 태양계 성운 근처에서 초신성 폭발이 일어나 성운에 충격파가 전달되어 성운이 중력 수축하면서 회전하기 시작하였고, 물질들이 태양계 성운의 중심으로 모이면서 납작한 원반 모양을 이루었다.

③ 원시 태양의 형성: 성운 질량의 대부분이 중심부로 수축하여 원시 태양이 되었다.

④ 원시 행성의 형성: 회전 원반에서 미행성체들이 충돌하고 뭉치면서 원시 행성을 형성하였다. ➡ 원시 태양의 가까운 곳에서 지구형 행성, 먼 곳에서 목성형 행성이 형성되었다.

(2) 지구의 탄생과 진화: 원시 지구는 약 46억 년 전 수많은 미행성체들의 충돌로 형성되었고 이 과정에서 크기가 성장하였다.

마그마 바다 형성 / 맨틀과 핵의 분리 / 원시 지각과 원시 바다의 형성

① 마그마 바다 형성: 미행성체가 충돌할 때 발생한 열과 원시 지구 내부 방사성 원소의 붕괴로 발생한 열에 의하여 마그마 바다가 형성되었다.

② 맨틀과 핵의 분리: 마그마 바다 상태에서 중력의 작용으로 밀도가 큰 핵과 밀도가 작은 맨틀로 분리되었다.

③ 원시 지각과 원시 바다의 형성

- 미행성체들의 충돌이 감소하여 지표가 식으면서 단단한 원시 지각을 형성하였다.
- 화산 활동 등으로 원시 대기에 공급된 수증기가 응결하여 많은 비가 내리면서 원시 바다를 형성하였다.

2 지구 내부 에너지

지구 내부 에너지는 지구 내부에 저장되어 있는 열에너지로, 판의 운동, 화산 활동, 지진 등을 일으키는 근원 에너지이다.

(1) **지구 내부 에너지의 생성**: 미행성체 충돌에 의한 열, 중력 수축에 의한 열(원시 지구가 핵과 맨틀로 분화될 때 중력 에너지의 일부가 열에너지로 전환), 방사성 원소의 붕괴열

(2) **방사성 원소의 분포와 붕괴열**: 방사성 원소의 함량비는 지각이 맨틀보다 크며, 특히 대륙 지각이 해양 지각보다 크다.

암석의 종류	방사성 원소의 함량(ppm)			방출 열량 (10^{-5} mW/m^3)	비고
	우라늄 (^{235}U, ^{238}U)	토륨 (^{232}Th)	칼륨(^{40}K)		
화강암	5	18	38000	295	대륙 지각 구성 암석
현무암	0.5	3	8000	56	해양 지각 구성 암석
감람암	0.015	0.06	100	1	맨틀 구성 암석

(3) 지각 열류량

① 지각 열류량: 지구 내부 에너지가 지표로 단위 면적당 방출되는 열량 ➡ 단위: mW/m^2

② 지각 열류량의 분포

- 화산 활동이나 조산 운동이 활발한 지역에서는 지각 열류량이 많고, 오래된 지각이나 안정한 대륙의 중앙부에서는 지각 열류량이 적다.

더 알기 지구 대기의 변화

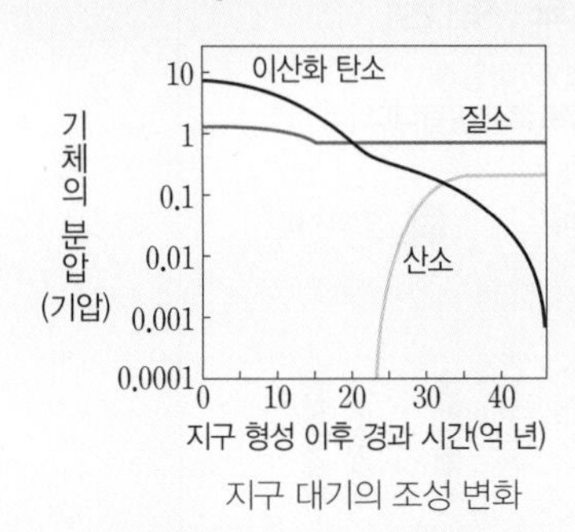

지구 대기의 조성 변화

- 이산화 탄소: 원시 대기의 초기에는 가장 풍부하였으나, 원시 바다가 형성된 후에는 대기 중에 기체의 분압이 감소하였다.
- 질소: 지구 형성으로부터 현재까지 거의 일정한 기체의 분압을 유지하고 있다.
- 산소: 광합성을 하는 남세균에 의해 바다에 산소가 공급되었고, 이후에 대기에도 축적되기 시작하였다. 대기 중의 산소가 증가하여 오존층이 형성되었고, 오존층에 의해 자외선이 차단되면서 육지에 생명체가 출현하였다.

• 해령과 호상 열도 부근에서는 지각 열류량이 많고, 해구나 순상지 부근에서는 지각 열류량이 적다.

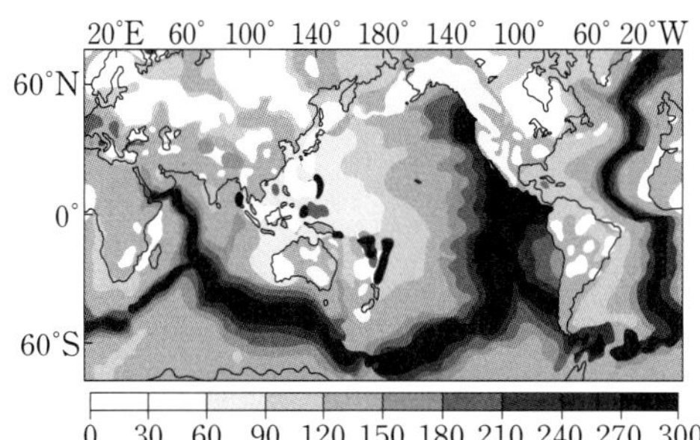

전 세계의 지각 열류량 분포

3 지진파와 지구의 내부 구조

(1) 지진파

① 암석에 힘이 가해져 탄성 한계를 넘으면 암석이 급격한 변형을 일으키면서 깨지는데, 이때 암석에 응축된 에너지가 파동의 형태로 사방으로 전달되는 현상을 지진이라 하고, 이때 전달되는 파동을 지진파라고 한다.

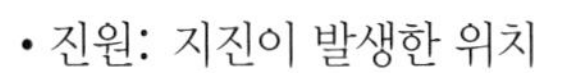

• 진원: 지진이 발생한 위치

• 진앙: 진원의 연직 방향에 위치한 지표상의 지점

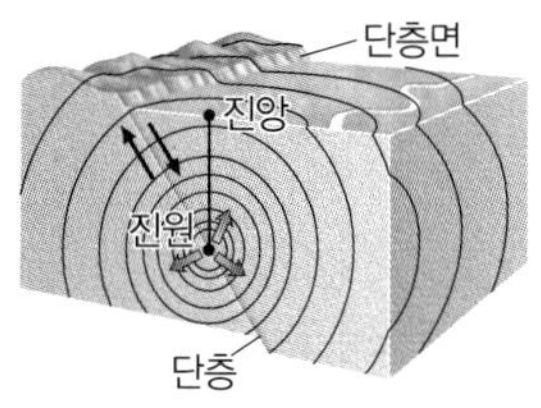

진원과 진앙

② 지진파의 종류와 특징

지진파	성질	지진파의 전파	지각에서의 속도(km/s)	통과 매질의 상태
P파 (종파)	매질의 진동 방향과 파의 진행 방향이 나란	팽창 압축 / 매질의 진동 방향 / 파장 / P파의 진행 방향	5~8	고체, 액체, 기체를 모두 통과
S파 (횡파)	매질의 진동 방향과 파의 진행 방향이 수직	매질의 진동 방향 / 파장 / S파의 진행 방향	3~4	고체만 통과
표면파	지표면을 따라 전파	타원 운동 또는 좌우 진동	2~3	매질의 표면

③ 지진 기록

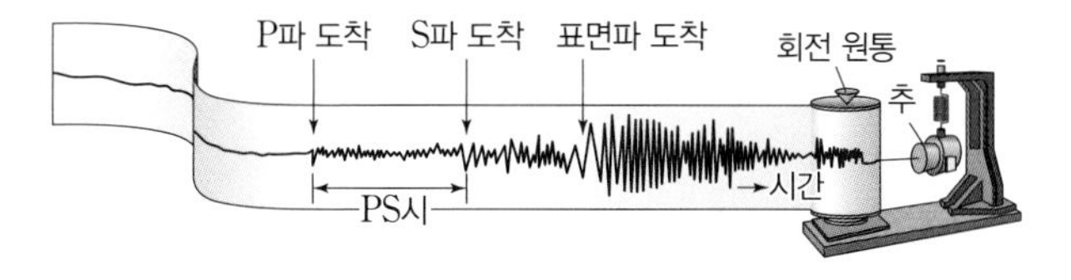

④ P파의 속도를 V_P, S파의 속도를 V_S, PS시를 t라고 하면, 관측소에서 진원까지의 거리(d)는 $d=\frac{V_P \times V_S}{V_P - V_S} \times t$이다.

⑤ 진앙 거리 측정: 지진 기록을 해석하여 PS시를 구한 후 주시 곡선에서 PS시에 해당하는 가로축의 거리 값을 읽으면 진앙까지의 거리를 알아낼 수 있다.

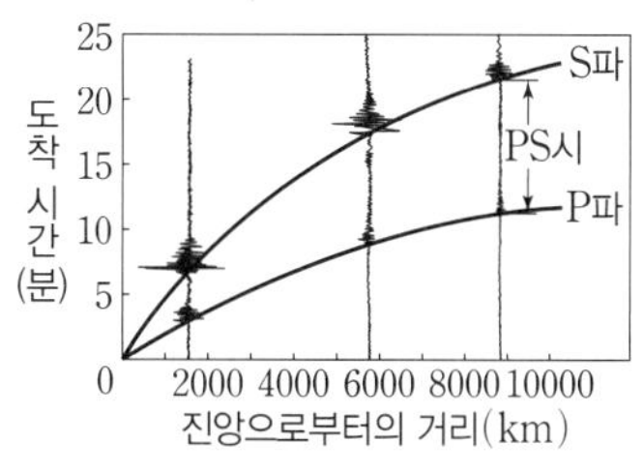

주시 곡선

(2) 지구 내부 구조

① 지구 내부의 구조: 지구 내부를 통과하는 지진파를 분석하여 지구 내부가 지각, 맨틀, 외핵, 내핵의 층상 구조를 이루고 있음을 알아내었다.

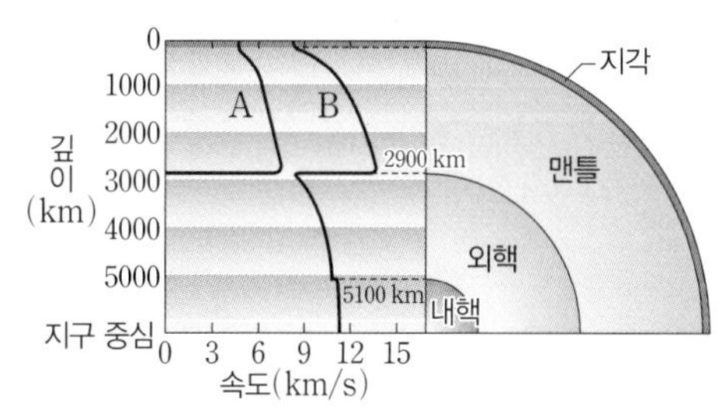

지진파 속도와 지구 내부 구조

② 지진파와 암영대

• S파 암영대: 진앙으로부터의 각거리가 약 103°~180°인 지역

• P파 암영대: 진앙으로부터의 각거리가 약 103°~142°인 지역

• 내핵의 발견: 진앙으로부터의 각거리 약 110°에 약한 P파가 도달

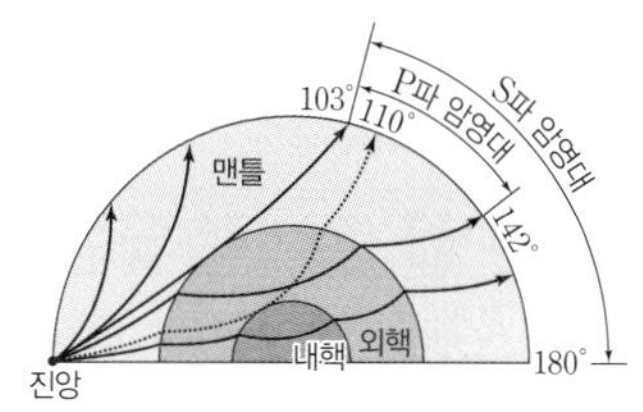

지진파의 전파 경로

③ 지구 내부의 물리량: 밀도는 불연속면에서 급격히 증가하는 계단 모양의 분포를 이루며, 압력과 온도는 중심으로 갈수록 증가한다.

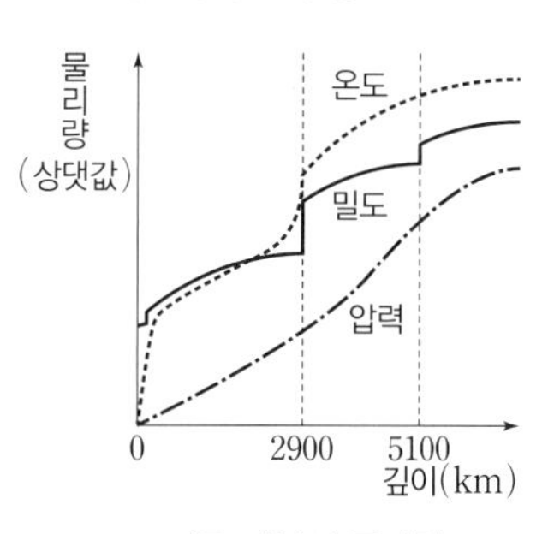

지구 내부의 물리량

더 알기 진앙의 위치와 진원의 깊이

• 진앙의 위치: 관측소 A, B, C에서 각각 진원 거리(R_A, R_B, R_C)를 반지름으로 하는 원을 그렸을 때 생긴 각 원의 교점을 연결하면 3개의 현이 교차하는 하나의 점 O가 나타나는데, 이곳이 진앙의 위치이다.

• 진원의 깊이: 관측소와 진앙의 위치를 이용하여 진원의 깊이를 구할 수 있다. 관측소 A의 위치인 점 A와 진앙의 위치인 점 O를 연결하여 직선 AO를 긋고, 점 O에서 직선 AO에 직교하는 현 PP′을 그으면 현 PP′의 절반인 선분 OP 또는 선분 OP′의 길이를 구할 수 있는데, 이 길이가 진원의 깊이에 해당한다.

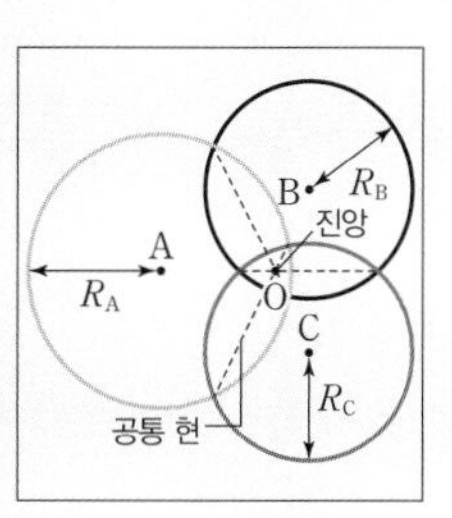

진앙의 위치 결정

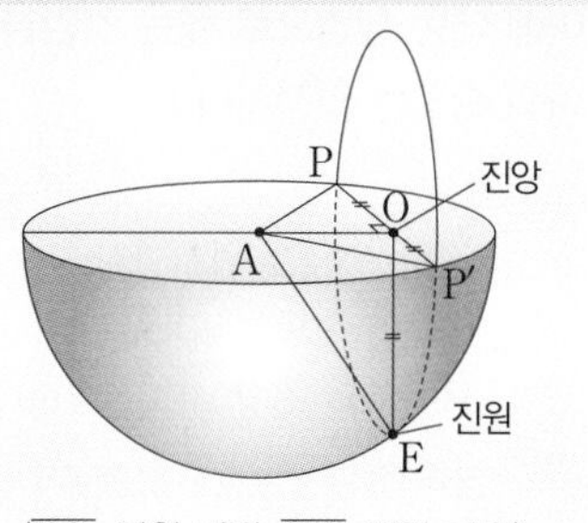

($\overline{EA}$: 진원 거리, $\overline{OA}$: 진앙 거리)
진원의 깊이

테마 대표 문제

| 2024학년도 9월 모의평가 |

표는 어느 지진에 의해 발생한 P파가 관측소 A, B, C에 도달하는 데 걸린 시간을, 그림은 각 관측소의 위치를 나타낸 것이다. 이 지진의 진앙은 지점 ㉠과 ㉡ 중 하나이며, S파의 속도는 3 km/s이다.

관측소	시간(초)
A	10
B	4
C	6

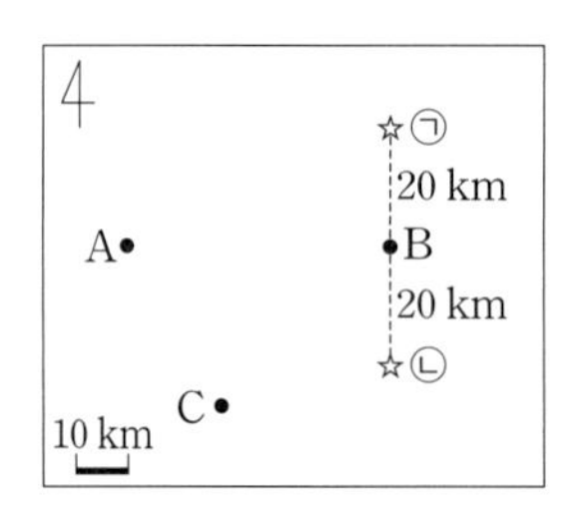

이에 대한 설명으로 옳은 것만을 〈보기〉에서 있는 대로 고른 것은? (단, 진원 깊이는 0 m이며, 지진파의 속도는 일정하다.)

보기
ㄱ. 진앙은 ㉡에 위치한다.
ㄴ. P파의 속도는 5 km/s이다.
ㄷ. C에서 PS시는 4초이다.

① ㄱ ② ㄷ ③ ㄱ, ㄴ ④ ㄴ, ㄷ ⑤ ㄱ, ㄴ, ㄷ

접근 전략

관측소에서 진원까지의 거리는 PS시에 비례한다. 또한 지진파의 속도와 지진파가 관측소에 도달하는 데 걸린 시간을 이용하면 진원 거리를 구할 수 있다.

간략 풀이

㉠. 진앙과 관측소 사이의 거리는 P파가 관측소에 도달하는 데 걸린 시간에 비례하므로 A>C>B이다. 따라서 진앙은 ㉡에 위치한다.

㉡. B에서 진원까지의 거리는 20 km이고 P파가 B에 도달하는 데 걸린 시간은 4초이므로, P파의 속도는 $\frac{20\text{ km}}{4\text{ s}}$=5 km/s이다.

㉢. C의 진원 거리는 5 km/s×6 s=30 km이므로, C에서 PS시(S파 도달 시간−P파 도달 시간)는 $\frac{30\text{ km}}{3\text{ km/s}}$−6 s=4초이다.

정답 | ⑤

닮은 꼴 문제로 유형 익히기

정답과 해설 2쪽

▸24073-0001

표는 관측소 A, B, C에서 관측한 어느 지진의 PS시를, 그림은 각 관측소의 위치와 A의 진원 거리를 반지름으로 하는 원을 나타낸 것이다. 이 지진의 진앙은 지점 ㉠과 ㉡ 중 하나이며, P파의 속도는 8 km/s이다.

관측소	시간(초)
A	30
B	20
C	20

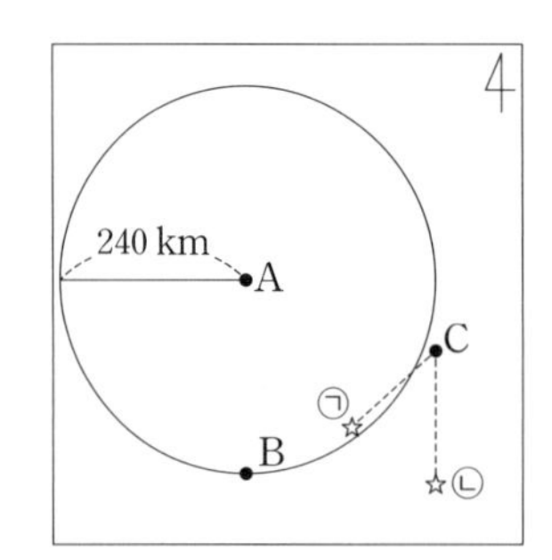

이에 대한 설명으로 옳은 것만을 〈보기〉에서 있는 대로 고른 것은? (단, 진원 깊이는 10 km이며, 지진파의 속도는 일정하다.)

보기
ㄱ. 진앙은 ㉠에 위치한다.
ㄴ. S파의 속도는 4 km/s이다.
ㄷ. B에서의 진앙 거리는 160 km보다 작다.

① ㄱ ② ㄷ ③ ㄱ, ㄴ ④ ㄴ, ㄷ ⑤ ㄱ, ㄴ, ㄷ

유사점과 차이점

진앙의 위치와 지진파의 속도를 구한다는 점에서 대표 문제와 유사하지만, PS시를 이용하고 진원 거리를 이용하여 진앙을 찾는 방법에서 대표 문제와 다르다.

배경 지식

- P파의 속도를 V_P, S파의 속도를 V_S, PS시를 t라고 하면, 진원에서 관측소까지의 거리(d)는 $d=\frac{V_P \times V_S}{V_P - V_S} \times t$이다.
- 관측소 A, B, C에서 각각의 진원 거리를 반지름으로 하는 원을 그렸을 때 생긴 각 원의 교점을 연결하면 3개의 현이 교차하는 하나의 점이 나타나는데, 이곳이 진앙의 위치이다.

01

▸24073-0002

다음은 태양계 형성 과정의 일부 단계를 나타낸 것이다.

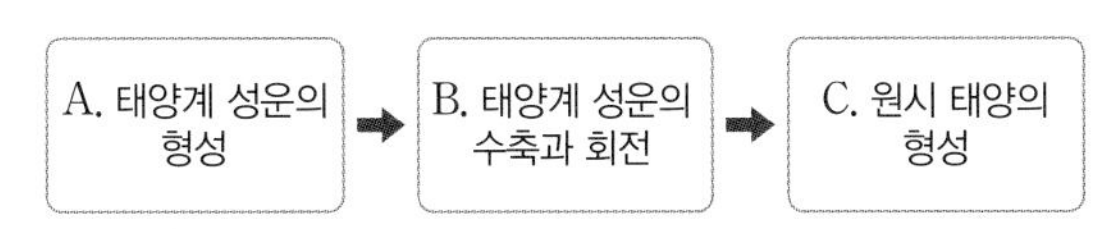

이에 대한 설명으로 옳은 것만을 〈보기〉에서 있는 대로 고른 것은?

보기

ㄱ. A에서 태양계 성운의 주요 구성 성분은 수소와 헬륨이다.
ㄴ. B에서는 물질들이 태양계 성운의 중심으로 모였다.
ㄷ. 중심부의 밀도는 A에서가 C에서보다 크다.

① ㄱ ② ㄷ ③ ㄱ, ㄴ
④ ㄴ, ㄷ ⑤ ㄱ, ㄴ, ㄷ

02

▸24073-0003

그림 (가), (나), (다)는 지구의 진화 과정 중 일부를 나타낸 것이다.

이에 대한 설명으로 옳은 것만을 〈보기〉에서 있는 대로 고른 것은?

보기

ㄱ. 지구의 표면 온도는 (가)가 (다)보다 높다.
ㄴ. 중심부의 밀도는 (나)가 (가)보다 작다.
ㄷ. 미행성체의 충돌은 (가)가 (다)보다 적었다.

① ㄱ ② ㄴ ③ ㄱ, ㄷ
④ ㄴ, ㄷ ⑤ ㄱ, ㄴ, ㄷ

03

▸24073-0004

그림은 지구 탄생 이후부터 현재까지의 지구 환경 변화 과정을 나타낸 것이다. A와 B는 각각 오존층과 자기권 중 하나이다.

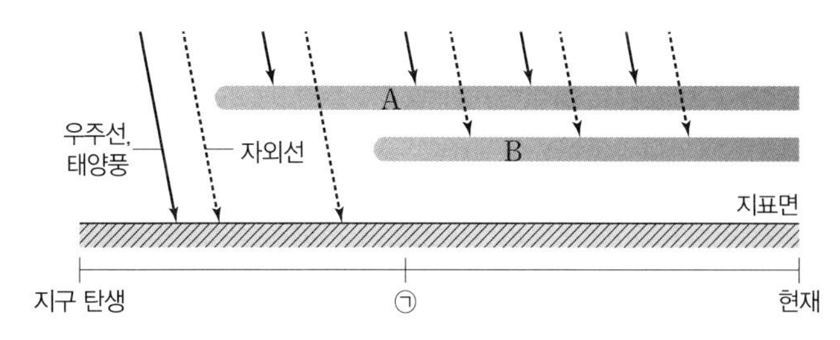

이에 대한 설명으로 옳은 것만을 〈보기〉에서 있는 대로 고른 것은?

보기

ㄱ. A는 자기권이다.
ㄴ. B가 형성되면서 육상 생물이 출현하였다.
ㄷ. ㉠ 시기에는 바다가 존재하였다.

① ㄱ ② ㄴ ③ ㄱ, ㄷ
④ ㄴ, ㄷ ⑤ ㄱ, ㄴ, ㄷ

04

▸24073-0005

그림은 지구 탄생 이후부터 현재까지 기체 ㉠, ㉡, ㉢의 분압을 나타낸 것이다. ㉠, ㉡, ㉢은 각각 산소, 이산화 탄소, 질소 중 하나이다.

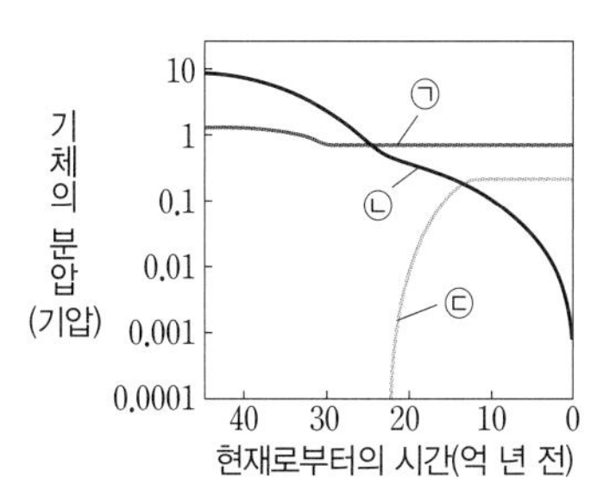

이에 대한 설명으로 옳은 것만을 〈보기〉에서 있는 대로 고른 것은?

보기

ㄱ. ㉠은 질소이다.
ㄴ. 생명체의 광합성으로 ㉢은 증가하였다.
ㄷ. 현재 대기 중의 분압은 ㉡이 ㉢보다 높다.

① ㄱ ② ㄷ ③ ㄱ, ㄴ
④ ㄴ, ㄷ ⑤ ㄱ, ㄴ, ㄷ

05

▸24073-0006

표는 암석 1 kg당 방사성 동위 원소의 방출 열량을 나타낸 것이다. A와 B는 각각 화강암과 현무암 중 하나이다.

암석	방사성 동위 원소의 방출 열량($\times 10^{-11}$ W/kg)		
	우라늄	토륨	칼륨
A	43.8	46.1	11.5
B	7.1	6.4	4.2

이에 대한 설명으로 옳은 것만을 〈보기〉에서 있는 대로 고른 것은?

보기
ㄱ. A는 화강암이다.
ㄴ. 해양 지각을 구성하는 암석은 주로 B이다.
ㄷ. 암석 1 kg당 방사성 동위 원소의 방출 열량은 A가 B보다 적다.

① ㄱ ② ㄷ ③ ㄱ, ㄴ
④ ㄴ, ㄷ ⑤ ㄱ, ㄴ, ㄷ

06

▸24073-0007

그림 (가)는 전 세계의 지각 열류량 분포와 판의 경계를, (나)는 어느 해양에서 해양 지각의 나이에 따른 지각 열류량을 나타낸 것이다.

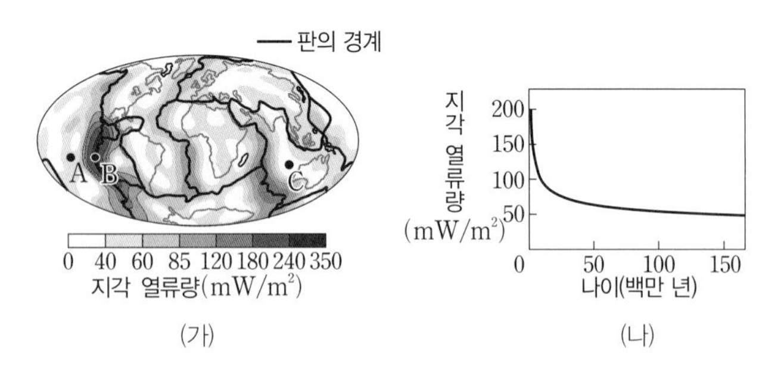

(가) (나)

이에 대한 설명으로 옳은 것만을 〈보기〉에서 있는 대로 고른 것은?

보기
ㄱ. 지각 열류량은 A 지점이 C 지점보다 크다.
ㄴ. B 지점은 판의 수렴형 경계에 위치한다.
ㄷ. 해양 지각의 나이가 많아질수록 지각 열류량은 증가한다.

① ㄱ ② ㄷ ③ ㄱ, ㄴ
④ ㄴ, ㄷ ⑤ ㄱ, ㄴ, ㄷ

07

▸24073-0008

다음은 지진파의 전파 모습에 대한 학생 A, B, C의 대화를 나타낸 것이다. ㉠과 ㉡은 각각 P파와 S파 중 하나이다.

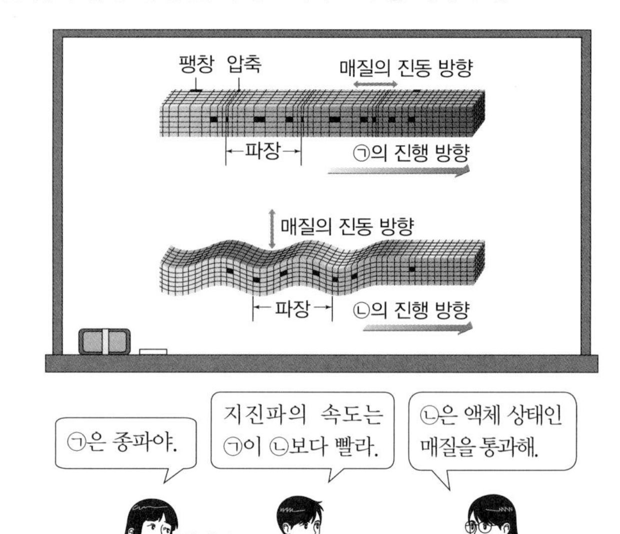

학생 A 학생 B 학생 C

제시한 내용이 옳은 학생만을 있는 대로 고른 것은?

① A ② C ③ A, B
④ B, C ⑤ A, B, C

08

▸24073-0009

그림은 지구 단면에 어느 지진의 진앙 위치와 진앙으로부터의 각거리 및 관측소 A와 B의 위치를 함께 나타낸 것이다.

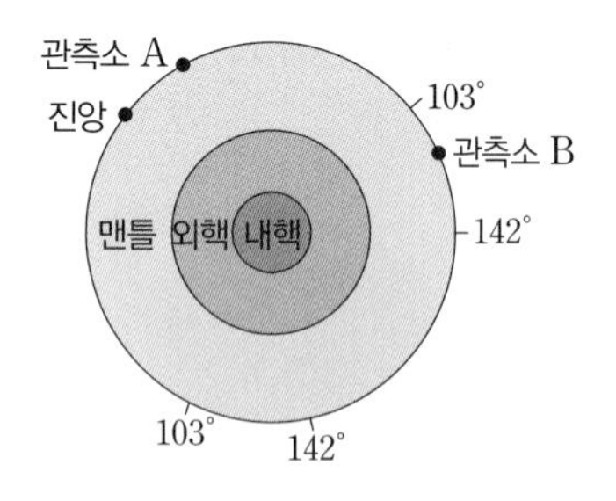

이 지진에 대한 설명으로 옳은 것만을 〈보기〉에서 있는 대로 고른 것은?

보기
ㄱ. A에는 표면파가 도착하지 않는다.
ㄴ. B에서는 S파가 관측되지 않는다.
ㄷ. 외핵과 맨틀의 경계에서는 지진파의 속도가 급격히 변한다.

① ㄱ ② ㄷ ③ ㄱ, ㄴ
④ ㄴ, ㄷ ⑤ ㄱ, ㄴ, ㄷ

09

▸24073-0010

그림 (가)는 어느 지진의 주시 곡선을, (나)는 이 지진을 관측한 관측소 A의 지진 기록을 나타낸 것이다. ㉠과 ㉡은 각각 P파와 S파 중 하나이다.

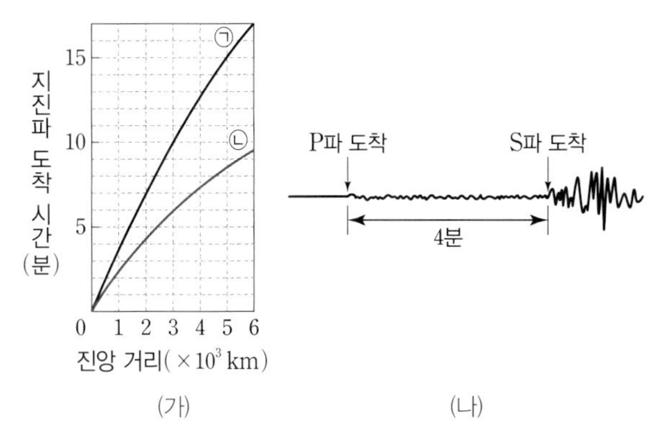

이에 대한 설명으로 옳은 것만을 〈보기〉에서 있는 대로 고른 것은?

보기

ㄱ. ㉠은 파의 진행 방향과 매질의 진동 방향이 수직한 지진파이다.
ㄴ. (나)에서 지진파의 진폭은 P파가 S파보다 크다.
ㄷ. A의 진앙 거리는 약 3000 km이다.

① ㄱ ② ㄷ ③ ㄱ, ㄴ
④ ㄱ, ㄷ ⑤ ㄴ, ㄷ

10

▸24073-0011

그림은 지구 내부의 깊이에 따른 지진파의 속도를 나타낸 것이다.

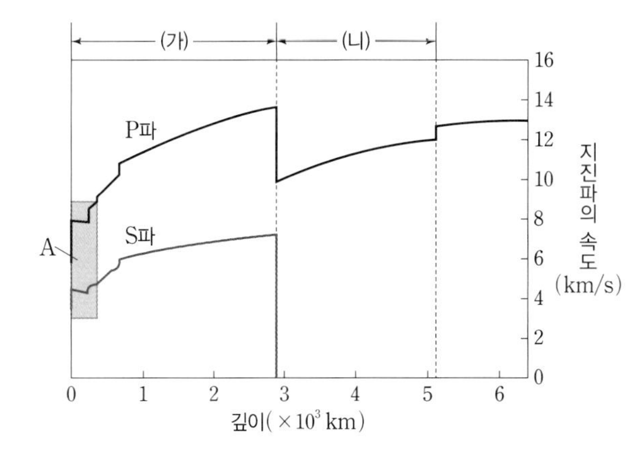

이에 대한 설명으로 옳은 것만을 〈보기〉에서 있는 대로 고른 것은?

보기

ㄱ. A 영역의 지진파 속도 자료를 통해 연약권을 확인할 수 있다.
ㄴ. (나)의 구성 물질은 액체 상태이다.
ㄷ. 깊이에 따른 P파의 평균 속도 변화율은 (나)보다 (가)에서 크다.

① ㄱ ② ㄷ ③ ㄱ, ㄴ
④ ㄴ, ㄷ ⑤ ㄱ, ㄴ, ㄷ

11

▸24073-0012

표는 지구 내부 연구 방법을 분류하여 나타낸 것이다. A와 B는 각각 시추와 포획암 분석 중 하나이다.

연구 방법	내용
A	내부 시료를 직접 채취한다.
B	마그마에서 포획되어 올라온 지하 물질을 분석한다.
지진파	(㉠)

이에 대한 설명으로 옳은 것만을 〈보기〉에서 있는 대로 고른 것은?

보기

ㄱ. A는 시추이다.
ㄴ. B를 이용해 맨틀의 구성 물질을 확인할 수 있다.
ㄷ. ㉠으로 지구 내부 불연속면의 깊이를 알 수 있다.

① ㄱ ② ㄷ ③ ㄱ, ㄴ
④ ㄴ, ㄷ ⑤ ㄱ, ㄴ, ㄷ

12

▸24073-0013

그림은 깊이에 따른 지구 내부의 온도 곡선과 구성 물질의 용융 온도 곡선을 밀도와 함께 나타낸 것이다. (가)와 (나)는 지구 내부의 서로 다른 층의 경계면이다.

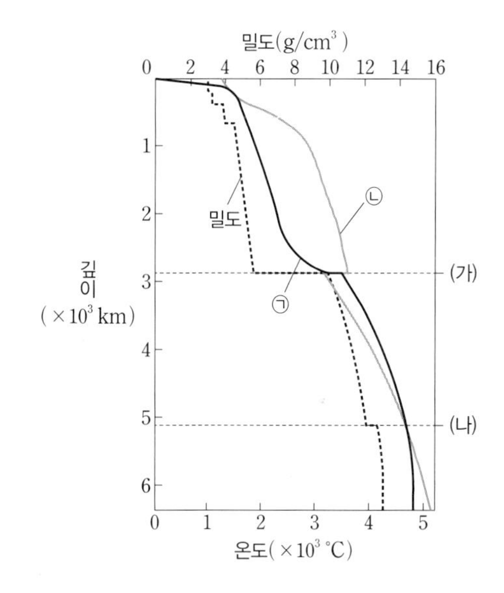

이에 대한 설명으로 옳은 것만을 〈보기〉에서 있는 대로 고른 것은?

보기

ㄱ. ㉠은 지구 내부의 온도 곡선이다.
ㄴ. 경계면에서의 밀도 변화는 (나)가 (가)보다 크다.
ㄷ. 외핵에서는 ㉠의 온도가 ㉡의 온도보다 낮다.

① ㄱ ② ㄷ ③ ㄱ, ㄴ
④ ㄴ, ㄷ ⑤ ㄱ, ㄴ, ㄷ

01

▸24073-0014

그림은 성운설에 의한 태양계의 형성 과정을 나타낸 것이다.

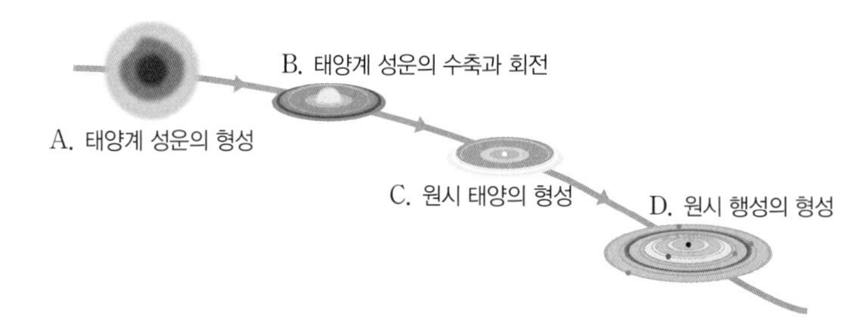

이에 대한 설명으로 옳은 것만을 <보기>에서 있는 대로 고른 것은?

보기

ㄱ. A → B 과정에서 물질들이 태양계 성운의 중심으로 모였다.
ㄴ. B → C 과정에서 태양계 성운의 중심부는 중력 수축에 의해 온도가 낮아졌다.
ㄷ. D에서 원시 행성의 공전 방향은 같다.

① ㄱ ② ㄴ ③ ㄱ, ㄷ ④ ㄴ, ㄷ ⑤ ㄱ, ㄴ, ㄷ

02

▸24073-0015

그림은 지구의 형성 과정 중 일부를, 표는 각 과정에서 지구의 표면 온도와 반지름 크기를 상대적으로 비교하여 나타낸 것이다. ㉠과 ㉡은 각각 맨틀과 핵의 분리와 마그마 바다 형성 중 하나이다.

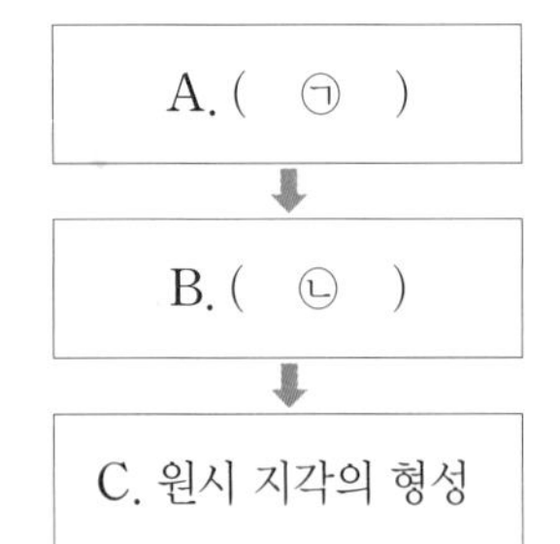

물리량	비교
표면 온도	A>B>C
반지름	㉢

이에 대한 설명으로 옳은 것만을 <보기>에서 있는 대로 고른 것은?

보기

ㄱ. ㉠은 마그마 바다 형성이다.
ㄴ. 중심부의 밀도는 A가 B보다 크다.
ㄷ. ㉢에서는 C가 A보다 크다.

① ㄱ ② ㄴ ③ ㄱ, ㄷ ④ ㄴ, ㄷ ⑤ ㄱ, ㄴ, ㄷ

03

▸24073-0016

그림 (가)는 어느 해령 부근의 단면을, (나)는 이 해령으로부터 거리에 따른 지각 열류량을 나타낸 것이다.

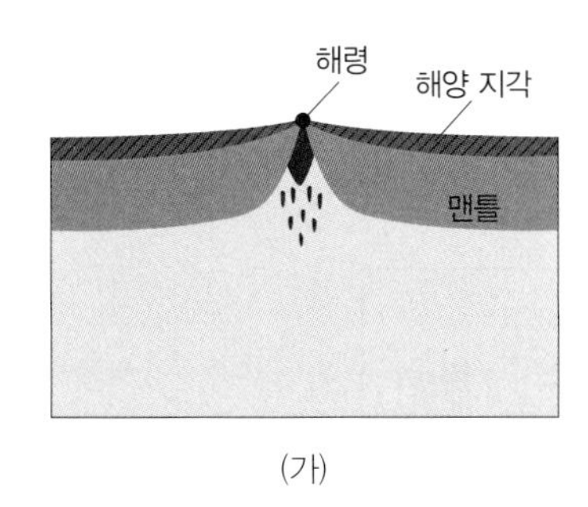

(가)

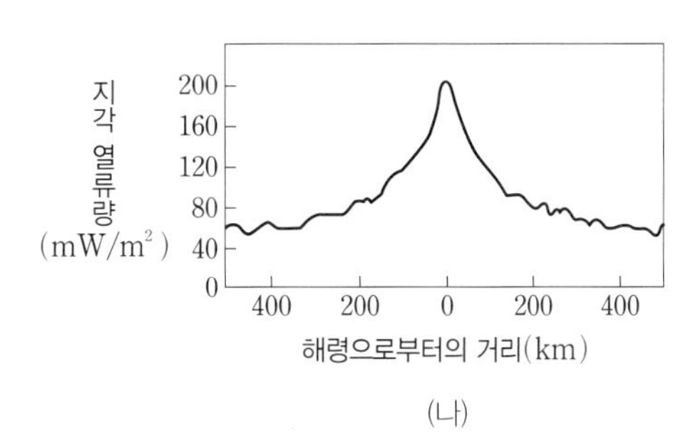

(나)

이에 대한 설명으로 옳은 것만을 〈보기〉에서 있는 대로 고른 것은?

보기

ㄱ. (가)에서 해령은 맨틀 대류의 하강부에 위치한다.
ㄴ. (나)에서 지각 열류량의 평균 변화율은 해령으로부터 0∼200 km 구간이 200∼400 km 구간보다 크다.
ㄷ. 이 지역에서 해양 지각의 나이가 많을수록 대체로 지각 열류량은 많아진다.

① ㄱ ② ㄴ ③ ㄱ, ㄷ ④ ㄴ, ㄷ ⑤ ㄱ, ㄴ, ㄷ

04

▸24073-0017

그림 (가), (나), (다)는 각각 지구 대기 중에 질소, 이산화 탄소, 산소의 분압 변화를 순서 없이 나타낸 것이다.

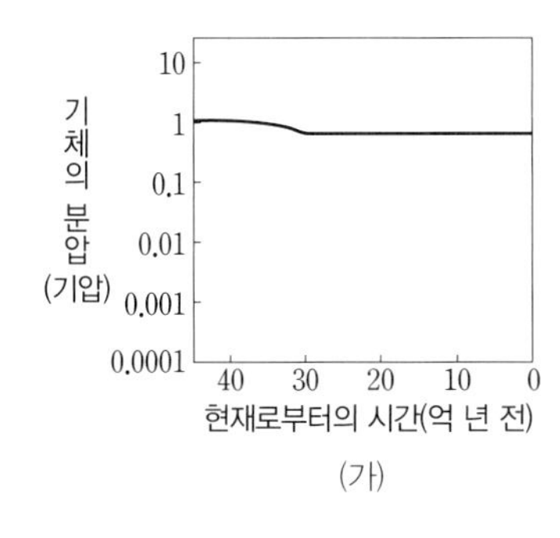

(가)

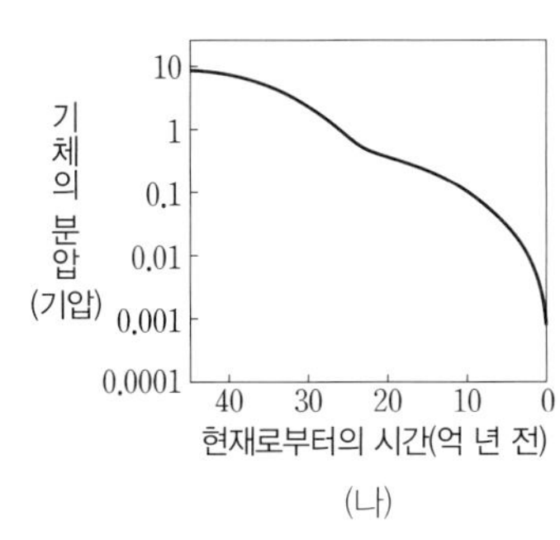

(나)

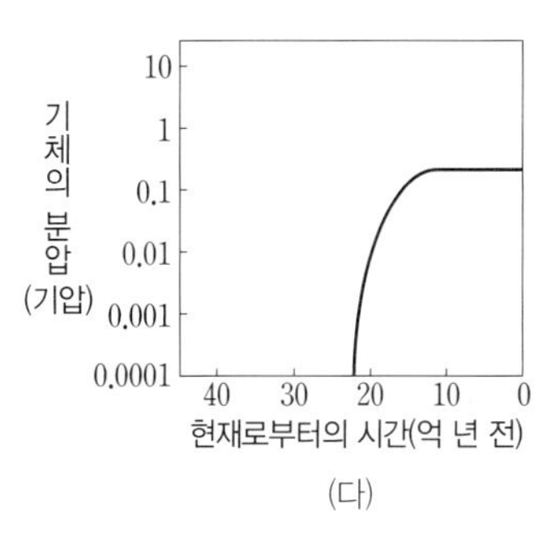

(다)

이에 대한 설명으로 옳은 것만을 〈보기〉에서 있는 대로 고른 것은?

보기

ㄱ. (가)는 이산화 탄소의 분압 변화이다.
ㄴ. 10억 년 전부터 현재까지 기체 분압의 변화율은 (나)가 (다)보다 작다.
ㄷ. (다)의 기체에 의해 대기에 오존층이 형성되었다.

① ㄱ ② ㄷ ③ ㄱ, ㄴ ④ ㄴ, ㄷ ⑤ ㄱ, ㄴ, ㄷ

05

▸24073-0018

그림 (가)는 어느 지진에 대한 관측소 A, B, C에서의 P파 도착 시간과 PS시를, (나)는 A, B, C 중 어느 한 관측소의 관측 기록을 나타낸 것이며, S파의 속도는 3 km/s이다.

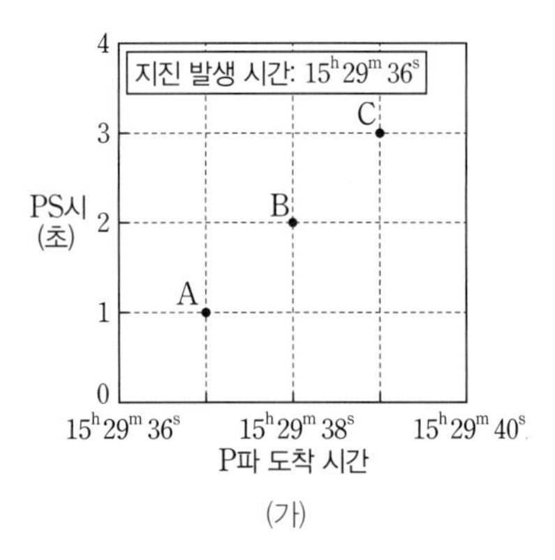

(가)

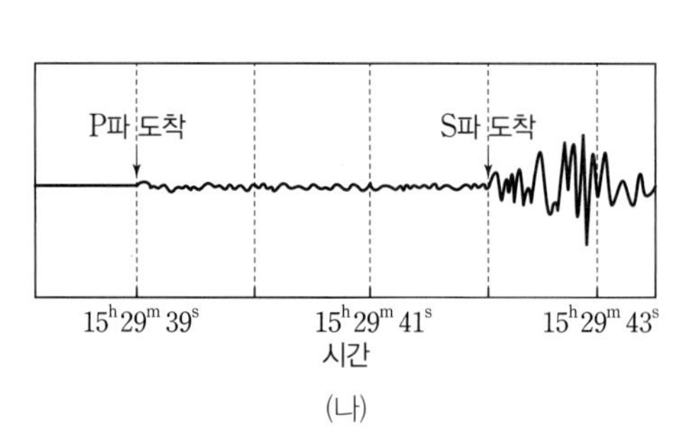

(나)

이에 대한 설명으로 옳은 것만을 <보기>에서 있는 대로 고른 것은?

보기

ㄱ. 진원 거리는 A가 C보다 멀다.
ㄴ. (나)는 C에서의 관측 기록이다.
ㄷ. P파의 속도는 6 km/s이다.

① ㄱ ② ㄷ ③ ㄱ, ㄴ ④ ㄴ, ㄷ ⑤ ㄱ, ㄴ, ㄷ

06

▸24073-0019

그림 (가)와 (나)는 어느 지진에 대해 각각 관측소 A와 B에서의 진원 거리를 이용하여 그린 원의 모습을, 표는 A와 B에서 측정된 PS시를 나타낸 것이다.

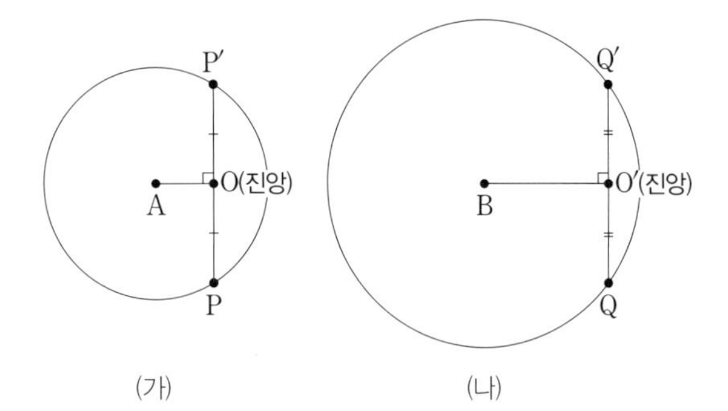

(가) (나)

관측소	PS시(초)
A	2
B	3

이에 대한 설명으로 옳은 것만을 <보기>에서 있는 대로 고른 것은?

보기

ㄱ. $\overline{PP'}$과 $\overline{QQ'}$의 길이는 같다.
ㄴ. $\dfrac{\overline{OA}\text{의 길이}}{\overline{O'B}\text{의 길이}}$는 1보다 크다.
ㄷ. P파는 B보다 A에 먼저 도착하였다.

① ㄱ ② ㄴ ③ ㄱ, ㄷ ④ ㄴ, ㄷ ⑤ ㄱ, ㄴ, ㄷ

07

▸24073-0020

그림 (가)는 어느 지진의 진앙과 관측소 A, B, C의 위치를, (나)는 A, B, C에서 측정된 지진 기록을 나타낸 것이다.

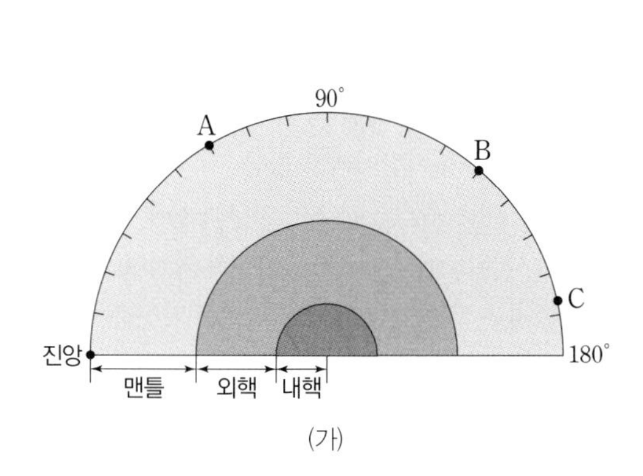

(가)

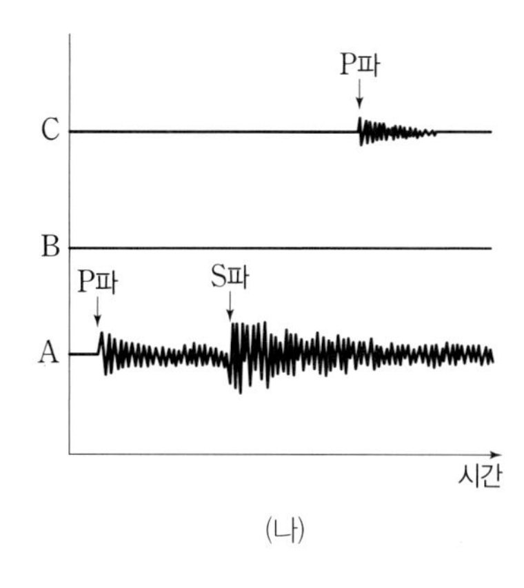

(나)

이에 대한 설명으로 옳은 것만을 〈보기〉에서 있는 대로 고른 것은?

보기

ㄱ. 진앙 거리는 A가 C보다 가깝다.
ㄴ. B는 S파의 암영대에 위치한다.
ㄷ. C에서 관측되는 지진파는 매질의 진동 방향과 파의 진행 방향이 나란하다.

① ㄱ ② ㄴ ③ ㄱ, ㄷ ④ ㄴ, ㄷ ⑤ ㄱ, ㄴ, ㄷ

08

▸24073-0021

그림은 깊이에 따른 지구 내부의 온도 곡선과 구성 물질의 용융 온도 곡선을 ㉠과 ㉡으로 순서 없이 나타낸 것이다.

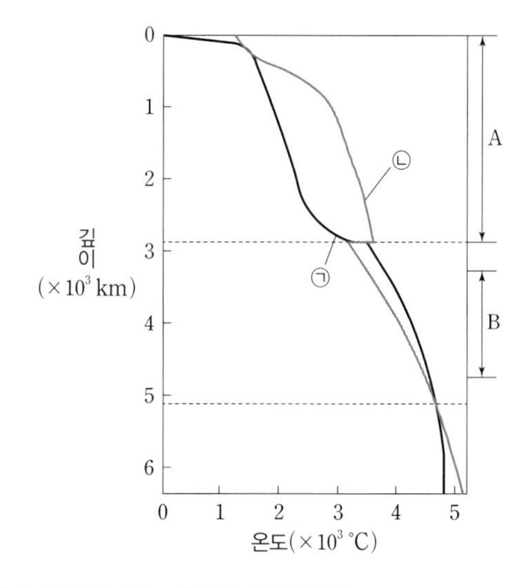

이에 대한 설명으로 옳은 것만을 〈보기〉에서 있는 대로 고른 것은?

보기

ㄱ. ㉠은 구성 물질의 용융 온도 곡선이다.
ㄴ. A 구간에서 깊이에 따른 평균 온도 변화량은 ㉠이 ㉡보다 작다.
ㄷ. B 구간을 구성하는 물질은 액체 상태이다.

① ㄱ ② ㄷ ③ ㄱ, ㄴ ④ ㄴ, ㄷ ⑤ ㄱ, ㄴ, ㄷ

02 지구의 역장

1 지각 평형설

(1) 지각 평형설

① 에어리의 지각 평형설: 밀도가 서로 같은 지각이 맨틀 위에 떠 있으며, 지각의 해발 고도가 높을수록 해수면을 기준으로 한 모호면의 깊이가 깊다.

② 프래트의 지각 평형설: 밀도가 서로 다른 지각이 맨틀 위에 떠 있으며, 밀도가 작은 지각일수록 지각의 해발 고도가 높으나, 밀도에 관계없이 해수면을 기준으로 한 모호면의 깊이는 같다.

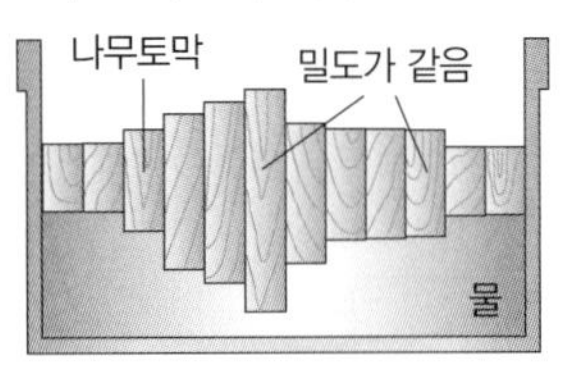

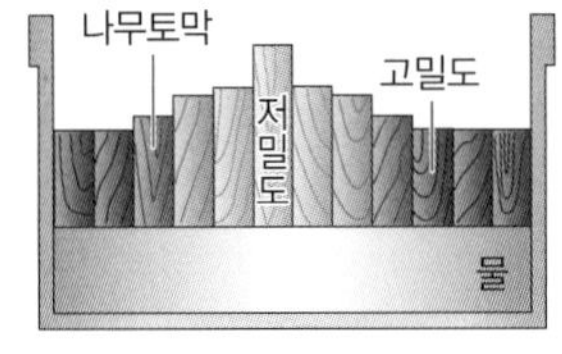

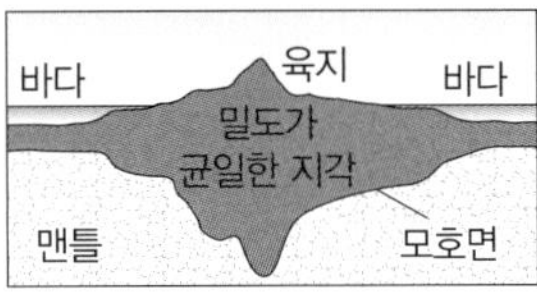

에어리의 지각 평형설

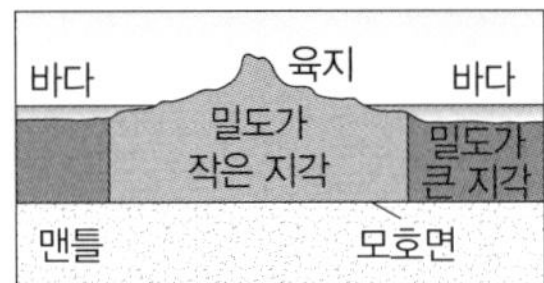

프래트의 지각 평형설

③ 두 지각 평형설의 비교: 대륙 지각이 해양 지각보다 밀도가 작다는 점에서는 프래트의 지각 평형설이 타당하지만, 해수면을 기준으로 한 모호면의 깊이가 대륙 지각이 해양 지각보다 깊다는 점에서는 에어리의 지각 평형설이 타당하다.

(2) 현재 지각이 평형을 이룬 모습: 대륙에서 모호면의 깊이는 약 30 ~ 70 km이고, 해양에서 모호면의 깊이는 약 5 ~ 10 km이다.

(3) 조륙 운동: 지각의 밑면에 가해지는 압력이 변하여 지각 평형이 깨지면 지각은 융기하거나 침강하여 새로운 평형을 이룬다. 이 과정에서 넓은 지역에 걸쳐 지각이 서서히 융기하거나 침강하는 수직 운동인 조륙 운동이 일어난다.

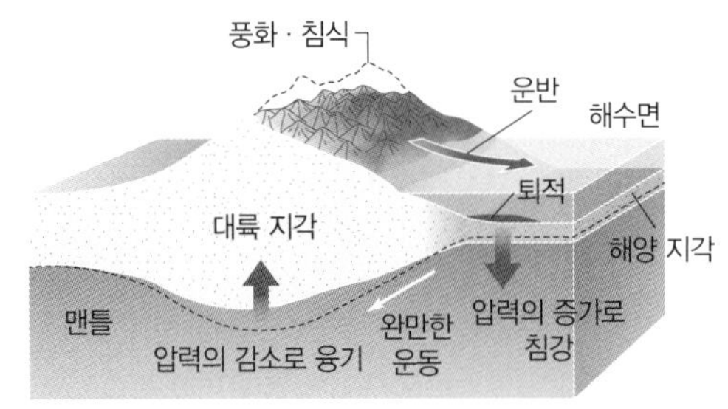

조륙 운동의 원리

① 지각이 침식되어 지각 하부에 작용하는 압력이 낮아지면 지각은 새로운 평형을 맞추기 위해 융기한다.

② 지각에 퇴적물이 두껍게 퇴적되어 지각 하부에 작용하는 압력이 높아지면 지각은 새로운 평형을 맞추기 위해 침강한다.

③ 빙하가 녹으면 지각 하부에 가해지는 압력이 낮아지므로 지각은 새로운 평형을 맞추기 위해 융기한다.

2 지구의 중력장

(1) 중력과 중력장: 지구상의 물체에 작용하는 만유인력과 지구 자전에 의한 원심력의 합력을 중력이라 하고, 중력이 작용하는 지구 주위의 공간을 중력장이라고 한다.

① 만유인력: 지구 중심을 향하며, 지구와 물체 사이 거리의 제곱에 반비례한다. 저위도에서 고위도로 갈수록 커지며, 극에서 최대가 된다.

② 원심력: 지구 자전 때문에 생긴 힘으로 자전축에 수직이고, 지구의 바깥쪽으로 작용한다. 크기는 자전축으로부터의 수직 거리에 비례한다. 저위도에서 고위도로 갈수록 작아지며, 극에서는 0이 된다.

(2) 표준 중력: 지구 타원체 내부의 밀도가 균일하다고 가정할 때 위도에 따라 달라지는 이론적인 중력값이다. ➡ 동일한 위도에서는 어디서나 표준 중력이 같다.

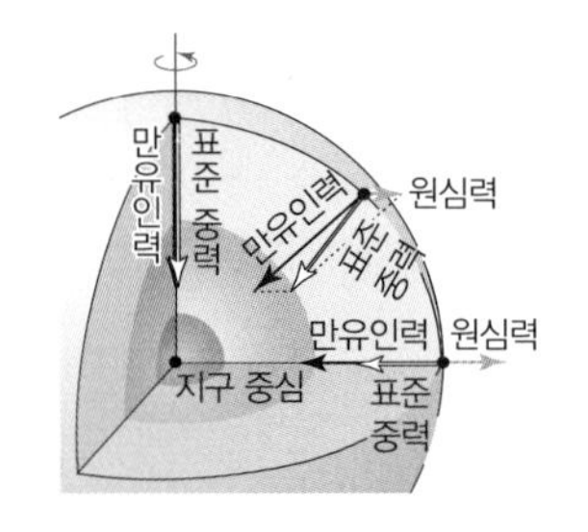

위도에 따른 표준 중력의 크기와 방향

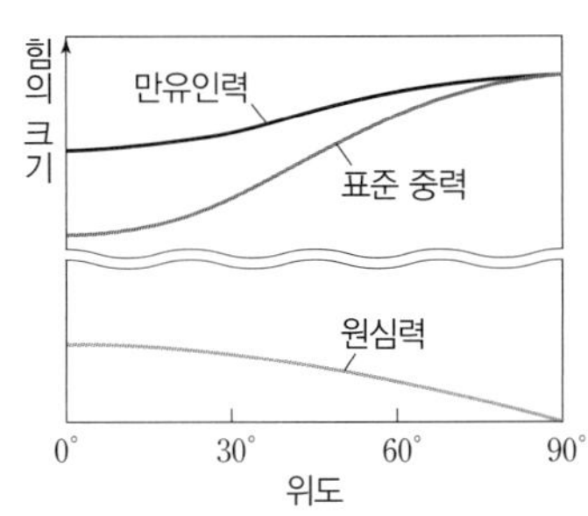

위도에 따른 표준 중력의 크기

(3) 중력(중력 가속도)의 측정: 단진자나 중력계를 이용하여 중력을 측정한다.

(4) 중력 이상: 중력은 측정 지점의 해발 고도, 지형의 기복, 지하 물질의 밀도 등에 따라 달라지는데, 관측된 실측 중력과 이론적으로 구한 표준 중력의 차이를 중력 이상이라고 한다. 해발 고도와 지형의 기복 등의 영향을 보정한 중력 이상으로 지하 물질의 밀도와 분포를 알 수 있다.

① 중력 이상은 밀도 차이에 의하여 대체로 대륙에서 (−)로, 해양에서 (+)로 나타난다.

② 중력 이상 = 실측 중력 − 표준 중력

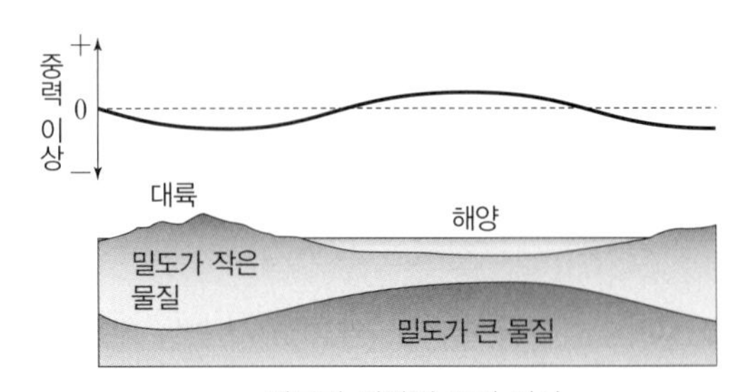

대륙과 해양의 중력 이상

(5) 중력 탐사: 중력 이상을 이용하여 지하 물질의 밀도 분포를 알아내는 탐사 방법이다. 지하에 철광석과 같은 밀도가 큰 물질이 매장되어 있으면 밀도 차이에 의한 중력 이상은 (+), 석유나 암염 같은 밀도가 작은 물질이 매장되어 있으면 (−)로 나타난다.

3 지구의 자기장

(1) 지구 자기장의 형성

① 지구 자기장: 지구의 자기력이 미치는 공간을 지구 자기장이라고 한다.

② 다이너모 이론: 외핵은 액체 상태의 철과 니켈로 이루어져 있으며, 외핵에서는 지구 자전, 핵 내부의 온도 차와 밀도 차 등으로 초기 지구 자기장의 영향 아래서 열대류가 일어나면서 유도 전류가 발생한다. 이 전류의 작용으로 지구 자기장이 발생하여 지구 자기장이 지속적으로 유지된다.

(2) 지구 자기 요소

① 편각: 어느 지점에서 진북 방향과 지구 자기장의 수평 성분 방향이 이루는 각으로, 나침반 자침의 N극이 진북에 대해 서쪽으로 치우치면 W 또는 (−)로, 동쪽으로 치우치면 E 또는 (+)로 표시한다.

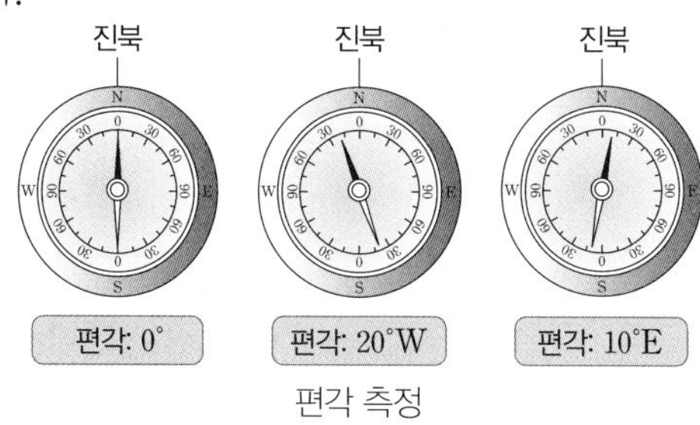

편각 측정

② 복각: 어느 지점에서 지구 자기장의 방향이 수평면에 대하여 기울어진 각으로, 자침의 N극이 아래로 향하면 (+), 위로 향하면 (−)로 표시한다. 복각은 자기 적도에서 0°이고, 자북극에서 +90°, 자남극에서 −90°이다.

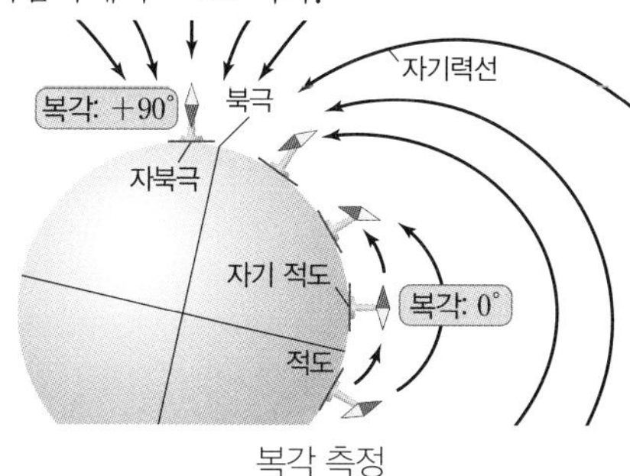

복각 측정

③ 수평 자기력: 어느 지점에서 지구 자기장의 세기를 전 자기력이라고 하며, 전 자기력의 수평 성분을 수평 자기력, 연직 성분을 연직 자기력이라고 한다. 수평 자기력은 자극에서 0이고, 자기 적도 부근에서 최대이다.

(3) 지구 자기장의 변화

① 일변화: 태양의 영향으로 하루를 주기로 일어나는 지구 자기장의 변화로, 일변화의 변화 폭은 밤보다 낮에, 겨울보다 여름에 더 크다.

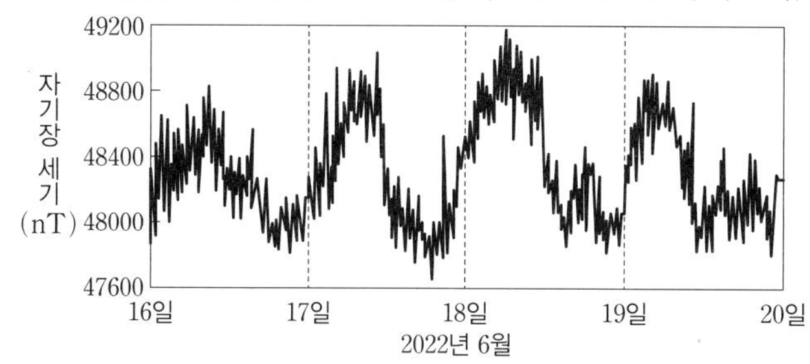

지구 자기장의 일변화

② 자기 폭풍: 수 시간이나 수일 동안에 지구 자기장이 급격하고 불규칙하게 변하는 현상으로, 주로 태양의 표면에서 플레어가 활발해질 때 방출되는 많은 양의 대전 입자가 지구 자기장을 교란해 발생하는 현상이다. ➡ 자기 폭풍이 발생할 때 델린저 현상이나 오로라가 자주 나타난다.

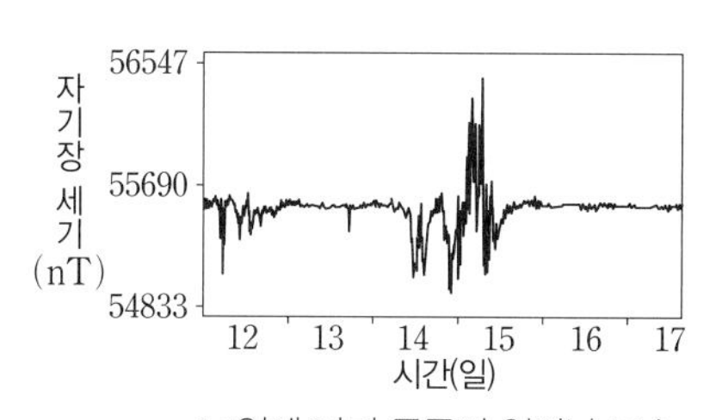

15일에 자기 폭풍이 일어난 모습

③ 영년 변화: 지구 내부의 변화 때문에 지구 자기장의 방향과 세기가 일변화에 비해 긴 기간에 걸쳐 서서히 변하는 현상이다. 영년 변화에 의해 자북극의 위치는 북극 주변에서 불규칙적으로 변하지만 수천 년 이상 오랜 기간 동안 평균하면 북극의 위치와 같다.

(4) 자기권과 밴앨런대

① 자기권: 지구 자기장의 영향이 미치는 기권 밖의 영역

② 밴앨런대: 태양에서 오는 대전 입자가 지구 자기장에 붙잡혀 특히 밀집되어 있는 도넛 모양의 방사선대이다. 내대는 주로 양성자, 외대는 주로 전자로 이루어져 있다.

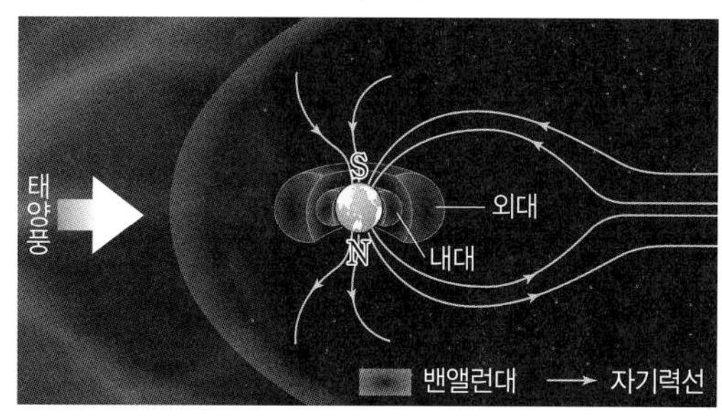

지구 자기장과 밴앨런대

더 알기 중력 탐사

- 측정 지점 아래를 구성하는 암석의 밀도 차이에 따른 중력 이상을 분석하여 지하 물질의 분포 상태를 해석하면 지하자원과 지하 구조를 파악할 수 있다.
- (가) 중력 이상 값이 (+)인 지역: 지하에 밀도가 큰 물질이 존재
  예 철광상, 구리 광상
- (나) 중력 이상 값이 (−)인 지역: 지하에 밀도가 작은 물질이 존재
  예 암염층, 석유 매장층

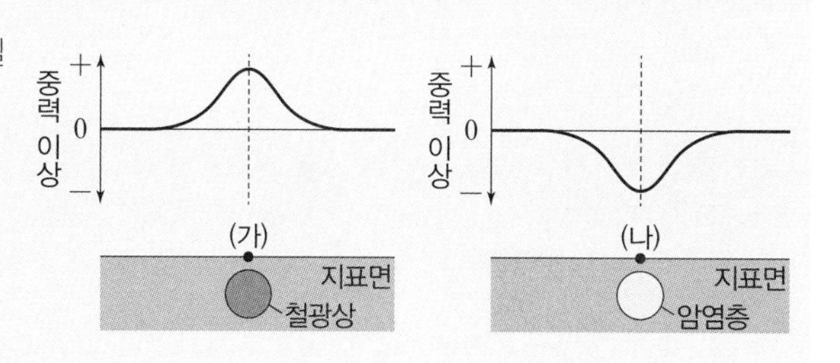

테마 대표 문제

| 2024학년도 수능 |

다음은 복각계를 이용하여 지구 자기장의 복각을 측정하는 탐구 활동의 일부이다.

[탐구 과정]

(가) 주변에 전자 제품 및 자성 물질이 없는 상태에서 책상 위에 흰 종이를 고정시킨 후 나침반을 이용하여 자침(N극)이 가리키는 방향을 화살표로 표시한다.

(나) 종이 위에 복각계를 올려 두고 수평을 맞춘다.

(다) 그림 Ⅰ과 같이 복각계의 원반면이 종이에 그린 화살표와 나란하게 한다.

(라) 그림 Ⅱ와 같이 원반에서 복각계의 자침(N극)이 가리키는 방향을 확인하고 각도를 읽는다.

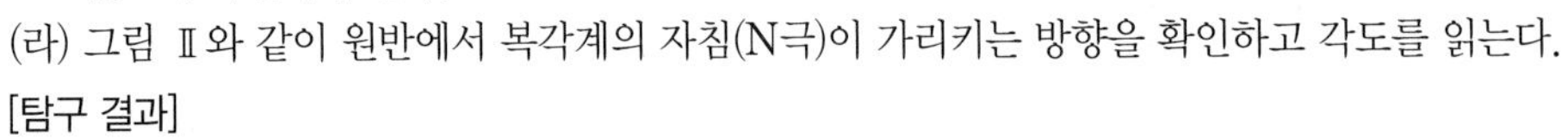

[탐구 결과]

- 복각계의 자침(N극)은 아래로 향한다.
- 측정된 각도는 (　　)°이다.

이에 대한 설명으로 옳은 것만을 〈보기〉에서 있는 대로 고른 것은?

보기

ㄱ. 복각은 $-55°$이다.

ㄴ. 연직 자기력은 수평 자기력보다 크다.

ㄷ. (다)는 복각계 자침(N극)의 방향이 지구 자기장 방향에 일치되도록 하는 과정이다.

① ㄱ　② ㄴ　③ ㄷ　④ ㄱ, ㄴ　⑤ ㄴ, ㄷ

접근 전략

복각계에서 자침의 N극이 가리키는 값과 자침의 N극이 향하는 방향을 이용해 복각을 확인할 수 있다.

간략 풀이

ㄱ. 그림 Ⅱ에서는 복각계에서 자침의 N극이 가리키는 값이 55이고 복각계의 자침(N극)이 아래로 향하므로 복각은 $+55°$이다.

ⓛ $\frac{\text{연직 자기력}}{\text{수평 자기력}} = \tan(\text{복각})$으로 복각의 크기가 $+55°$이면, 연직 자기력은 수평 자기력보다 크다.

ⓒ 나침반의 N극 방향은 지구 자기장 방향을 가리킨다. 따라서 탐구 과정 (다)는 복각계 자침의 방향이 지구 자기장 방향에 일치되도록 하는 과정이다.

정답 | ⑤

닮은 꼴 문제로 유형 익히기

정답과 해설 5쪽

▸24073-0022

그림 (가)는 위도가 다른 지역 A와 B에서 현재의 지구 자기장 방향을, (나)는 A와 B 지역 중 어느 한 지역에서 복각계를 이용하여 지구 자기장의 복각을 측정한 모습을 나타낸 것이다.

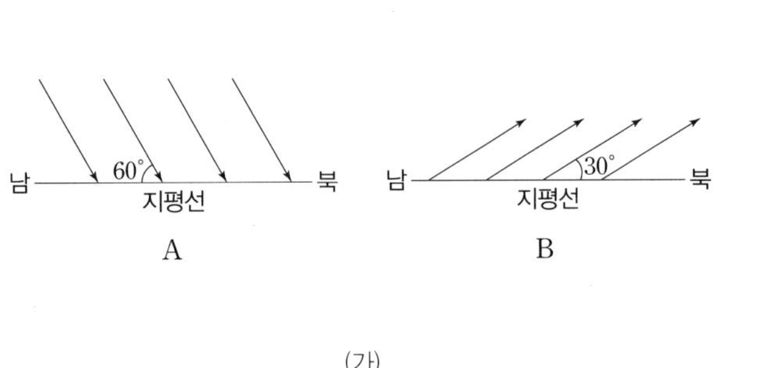

(가)

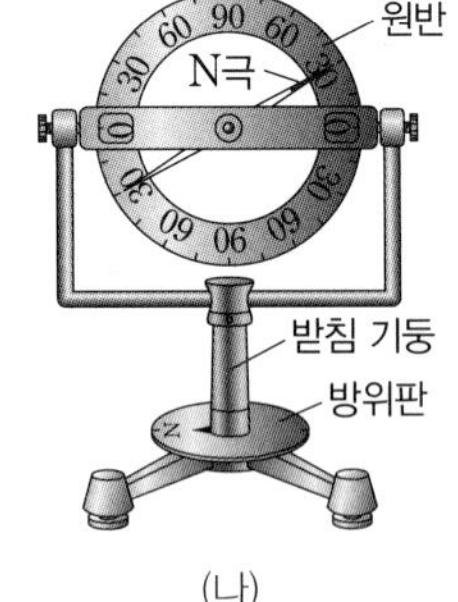

(나)

이에 대한 설명으로 옳은 것만을 〈보기〉에서 있는 대로 고른 것은?

보기

ㄱ. A는 남반구이다.

ㄴ. (나)는 B에서 측정한 모습이다.

ㄷ. $\frac{\text{연직 자기력}}{\text{수평 자기력}}$은 A가 B보다 크다.

① ㄱ　② ㄴ　③ ㄷ　④ ㄱ, ㄴ　⑤ ㄴ, ㄷ

유사점과 차이점

복각계를 이용하여 지구 자기장의 복각을 측정하는 모습은 대표 문제와 유사하지만, 서로 다른 지역의 지구 자기장 방향을 비교하고 분석하는 점에서 대표 문제와 다르다.

배경 지식

- 지구 자기장의 방향이 수평면에 대하여 기울어진 각을 복각이라고 한다.
- 어느 지점에서 지구 자기장의 세기를 전 자기력이라고 하며, 전 자기력의 수평 성분을 수평 자기력, 연직 성분을 연직 자기력이라고 한다.

01

▸24073-0023

그림 (가)와 (나)는 프래트의 지각 평형설과 에어리의 지각 평형설을 설명하기 위한 모형을 순서 없이 나타낸 것이다.

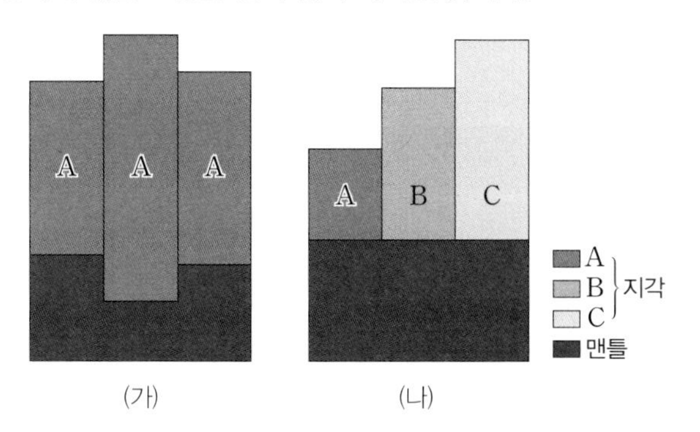

이에 대한 설명으로 옳은 것만을 〈보기〉에서 있는 대로 고른 것은?

보기
ㄱ. (가)는 프래트의 지각 평형설을 설명하는 모형이다.
ㄴ. (나)에서 지각의 밀도는 A, B, C 중에서 C가 가장 크다.
ㄷ. 해수면을 기준으로 한 실제 모호면의 깊이는 (나)보다 (가)로 설명할 수 있다.

① ㄱ ② ㄷ ③ ㄱ, ㄴ
④ ㄴ, ㄷ ⑤ ㄱ, ㄴ, ㄷ

02

▸24073-0024

그림은 1만 년 동안 빙하의 융해로 인해 스칸디나비아반도 지역이 융기한 높이를 나타낸 것이다.

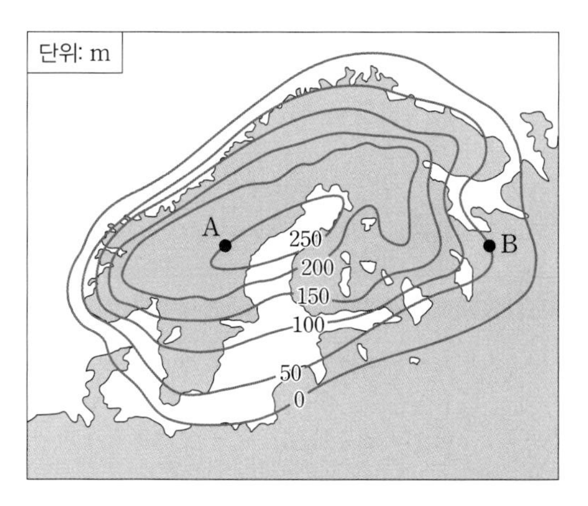

이에 대한 설명으로 옳은 것만을 〈보기〉에서 있는 대로 고른 것은?

보기
ㄱ. 1만 년 동안 빙하 두께의 변화는 A 지점이 B 지점보다 크다.
ㄴ. 지각의 두께가 일정했다면 현재 A 지점의 모호면의 깊이는 1만 년 전에 비해 얕아졌다.
ㄷ. 이 지역은 조륙 운동이 일어났다.

① ㄱ ② ㄴ ③ ㄱ, ㄷ
④ ㄴ, ㄷ ⑤ ㄱ, ㄴ, ㄷ

03

▸24073-0025

그림은 지구 타원체에서 동일 경도상에 위치한 지점 A와 B를 나타낸 것이다. ㉠과 ㉡은 각각 원심력과 만유인력 중 하나이다.

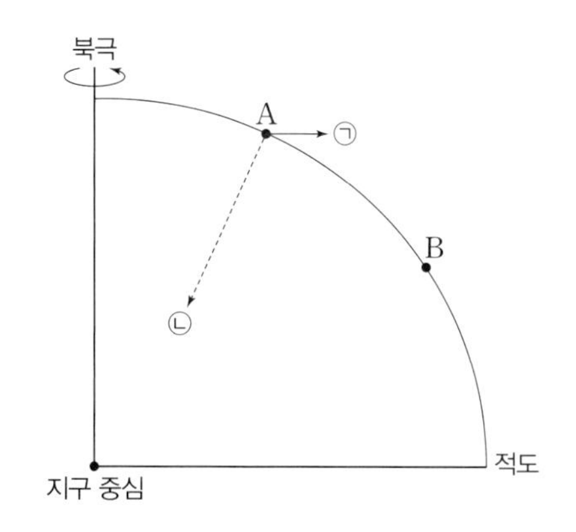

이에 대한 설명으로 옳은 것만을 〈보기〉에서 있는 대로 고른 것은?

보기
ㄱ. ㉠은 원심력이다.
ㄴ. ㉡은 A가 B보다 작다.
ㄷ. A에서 표준 중력의 방향은 지구 중심 방향이다.

① ㄱ ② ㄴ ③ ㄱ, ㄷ
④ ㄴ, ㄷ ⑤ ㄱ, ㄴ, ㄷ

04

▸24073-0026

그림은 지구 타원체의 위도가 동일한 지점 A, B, C에서 측정한 중력 이상을 나타낸 것이다. ㉠과 ㉡은 지하 물질을 나타낸다.

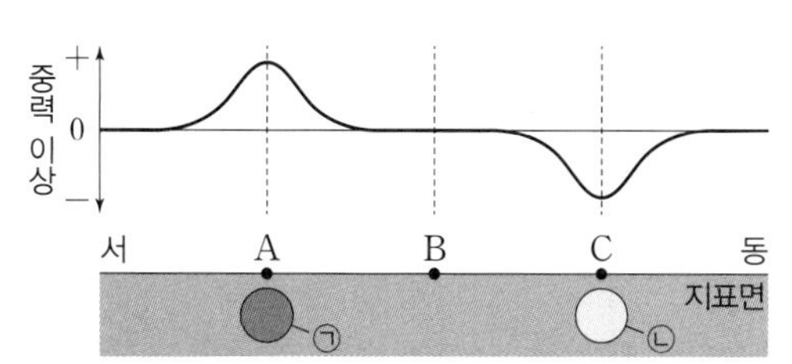

이에 대한 설명으로 옳은 것만을 〈보기〉에서 있는 대로 고른 것은? (단, 이 지역의 해발 고도는 같다.)

보기
ㄱ. 표준 중력은 A와 B에서 같다.
ㄴ. C에서는 실측 중력이 표준 중력보다 크다.
ㄷ. ㉠은 ㉡에 비해 밀도가 작다.

① ㄱ ② ㄷ ③ ㄱ, ㄴ
④ ㄴ, ㄷ ⑤ ㄱ, ㄴ, ㄷ

05

▸24073-0027

그림은 내부 물질의 분포가 균질한 지구 타원체에서 원심력과 만유인력의 크기를 위도에 따라 나타낸 것이다. A와 B는 각각 원심력과 만유인력 중 하나이다.

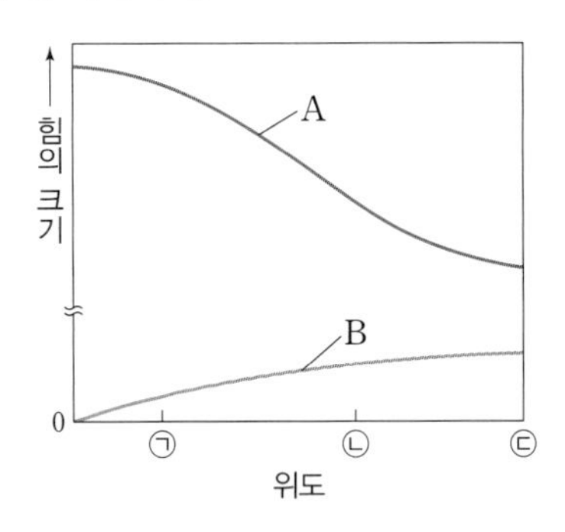

이에 대한 설명으로 옳은 것만을 〈보기〉에서 있는 대로 고른 것은?

보기
ㄱ. 표준 중력은 ㉠이 ㉢보다 크다.
ㄴ. 동일한 단진자의 진동 주기는 ㉠이 ㉡보다 짧다.
ㄷ. ㉢에서 A와 B가 작용하는 방향은 같다.

① ㄱ ② ㄷ ③ ㄱ, ㄴ
④ ㄴ, ㄷ ⑤ ㄱ, ㄴ, ㄷ

06

▸24073-0028

그림 (가)는 지구 자기 요소를, (나)는 지구 표면에 북극과 자북극의 위치를 나타낸 것이다. ㉠과 ㉡은 각각 복각과 편각 중 하나이다.

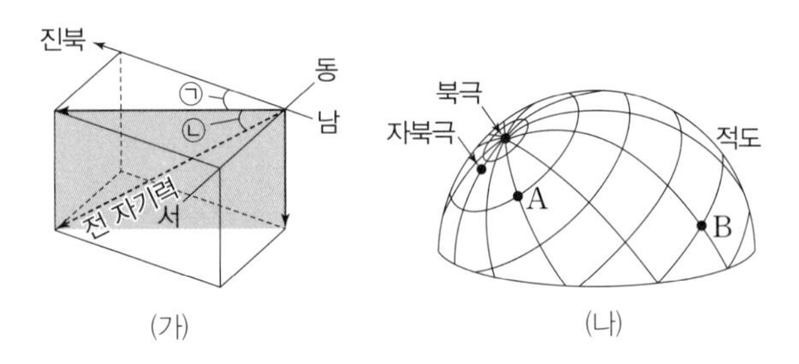

이에 대한 설명으로 옳은 것만을 〈보기〉에서 있는 대로 고른 것은?

보기
ㄱ. ㉠은 편각이다.
ㄴ. 연직 자기력은 A가 B보다 작다.
ㄷ. ㉡은 A가 B보다 크다.

① ㄱ ② ㄴ ③ ㄱ, ㄷ
④ ㄴ, ㄷ ⑤ ㄱ, ㄴ, ㄷ

07

▸24073-0029

그림 (가)와 (나)는 위도가 다른 지역에서의 자기력선을 나타낸 것이다.

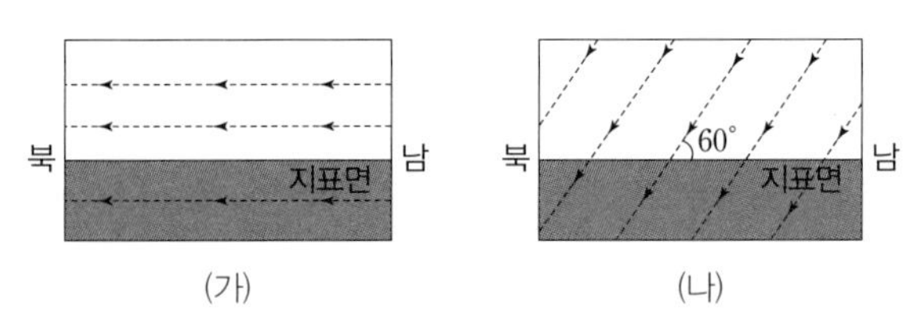

이에 대한 설명으로 옳은 것만을 〈보기〉에서 있는 대로 고른 것은?

보기
ㄱ. (가)는 자북극 부근의 자기력선이다.
ㄴ. (나)에서 복각은 +30°이다.
ㄷ. $\frac{\text{수평 자기력}}{\text{전 자기력}}$은 (가)가 (나)보다 크다.

① ㄱ ② ㄷ ③ ㄱ, ㄴ
④ ㄴ, ㄷ ⑤ ㄱ, ㄴ, ㄷ

08

▸24073-0030

다음은 지구 자기권과 밴앨런대의 모습에 대한 학생 A, B, C의 대화를 나타낸 것이다. ㉠과 ㉡은 각각 외대와 내대 중 하나이다.

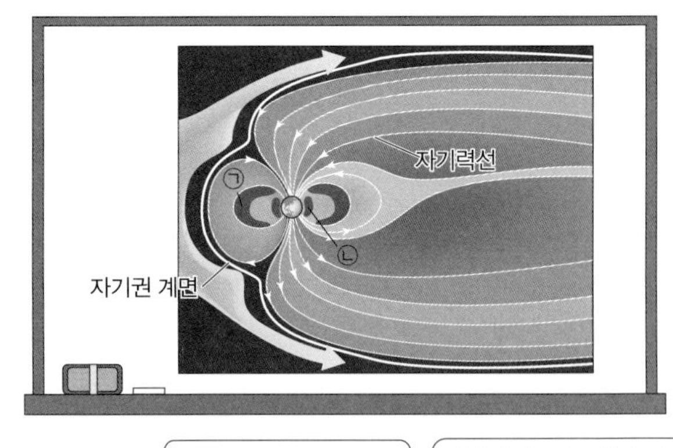

제시한 내용이 옳은 학생만을 있는 대로 고른 것은?

① A ② C ③ A, B
④ B, C ⑤ A, B, C

01

▸24073-0031

다음은 지각 평형의 원리를 알아보기 위한 실험이다.

[실험 과정]

(가) 단면적과 밀도가 같고, 길이가 다른 나무토막 A와 B를 준비한다. 물이 담긴 수조에 나무토막 A와 B를 띄우고, 물에 잠긴 부분의 길이를 측정한다.

(나) 단면적이 같고, 밀도와 길이가 다른 나무토막 A와 C를 준비한다. 물이 담긴 수조에 나무토막 A와 C를 띄우고, 물에 잠긴 부분의 길이를 측정한다.

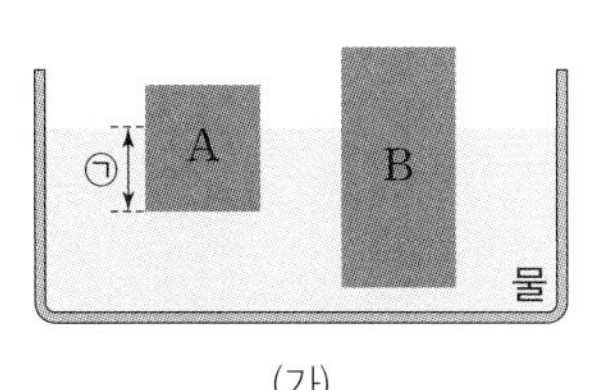

(가)

[실험 결과]

구분	(가)		(나)	
	A	B	A	C
나무토막 전체 길이(cm)	3	6	3	4
물에 잠긴 부분의 길이(cm)	㉠	4	2	2

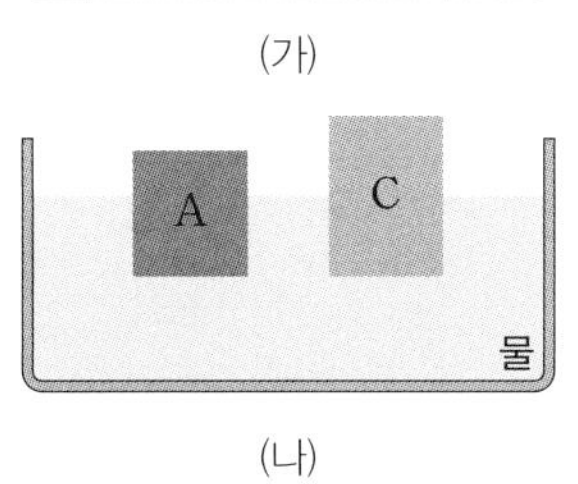

(나)

이에 대한 설명으로 옳은 것만을 〈보기〉에서 있는 대로 고른 것은?

보기

ㄱ. ㉠은 2이다.

ㄴ. (나)에서 나무토막의 밀도는 A가 C보다 크다.

ㄷ. (가)는 에어리의 지각 평형설의 원리를 알아보기 위한 과정이다.

① ㄱ ② ㄴ ③ ㄱ, ㄷ ④ ㄴ, ㄷ ⑤ ㄱ, ㄴ, ㄷ

02

▸24073-0032

그림 (가)와 (나)는 어느 지역의 대륙 지각에 빙하가 녹기 전과 녹은 후의 모습을 나타낸 것이다. (가)와 (나)는 각각 지각 평형을 이루고 있다.

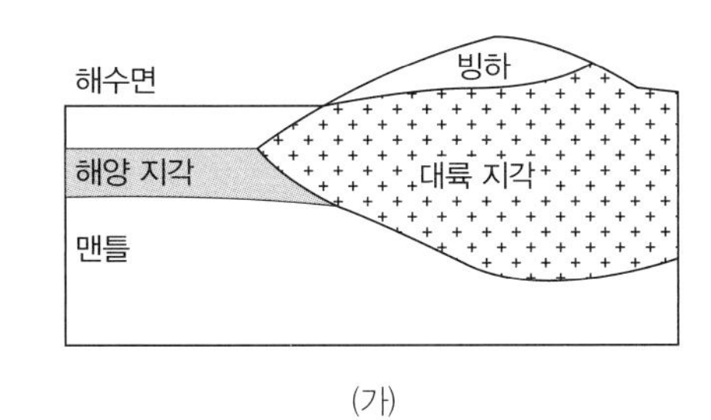

(가)

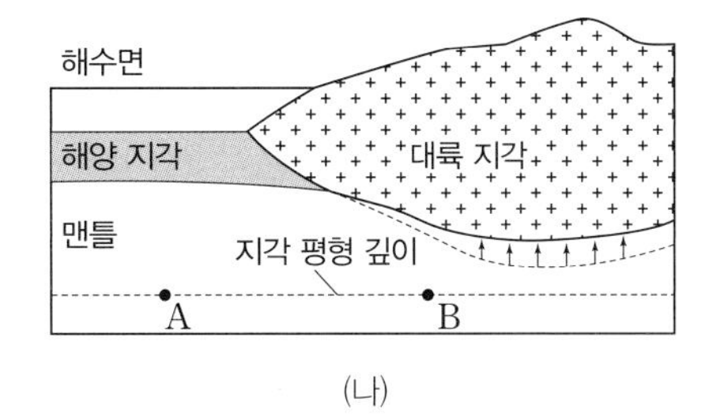

(나)

이에 대한 설명으로 옳은 것만을 〈보기〉에서 있는 대로 고른 것은?

보기

ㄱ. (가)에서 밀도는 대륙 지각이 해양 지각보다 크다.

ㄴ. (나)에서 A와 B에서의 압력은 같다.

ㄷ. (나)에서 대륙 지각은 융기하였다.

① ㄱ ② ㄴ ③ ㄱ, ㄷ ④ ㄴ, ㄷ ⑤ ㄱ, ㄴ, ㄷ

03

▸24073-0033

그림은 지구 타원체에서 동일한 경도에 위치한 지점 A와 B의 위치를 나타낸 것이다.

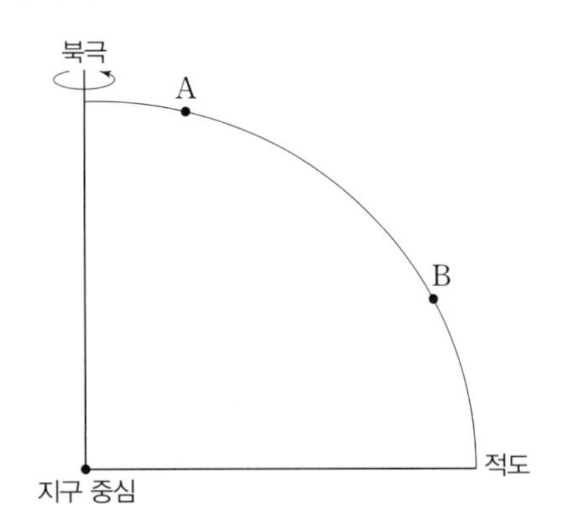

이에 대한 설명으로 옳은 것만을 〈보기〉에서 있는 대로 고른 것은?

보기

ㄱ. 동일한 단진자의 주기는 B보다 A에서 짧다.
ㄴ. 지구 자전에 의한 원심력의 크기는 A가 B보다 크다.
ㄷ. A와 B에서 중력의 방향은 지구 중심 방향이다.

① ㄱ ② ㄴ ③ ㄱ, ㄷ ④ ㄴ, ㄷ ⑤ ㄱ, ㄴ, ㄷ

04

▸24073-0034

그림은 제주도에서 조사한 중력 이상을 나타낸 것이다.

단위: mGal
33°50′N
33°30′
126°30′
127°00′E
A B C
10 15 20 25 30

이에 대한 설명으로 옳은 것만을 〈보기〉에서 있는 대로 고른 것은?

보기

ㄱ. 표준 중력은 A, B, C 중에서 A가 가장 크다.
ㄴ. B에서는 실측 중력이 표준 중력보다 크다.
ㄷ. 중력 이상 분포를 조사하는 방법으로 지하 물질의 분포를 알 수 있다.

① ㄱ ② ㄷ ③ ㄱ, ㄴ ④ ㄴ, ㄷ ⑤ ㄱ, ㄴ, ㄷ

05

▸24073-0035

그림 (가)와 (나)는 어느 시기에 영국 주변의 편각과 복각 분포를, (다)는 A와 B 지점 중 어느 한 지점에서 나침반 자침이 배열된 모습을 나타낸 것이다.

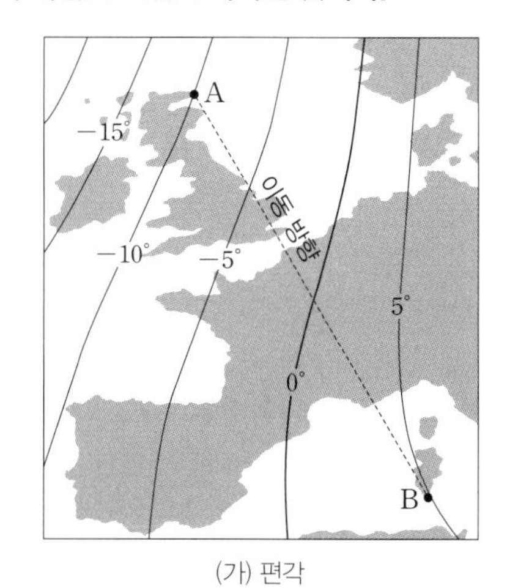

(가) 편각

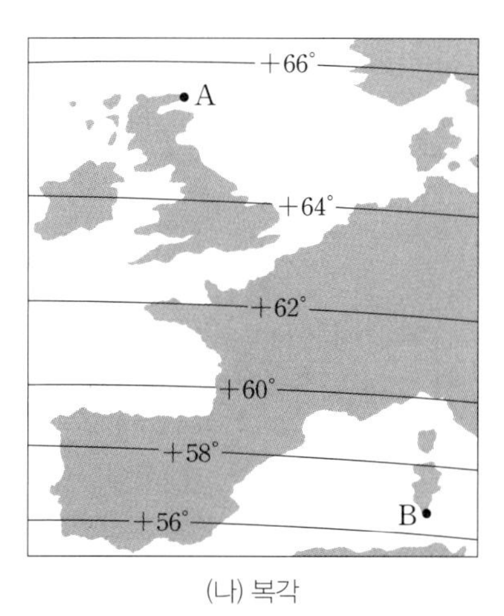

(나) 복각

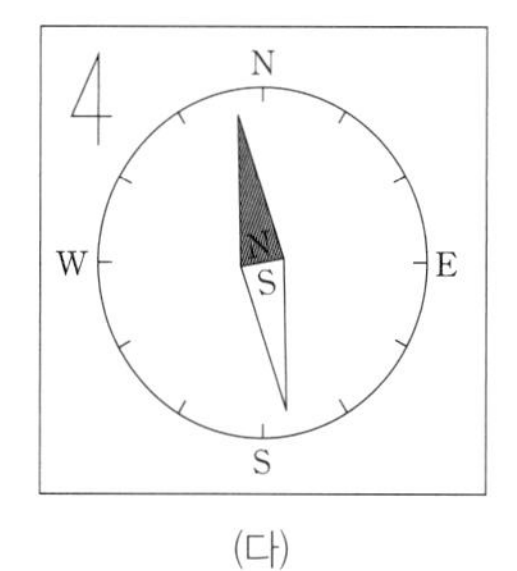

(다)

이에 대한 설명으로 옳은 것만을 〈보기〉에서 있는 대로 고른 것은?

보기

ㄱ. (다)는 A 지점에서 나침반 자침이 배열된 모습이다.
ㄴ. 지구 자기장의 방향이 수평면과 기울어진 각은 A가 B보다 작다.
ㄷ. B에서 A로 이동할 때 나침반의 자침은 시계 방향으로 움직인다.

① ㄱ ② ㄴ ③ ㄱ, ㄷ ④ ㄴ, ㄷ ⑤ ㄱ, ㄴ, ㄷ

06

▸24073-0036

그림 (가)는 현재 지구 자기장 및 밴앨런대의 모습과 태양풍의 방향을, (나)는 북반구 어느 지역에서 관측한 지구 자기장의 세기 변화를 나타낸 것이다. (나)의 A 기간 동안에 자기 폭풍이 발생하였다.

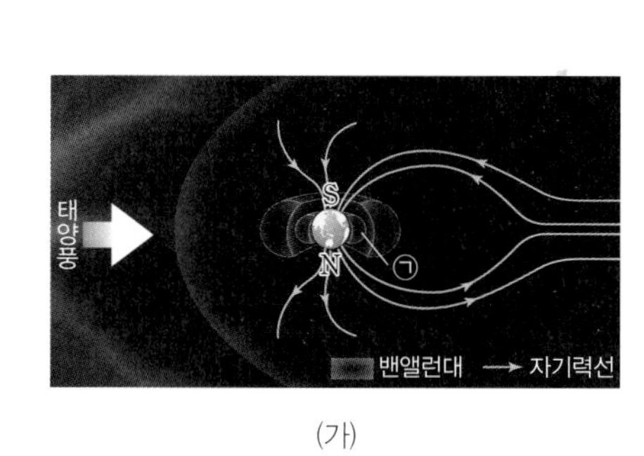

(가)

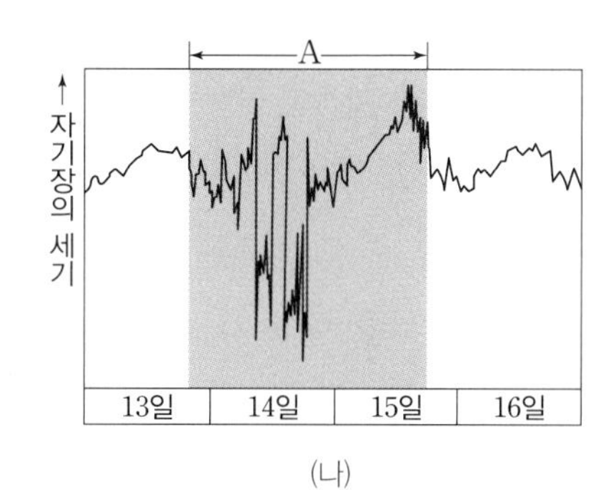

(나)

이에 대한 설명으로 옳은 것만을 〈보기〉에서 있는 대로 고른 것은?

보기

ㄱ. ㉠은 주로 양성자로 이루어져 있다.
ㄴ. 태양풍의 세기는 A 기간 이전보다 A 기간에 강해졌다.
ㄷ. 지구 자기장은 주로 태양풍에 의해 형성된다.

① ㄱ ② ㄷ ③ ㄱ, ㄴ ④ ㄴ, ㄷ ⑤ ㄱ, ㄴ, ㄷ

테마 03 광물

1 광물

(1) 광물의 정의와 종류: 일정한 화학 성분과 결정 구조를 가지고, 자연에서 산출되는 무기물의 고체를 광물이라고 한다. 광물은 규산염 광물과 비규산염 광물로 나뉘며, 비규산염 광물은 원소 광물, 산화 광물, 탄산염 광물 등으로 구분되고, 규산염 광물은 지각의 약 90 %를 차지한다.

(2) 광물의 결정 형태

① 자형: 고유한 결정면을 가진 형태로, 고온에서 먼저 정출된다.

② 반자형: 먼저 정출된 광물의 부분적인 방해로 일부만 고유한 결정면을 가진다.

③ 타형: 먼저 정출된 광물들 사이에서 정출되어 고유한 결정면을 갖추지 못한다.

(3) 규산염 광물의 결합 구조와 물리적 성질

① 색: 고유의 화학 조성과 결정 구조 때문에 특정 파장의 빛을 선택적으로 흡수하거나 반사하여 나타난다. ➡ 유색 광물은 Fe, Mg 함량비가 높고, 무색 광물은 Si나 Na, K 함량비가 높다.

② 조흔색: 광물 가루의 색으로, 조흔판에 긁어 확인한다.

③ 굳기: 광물을 이루는 원자나 이온들의 결합 방식과 구조에 따라 원자나 이온들 사이의 결합력이 달라서 광물마다 단단한 정도가 다르다.

④ 쪼개짐과 깨짐: 광물에 물리적 힘을 가했을 때 결합력이 가장 약한 면을 따라 특정한 방향으로 갈라지는 성질을 쪼개짐, 불규칙하게 방향성 없이 깨지는 것을 깨짐이라고 한다.

- 산소를 공유한 규산염들의 결합 구조는 원자들 간에 공유 결합을 하고 있으므로 결합력이 강하고, 규산염과 양이온의 이온 결합이나 기타 다른 결합은 상대적으로 결합력이 약하다. ➡ 결합 구조가 사슬 형태인 휘석과 각섬석은 길게 두 방향으로, 판상 구조인 흑운모는 면의 형태로 한 방향으로 쪼개지고, 석영과 같이 모든 방향으로 결합력이 같은 망상 구조는 깨짐이 나타난다.

⑤ 광택: 광물 표면에서 반사되는 빛에 대한 느낌을 말하며, 금속 광택과 비금속 광택으로 구분한다.

2 편광 현미경과 암석 조직

(1) 광물의 광학적 성질

① 광학적 등방체와 이방체: 빛이 광물 내에서 단굴절하는 광물을 광학적 등방체, 복굴절하는 광물을 광학적 이방체라고 한다.

② 편광 현미경으로 관찰하는 성질

- 개방 니콜에서는 투명성, 색의 유무, 다색성, 결정형, 쪼개짐을, 직교 니콜에서는 간섭색, 소광 현상 등을 주로 관찰할 수 있다.
- 다색성: 개방 니콜에서 유색의 광학적 이방체 광물의 박편을 회전시킬 때 회전 각도에 따라 광물의 색과 밝기가 변하는 현상
- 간섭색: 직교 니콜에서 광학적 이방체 광물의 박편을 관찰할 때 복굴절된 두 광선이 서로 간섭을 일으켜 나타나는 색
- 소광 현상: 직교 니콜에서 광학적 이방체 광물의 박편을 360° 회전시킬 때 4회 어두워지는 현상

(2) 암석의 조직

① 화성암의 조직

- 입자의 크기: 구성 입자의 크기에 따라 조립질, 세립질, 유리질, 반상 조직 등으로 구분한다.
- 결정 형태: 먼저 생성된 광물은 결정면이 잘 발달하므로 이를 이용하여 광물의 생성 순서를 알 수 있다.

② 퇴적암의 조직

- 쇄설성 퇴적암: 구성하고 있는 입자의 모서리가 마모되어 있고, 입자 사이에 교결 물질이 채워져 있는 쇄설성 조직을 볼 수 있다.
- 유기적 퇴적암: 죽은 생물체의 골격이나 껍데기 파편이 관찰되는 경우가 많다.

③ 변성암의 조직

- 엽리가 있는 경우는 엽리의 두께와 광물의 입자 크기를 이용하여 변성 환경을 유추할 수 있다.
- 엽리가 없는 경우는 혼펠스 조직이나 입상 변정질 조직이 나타나므로 열변성 환경을 유추할 수 있다.

더 알기 규산염 광물의 결합 구조

규산염 광물은 1개의 규소와 4개의 산소가 결합한 규산염 사면체(SiO_4)를 기본 단위로 하며, 규산염 사면체의 배열과 결합하는 양이온에 따라 광물의 결정형과 물리적·광학적 성질이 달라진다.

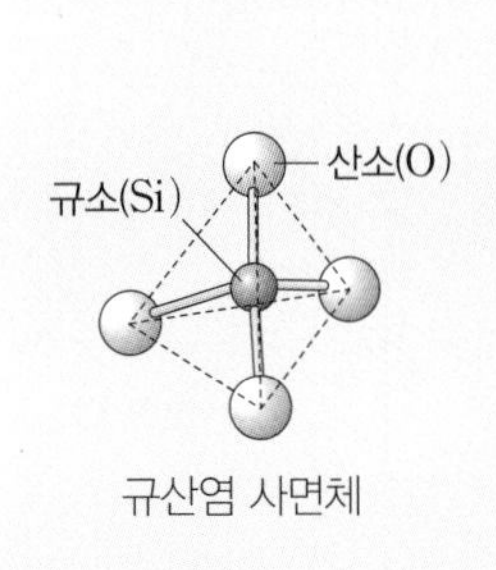

규산염 사면체

구분	독립형 구조	단사슬 구조	복사슬 구조	판상 구조	망상 구조
결합 구조	규소(Si) 산소(O)				
광물	감람석	휘석	각섬석	흑운모	석영
Si : O	1 : 4	1 : 3	4 : 11	2 : 5	1 : 2
쪼개짐/깨짐	깨짐	쪼개짐 2방향	쪼개짐 2방향	쪼개짐 1방향	깨짐

테마 대표 문제

| 2024학년도 수능 |

표는 규산염 광물 A, B, C의 SiO_4 사면체 결합 구조와 원자 수의 비를 나타낸 것이다. A, B, C는 각각 석영, 휘석, 흑운모 중 하나이다.

광물	A	B	C
결합 구조			
원자 수의 비 (Si : O)	(㉠)	( )	1 : 2

• 규소(Si) ● 산소(O)

이에 대한 설명으로 옳은 것만을 〈보기〉에서 있는 대로 고른 것은?

보기

ㄱ. ㉠은 2 : 5이다.

ㄴ. B의 SiO_4 사면체 결합 구조는 판상 구조이다.

ㄷ. 이웃한 SiO_4 사면체끼리의 공유 산소 수는 A가 C보다 많다.

① ㄱ ② ㄴ ③ ㄷ ④ ㄱ, ㄴ ⑤ ㄴ, ㄷ

접근 전략

규산염 광물은 SiO_4 사면체를 기본 단위로 하며, SiO_4 사면체 간의 결합 구조가 다르다. 결합 구조에서 SiO_4 사면체 간의 산소 공유를 확인하면 원자 수의 비를 확인할 수 있으며, 결합 구조의 모양을 보면 구조의 특징을 확인할 수 있다.

간략 풀이

A는 휘석, B는 흑운모, C는 석영이다.

ㄱ (X). 휘석은 결합 구조가 단사슬 구조로, SiO_4 사면체 사이에서 2개의 산소 원자를 공유하고 있으므로, ㉠은 1 : 3이다.

ㄴ (O). B는 SiO_4 사면체를 구성하는 4개의 산소 원자 중 3개를 이웃한 SiO_4 사면체와 공유한 판상 구조이다.

ㄷ (X). 이웃한 SiO_4 사면체끼리의 공유 산소 수는 망상 구조인 C가 단사슬 구조인 A보다 많다.

정답 | ②

닮은 꼴 문제로 유형 익히기

정답과 해설 7쪽

▸24073-0037

표는 규산염 광물 A, B, C의 SiO_4 사면체 결합 구조와 쪼개짐을 나타낸 것이다. A, B, C는 각각 감람석, 각섬석, 흑운모 중 하나이다.

광물	A	B	C
결합 구조			
쪼개짐	2방향	1방향	없음

• 규소(Si) ● 산소(O)

이에 대한 설명으로 옳은 것만을 〈보기〉에서 있는 대로 고른 것은?

보기

ㄱ. A는 감람석이다.

ㄴ. B에 힘을 가하면 판상 모양으로 떨어져 나간다.

ㄷ. SiO_4 사면체 결합 구조에서 $\frac{\text{Si 원자 수}}{\text{O 원자 수}}$는 A가 C보다 작다.

① ㄱ ② ㄴ ③ ㄷ ④ ㄱ, ㄴ ⑤ ㄴ, ㄷ

유사점과 차이점

광물의 SiO_4 사면체의 결합 구조를 이용하여 광물을 분류하는 것은 대표 문제와 유사하지만, 광물의 특징인 쪼개짐을 비교하는 점에서 대표 문제와 다르다.

배경 지식

- 광물에 충격을 가했을 때 결합력이 약한 부분을 따라 규칙성을 가지고 갈라지면 쪼개짐, 불규칙하게 부서지면 깨짐이 나타난다.
- 규산염 광물은 SiO_4 사면체를 기본 단위로 하며, SiO_4 사면체가 다른 이온과 결합되어 이루어진 광물이다.

01

▸24073-0038

그림은 암석 박편에 있는 광물의 결정 형태를 A, B, C로 나타낸 것이다. A, B, C는 각각 타형, 자형, 반자형 중 하나이다.

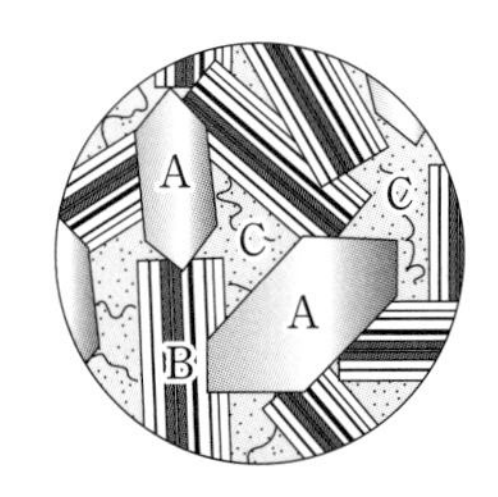

이에 대한 설명으로 옳은 것만을 〈보기〉에서 있는 대로 고른 것은?

보기
ㄱ. A는 자형이다.
ㄴ. A는 B보다 고온에서 정출되었다.
ㄷ. C는 고유한 결정면을 갖고 있다.

① ㄱ ② ㄷ ③ ㄱ, ㄴ
④ ㄴ, ㄷ ⑤ ㄱ, ㄴ, ㄷ

02

▸24073-0039

표는 방해석과 석영의 특성을 나타낸 것이다.

광물	쪼개짐/깨짐	화학식	모스 굳기
방해석	쪼개짐	$CaCO_3$	3
석영	㉠	SiO_2	7

이에 대한 설명으로 옳은 것만을 〈보기〉에서 있는 대로 고른 것은?

보기
ㄱ. ㉠은 깨짐이다.
ㄴ. 방해석은 묽은 염산과 반응한다.
ㄷ. 석영으로 방해석을 긁으면 방해석이 긁힌다.

① ㄱ ② ㄴ ③ ㄱ, ㄷ
④ ㄴ, ㄷ ⑤ ㄱ, ㄴ, ㄷ

03

▸24073-0040

표는 규산염 광물의 주요 특징을 나타낸 것이다. (가), (나), (다)는 각각 감람석, 휘석, 각섬석 중 하나이다.

광물	(가)	(나)	(다)
결합 구조	규소(Si), 산소(O)		

이에 대한 설명으로 옳은 것만을 〈보기〉에서 있는 대로 고른 것은?

보기
ㄱ. (가)는 감람석이다.
ㄴ. (나)의 결합 구조는 복사슬 구조이다.
ㄷ. SiO_4 사면체 결합 구조에서 $\frac{\text{O 원자 수}}{\text{Si 원자 수}}$는 (가)<(나)<(다)이다.

① ㄱ ② ㄷ ③ ㄱ, ㄴ
④ ㄴ, ㄷ ⑤ ㄱ, ㄴ, ㄷ

04

▸24073-0041

그림 (가)와 (나)는 점선이 인쇄된 종이 위에 방해석 광물을 올리고 관찰했을 때의 모습과 편광판을 광물 위에 올리고 관찰했을 때의 모습을 순서 없이 나타낸 것이다.

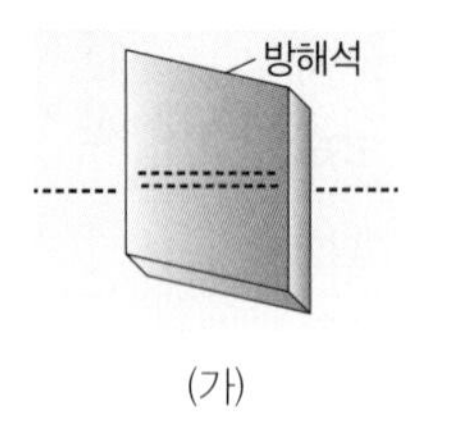

(가)

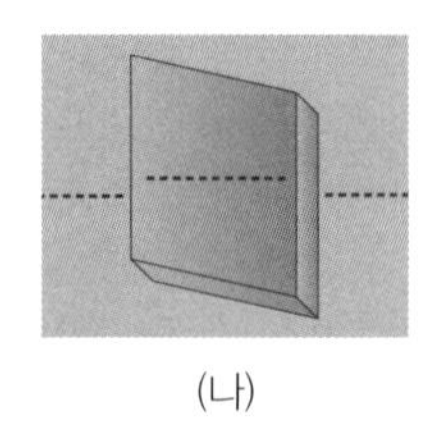
(나)

이에 대한 설명으로 옳은 것만을 〈보기〉에서 있는 대로 고른 것은?

보기
ㄱ. (가)에서는 복굴절이 일어났다.
ㄴ. (나)는 편광판을 광물 위에 올리고 관찰한 모습이다.
ㄷ. 종이 위에 방해석 대신 유리를 올려놓아도 (가)와 같은 모습을 관찰할 수 있다.

① ㄱ ② ㄷ ③ ㄱ, ㄴ
④ ㄴ, ㄷ ⑤ ㄱ, ㄴ, ㄷ

05

▸24073-0042

그림 (가)와 (나)는 편광 현미경의 개방 니콜과 직교 니콜에서 광물에 통과하는 빛의 진행 과정을 나타낸 것이다.

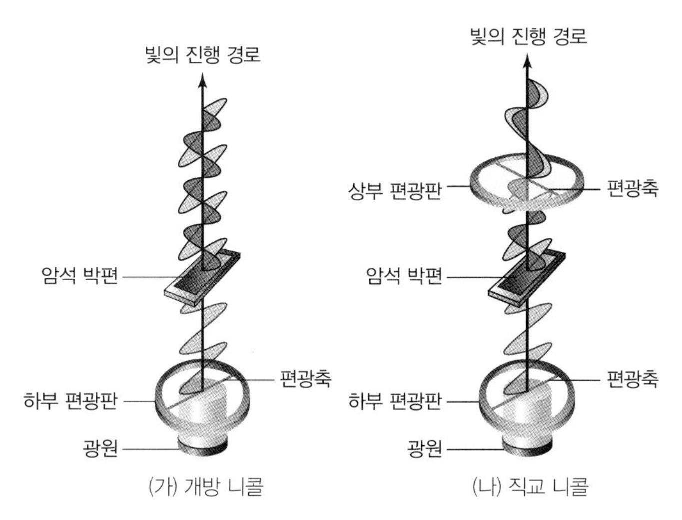

(가) 개방 니콜 (나) 직교 니콜

이에 대한 설명으로 옳은 것만을 <보기>에서 있는 대로 고른 것은?

보기
ㄱ. (가)에서는 간섭색을 확인할 수 있다.
ㄴ. (나)에서 암석 박편을 회전시킬 때 소광 현상을 확인할 수 있다.
ㄷ. 광학적 이방체 광물은 (가)와 (나)에서 광학적 특징을 관찰할 수 있다.

① ㄱ ② ㄷ ③ ㄱ, ㄴ
④ ㄴ, ㄷ ⑤ ㄱ, ㄴ, ㄷ

06

▸24073-0043

그림 (가)와 (나)는 현무암과 화강암을 동일한 배율의 편광 현미경으로 관찰한 모습을 순서 없이 나타낸 것이다.

(가)

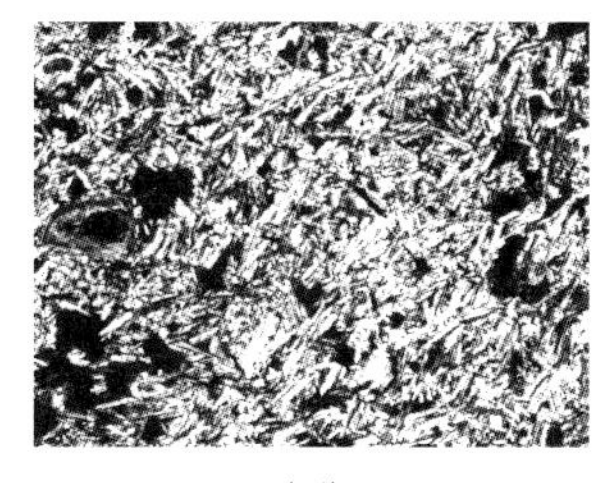
(나)

이에 대한 설명으로 옳은 것만을 <보기>에서 있는 대로 고른 것은?

보기
ㄱ. (가)는 화강암이다.
ㄴ. (나)는 조립질 조직이 나타난다.
ㄷ. (나)는 (가)보다 깊은 곳에서 생성된다.

① ㄱ ② ㄴ ③ ㄱ, ㄷ
④ ㄴ, ㄷ ⑤ ㄱ, ㄴ, ㄷ

07

▸24073-0044

다음은 퇴적암의 분류를 보고 학생들이 나눈 대화를 나타낸 것이다.

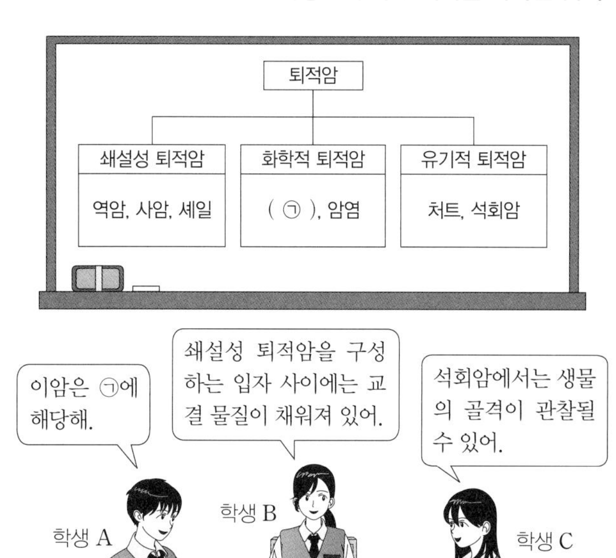

제시한 내용이 옳은 학생만을 있는 대로 고른 것은?

① A ② C ③ A, B
④ B, C ⑤ A, B, C

08

▸24073-0045

그림 (가), (나), (다)는 변성암을 동일한 배율의 편광 현미경으로 관찰한 모습을 나타낸 것이다.

(가) 규암

(나) 편마암

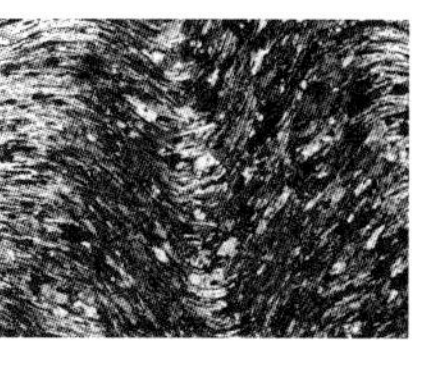
(다) 편암

이에 대한 설명으로 옳은 것만을 <보기>에서 있는 대로 고른 것은?

보기
ㄱ. (가)에서는 입상 변정질 조직이 나타난다.
ㄴ. (나)의 암석은 광역 변성 작용을 받았다.
ㄷ. 입자의 크기는 (나)가 (다)보다 작다.

① ㄱ ② ㄷ ③ ㄱ, ㄴ
④ ㄴ, ㄷ ⑤ ㄱ, ㄴ, ㄷ

정답과 해설 8쪽

01

▸24073-0046

다음은 광물의 물리적 특성을 알아보는 탐구 활동이다.

[탐구 과정]
(가) 흑운모, 석영, 방해석 표본을 준비한다.
(나) 광물의 색을 관찰한다.
(다) 광물이 쇠못에 긁히는지 확인한다.
(라) 망치로 광물에 충격을 주어 쪼개짐 또는 깨짐을 관찰한다.
(마) 묽은 염산을 각 광물에 떨어뜨려 반응을 확인한다.

[탐구 결과]

광물	색	긁힘 여부	쪼개짐/깨짐	묽은 염산과의 반응
A	흑색	긁힘	쪼개짐	반응 없음
B	무색	긁히지 않음	㉠	반응 없음
C	무색	긁힘	쪼개짐	기포가 발생함

이에 대한 설명으로 옳은 것만을 〈보기〉에서 있는 대로 고른 것은?

보기
ㄱ. A는 흑운모이다.
ㄴ. ㉠은 깨짐이다.
ㄷ. 굳기는 B가 C보다 크다.

① ㄱ ② ㄴ ③ ㄱ, ㄷ ④ ㄴ, ㄷ ⑤ ㄱ, ㄴ, ㄷ

02

▸24073-0047

표는 규산염 광물의 주요 특징을 나타낸 것이다. 광물 (가), (나), (다)는 각각 석영, 휘석, 감람석 중 하나이다.

구분	(가)	(나)	(다)
결합 구조	규소(Si) 산소(O)		
화학식	$(Mg, Fe)_2SiO_4$	$(Mg, Fe)SiO_3$	SiO_2
$\frac{\text{O 원자 수}}{\text{Si 원자 수}}$	㉠	㉡	2

이에 대한 설명으로 옳은 것만을 〈보기〉에서 있는 대로 고른 것은?

보기
ㄱ. (가)의 결합 구조는 독립형 구조이다.
ㄴ. 밀도는 (나)가 (다)보다 작다.
ㄷ. ㉠은 ㉡보다 크다.

① ㄱ ② ㄴ ③ ㄱ, ㄷ ④ ㄴ, ㄷ ⑤ ㄱ, ㄴ, ㄷ

03

▸24073-0048

표의 (가)와 (나)는 편광 현미경에 화강암 박편을 올려놓고 재물대를 돌리면서 관찰한 것을 나타낸 것이다. A와 B는 각각 사장석과 흑운모 중 하나이다.

회전각	(가) 개방 니콜	(나) 직교 니콜
0°	A B	A B
45°	A B	A B

이에 대한 설명으로 옳은 것만을 <보기>에서 있는 대로 고른 것은?

보기

ㄱ. A는 사장석이다.
ㄴ. (가)에서 A에서는 다색성을 관찰할 수 있다.
ㄷ. (나)에서 B에서는 재물대의 회전각이 90°일 때, 회전각 45°일 때와 같은 밝기를 관찰할 수 있다.

① ㄱ ② ㄴ ③ ㄱ, ㄷ ④ ㄴ, ㄷ ⑤ ㄱ, ㄴ, ㄷ

04

▸24073-0049

그림 (가), (나), (다)는 현무암, 사암, 규암의 박편을 동일한 배율의 편광 현미경으로 관찰한 모습을 나타낸 것이다.

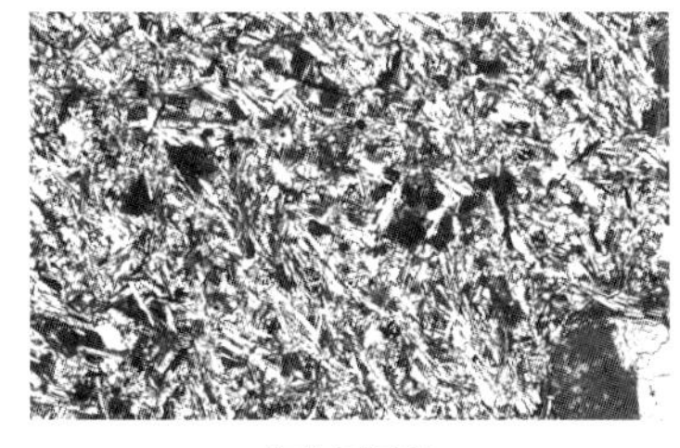
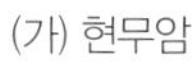
(가) 현무암

(나) 사암

(다) 규암

이에 대한 설명으로 옳은 것만을 <보기>에서 있는 대로 고른 것은?

보기

ㄱ. (가)의 입자는 세립질이다.
ㄴ. (나)에서 입자의 모서리가 마모된 것을 관찰할 수 있다.
ㄷ. (나)가 변성 작용을 받으면 (다)가 된다.

① ㄱ ② ㄷ ③ ㄱ, ㄴ ④ ㄴ, ㄷ ⑤ ㄱ, ㄴ, ㄷ

04 지구의 자원

1 광상

(1) 자원과 광상

① 지하자원: 인간에게 유용하고 가치 있는 물질 및 에너지로 쓸 수 있는 원료를 자원이라고 말한다. 특히 땅속에 묻혀 있는 채취 가능한 자원을 지하자원이라고 한다.

② 광상과 광산: 광물 자원이 지각 내에 채굴이 가능할 정도로 농집되어 있는 장소를 광상이라 하고, 광상에서 채굴한 경제성이 있는 광물 또는 암석을 광석이라고 한다. 광상에서 광석을 채굴하는 곳을 광산이라고 한다.

(2) 화성 광상: 마그마가 냉각되는 과정에서 마그마 속에 포함된 유용한 원소들이 분리되거나 한곳에 집적되어 형성되는 광상을 화성 광상이라고 한다.

- 산출 광물: 백금, 크로뮴, 금강석, 철, 금, 은, 구리, 납, 아연 등

(3) 퇴적 광상: 지표의 광상이나 암석이 풍화, 침식, 운반되는 과정 중에 유용한 광물이 집중적으로 집적되어 형성된 광상이다. 표사 광상과 풍화 잔류 광상, 침전 광상이 있다.

- 산출 광물: 사금, 금강석, 고령토, 보크사이트, 석회석 등

(4) 변성 광상: 기존의 암석이 열과 압력에 의해 변성 작용을 받는 과정에서 새롭게 생긴 유용한 광물이 농집되거나 기존의 광상이 변성 작용을 받아 광물의 조성이 달라져 형성된 광상이다. 광역 변성 광상과 접촉 교대 광상이 있다.

- 산출 광물: 흑연, 활석, 석면 등

2 광물과 암석의 이용

(1) 금속 광물 자원

① 특징

- 대체로 금속 광택이 나고, 불투명하다.
- 금속을 뽑아내는 제련 과정을 거쳐야 한다.
- 전기와 열을 잘 전달한다.

② 금속 광물 자원의 예: 철, 알루미늄, 구리, 아연, 금, 은, 망가니즈, 텅스텐, 희토류, 리튬 등

(2) 비금속 광물 자원

① 특징

- 제련 과정이 필요 없다.
- 암석으로부터 유용한 성분을 분리하거나 이용하기 쉽게 분쇄하는 과정이 필요하다.

② 비금속 광물 자원의 예: 석회석, 고령토, 규석, 운모, 장석, 금강석, 흑연 등

(3) 암석의 이용

암석	이용
화강암	건축 자재
대리암	건축 내장재
석회암	비료, 시멘트, 제철용, 화학 공업 원료
현무암	건축 자재, 맷돌 등

3 해양 자원

(1) 해양 에너지 자원

① 가스수화물: 메테인이나 에테인 등이 저온·고압의 환경에서 물 분자와 결합한 고체 물질이다.

가스수화물

② 화석 연료: 전 세계의 대륙붕에는 많은 양의 석탄, 석유, 천연가스가 매장되어 있다.

③ 조력 발전: 달과 태양의 인력에 의해 발생하는 만조와 간조 때 해수면의 높이 차에 의한 위치 에너지를 이용하여 전기 에너지를 생산하는 방식이다.

④ 조류 발전: 조석에 의해 자연적으로 발생하는 빠른 흐름인 조류에 직접 터빈을 설치함으로써 해수의 수평 흐름을 회전 운동으로 변환시켜 전기 에너지를 생산하는 방식이다.

⑤ 파력 발전: 바람에 의해 생기는 파도의 상하좌우 운동을 이용하여 전기 에너지를 생산하는 방식이다.

⑥ 해양 온도 차 발전: 표층수와 심층수의 온도 차를 이용하여 전기 에너지를 생산하는 방식이다.

(2) 해양 생물 자원: 바다에는 약 30만 종의 생물군이 분포하며, 해양 생물은 육상 생물에 비하여 재생산력이 약 5～7배에 달한다.

(3) 해양 광물 자원: 해수 속의 광물 자원으로는 소금, 브로민, 마그네슘, 금, 은, 우라늄, 리튬 등이 있고, 해저에는 망가니즈 단괴 등이 있다.

(4) 해양 자원 개발의 필요성: 환경 오염, 식량 자원의 고갈, 새로운 광물과 에너지 자원 확보 등을 해결하기 위해 해양 자원을 개발한다.

더 알기 조력 발전과 조류 발전

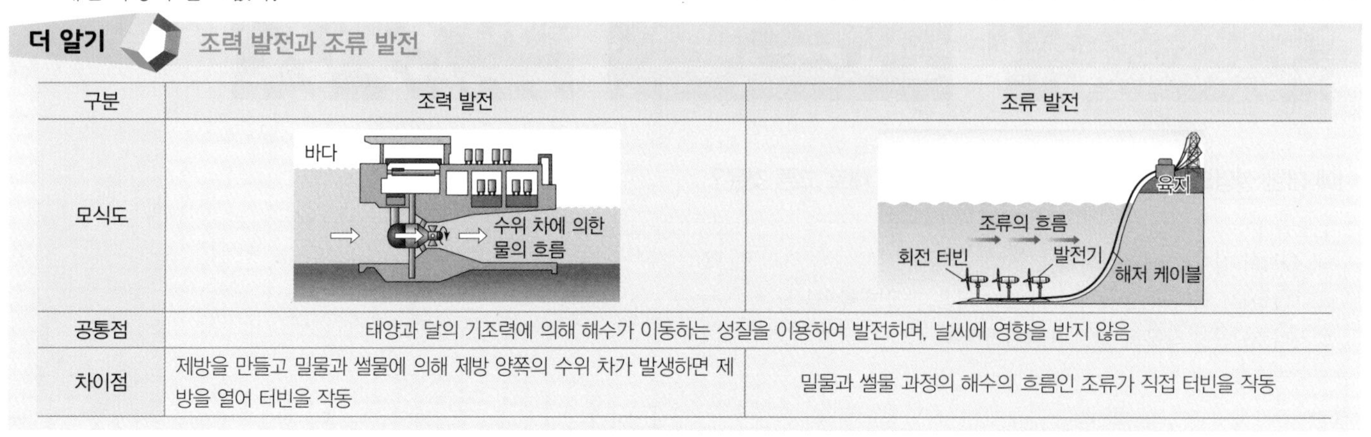

구분	조력 발전	조류 발전
모식도	(그림)	(그림)
공통점	태양과 달의 기조력에 의해 해수가 이동하는 성질을 이용하여 발전하며, 날씨에 영향을 받지 않음	
차이점	제방을 만들고 밀물과 썰물에 의해 제방 양쪽의 수위 차가 발생하면 제방을 열어 터빈을 작동	밀물과 썰물 과정의 해수의 흐름인 조류가 직접 터빈을 작동

테마 대표 문제

| 2024학년도 수능 |

표는 우리나라의 어느 해 주요 광물 자원의 매장량을 나타낸 것이다. A와 B는 각각 금속 광물 자원과 비금속 광물 자원 중 하나이다.

(단위: 백만 톤)

구분	광물	매장량
A	철	44
	희토류	26
B	석회석	(　　)
	고령토	114

이에 대한 설명으로 옳은 것만을 〈보기〉에서 있는 대로 고른 것은?

보기
ㄱ. A는 금속 광물 자원이다.
ㄴ. B는 주로 퇴적 광상에서 산출된다.
ㄷ. 매장량은 희토류가 석회석보다 많다.

① ㄱ　② ㄷ　③ ㄱ, ㄴ　④ ㄴ, ㄷ　⑤ ㄱ, ㄴ, ㄷ

접근 전략

A와 B를 금속 광물 자원과 비금속 광물 자원으로 구분한 후, 우리나라의 주요 광물 자원 매장량의 분포를 이해해야 한다.

간략 풀이

A는 금속 광물 자원, B는 비금속 광물 자원이다.
ㄱ. 철과 희토류는 금속 광물 자원, 석회석과 고령토는 비금속 광물 자원이다.
ㄴ. B는 비금속 광물 자원으로 대부분 퇴적 광상에서 산출된다.
ㄷ. 우리나라에서는 비금속 광물 자원의 매장량이 금속 광물 자원의 매장량보다 많다. 특히, 석회석의 경우 비금속 광물 자원의 매장량 중 대부분을 차지한다.
정답 | ③

닮은 꼴 문제로 유형 익히기

정답과 해설 9쪽

▸24073-0050

그림 (가)와 (나)는 우리나라의 어느 해 주요 금속 광물 자원과 비금속 광물 자원의 생산량을 순서 없이 나타낸 것이다. A와 B는 각각 고령토와 석회석 중 하나이다.

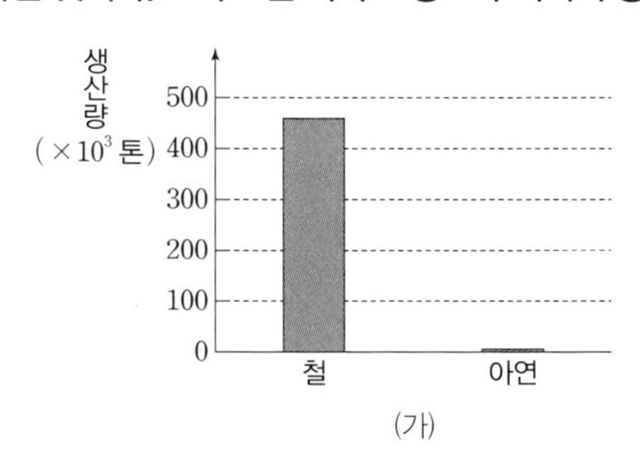

(가)

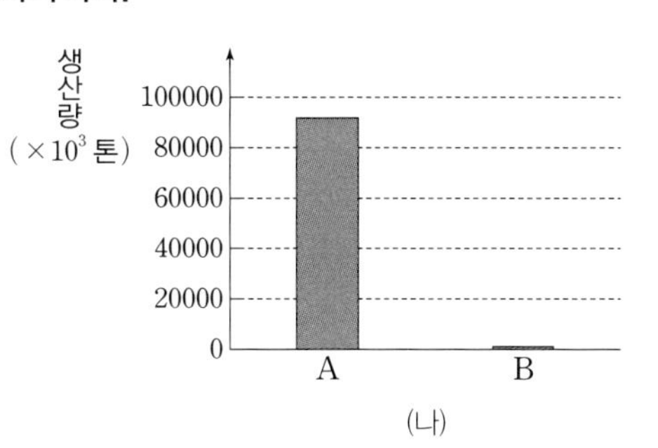

(나)

이에 대한 설명으로 옳은 것만을 〈보기〉에서 있는 대로 고른 것은?

보기
ㄱ. A는 석회석이다.
ㄴ. (나)는 비금속 광물 자원의 생산량이다.
ㄷ. 화성 광상에서 산출되는 광물 자원은 대체로 (가)가 (나)보다 많다.

① ㄱ　② ㄷ　③ ㄱ, ㄴ　④ ㄴ, ㄷ　⑤ ㄱ, ㄴ, ㄷ

유사점과 차이점

금속 광물 자원과 비금속 광물 자원을 비교해야 한다는 점에서 대표 문제와 유사하지만, 매장량이 아닌 생산량을 다룬다는 점에서 대표 문제와 다르다.

배경 지식

- 우리나라 광물 자원의 생산량은 금속 광물이 비금속 광물보다 적다.
- 우리나라에서 생산되는 비금속 광물 자원 중 가장 많은 부분을 차지하는 것은 석회석이다.

01

▸24073-0051

그림은 광상의 종류를 분류하는 과정을 나타낸 것이다.

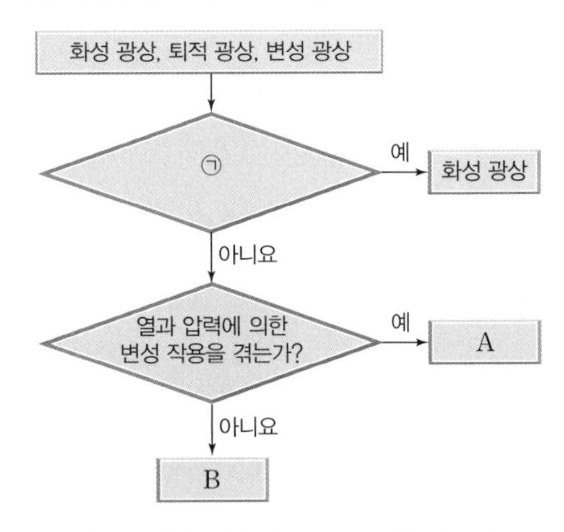

이에 대한 설명으로 옳은 것만을 <보기>에서 있는 대로 고른 것은?

보기
ㄱ. '마그마가 냉각되는 과정에서 형성되었는가?'는 ㉠에 해당한다. ㄴ. 접촉 교대 광상은 A에 포함된다. ㄷ. 석회석은 주로 B에서 산출된다.

① ㄱ　② ㄷ　③ ㄱ, ㄴ　④ ㄴ, ㄷ　⑤ ㄱ, ㄴ, ㄷ

02

▸24073-0052

그림은 마그마 주변의 정마그마 광상과 페그마타이트 광상을 A와 B로 순서 없이 나타낸 것이다. 광상의 형성 온도는 A가 B보다 높다.

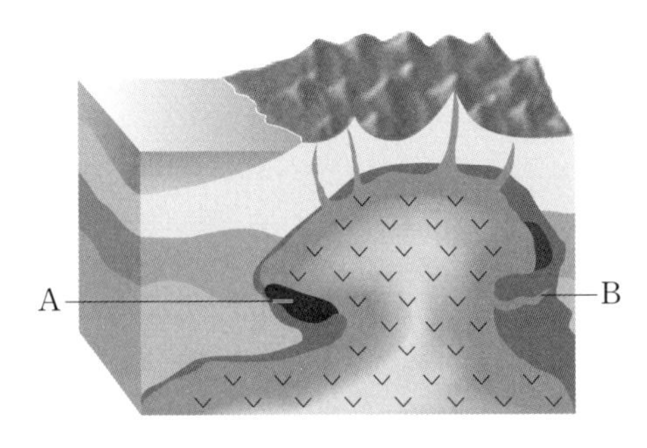

이에 대한 설명으로 옳은 것만을 <보기>에서 있는 대로 고른 것은?

보기
ㄱ. A는 정마그마 광상이다. ㄴ. 석영 광상은 A에서가 B에서보다 잘 발달한다. ㄷ. 산출되는 광물의 평균 밀도는 A가 B보다 크다.

① ㄱ　② ㄴ　③ ㄱ, ㄷ　④ ㄴ, ㄷ　⑤ ㄱ, ㄴ, ㄷ

03

▸24073-0053

그림은 어느 해 조사된 우리나라의 금속 또는 비금속 광물 중 하나의 매장량 비율을 나타낸 것이다.

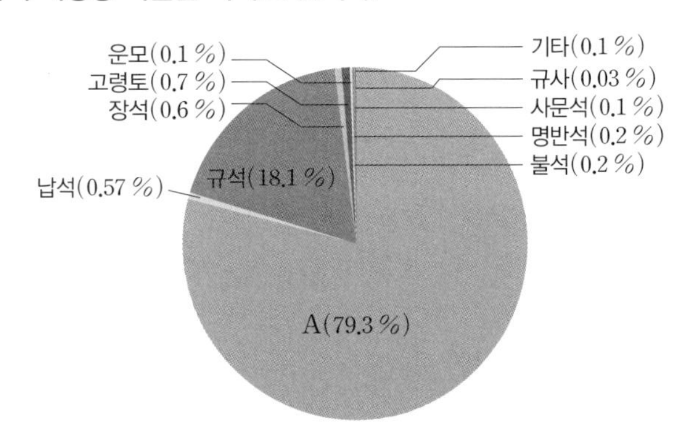

이에 대한 설명으로 옳은 것만을 <보기>에서 있는 대로 고른 것은?

보기
ㄱ. A는 석회석이다. ㄴ. 대부분 화성 광상에서 산출된다. ㄷ. 금속 광물의 매장량 비율을 나타낸 것이다.

① ㄱ　② ㄷ　③ ㄱ, ㄴ　④ ㄴ, ㄷ　⑤ ㄱ, ㄴ, ㄷ

04

▸24073-0054

그림 (가)와 (나)는 각각 고령토와 금강석을 나타낸 것이다.

(가)　(나)

이에 대한 설명으로 옳은 것만을 <보기>에서 있는 대로 고른 것은?

보기
ㄱ. (가)는 이용하기 쉽게 분쇄하는 과정이 필요하다. ㄴ. (나)는 비금속 광물이다. ㄷ. (가)와 (나) 모두 퇴적 광상에서 산출될 수 있다.

① ㄱ　② ㄷ　③ ㄱ, ㄴ　④ ㄴ, ㄷ　⑤ ㄱ, ㄴ, ㄷ

05

▸24073-0055

그림 (가)와 (나)는 우리나라에서 주로 산출되는 광물 자원을 이용한 예를 나타낸 것이다. (가)와 (나)에 사용된 광물 자원은 각각 금속 광물과 비금속 광물 중 하나이다.

(가) 철근

(나) 도자기

이에 대한 설명으로 옳은 것만을 〈보기〉에서 있는 대로 고른 것은?

보기
ㄱ. (가)에 사용된 광물 자원은 화성 광상에서 채취할 수 있다.
ㄴ. (나)의 재료를 만들기 위해 광물 자원의 제련 과정이 필요하다.
ㄷ. (나)는 비금속 광물 자원을 이용한 예이다.

① ㄱ ② ㄴ ③ ㄱ, ㄷ
④ ㄴ, ㄷ ⑤ ㄱ, ㄴ, ㄷ

06

▸24073-0056

표는 암석을 이용하는 사례의 일부를 나타낸 것이다.

암석	이용 사례
화강암	A
B	비료, 시멘트, 화학 공업 원료
현무암	건축 자재, 맷돌 등

이에 대한 설명으로 옳은 것만을 〈보기〉에서 있는 대로 고른 것은?

보기
ㄱ. 건축 자재는 A에 포함될 수 있다.
ㄴ. 석회암은 B로 적절하다.
ㄷ. 화강암과 현무암은 화성 광상의 자원들과 함께 산출될 수 있다.

① ㄱ ② ㄷ ③ ㄱ, ㄴ
④ ㄴ, ㄷ ⑤ ㄱ, ㄴ, ㄷ

07

▸24073-0057

그림은 밀물 동안에만 발전하는 우리나라 서해안의 어느 조력 발전소를 나타낸 것이다. 발전소 제방을 경계로 A는 바다, B는 호수이다.

이에 대한 설명으로 옳은 것만을 〈보기〉에서 있는 대로 고른 것은?

보기
ㄱ. 발전하는 동안 수면의 높이는 A가 B보다 높다.
ㄴ. 풍력 발전과 비교했을 때 발전량 예측이 어렵다.
ㄷ. 갯벌을 포함한 해양 생태계 보존이 가능한 장점을 갖고 있다.

① ㄱ ② ㄴ ③ ㄱ, ㄷ
④ ㄴ, ㄷ ⑤ ㄱ, ㄴ, ㄷ

08

▸24073-0058

그림 (가)와 (나)는 서로 다른 해양 에너지 발전 방식을 나타낸 것이다.

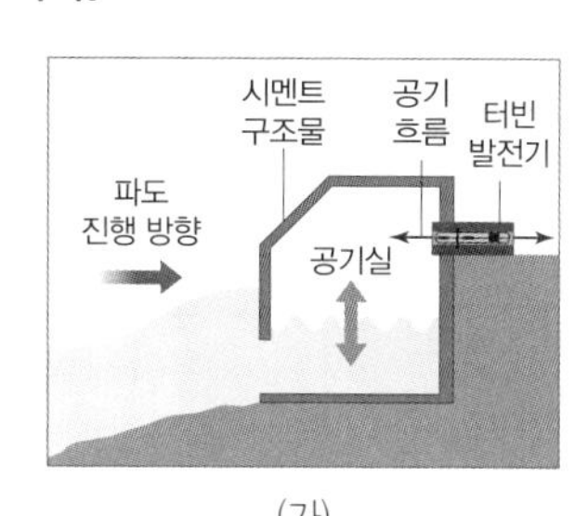

(가)

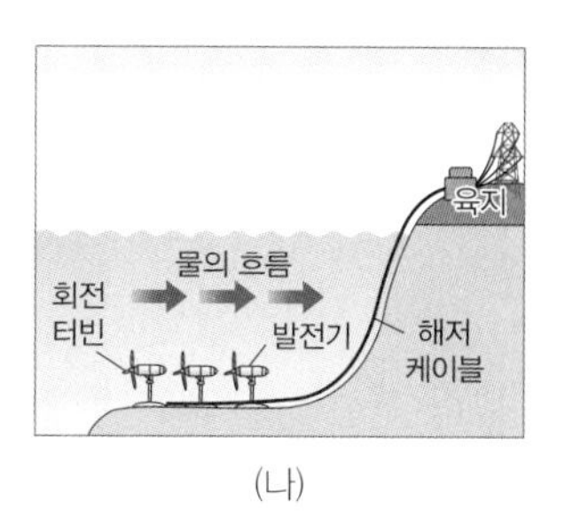

(나)

(가)와 (나)의 발전 방식에 대한 설명으로 옳은 것만을 〈보기〉에서 있는 대로 고른 것은?

보기
ㄱ. (가)는 파력 발전 과정을 나타낸 것이다.
ㄴ. (나)는 해수 염분 변화 등의 문제점을 발생시킨다.
ㄷ. 날씨나 계절의 영향은 (가)가 (나)보다 많이 받는다.

① ㄱ ② ㄴ ③ ㄱ, ㄷ
④ ㄴ, ㄷ ⑤ ㄱ, ㄴ, ㄷ

01

▸24073-0059

그림 (가)와 (나)는 우리나라 금속 광물과 비금속 광물의 생산, 수입, 수출에 따른 거래 금액을 순서 없이 나타낸 것이다. 자급률은 우리나라 내에서 사용하는 양에 대한 생산량의 비이다.

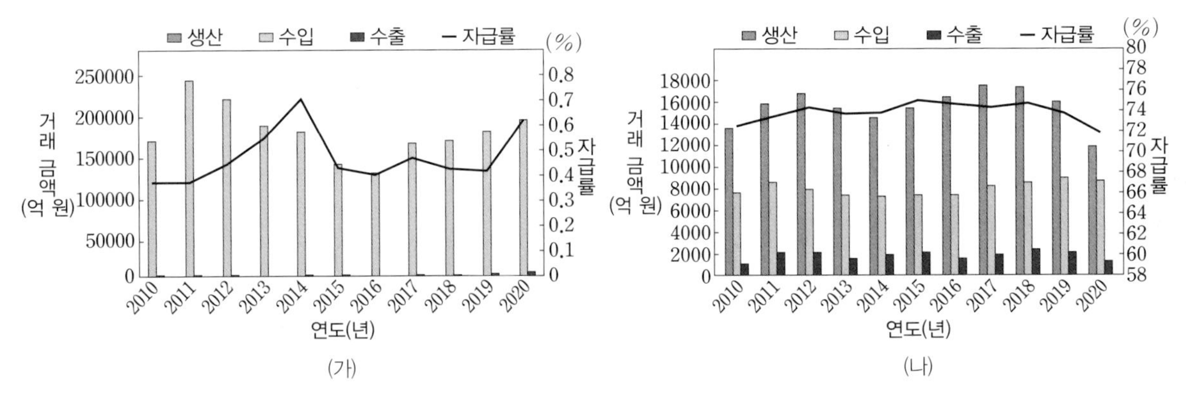

이에 대한 설명으로 옳은 것만을 〈보기〉에서 있는 대로 고른 것은?

보기

ㄱ. (가)는 금속 광물 자료이다.

ㄴ. (나)에서 2016년~2019년 동안 수입에 따른 거래 금액은 매년 지속적으로 증가하였다.

ㄷ. 우리나라 광물 수입 의존도는 (가)가 (나)보다 낮다.

① ㄱ ② ㄴ ③ ㄷ ④ ㄱ, ㄴ ⑤ ㄱ, ㄷ

02

▸24073-0060

그림 (가)와 (나)는 서로 다른 두 광물 자원을 나타낸 것이다.

(가) 사금

(나) 보크사이트

이에 대한 설명으로 옳은 것만을 〈보기〉에서 있는 대로 고른 것은?

보기

ㄱ. (가)는 표사 광상에서 산출되는 광물 자원 중 하나이다.

ㄴ. (나)는 주로 화석 연료로 이용된다.

ㄷ. (가)와 (나) 모두 퇴적 광상이나 그 주변에서 채취할 수 있다.

① ㄱ ② ㄴ ③ ㄱ, ㄷ ④ ㄴ, ㄷ ⑤ ㄱ, ㄴ, ㄷ

03

▸24073-0061

그림 (가)는 해양 에너지 자원을 이용한 어느 발전 방식을, (나)는 우리나라의 서로 다른 지역 A와 B에서 시간에 따른 파고의 변화를 나타낸 것이다.

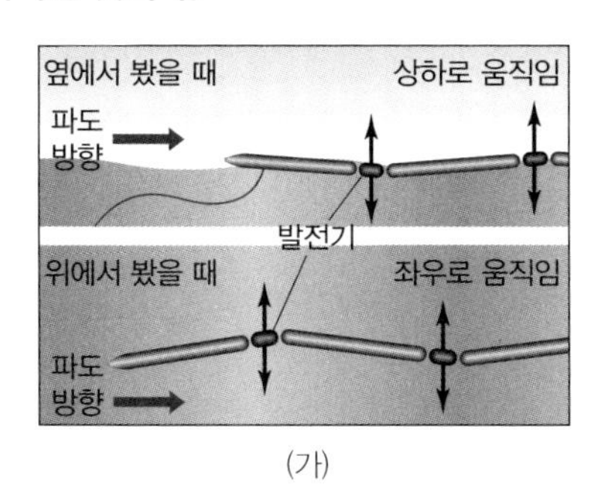

(가)

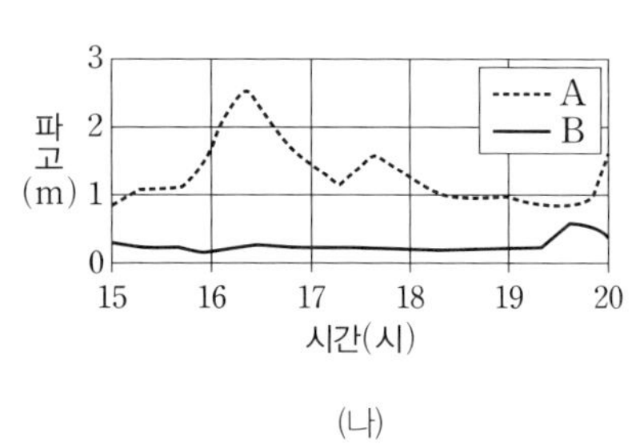

(나)

(가)의 발전 방식에 대한 설명으로 옳은 것만을 〈보기〉에서 있는 대로 고른 것은?

보기
ㄱ. 파력 발전을 나타낸 것이다.
ㄴ. A에서가 B에서보다 발전에 유리하다.
ㄷ. 하루 동안 시간에 따른 발전량은 거의 일정하다.

① ㄱ ② ㄷ ③ ㄱ, ㄴ ④ ㄴ, ㄷ ⑤ ㄱ, ㄴ, ㄷ

04

▸24073-0062

그림 (가)는 해양 에너지 자원을 이용한 어느 발전 방식을, (나)는 (가)의 발전소가 있는 서로 다른 해안 지역 A와 B에서의 시간에 따른 해수면 높이 변화를 나타낸 것이다.

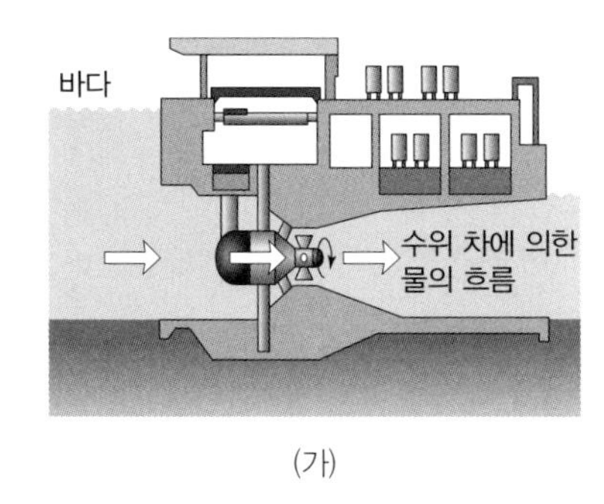

(가)

(나)

(가)의 발전 방식에 대한 설명으로 옳은 것만을 〈보기〉에서 있는 대로 고른 것은?

보기
ㄱ. 발전 효율은 A에서가 B에서보다 좋다.
ㄴ. 주변 해양 생태계 파괴의 우려가 있다.
ㄷ. 바닷물의 위치 에너지를 전기 에너지로 전환한다.

① ㄱ ② ㄷ ③ ㄱ, ㄴ ④ ㄴ, ㄷ ⑤ ㄱ, ㄴ, ㄷ

1 지질 조사와 지질도 해석

(1) 지질 조사의 방법

① 주향과 경사

- 주향: 지층면과 수평면의 교선(주향선)이 가리키는 방향으로, 클리노미터의 긴 변을 주향선에 수평으로 갖다 대고 측정한다.
- 경사: 지층면과 수평면이 이루는 각으로, 클리노미터의 긴 변을 주향선에 수직으로 지층면에 대고 측정한다. 이때 경사 방향은 항상 주향선과 직각 방향이다.

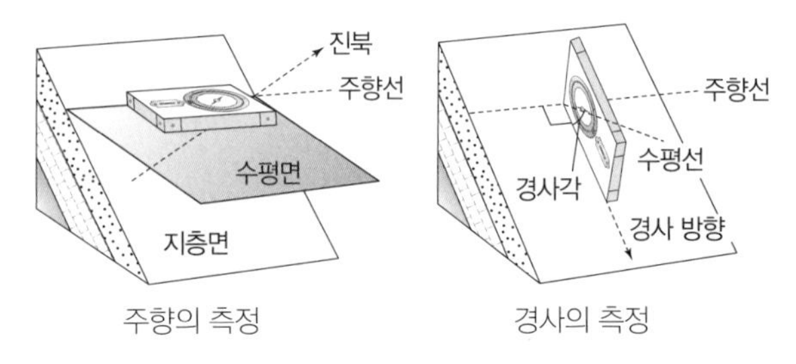

주향의 측정 경사의 측정

② 주향과 경사의 표시

- 주향의 표시: 주향은 진북을 기준으로 하여 주향선이 동쪽 또는 서쪽으로 몇 도(°)의 각을 이루는지를 나타낸다. 예 주향선이 진북을 기준으로 30° 서쪽으로 돌아가 있다면 주향은 N30°W
- 경사의 표시: 경사는 경사 방향과 경사각으로 표시한다. 경사 방향은 항상 주향에 직각이다. 따라서 주향이 NS라면 가능한 경사의 방향은 E 또는 W이다. 예 경사의 방향은 북동쪽이고 경사각이 45°라면 경사는 45°NE이다.

표시법	기호	표시법	기호	표시법	기호
수평층	⊕ 또는 +	주향 EW 경사 30°S	30	주향 N60°E 경사 90°	60
수직층	⊢⊣	주향 N45°E 경사 60°SE	45 60	주향 N45°W 경사 30°NE	45 30

주향과 경사의 표시법

③ 지질도에 사용되는 일반적인 기호

화산암	역암	이암	주향·경사	역전층
화강암	셰일	변성암	수평층	배사
사암	석회암	단층	수직층	향사

(2) 지질도 해석

① 지층의 주향과 경사

- 주향: 같은 고도의 등고선과 지층 경계선이 만나는 두 점을 연결한 직선을 주향선이라 하며, 진북을 기준으로 한 주향선의 방향이 주향이다.
- 경사 방향: 어떤 지층 경계선상에서 고도가 높은 주향선에서 고도가 낮은 주향선 쪽으로 주향선에 수직이 되도록 그은 화살표의 방향이 경사 방향이다.

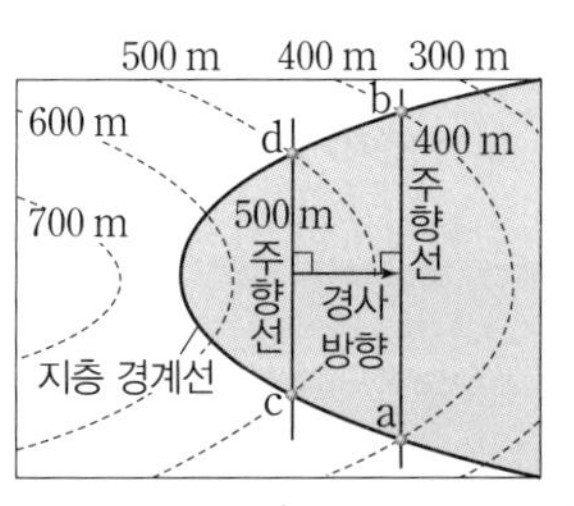

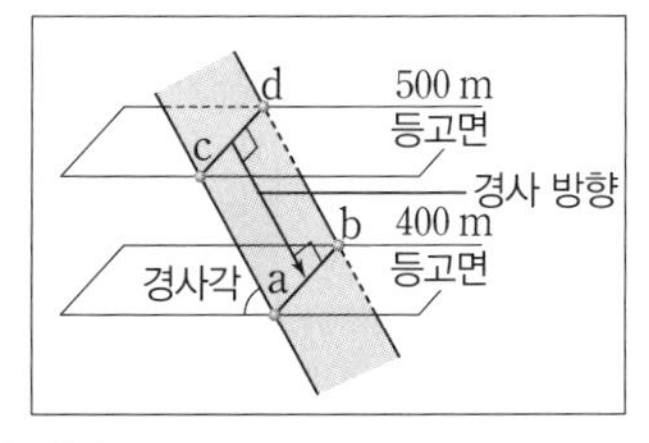

주향과 경사

② 등고선과 지층 경계선의 관계

- 등고선은 지형의 형태를, 지층 경계선은 지층의 퇴적 상태에 대한 정보를 제공한다.
- 등고선과 지층 경계선을 이용하여 지층의 주향과 경사를 파악할 수 있다.

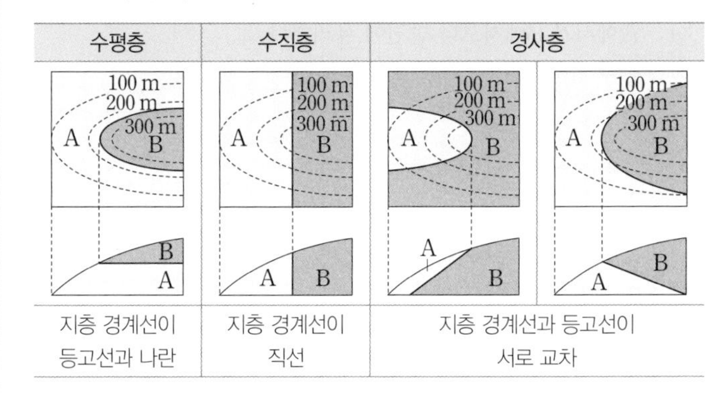

2 한반도의 지질

(1) 한반도의 지체 구조

① 지체 구조: 대규모 지각 변동 등으로 넓은 지역에 형성된 암석이나 지질 구조

② 육괴: 지형적으로나 구조적으로 특정한 방향성을 나타내지 않는 암석들이 모여 있는 지역이다. 주로 선캄브리아 시대의 암석으로 이루어져 있으며, 고생대 이후에는 대체로 육지로 노출되었다.

③ 퇴적 분지: 고생대 이후에 바다나 호수에서 형성된 퇴적층으로 퇴적암이 분포한다.

④ 습곡대: 암석이 습곡이나 단층에 의해 복잡하게 변형된 지역이다.

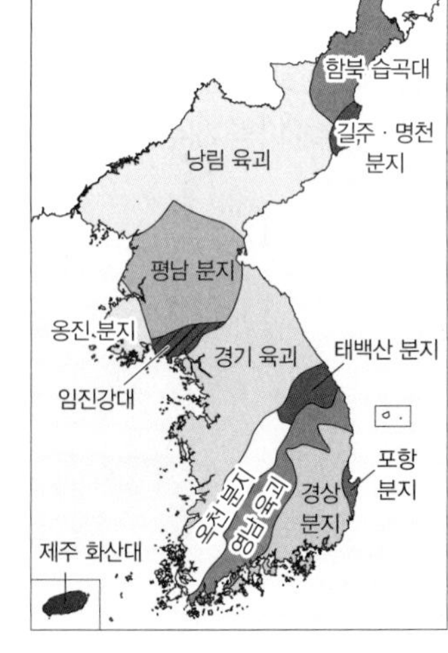

한반도의 지체 구조

(2) 한반도의 시대별 지질 분포

① 한반도의 암석 분포

- 종류별 암석 분포: 변성암(약 40 %) > 화성암(약 35 %) > 퇴적암(약 25 %)
- 지질 시대별 암석 분포: 선캄브리아 시대(약 43 %) > 중생대(약 40 %) > 고생대(약 11 %) > 신생대(약 6 %)

② 선캄브리아 시대

- 경기 육괴, 영남 육괴, 낭림 육괴에 변성암이 주로 분포한다.
- 구성 암석이 다양하며, 지층이 심하게 변형되어 지질 구조가 복잡하고 화석이 거의 산출되지 않는다.
- 시생 누대: 인천광역시 대이작도에서 약 25억 년 전에 형성된 혼성암과 편마암이 발견되었다.
- 원생 누대: 평안남도와 황해도 일부, 백령도, 대청도, 소청도 일대에 분포하며, 소청도의 대리암층에서는 스트로마톨라이트가 산출된다.

③ 고생대: 조산 운동과 같은 큰 지각 변동이 일어나지 않았던 평온한 시기였다.

- 고생대 초기에는 해성층인 조선 누층군이, 고생대 말에는 하부는 해성층, 상부는 육성층인 평안 누층군이 나타난다.
- 회동리층: 강원도 정선 부근에서 실루리아기의 코노돈트 화석이 발견된 지층이다.

④ 중생대: 현생 누대 중 조산 운동과 화성 활동이 가장 활발했던 시기로 중생대 퇴적층은 모두 육성층이다.

- 트라이아스기 말부터 쥐라기 중기까지 대동 누층군이, 백악기에는 경상 누층군이 퇴적되었다.
- 트라이아스기의 송림 변동, 쥐라기의 대보 조산 운동과 백악기의 불국사 변동에 의해 대규모의 화강암이 관입되었고, 이전의 지층을 크게 변형시켰다.

⑤ 신생대: 주로 동해안을 따라 작은 규모로 퇴적층이 분포하며, 소규모의 화산 활동이 곳곳에서 일어났다.

- 네오기: 육성층과 해성층이 나타나며, 유공충과 연체동물, 규화목 및 식물 화석이 발견된다.
- 제4기: 화산 활동으로 백두산, 울릉도와 독도, 제주도, 철원 등에 현무암이 형성되었다.

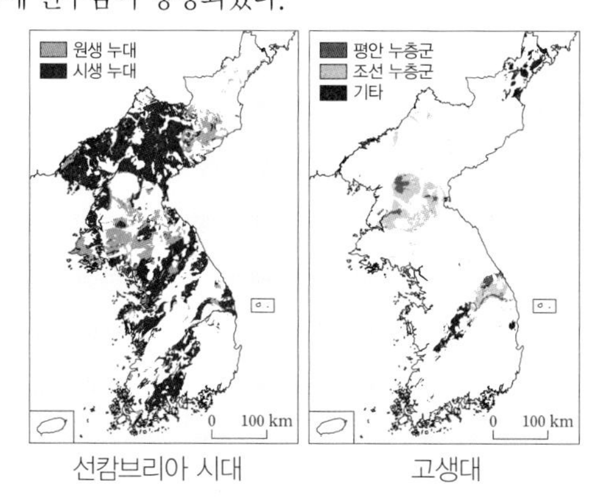

선캄브리아 시대 고생대

대동 누층군 대보 화강암 경상 누층군 불국사 화강암 기타
제4계 연일층군 기타

중생대 신생대

3 한반도의 형성 과정

(1) **고생대**: 적도 부근에 있던 곤드와나 대륙 주변에 한반도를 포함한 동북아시아 지괴들이 위치하였다.

(2) **중생대**: 한중 지괴와 남중 지괴의 충돌로 오늘날의 동북아시아 지역이 형성되었다.

(3) **신생대**: 한반도와 일본 사이가 확장되면서 동해가 형성되었다.

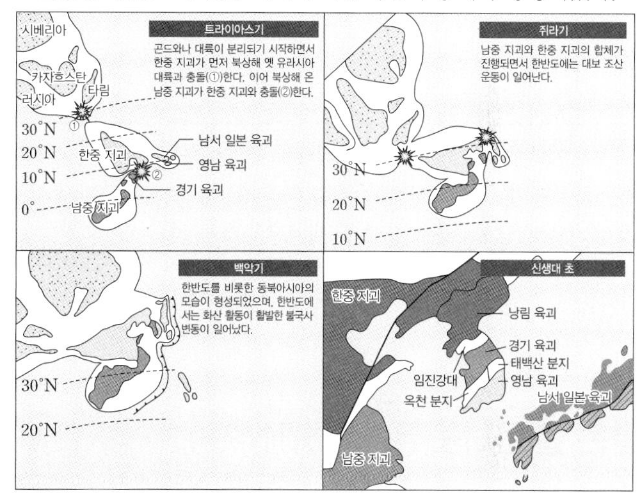

4 한반도의 변성 작용

(1) **접촉 변성 작용**: 주로 마그마가 관입할 때 방출된 열에 의해 마그마의 접촉부를 따라 일어나는 변성 작용이다.

(2) **광역 변성 작용**: 조산 운동이 일어나는 지역에서 넓은 범위에 걸쳐 열과 압력에 의해 일어나는 변성 작용이다.

(3) **한반도의 변성암**

① 선캄브리아 시대: 한반도에서 가장 오래된 암석인 편마암이 인천 대이작도에 존재한다.

② 고생대 말기~중생대 초기: 송림 변동에 의한 광역 변성 작용이 일어났다.

③ 중생대 중기~중생대 말기: 대보 조산 운동과 불국사 변동에 의한 광역 변성 작용과 접촉 변성 작용이 일어났다.

더 알기 지질도에서 지질 구조 해석하기

- 습곡: 지층 경계선이 습곡축을 중심으로 대체로 대칭을 이루며, 습곡축을 중심으로 경사의 방향은 반대이다.
- 부정합: 한 지층 경계선이 다른 지층 경계선을 덮으며, 덮은 선을 경계로 다른 지층이 나타난다.
- 단층: 지층 경계선이 끊어져 있고, 끊어진 선을 경계로 같은 지층이 반복된다.

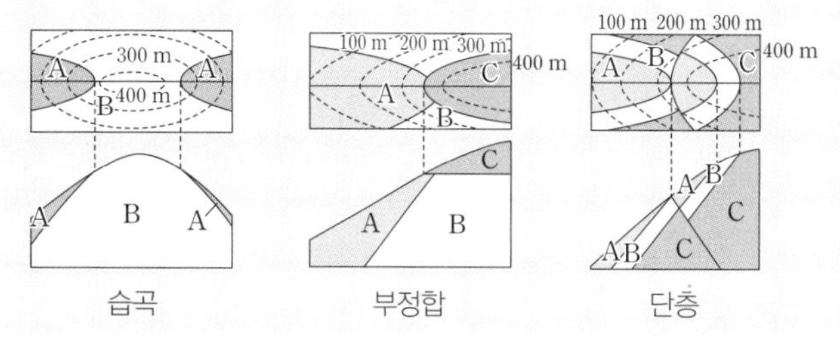

습곡 부정합 단층

테마 대표 문제

| 2024학년도 수능 |

그림은 우리나라 지질 계통의 일부를 나타낸 것이다.

지질 시대	고생대						중생대			신생대	
	캄브리아기	오르도비스기	실루리아기	데본기	석탄기	페름기	트라이아스기	쥐라기	백악기	팔레오기	네오기
지질 계통	A		(결층)	(결층)	(결층)	B	(결층)	(결층)	C	(결층)	

(▤ 결층)

이에 대한 설명으로 옳은 것만을 〈보기〉에서 있는 대로 고른 것은?

보기

ㄱ. A에는 해성층이 존재한다.
ㄴ. B에는 석탄층이 나타난다.
ㄷ. C에는 삼엽충 화석이 산출된다.

① ㄱ ② ㄷ ③ ㄱ, ㄴ ④ ㄴ, ㄷ ⑤ ㄱ, ㄴ, ㄷ

접근 전략

우리나라의 지질 시대와 지질 계통에 대한 이해와 지질 시대별 퇴적 환경의 특징이 어떠한지 알고 있어야 한다.

간략 풀이

ⓞ. A는 조선 누층군이다. 조선 누층군은 석회암, 사암 등으로 이루어진 두꺼운 해성층이다.

ⓒ. B는 평안 누층군이다. 평안 누층군의 하부에는 해성층이 존재하고, 상부에는 육성층이 존재하므로 양질의 석탄층이 나타난다.

✗. C는 경상 누층군이다. 경상 누층군에서는 중생대의 화석이 발견된다. 삼엽충은 고생대의 표준 화석이다.

정답 | ③

닮은 꼴 문제로 유형 익히기

정답과 해설 10쪽

▸24073-0063

표는 우리나라의 중생대에 형성된 서로 다른 두 누층군 A와 B에서 산출되는 암석과 화석을 정리하여 나타낸 것이다.

구분	A	B
주요 암석	역암, 셰일, 석탄	역암, 사암, 응회암
산출 화석	민물고기, 민물조개, 은행류	민물고기, 민물조개, 공룡 발자국, 새 발자국

이에 대한 설명으로 옳은 것만을 〈보기〉에서 있는 대로 고른 것은?

보기

ㄱ. 형성 시기는 A가 B보다 먼저이다.
ㄴ. A와 B는 모두 육성 기원의 퇴적층이다.
ㄷ. 대보 조산 운동에 의해 변형된 누층군은 A이다.

① ㄱ ② ㄷ ③ ㄱ, ㄴ ④ ㄴ, ㄷ ⑤ ㄱ, ㄴ, ㄷ

유사점과 차이점

우리나라 지질 계통의 특징을 다루고 있다는 점에서 대표 문제와 유사하지만, 주요 암석과 산출되는 화석을 제시하고 지질 시대의 퇴적 환경을 비교하여 다룬다는 점에서 대표 문제와 다르다.

배경 지식

- 중생대는 현생 누대 중 조산 운동과 화성 활동이 가장 활발했던 시기이다.
- 우리나라의 중생대에 퇴적된 누층군은 모두 육성층이다.

01

▸24073-0064

다음은 영희가 지질 조사에 대해 학습한 후 정리한 내용이다.

• 정의
– 어떤 지역에서 암석의 종류와 분포, ㉠ 지질 구조 등을 조사하는 활동

• 방법
– 주향: [A]을 기준으로 표시
– 경사: 경사각과 ㉡ 경사 방향을 측정

이에 대한 설명으로 옳은 것만을 〈보기〉에서 있는 대로 고른 것은?

보기
ㄱ. 지질도를 해석하면 ㉠을 알 수 있다.
ㄴ. '자북'은 A에 해당한다.
ㄷ. ㉡은 항상 주향에 평행하다.

① ㄱ ② ㄴ ③ ㄱ, ㄷ ④ ㄴ, ㄷ ⑤ ㄱ, ㄴ, ㄷ

02

▸24073-0065

그림은 어느 지층에서 측정한 주향과 경사를 나타낸 것이다.

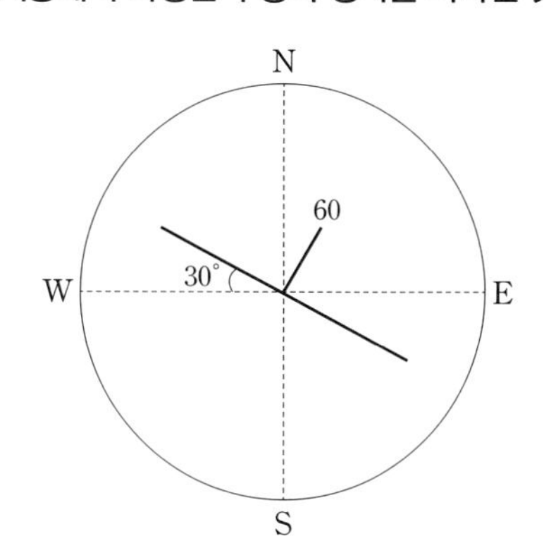

이에 대한 설명으로 옳은 것만을 〈보기〉에서 있는 대로 고른 것은?

보기
ㄱ. 주향은 N30°W이다.
ㄴ. 경사각은 60°이다.
ㄷ. 연직 방향에서 이 지층의 층리면에 물을 흘렸을 때 물은 북동쪽 방향으로 흐른다.

① ㄱ ② ㄴ ③ ㄱ, ㄷ ④ ㄴ, ㄷ ⑤ ㄱ, ㄴ, ㄷ

03

▸24073-0066

그림은 어느 지역의 지질도를 나타낸 것이다.

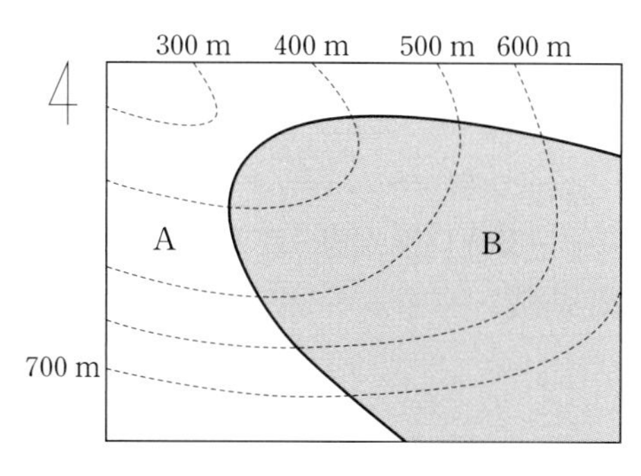

이에 대한 설명으로 옳은 것만을 〈보기〉에서 있는 대로 고른 것은?

보기
ㄱ. B 지층의 주향은 북서쪽이다.
ㄴ. 이 지역에는 경사층이 나타난다.
ㄷ. 지층의 생성 순서는 A 지층이 B 지층보다 먼저이다.

① ㄱ ② ㄴ ③ ㄷ ④ ㄱ, ㄴ ⑤ ㄱ, ㄷ

04

▸24073-0067

그림은 고도가 일정한 어느 지역에서 측정한 지층의 주향과 경사를 기호로 나타낸 것이다.

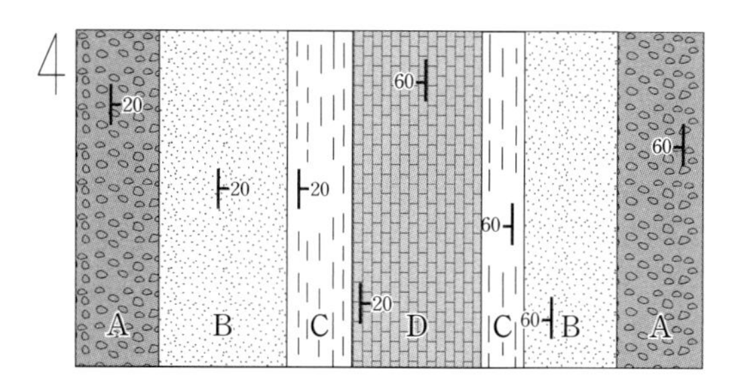

이 지역의 지층에 대한 설명으로 옳은 것만을 〈보기〉에서 있는 대로 고른 것은?

보기
ㄱ. 지층의 주향은 모두 NS이다.
ㄴ. 배사 구조가 나타난다.
ㄷ. 가장 나중에 생성된 지층은 D이다.

① ㄱ ② ㄴ ③ ㄱ, ㄷ ④ ㄴ, ㄷ ⑤ ㄱ, ㄴ, ㄷ

05

▸24073-0068

그림은 지체 구조를 분류하여 나타낸 것이다.

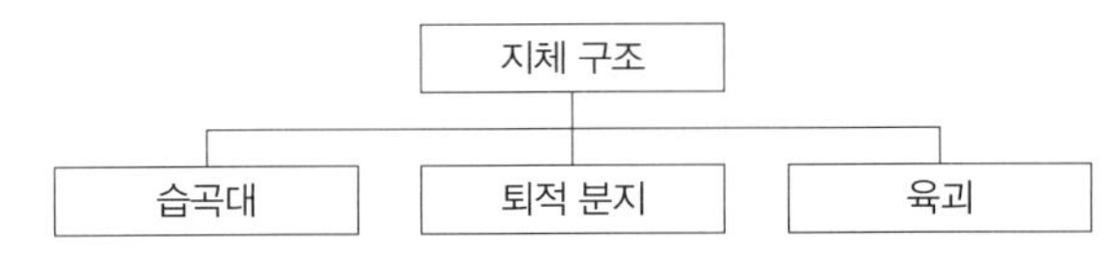

한반도의 지체 구조에 대한 설명으로 옳은 것만을 <보기>에서 있는 대로 고른 것은?

보기

ㄱ. 분포 면적은 습곡대가 가장 넓다.
ㄴ. 구성 암석의 평균 연령은 퇴적 분지보다 육괴가 많다.
ㄷ. 육괴를 구성하는 암석들은 구조적으로 특정한 방향성을 나타낸다.

① ㄱ ② ㄴ ③ ㄱ, ㄷ
④ ㄴ, ㄷ ⑤ ㄱ, ㄴ, ㄷ

06

▸24073-0069

그림은 한반도에 존재하는 암석의 종류별 분포를 나타낸 것이고, 표는 한반도의 지질 시대별 암석 분포를 순서 없이 나타낸 것이다. A, B, C는 각각 화성암, 퇴적암, 변성암 중 하나이다.

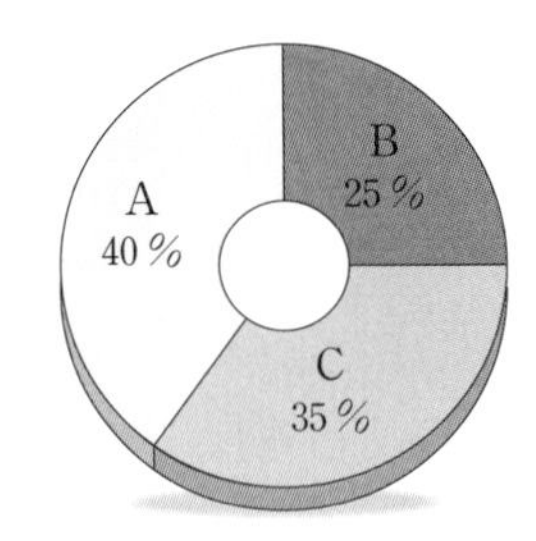

시대	암석 분포
㉠	6 %
고생대	11 %
㉡	40 %
㉢	43 %

이에 대한 설명으로 옳은 것만을 <보기>에서 있는 대로 고른 것은?

보기

ㄱ. A는 변성암이다.
ㄴ. 한반도에서 화석은 ㉢ 시대의 B보다 ㉠ 시대의 B에서 더 많이 산출된다.
ㄷ. C는 대부분 ㉡ 시대에 생성되었다.

① ㄱ ② ㄷ ③ ㄱ, ㄴ
④ ㄴ, ㄷ ⑤ ㄱ, ㄴ, ㄷ

07

▸24073-0070

그림은 어느 지질 시대에 우리나라의 암석 분포를 나타낸 것이다.

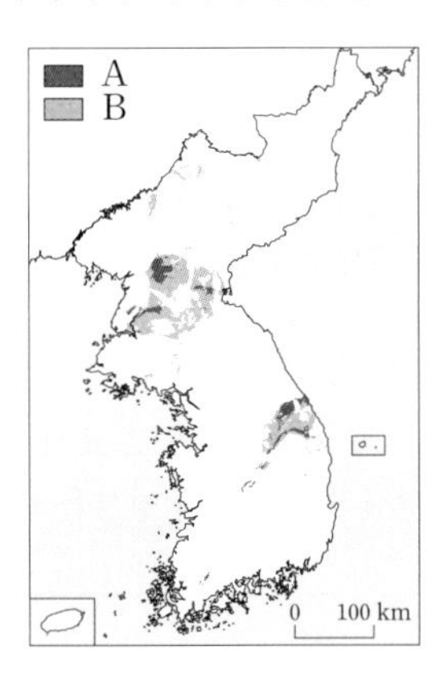

이 지질 시대에 대한 설명으로 옳은 것만을 <보기>에서 있는 대로 고른 것은?

보기

ㄱ. 고생대이다.
ㄴ. A와 B에는 모두 셰일층이 존재한다.
ㄷ. 분포하는 암석의 평균 연령은 A가 B보다 많다.

① ㄱ ② ㄷ ③ ㄱ, ㄴ
④ ㄴ, ㄷ ⑤ ㄱ, ㄴ, ㄷ

08

▸24073-0071

표는 중생대의 서로 다른 두 누층군 A와 B의 특징을 나타낸 것이다.

누층군	특징
A	• 사암, 셰일, 역암, 응회암, 화산암 분포 • 민물조개, 공룡의 뼈, 새의 발자국
B	• 사암, 셰일, 역암, 석탄층 • 민물고기, 담수 연체동물, 은행류

누층군 A와 B에 대한 설명으로 옳은 것만을 <보기>에서 있는 대로 고른 것은?

보기

ㄱ. A는 경상 누층군이다.
ㄴ. B는 대보 조산 운동에 의해 크게 변형되었다.
ㄷ. A와 B에는 모두 해성 기원의 퇴적층이 분포한다.

① ㄱ ② ㄷ ③ ㄱ, ㄴ
④ ㄴ, ㄷ ⑤ ㄱ, ㄴ, ㄷ

09

▸24073-0072

표는 우리나라의 지질 계통을 간략하게 나타낸 것이다.

	고생대						중생대			신생대		
지질 시대	캄브리아기	오르도비스기	실루리아기	데본기	석탄기	페름기	트라이아스기	쥐라기	백악기	팔레오기	네오기	제4기
지질 계통	조선 누층군		A	결층	결층	B	대동 누층군		경상 누층군	결층	C	제4기 지층

■ 결층

이에 대한 설명으로 옳은 것만을 〈보기〉에서 있는 대로 고른 것은?

〈보기〉
ㄱ. A는 회동리층이다.
ㄴ. B에는 무연탄층이 포함된다.
ㄷ. B와 C에는 모두 동물 화석이 발견된다.

① ㄱ ② ㄷ ③ ㄱ, ㄴ
④ ㄴ, ㄷ ⑤ ㄱ, ㄴ, ㄷ

10

▸24073-0073

그림 (가)와 (나)는 어느 지질 시대의 서로 다른 두 시기에 일어난 한반도의 형성 과정을 순서 없이 나타낸 것이다.

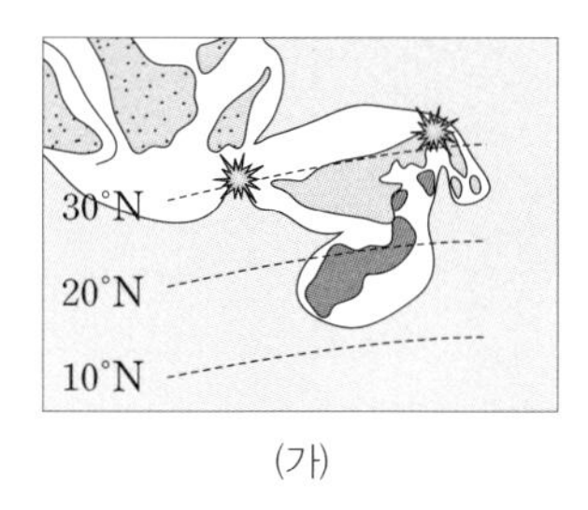

(가)

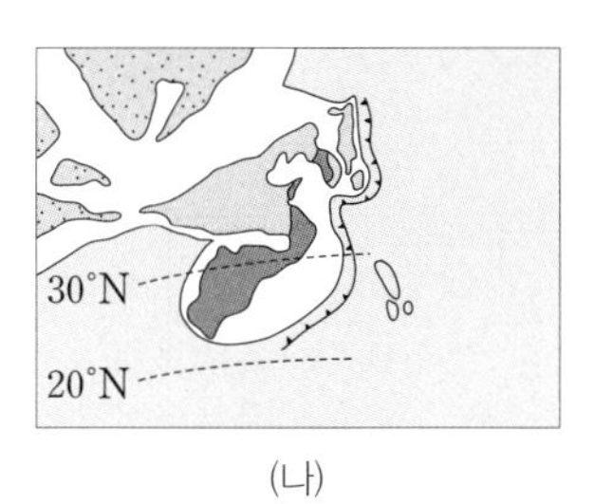

(나)

이에 대한 설명으로 옳은 것만을 〈보기〉에서 있는 대로 고른 것은?

〈보기〉
ㄱ. 이 지질 시대는 고생대이다.
ㄴ. 시간 순서는 (가)보다 (나)가 먼저이다.
ㄷ. 주로 한반도 남부 지역을 중심으로 화성 활동이 일어난 시기는 (나)이다.

① ㄱ ② ㄷ ③ ㄱ, ㄴ
④ ㄴ, ㄷ ⑤ ㄱ, ㄴ, ㄷ

11

▸24073-0074

그림은 마그마가 관입한 어느 지역의 지질 단면도를 나타낸 것이다.

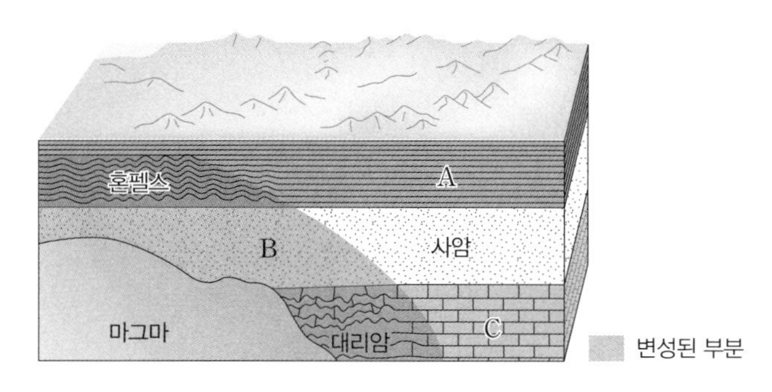

암석 A, B, C에 대한 설명으로 옳은 것만을 〈보기〉에서 있는 대로 고른 것은?

〈보기〉
ㄱ. A는 셰일이다.
ㄴ. B에는 혼펠스 조직이 잘 관찰된다.
ㄷ. 엽리가 나타나는 암석은 C이다.

① ㄱ ② ㄷ ③ ㄱ, ㄴ
④ ㄴ, ㄷ ⑤ ㄱ, ㄴ, ㄷ

12

▸24073-0075

그림은 서로 다른 두 변성 환경 A와 B를 나타낸 것이다.

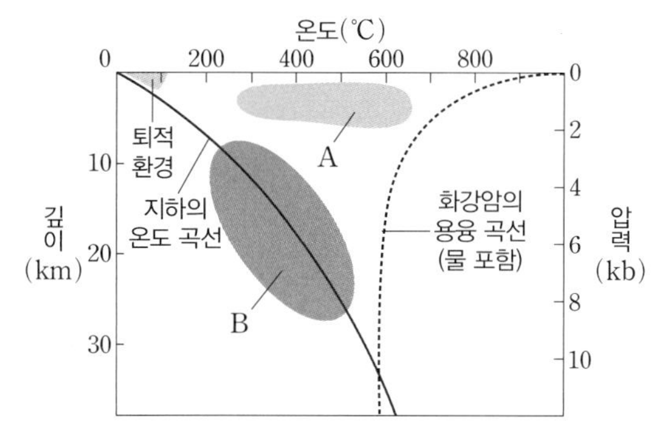

이에 대한 설명으로 옳은 것만을 〈보기〉에서 있는 대로 고른 것은?

〈보기〉
ㄱ. 편암은 A보다 B에서 주로 생성된다.
ㄴ. A에서는 주로 고온·저압형의 변성 작용이 일어난다.
ㄷ. 수렴형 경계 부근에서는 A보다 B에서 일어나는 변성 작용이 우세하게 일어난다.

① ㄱ ② ㄷ ③ ㄱ, ㄴ
④ ㄴ, ㄷ ⑤ ㄱ, ㄴ, ㄷ

정답과 해설 12쪽

01

▸24073-0076

그림 (가)는 어느 지역에 드러난 지층의 모습을, (나)는 (가)에서 측정한 지층의 경사를 나타낸 것이다.

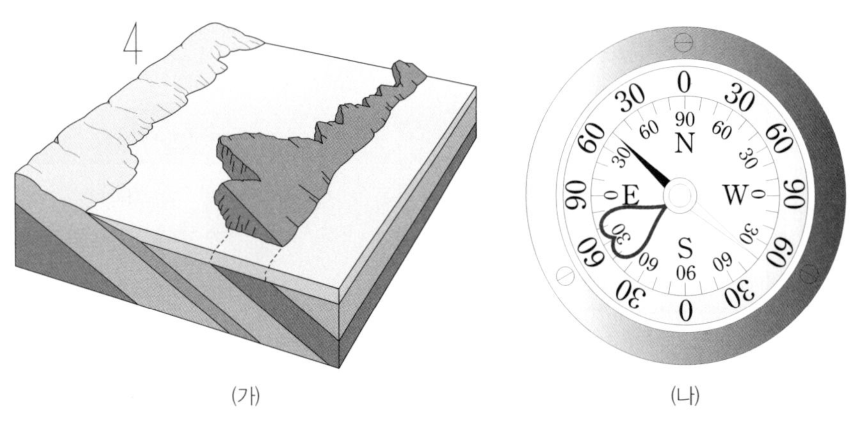

(가) (나)

이에 대한 설명으로 옳은 것만을 〈보기〉에서 있는 대로 고른 것은?

보기

ㄱ. 주향은 지층면과 수평면이 이루는 각이 클수록 커진다.
ㄴ. 클리노미터로 경사를 측정할 때 경사추는 중력 방향을 가리킨다.
ㄷ. 지층의 경사는 30°NE이다.

① ㄱ ② ㄴ ③ ㄱ, ㄷ ④ ㄴ, ㄷ ⑤ ㄱ, ㄴ, ㄷ

02

▸24073-0077

그림은 어느 지역의 지질도를 나타낸 것이다. A～D는 퇴적층이다.

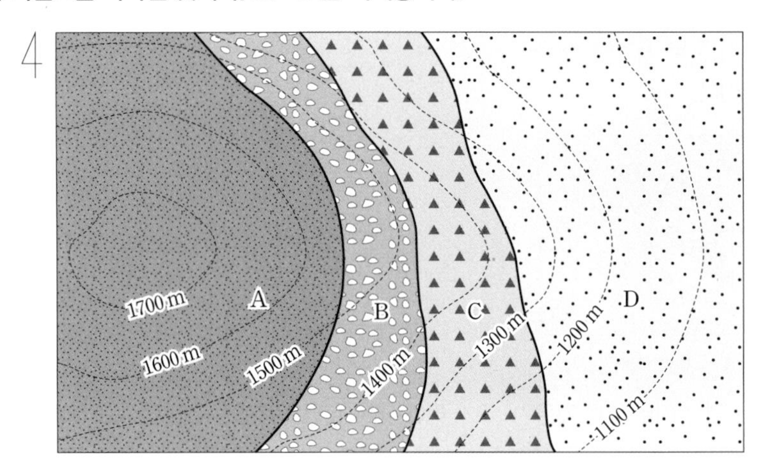

지층 A～D에 대한 설명으로 옳은 것만을 〈보기〉에서 있는 대로 고른 것은?

보기

ㄱ. A는 수평층이다.
ㄴ. B의 경사 방향은 서쪽 계열이다.
ㄷ. 가장 먼저 퇴적된 층은 D이다.

① ㄱ ② ㄷ ③ ㄱ, ㄴ ④ ㄴ, ㄷ ⑤ ㄱ, ㄴ, ㄷ

03

▸24073-0078

그림은 어느 지역의 지질도를 나타낸 것이다. A ~ F는 퇴적층이다.

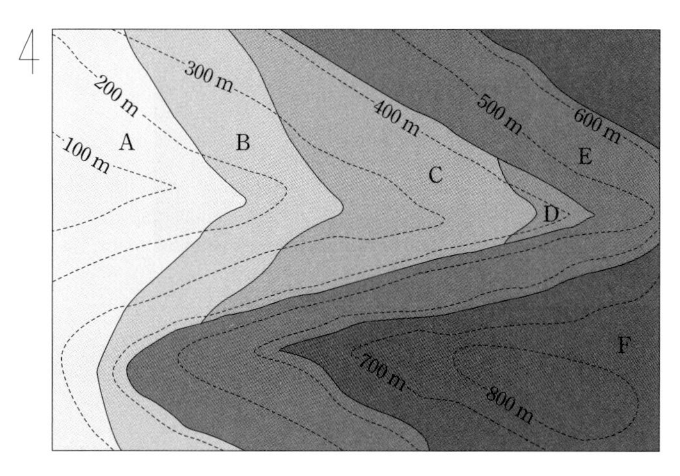

지층 A ~ F에 대한 설명으로 옳은 것만을 <보기>에서 있는 대로 고른 것은?

보기
ㄱ. B의 주향은 거의 NS이다.
ㄴ. 가장 나중에 형성된 층은 D이다.
ㄷ. 퇴적될 때의 시간 간격은 A와 B 사이가 D와 E 사이보다 작다.

① ㄱ ② ㄴ ③ ㄱ, ㄷ ④ ㄴ, ㄷ ⑤ ㄱ, ㄴ, ㄷ

04

▸24073-0079

그림은 생성 시기가 서로 다른 세 화성암 A, B, C의 분포를 나타낸 것이다.

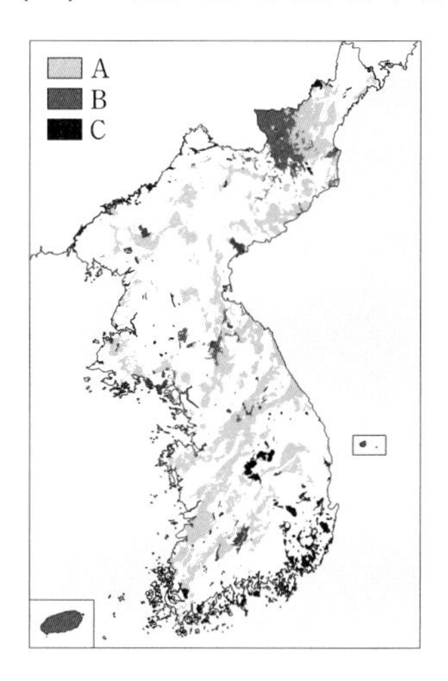

화성암 A, B, C에 대한 설명으로 옳은 것만을 <보기>에서 있는 대로 고른 것은?

보기
ㄱ. 가장 먼저 생성된 화성암은 A이다.
ㄴ. B는 주로 마그마의 관입으로 생성되었다.
ㄷ. A와 C 사이에 해성층이 퇴적된 적이 있다.

① ㄱ ② ㄴ ③ ㄱ, ㄷ ④ ㄴ, ㄷ ⑤ ㄱ, ㄴ, ㄷ

05

▸24073-0080

그림 (가)는 어느 지질 시대에 형성된 서로 다른 두 지층 A와 B의 분포를, (나)는 코노돈트 화석을 나타낸 것이다.

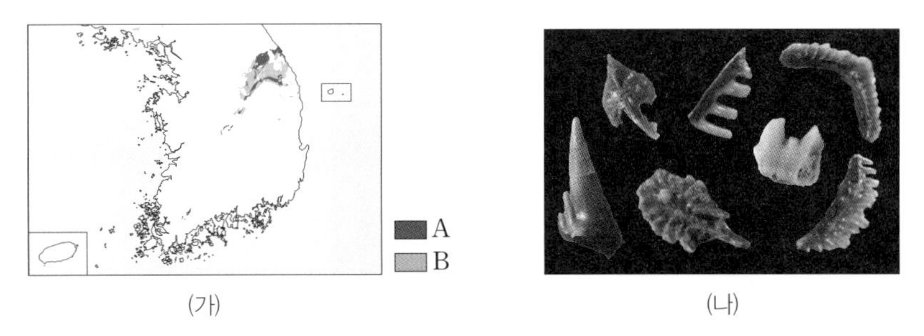

(가) (나)

이에 대한 설명으로 옳은 것만을 〈보기〉에서 있는 대로 고른 것은?

보기

ㄱ. A와 B 사이에는 부정합면이 있다.
ㄴ. (나)는 해성 기원의 퇴적층에서 발견된다.
ㄷ. A와 B에서는 모두 (나)가 발견될 수 있다.

① ㄱ ② ㄷ ③ ㄱ, ㄴ ④ ㄴ, ㄷ ⑤ ㄱ, ㄴ, ㄷ

06

▸24073-0081

표는 우리나라의 지질 계통을 간략하게 나타낸 것이다.

지질 시대		지질 계통
신생대	제4기	연일층군
	네오기	연일층군 / 결층
	팔레오기	결층
중생대	백악기	(가)
	쥐라기	결층 / (나)
	트라이아스기	(나) / 결층
고생대	페름기	평안 누층군
	석탄기	평안 누층군 / 결층
	데본기	결층
	실루리아기	결층 / 회동리층
	오르도비스기	결층 / (다)
	캄브리아기	(다)
선캄브리아 시대		선캄브리아 시대층

(회색: 결층)

이 자료에 대한 설명으로 옳은 것만을 〈보기〉에서 있는 대로 고른 것은?

보기

ㄱ. 고생대부터 현재까지 지층은 5회 융기하였다.
ㄴ. (가)와 (나)는 모두 화강암류의 관입이 있었다.
ㄷ. 민물 조개 화석은 (나)보다 (다)에서 주로 발견된다.

① ㄱ ② ㄴ ③ ㄷ ④ ㄱ, ㄴ ⑤ ㄴ, ㄷ

07

▸24073-0082

그림 (가)와 (나)는 신생대에 동해가 형성되는 과정 중 일부를 순서 없이 나타낸 것이다.

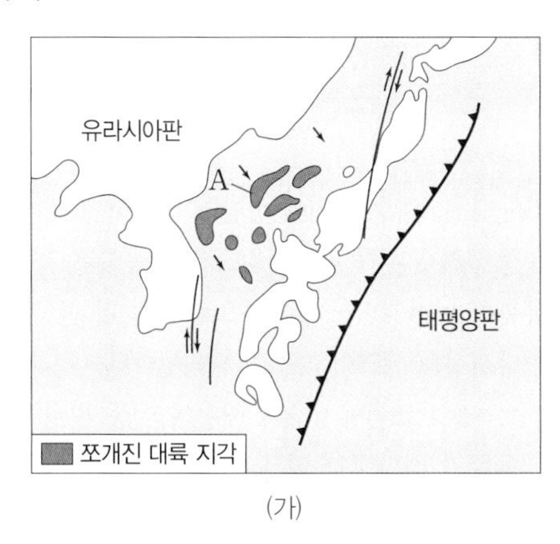

(가)

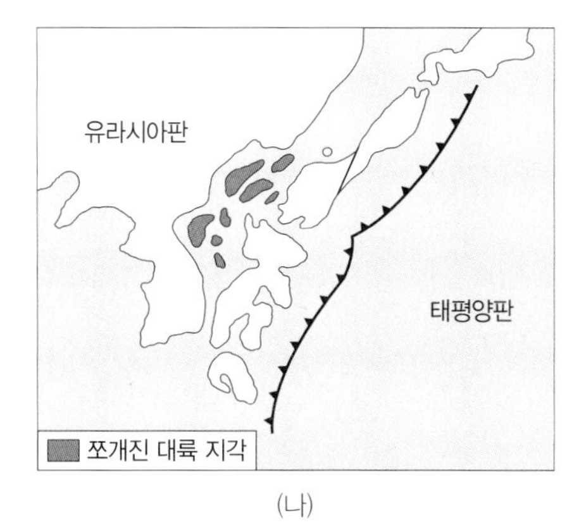

(나)

이에 대한 설명으로 옳은 것만을 〈보기〉에서 있는 대로 고른 것은?

보기

ㄱ. 동해에는 발산형 경계가 존재하였다.
ㄴ. 시간 순서는 (가)보다 (나)가 먼저이다.
ㄷ. (가)의 A는 해저 화산 활동에 의해 형성되었다.

① ㄱ ② ㄷ ③ ㄱ, ㄴ ④ ㄴ, ㄷ ⑤ ㄱ, ㄴ, ㄷ

08

▸24073-0083

그림 (가)와 (나)는 수렴형(섭입형) 경계 부근에서 셰일이 변성 작용을 받아서 생성된 서로 다른 두 변성암을 나타낸 것이다. (가)와 (나)는 각각 천매암과 편마암 중 하나이다.

(가)

(나)

이에 대한 설명으로 옳은 것만을 〈보기〉에서 있는 대로 고른 것은?

보기

ㄱ. 쪼개짐은 (가)보다 (나)에서 주로 관찰된다.
ㄴ. 구성 광물의 평균 입자 크기는 (가)보다 (나)가 크다.
ㄷ. 수렴형(섭입형) 경계로부터의 평균 거리는 (가)가 형성된 지역이 (나)가 형성된 지역보다 멀다.

① ㄱ ② ㄴ ③ ㄷ ④ ㄱ, ㄷ ⑤ ㄴ, ㄷ

06 해류

1 해수를 움직이는 힘

(1) 정역학 평형: 단위 질량의 해수에 작용하는 연직 수압 경도력과 중력이 평형을 이루는 상태
➡ 중력=연직 수압 경도력

$$g=-\frac{1}{\rho}\cdot\frac{\Delta P}{\Delta z}$$

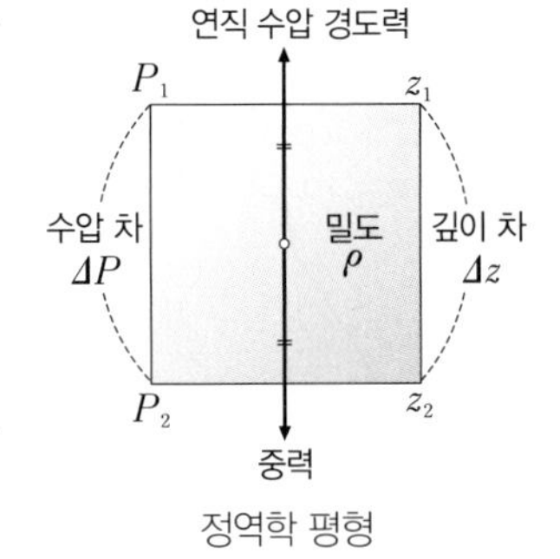

정역학 평형

(2) 수압: 물속의 단위 면적을 누르는 해수의 힘 ➡ 모든 방향에서 같은 세기의 압력을 받는다.
• 수압의 크기: $P=\rho gz$(ρ: 해수의 밀도, g: 중력 가속도, z: 해수면에서부터의 깊이)

(3) 해수에 작용하는 힘
① 수평 방향의 수압 경도력: 해수에 작용하는 수평 방향의 수압 차 때문에 생기는 힘 ➡ 주로 해수면 경사에 의해 발생
• 밀도가 일정한 해수에서 해수면이 경사져 있을 때 두 지점 A와 B의 해수면 아래 임의의 두 지점 사이의 수압 차(ΔP)는 $\Delta P=-\rho g\Delta z$이다. 이때 면적 ΔS에 작용하는 수압 차에 의한 수압 경도력은 $\Delta P\times\Delta S$이고, 단위 질량의 해수에 작용하는 수압 경도력$\left(\frac{F}{m}\right)$은 다음과 같다.

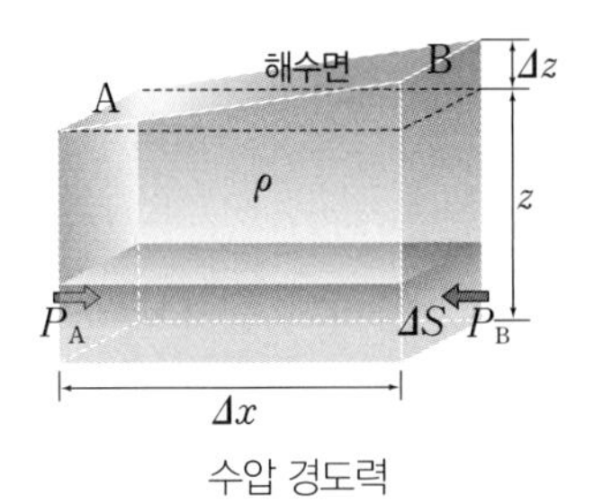

수압 경도력

$$\frac{F}{m}=\frac{\Delta P\times\Delta S}{\rho V}=\frac{\Delta P\times\Delta S}{\rho\times\Delta x\times\Delta S}=\frac{1}{\rho}\times\frac{\Delta P}{\Delta x}=-g\frac{\Delta z}{\Delta x}$$

• 크기: 해수면 경사$\left(\frac{\Delta z}{\Delta x}\right)$에 비례한다.
• 방향: 수압이 높은 곳에서 낮은 곳으로 작용한다.

② 전향력: 지구가 자전하기 때문에 생기는 가상적인 힘
• 크기: $C=2v\Omega\sin\varphi$(C: 단위 질량의 해수에 작용하는 전향력, v: 해수의 속력, Ω: 지구 자전 각속도, φ: 위도)
• 방향: 북반구에서는 물체 운동 방향의 오른쪽 직각 방향, 남반구에서는 물체 운동 방향의 왼쪽 직각 방향으로 작용한다.

2 에크만 수송과 지형류

(1) 에크만 나선과 에크만 수송
① 에크만 나선(북반구)
• 에크만 나선: 해수면 위에 바람이 일정하게 계속 불면 표면 해수는 풍향의 오른쪽 45° 방향으로 이동하고, 수심이 깊어질수록 유속이 느려지면서 오른쪽으로 점점 더 편향되어 시계 방향으로 나선형의 에크만 나선이 나타난다.
• 마찰층: 해수 표면에서부터 해수의 이동 방향이 표면 해수의 이동 방향과 정반대가 되는 깊이(마찰 저항 심도)까지의 층을 마찰층 또는 에크만층이라고 한다.
② 에크만 수송: 마찰층 내에서 해수의 평균적인 이동 ➡ 북반구에서는 풍향에 대해 오른쪽 직각 방향, 남반구에서는 왼쪽 직각 방향으로 에크만 수송이 일어난다.

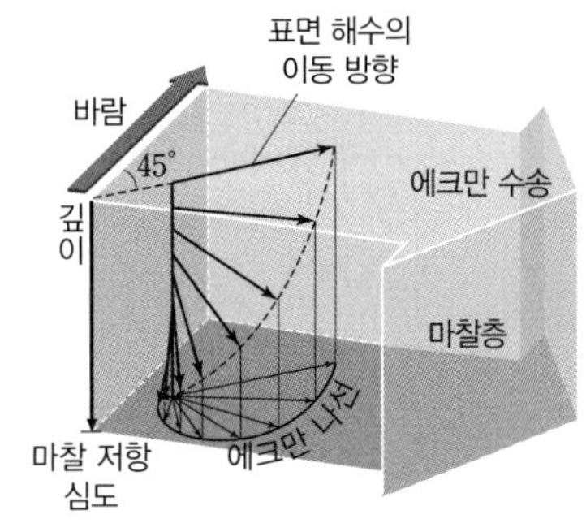

에크만 수송(북반구)

(2) 지형류
① 지형류: 수압 경도력과 전향력이 평형을 이루는 상태에서 흐르는 해류

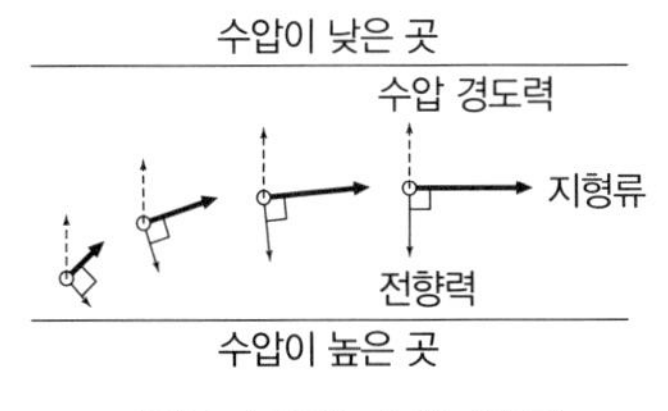

지형류의 발생 과정(북반구)

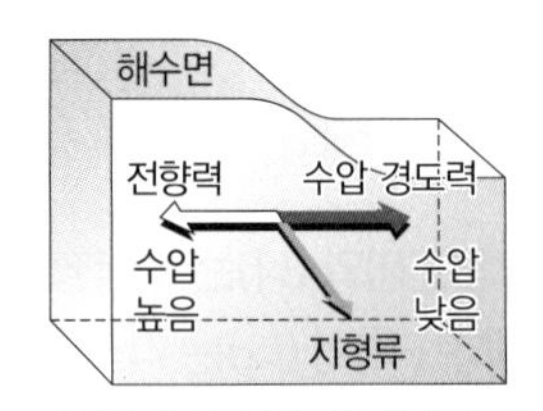

지형류에서 힘의 평형(북반구)

② 지형류의 형성 과정(북반구): 북반구의 해양에서 수압 경도력에 의해 수압이 낮아지는 방향으로 해수 이동 → 해수가 이동하면

더 알기 수온의 연직 분포와 지형류

1. 해수의 연직 단면에서 등수온선이 경사진 것은 수평 방향으로 해수의 밀도가 달라지기 때문이다.
2. 해저에서 관측되는 수압 차는 거의 0이다. 밀도가 다른 해수가 평형을 이루기 위해서는 해수의 부피가 달라지게 된다. 밀도가 작은 쪽은 해수면의 높이가 높아지고, 밀도가 큰 쪽은 해수면의 높이가 낮아진다.
3. 따라서 어느 정도 깊이의 수심에서는 수압 차가 생겨 수압 경도력이 발생하고, 이로 인해 해수의 이동이 나타난다. 그림과 같은 경우 북반구에서 지형류는 북쪽(⊗)으로 흐른다.
➡ 수평 방향의 수온 차에 의해 밀도 차가 생기며 이로 인해 해수면의 경사가 생겨 지형류가 형성된다.

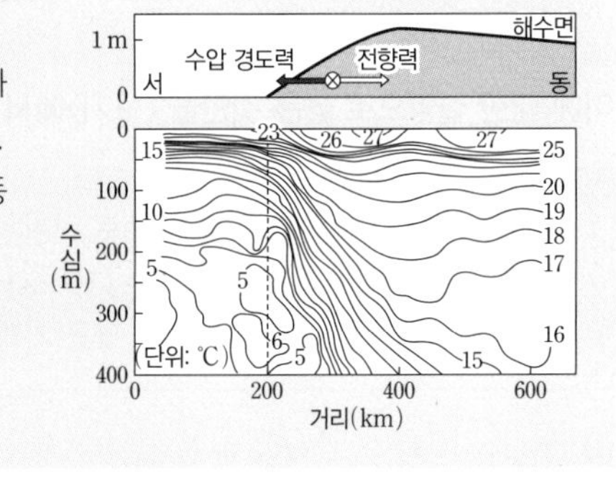

전향력에 의해 오른쪽으로 편향 → 수압 경도력에 의해 해수의 유속이 빨라지면 전향력도 증가 → 빨라진 유속에 비례해 커진 전향력이 수압 경도력과 크기가 같고 방향이 정반대가 되면 힘의 평형 상태에서 지형류 형성

③ 지형류의 속력과 방향

- 속력(v): 지형류는 수압 경도력$\left(g\dfrac{\Delta z}{\Delta x}\right)$과 전향력($2v\Omega\sin\varphi$)의 평형 상태(수압 경도력과 전향력의 합력이 0인 상태)에서 흐르므로 이를 속력(v)에 대해 정리하면, $v=\dfrac{1}{2\Omega\sin\varphi}\cdot g\dfrac{\Delta z}{\Delta x}$가 된다.
  ➡ 위도가 낮을수록, 해수면의 경사가 급할수록 유속이 빠르다.
- 방향: 북반구에서는 수압 경도력의 오른쪽 90° 방향, 남반구에서는 수압 경도력의 왼쪽 90° 방향으로 흐른다.

3 아열대 순환과 지형류(북반구)

(1) 지형류의 형성 과정: 무역풍과 편서풍에 의한 에크만 수송으로 30°N 부근의 해수면 높이 상승 → 해수면의 경사로 인해 수압 경도력 발생 → 수압 경도력과 전향력이 평형을 이루며 지형류 형성

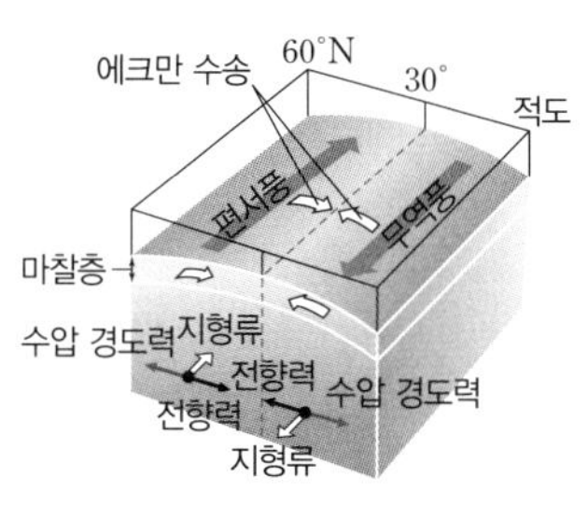

에크만 수송과 지형류(북반구)

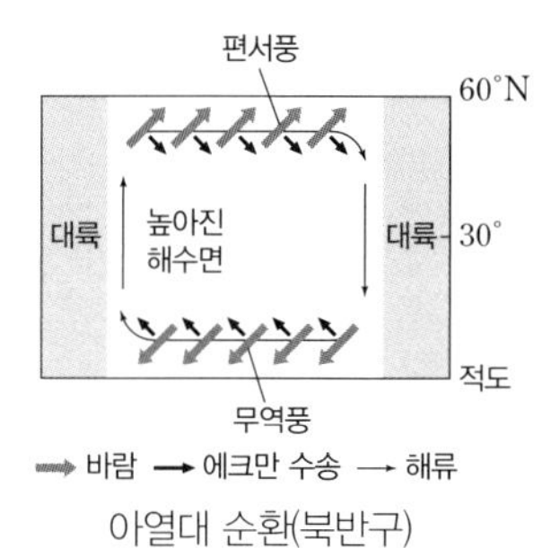

아열대 순환(북반구)

(2) 지형류의 방향

① 10°N~30°N: 동 → 서 예 북적도 해류

② 30°N~60°N: 서 → 동 예 북태평양 해류 등

(3) 태평양의 아열대 순환과 지형류: 무역풍대에서는 북적도 해류가 동쪽에서 서쪽으로 흐르고, 편서풍대에서는 북태평양 해류가 서쪽에서 동쪽으로 흐르면서 시계 방향의 순환을 형성한다.

4 서안 경계류와 동안 경계류

(1) 서안 강화 현상: 고위도로 갈수록 전향력이 커지기 때문에 순환을 이루는 해류 중 대양의 서쪽 연안을 따라 흐르는 해류가 강한 흐름으로 나타나는 현상

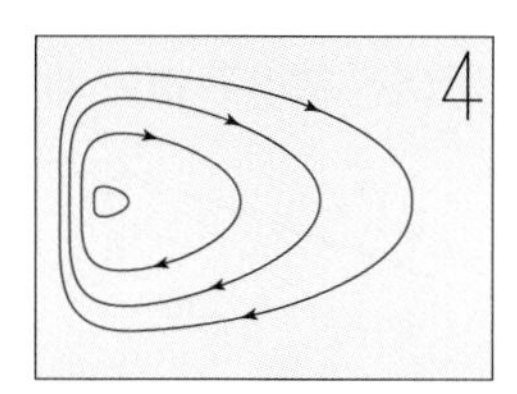
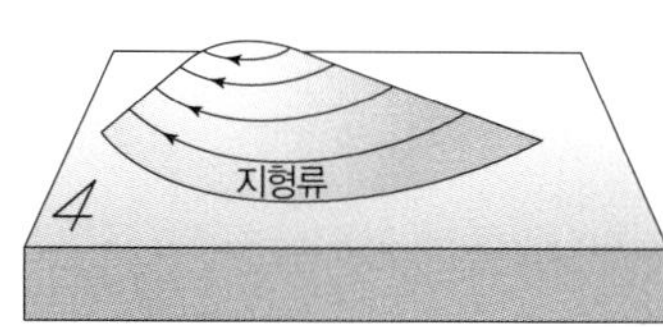

서안 강화 현상(북반구)

(2) 아열대 순환에서 서안 경계류와 동안 경계류

① 서안 경계류: 아열대 순환에서 대양의 서쪽 연안을 따라 좁고 빠르게 흐르는 해류

② 동안 경계류: 아열대 순환에서 대양의 동쪽 연안을 따라 비교적 넓고 느리게 흐르는 해류

③ 서안 경계류와 동안 경계류 비교(북반구)

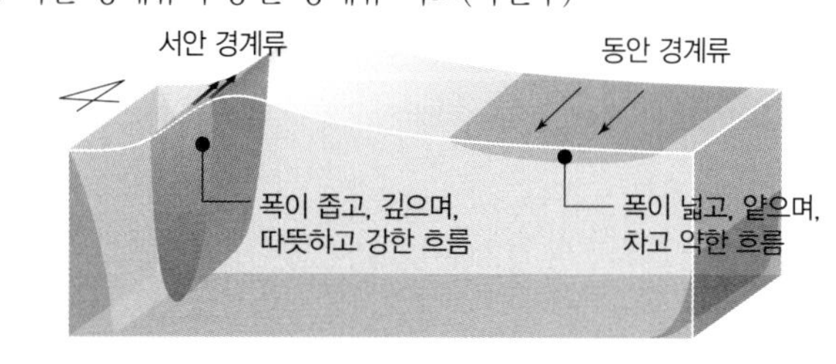

구분	서안 경계류	동안 경계류
해류의 폭	좁다	넓다
해류의 평균 깊이	깊다	얕다
유속	빠르다	느리다
해수의 수송량	많다	적다
예(북반구)	쿠로시오 해류, 멕시코 만류 등	캘리포니아 해류, 카나리아 해류 등

④ 세계 주요 해류

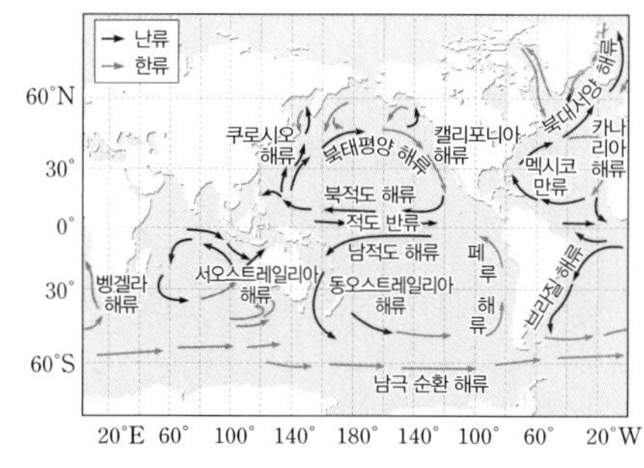

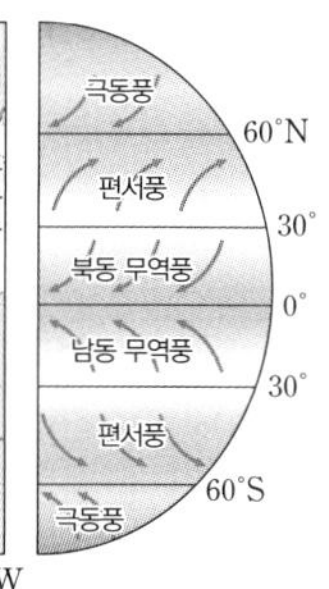

대기 대순환과 표층 해류

더 알기 스토멜의 서안 강화 현상(북반구)

- (가)는 전향력이 위도에 따라 변하지 않고 일정한 경우로 해류의 순환은 순환의 중심에 대하여 대칭적으로 나타난다.
- (나)는 적도 지역에서 고위도로 갈수록 회전 속도를 빠르게 한 경우(전향력의 크기가 고위도로 갈수록 커지는 경우)로 해류의 순환 중심이 서쪽으로 치우쳐 나타난다.
  ➡ 대양의 중심이 서쪽으로 치우치기 때문에 대양의 서안에서는 대양의 동안에 비해 해수면의 경사가 급해져 수압 경도력이 커지므로 폭이 좁고 유속이 빠른 서안 경계류가 발달하는 서안 강화 현상이 나타난다.

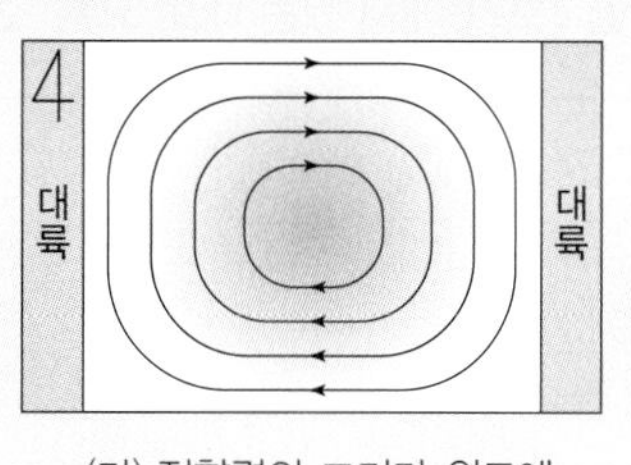

(가) 전향력의 크기가 위도에 관계없이 일정한 경우

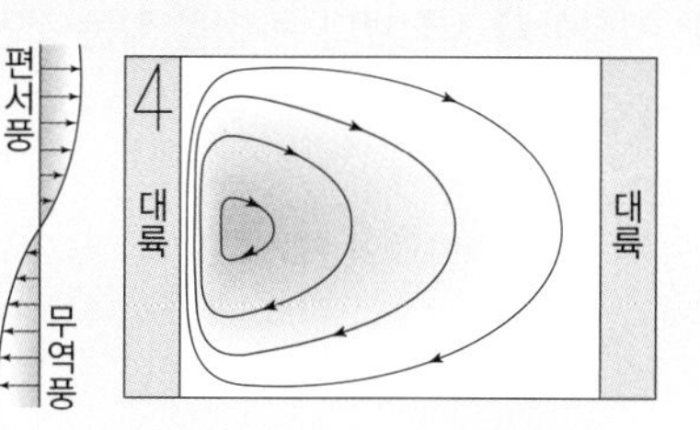

(나) 전향력의 크기가 고위도로 갈수록 커지는 경우

테마 대표 문제

| 2024학년도 수능 |

그림은 정역학 평형과 지형류 평형이 이루어진 북반구 어느 해역의 동서 단면을 나타낸 것이다.

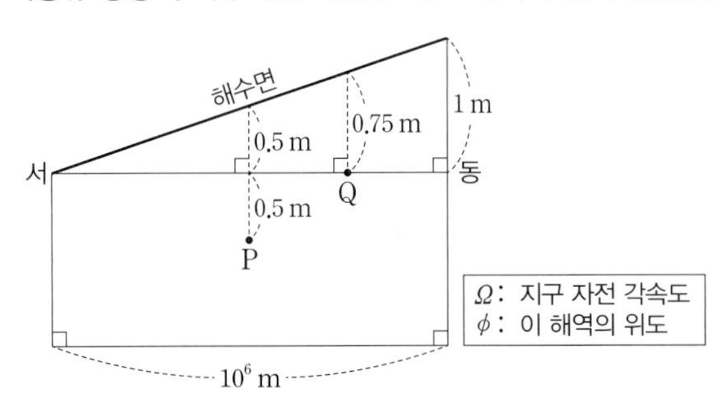

이에 대한 설명으로 옳은 것만을 <보기>에서 있는 대로 고른 것은? (단, 이 해역의 밀도는 일정하고, 중력 가속도는 $10\ m/s^2$, $2\Omega\sin\phi=10^{-4}$/s이다.)

보기

ㄱ. 수압의 크기는 P가 Q의 $\frac{4}{3}$배이다.

ㄴ. Q에서 지형류의 유속은 1 m/s이다.

ㄷ. $\frac{\text{연직 수압 경도력의 크기}}{\text{수평 수압 경도력의 크기}}$는 P가 Q보다 크다.

① ㄱ ② ㄴ ③ ㄱ, ㄷ ④ ㄴ, ㄷ ⑤ ㄱ, ㄴ, ㄷ

접근 전략

해수에 작용하는 수압은 수심에 비례하여 나타나고, 단위 질량의 해수에 작용하는 연직 수압 경도력의 크기와 수평 수압 경도력의 크기를 구하는 공식에 대해 이해하고 있어야 한다.

간략 풀이

㉠. 수압의 크기는 ρgz(ρ: 해수의 밀도, g: 중력 가속도, z: 수심)이다. P와 Q에서 ρ와 g가 일정하므로, 수심이 1 m인 P가 수심이 0.75 m인 Q보다 수압이 $\frac{4}{3}$배 크다.

ㄴ(X). 지형류의 유속은 해수면의 경사와 중력 가속도에 비례하고, $2\Omega\sin\phi$에 반비례한다. 따라서 Q에서 지형류의 유속은 $10^{-6}\times10\ m/s^2\times10^4\ s=0.1\ m/s$이다.

ㄷ(X). 이 해역은 정역학 평형 상태이고, P와 Q에서 해수면의 경사와 중력 가속도가 서로 같으므로 단위 질량의 해수에 작용하는 연직 수압 경도력의 크기와 수평 수압 경도력의 크기도 서로 같다. 따라서 $\frac{\text{연직 수압 경도력의 크기}}{\text{수평 수압 경도력의 크기}}$는 P와 Q에서 같다. **정답 | ①**

닮은 꼴 문제로 유형 익히기

정답과 해설 14쪽

▸ 24073-0084

그림 (가)와 (나)는 정역학 평형과 지형류 평형 상태인 위도가 서로 같은 두 해역의 동서 단면을 나타낸 것이다. (가)와 (나)에서 해수의 밀도와 중력 가속도는 일정하다.

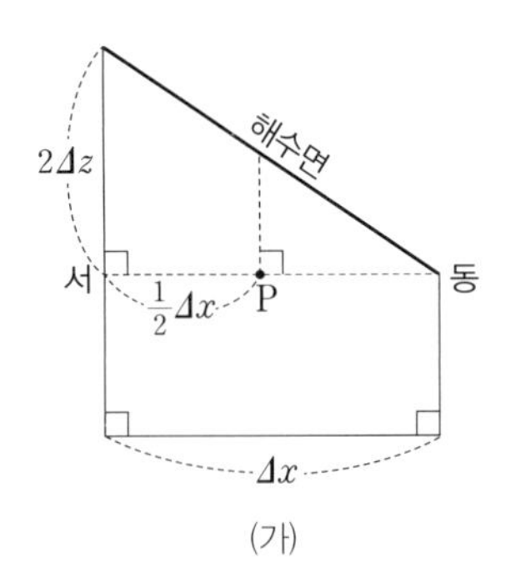

(가)

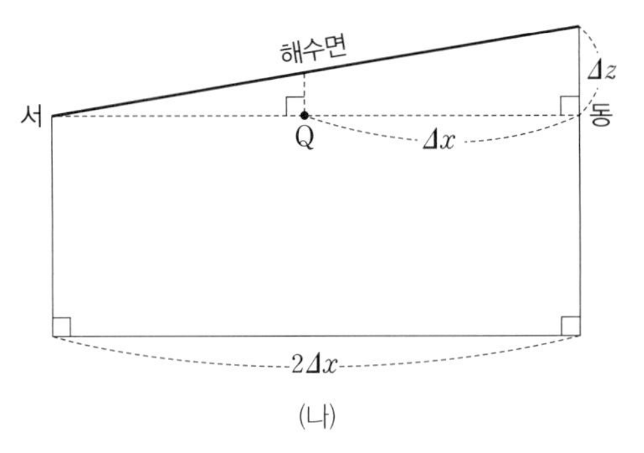

(나)

P 지점이 Q 지점보다 큰 값을 갖는 것만을 <보기>에서 있는 대로 고른 것은?

보기

ㄱ. 수압의 크기

ㄴ. $\frac{\text{전향력의 크기}}{\text{연직 수압 경도력의 크기}}$

ㄷ. 지형류의 유속

① ㄱ ② ㄷ ③ ㄱ, ㄴ ④ ㄴ, ㄷ ⑤ ㄱ, ㄴ, ㄷ

유사점과 차이점

정역학 평형과 지형류 평형 상태에서 해수에 작용하는 여러 가지 힘들의 크기를 비교하는 점은 대표 문제와 유사하지만, 서로 다른 두 해역의 해수에 작용하는 힘들을 비교하여 다룬다는 점에서 대표 문제와 다르다.

배경 지식

- 해수에 작용하는 수압은 해수의 밀도와 중력 가속도가 일정하다면 깊이에 비례하여 나타난다.
- 수압 경도력은 해수면의 경사에 비례하고, 지형류의 유속은 위도가 낮을수록, 해수면의 경사가 급할수록 빨라진다.

01
▸24073-0085

그림은 정역학 평형 상태에 있는 단위 질량의 어느 물기둥을 나타낸 것이다. 물기둥에서 밀도와 중력 가속도는 일정하고, A와 B는 각각 중력과 연직 수압 경도력 중 하나이다.

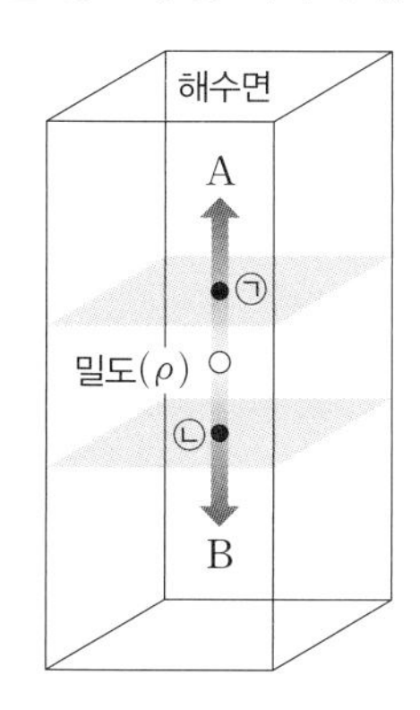

이에 대한 설명으로 옳은 것만을 〈보기〉에서 있는 대로 고른 것은?

보기

ㄱ. 힘의 크기는 A와 B가 서로 같다.
ㄴ. 작용하는 수압의 크기는 ㉠ 지점이 ㉡ 지점보다 크다.
ㄷ. 연직 수압 경도력의 크기는 ㉠ 지점이 ㉡ 지점보다 크다.

① ㄱ ② ㄴ ③ ㄱ, ㄷ
④ ㄴ, ㄷ ⑤ ㄱ, ㄴ, ㄷ

02
▸24073-0086

표는 해수에 작용하는 힘의 종류와 특징을 나타낸 것이다.

종류	특징
(가)	지구가 자전하기 때문에 생기는 가상적인 힘
(나)	해수에 작용하는 수평 방향의 수압 차 때문에 생기는 힘

이에 대한 설명으로 옳은 것만을 〈보기〉에서 있는 대로 고른 것은?

보기

ㄱ. 해수의 속력이 일정할 때, 해수에 작용하는 (가)의 크기는 저위도보다 고위도에서 크다.
ㄴ. 해수의 밀도가 일정할 때, (나)는 해수면의 경사가 클수록 커진다.
ㄷ. 지형류는 (가)와 (나)가 평형을 이룰 때 형성된다.

① ㄱ ② ㄴ ③ ㄱ, ㄷ
④ ㄴ, ㄷ ⑤ ㄱ, ㄴ, ㄷ

03
▸24073-0087

그림은 어느 해역의 에크만 나선을 나타낸 것이다. A 지점과 B 지점에서 해수의 이동 방향은 서로 반대이다.

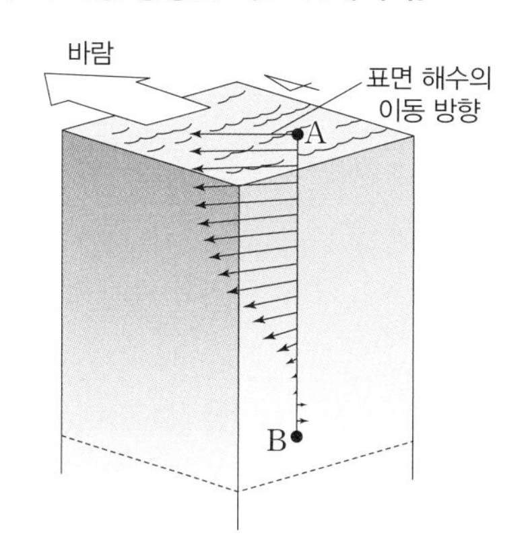

이에 대한 설명으로 옳은 것만을 〈보기〉에서 있는 대로 고른 것은?

보기

ㄱ. 이 해역은 북반구에 위치한다.
ㄴ. 에크만층(마찰층) 내에서 해수의 평균적인 이동 방향은 동→서이다.
ㄷ. 전향력이 약할수록 A 지점과 B 지점 사이의 거리는 증가한다.

① ㄱ ② ㄴ ③ ㄱ, ㄷ
④ ㄴ, ㄷ ⑤ ㄱ, ㄴ, ㄷ

04
▸24073-0088

그림은 어느 해역에서 지형류가 형성되는 과정을 나타낸 것이다. ㉠과 ㉡은 각각 수평 수압 경도력과 전향력 중 하나이다.

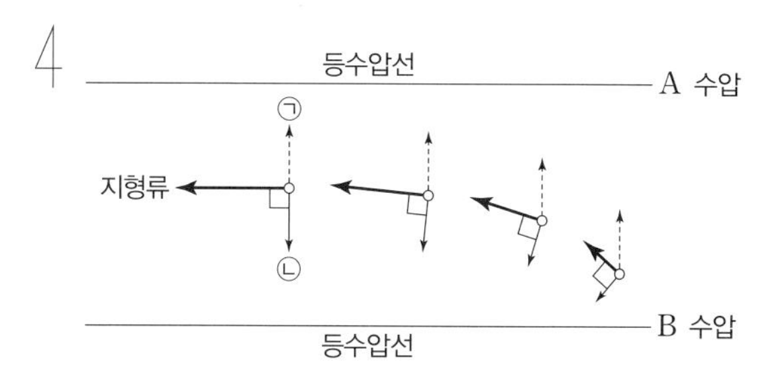

이에 대한 설명으로 옳은 것만을 〈보기〉에서 있는 대로 고른 것은?

보기

ㄱ. ㉠은 전향력이다.
ㄴ. 수압의 크기는 A>B이다.
ㄷ. 이 해역은 남반구에 위치한다.

① ㄱ ② ㄷ ③ ㄱ, ㄴ
④ ㄴ, ㄷ ⑤ ㄱ, ㄴ, ㄷ

05

▸24073-0089

그림은 지형류 평형 상태인 위도 30°N 해역의 모습을 나타낸 것이다.

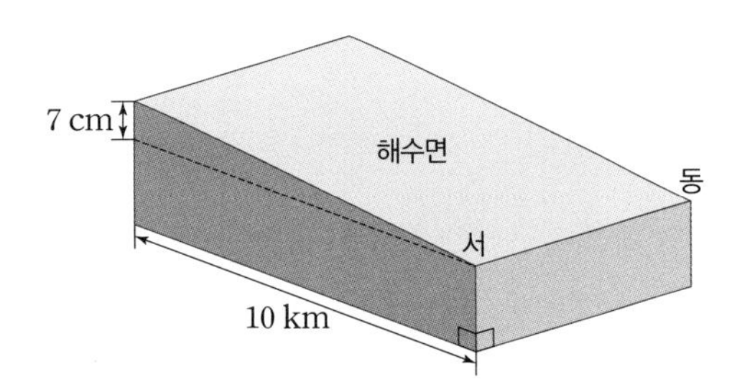

이 해역에 대한 설명으로 옳은 것만을 〈보기〉에서 있는 대로 고른 것은? (단, 지구의 자전 각속도는 7×10^{-5}/s이고, 중력 가속도는 10 m/s²이다.)

보기
ㄱ. 수평 수압 경도력은 남쪽 방향으로 작용한다.
ㄴ. 지형류는 서쪽에서 동쪽으로 흐른다.
ㄷ. 지형류의 유속은 1 m/s이다.

① ㄱ ② ㄴ ③ ㄱ, ㄷ ④ ㄴ, ㄷ ⑤ ㄱ, ㄴ, ㄷ

06

▸24073-0090

그림은 적도 부근 해역에 흐르는 표층 해류를 모식적으로 나타낸 것이다. 화살표는 방향만을 의미한다.

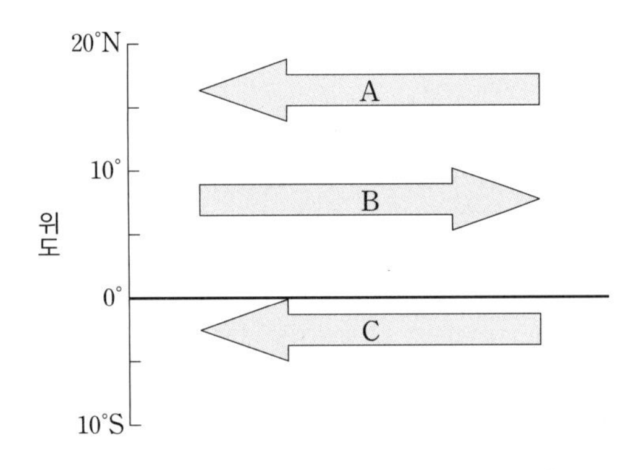

해류 A, B, C에 대한 설명으로 옳은 것만을 〈보기〉에서 있는 대로 고른 것은?

보기
ㄱ. 무역풍이 강할수록 A의 유속은 빨라진다.
ㄴ. B는 남북 방향의 해수면 경사에 의해 발생하는 해류이다.
ㄷ. A와 C에 작용하는 전향력의 방향은 모두 저위도 → 고위도이다.

① ㄱ ② ㄷ ③ ㄱ, ㄴ ④ ㄴ, ㄷ ⑤ ㄱ, ㄴ, ㄷ

07

▸24073-0091

그림은 북태평양의 아열대 해역에 흐르는 서로 다른 두 해류 A와 B를 모식적으로 나타낸 것이다. A와 B는 각각 동안 경계류와 서안 경계류 중 하나이다.

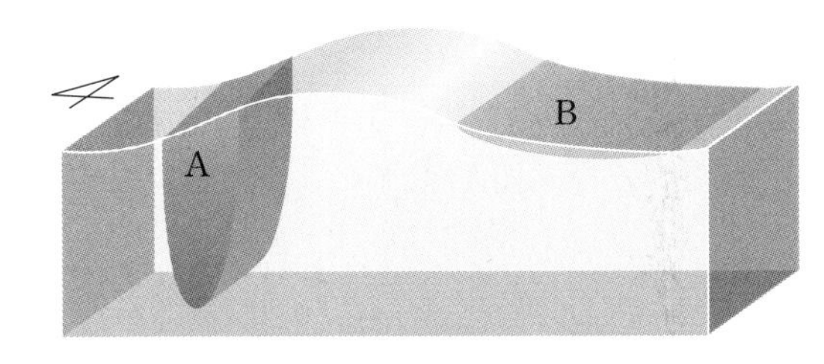

A보다 B가 큰 값을 갖는 것만을 〈보기〉에서 있는 대로 고른 것은?

보기
ㄱ. 유속
ㄴ. 평균 수온
ㄷ. $\frac{\text{해류의 폭}}{\text{해류의 깊이}}$

① ㄱ ② ㄷ ③ ㄱ, ㄴ ④ ㄴ, ㄷ ⑤ ㄱ, ㄴ, ㄷ

08

▸24073-0092

그림 (가)와 (나)는 어느 대양에서 위도에 따라 전향력이 커질 때와 전향력이 일정할 때 아열대 순환의 모습을 순서 없이 나타낸 것이다. A와 B 해역에서 해류의 유속은 같다.

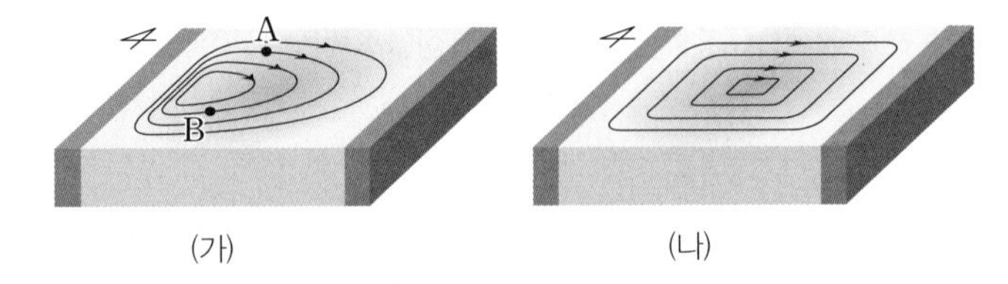

이에 대한 설명으로 옳은 것만을 〈보기〉에서 있는 대로 고른 것은? (단, 해수의 밀도와 중력 가속도는 일정하다.)

보기
ㄱ. 이 대양은 북반구에 위치한다.
ㄴ. 위도에 따른 전향력의 변화를 고려한 아열대 순환은 (나)이다.
ㄷ. 해수면의 경사는 A 해역이 B 해역보다 급하다.

① ㄱ ② ㄴ ③ ㄱ, ㄷ ④ ㄴ, ㄷ ⑤ ㄱ, ㄴ, ㄷ

정답과 해설 15쪽

01

▶ 24073-0093

그림은 지형류 평형 상태인 서로 다른 두 해역 (가)와 (나)에서의 해수면 경사와 지형류의 방향을 나타낸 것이다. (가)와 (나)의 위도는 각각 45°N과 60°S 중 하나이다.

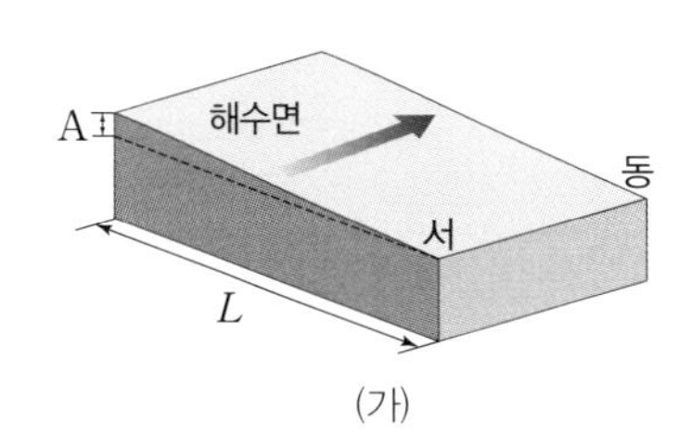

(가)

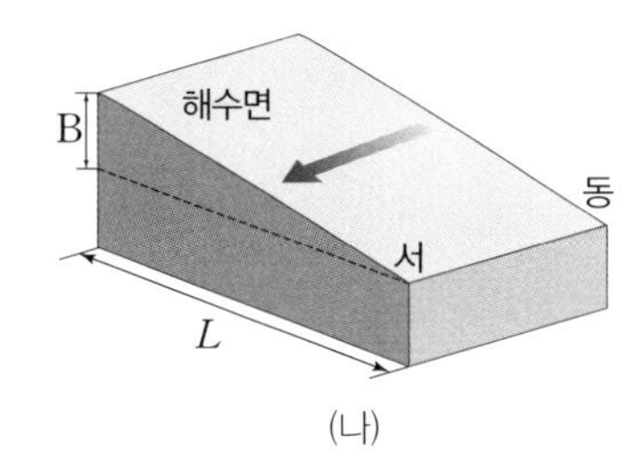

(나)

이에 대한 설명으로 옳은 것만을 〈보기〉에서 있는 대로 고른 것은? (단, 두 해역에서 해수면 경사와 위도 이외의 조건은 고려하지 않는다.)

| 보기 |

ㄱ. 위도가 60°S인 해역은 (가)이다.

ㄴ. (나)에서 지형류에 작용하는 $\frac{\text{전향력의 크기}}{\text{수평 수압 경도력의 크기}}$는 1이다.

ㄷ. B가 A의 $\sqrt{2}$배일 때, 지형류의 유속은 (가)보다 (나)에서 빠르다.

① ㄱ ② ㄷ ③ ㄱ, ㄴ ④ ㄴ, ㄷ ⑤ ㄱ, ㄴ, ㄷ

02

▶ 24073-0094

그림은 지형류 평형 상태인 위도 45°S 해역의 해수면 경사와 밀도가 ρ_1, ρ_2인 해수층의 단면을 나타낸 것이다. 최하층에서 수평 방향의 수압 차는 없다고 가정한다.

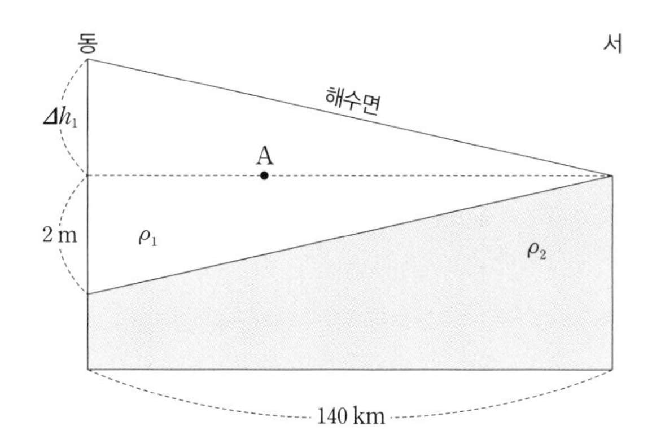

이에 대한 설명으로 옳은 것만을 〈보기〉에서 있는 대로 고른 것은? (단, 지구의 자전 각속도는 7×10^{-5}/s이고, 중력 가속도는 9.8 m/s^{2}이다.)

| 보기 |

ㄱ. A 지점에서 지형류가 흐르는 방향은 남 → 북이다.

ㄴ. Δh_1이 2 m일 때 A 지점에 흐르는 지형류의 유속은 1.5 m/s보다 크다.

ㄷ. ρ_2가 $2\rho_1$일 때 Δh_1은 2 m이다.

① ㄱ ② ㄴ ③ ㄷ ④ ㄱ, ㄴ ⑤ ㄱ, ㄷ

03

▸24073-0095

그림은 지형류 평형 상태인 어느 해역의 연직 수온 분포를 나타낸 것이다.

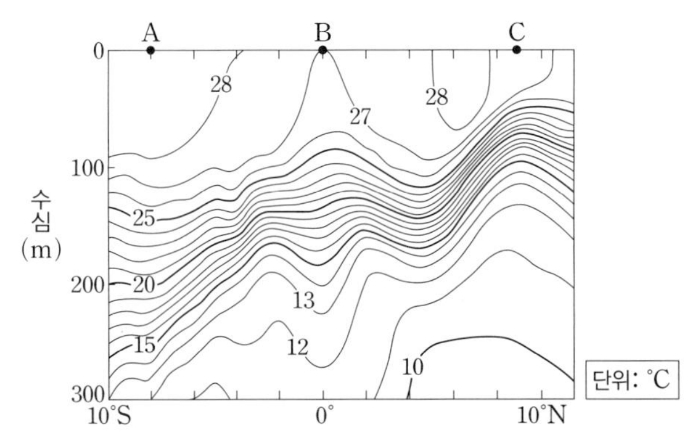

해역 A, B, C에 대한 설명으로 옳은 것만을 <보기>에서 있는 대로 고른 것은? (단, 해수면의 높이는 수온에 의해서만 결정된다.)

보기

ㄱ. 해수면의 높이는 A보다 B에서 낮다.
ㄴ. A와 C에서 지형류의 방향은 서로 같다.
ㄷ. 0~300 m까지 수온의 평균 연직 변화 폭은 B가 C보다 작다.

① ㄱ ② ㄴ ③ ㄷ ④ ㄱ, ㄴ ⑤ ㄱ, ㄷ

04

▸24073-0096

그림은 북반구 어느 해양의 표층 위에서 지속적으로 부는 바람과 표층 해수의 에크만 수송을 나타낸 것이다.

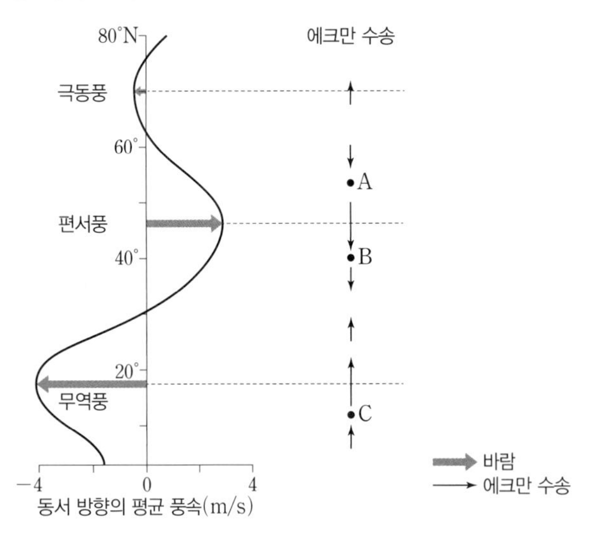

이에 대한 설명으로 옳은 것만을 <보기>에서 있는 대로 고른 것은?

보기

ㄱ. 해수가 수렴하는 해역은 A이다.
ㄴ. C 해역에서 지형류가 흐르는 방향은 동 → 서이다.
ㄷ. 해양의 표층 위에서 지속적으로 부는 바람의 속력이 강할수록 에크만 수송량은 증가한다.

① ㄱ ② ㄴ ③ ㄱ, ㄷ ④ ㄴ, ㄷ ⑤ ㄱ, ㄴ, ㄷ

05

▸24073-0097

그림은 전 세계 해양의 해수면 높이 분포를 나타낸 것이다. A, B, C 해역에는 지형류가 흐른다.

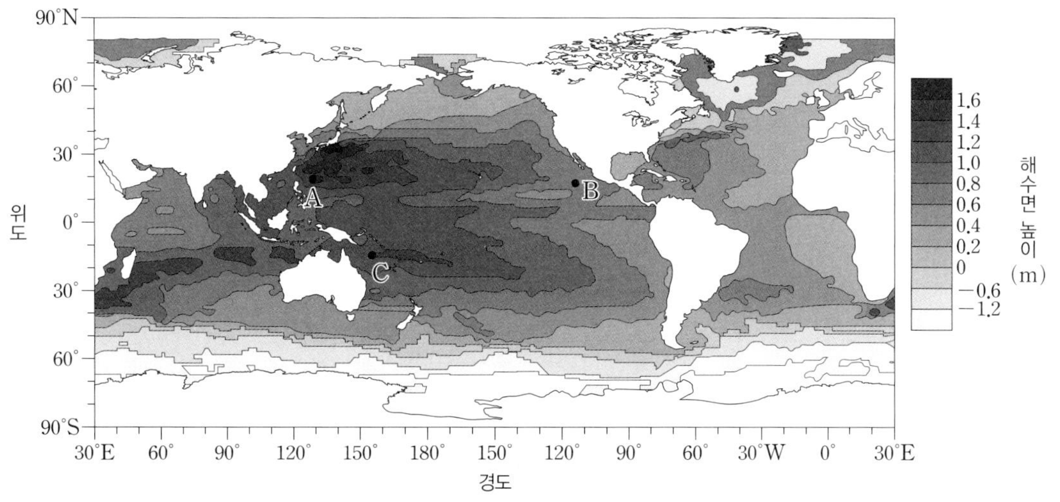

해역 A, B, C에 대한 설명으로 옳은 것만을 〈보기〉에서 있는 대로 고른 것은?

보기

ㄱ. 해수면 높이가 가장 높은 해역은 A이다.

ㄴ. 단위 시간에 단위 면적을 통과하는 해수의 양은 B보다 C에서 많다.

ㄷ. 해역을 통과하는 해류에 작용하는 수평 수압 경도력의 방향은 A와 C에서 모두 서쪽 계열이다.

① ㄱ ② ㄷ ③ ㄱ, ㄴ ④ ㄴ, ㄷ ⑤ ㄱ, ㄴ, ㄷ

06

▸24073-0098

그림은 북반구에서 위도에 따른 해수의 표층 순환을 모식적으로 나타낸 것이다. 해역 A와 B의 위도는 같다.

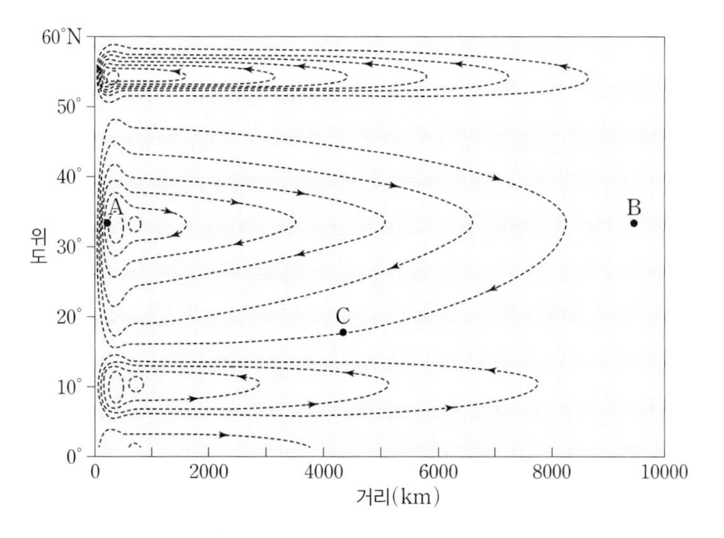

해역 A, B, C에 대한 설명으로 옳은 것만을 〈보기〉에서 있는 대로 고른 것은?

보기

ㄱ. 평균 표층 염분은 A보다 B에서 높다.

ㄴ. 해수면의 높이가 가장 높은 해역은 A이다.

ㄷ. 해역을 통과하는 해류의 평균 유속은 B보다 C에서 빠르다.

① ㄱ ② ㄷ ③ ㄱ, ㄴ ④ ㄴ, ㄷ ⑤ ㄱ, ㄴ, ㄷ

해파와 조석

1 해파

(1) 해파의 발생: 주로 바람에 의해 발생하며, 해저 지진, 폭풍 등에 의해서도 발생한다.

(2) 해파의 요소

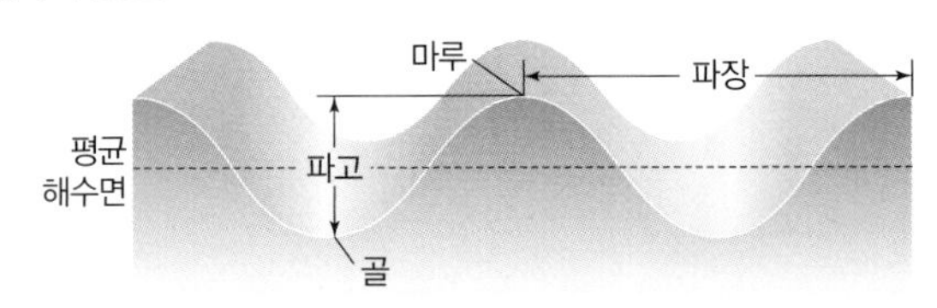

해파의 요소

① 마루와 골: 파의 가장 높은 부분(마루), 파의 가장 낮은 부분(골)

② 파장: 마루(골)와 마루(골) 사이의 수평 거리

③ 파고: 마루와 골의 연직 거리

④ 주기: 연속된 두 개의 마루(골)가 지나는 데 걸리는 시간

(3) 해파와 물 입자의 운동: 파의 에너지는 파의 진행 방향을 따라 전달되지만 물 입자는 특정 지점을 중심으로 궤도 운동을 한다.

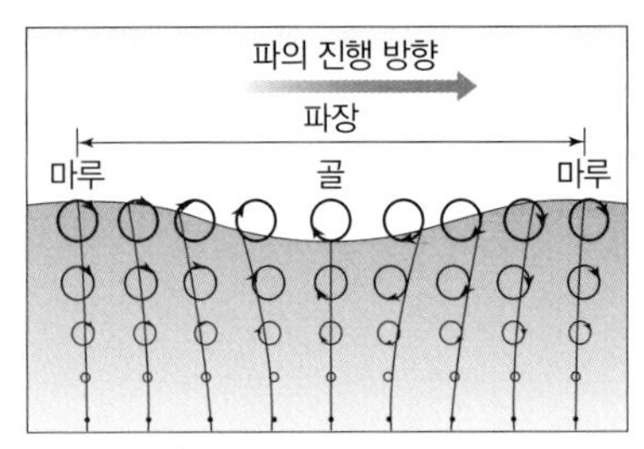

수심에 따른 물 입자의 운동

2 해파의 분류

(1) 모양에 따른 분류

① 풍랑: 바람에 의해 직접 형성되며 마루가 뾰족한 삼각형 모양의 해파

② 너울: 풍랑이 발생지를 벗어난 곳에서 마루가 둥글게 규칙적으로 변한 해파 ➡ 풍랑보다 주기와 파장이 길다.

③ 연안 쇄파: 파봉(파의 마루)이 부서지는 해파 ➡ 연안 쇄파는 해파가 해안으로 접근할 때 발생하며, 해저와의 마찰로 해파의 속력이 느려지고 파장이 짧아지면서 파고가 높아져 발생한다.

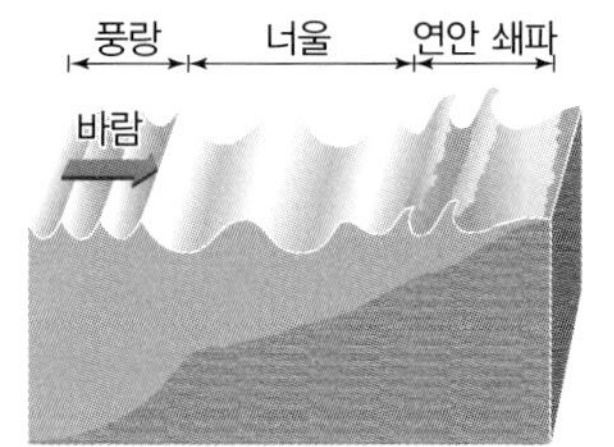

해안으로 접근하는 해파의 변화

구분	풍랑	너울
생성 원인	바람	풍랑에 의한 전파
마루의 형태	뾰족하다	둥글다
주기	짧다	길다
파장	수~수십 m	수십~수백 m

풍랑과 너울의 특징

(2) 파장과 수심에 따른 분류

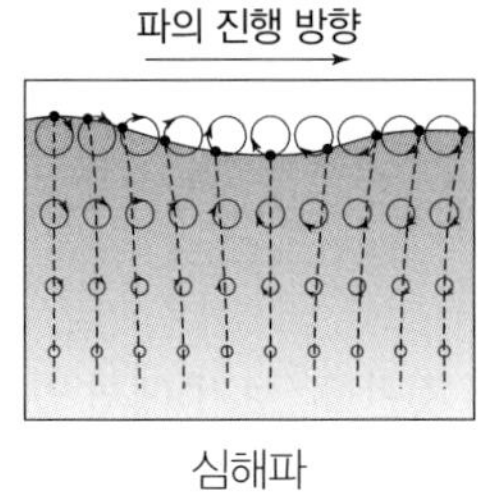

심해파 천해파

① 심해파: 수심이 파장의 $\frac{1}{2}$보다 깊은 곳에서 진행하는 해파

- 물 입자의 운동: 원운동
- 전파 속력: 파장이 길수록 속력(v)이 빠르다.
  ➡ $v=\sqrt{\frac{gL}{2\pi}}$ (g: 중력 가속도, L: 파장)

② 천해파: 수심이 파장의 $\frac{1}{20}$보다 얕은 곳에서 진행하는 해파

- 물 입자의 운동: 타원 운동, 해저에서는 직선 왕복 운동
- 전파 속력: 수심이 깊을수록 속력(v)이 빠르다.
  ➡ $v=\sqrt{gh}$ (g: 중력 가속도, h: 수심)

3 해일

(1) 폭풍 해일: 강한 저기압 중심의 낮은 압력과 강한 바람에 의해 저기압 중심의 해수면이 상승하여 해일이 일어나는 현상

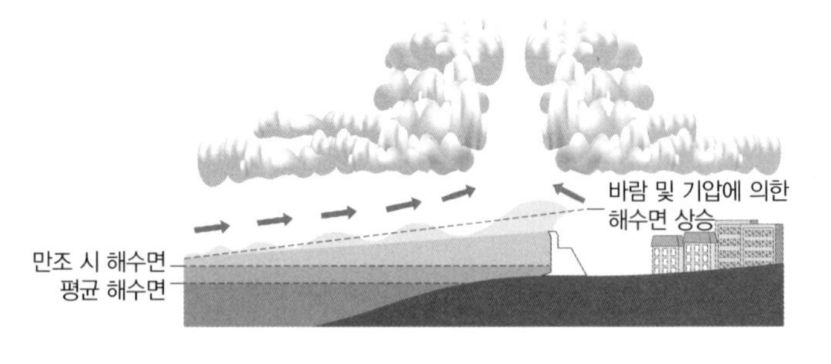

더 알기 해파의 굴절

- 해파가 해안가에 가까워지면 수심이 얕아지므로 모든 해파가 천해파의 성질을 띠게 된다. 따라서 수심이 얕을수록 해파의 속력이 느려진다.
- 수심이 얕은 곳을 통과하는 해파는 느려지고 깊은 곳을 통과하는 해파는 빨라진다.
- (가): 해안선이 직선인 곳에서는 해파가 해안에 가까울수록 느리고, 해안에서 멀수록 빠르므로 해파의 굴절이 일어나 결과적으로 해파의 마루선이 해안선에 거의 나란해진다.
- (나): 해안선이 불규칙한 곳에서는 수심에 따른 해파의 속력 차이로 곶에서는 에너지가 집중되고 만에서는 에너지가 분산된다.

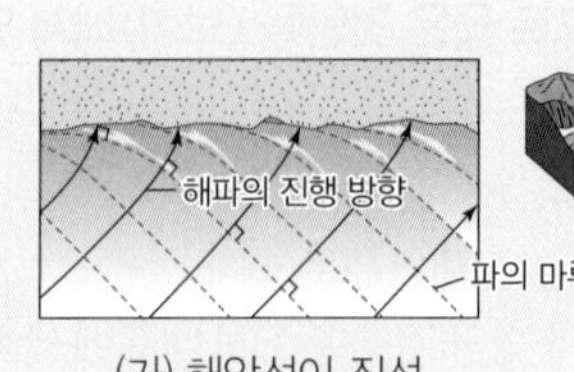

(가) 해안선이 직선

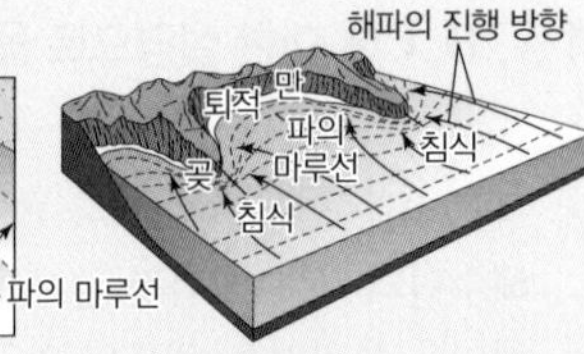

(나) 해안선이 불규칙

(2) **지진 해일(쓰나미)**: 해저 지진, 해저 사태 등에 의한 해수면의 급격한 변동으로 발생한 해파 ➡ 깊은 바다에서는 파고가 낮고 속력이 매우 빠르다. → 얕은 해안가로 접근할수록 속력은 느려지고 파고가 높아져 해일이 발생한다.

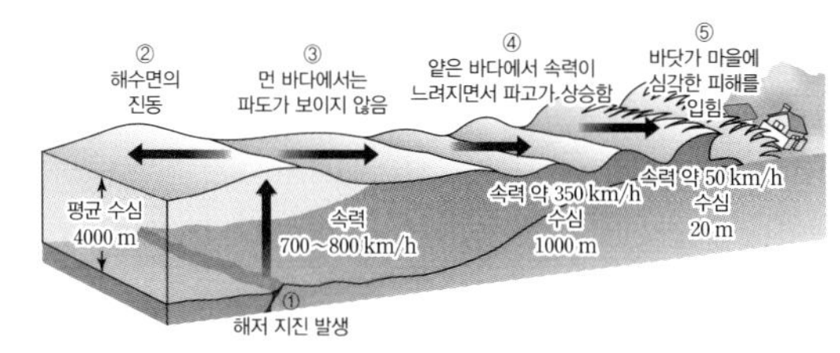

지진 해일이 전파되는 모습

4 조석

(1) **기조력**: 조석을 일으키는 힘

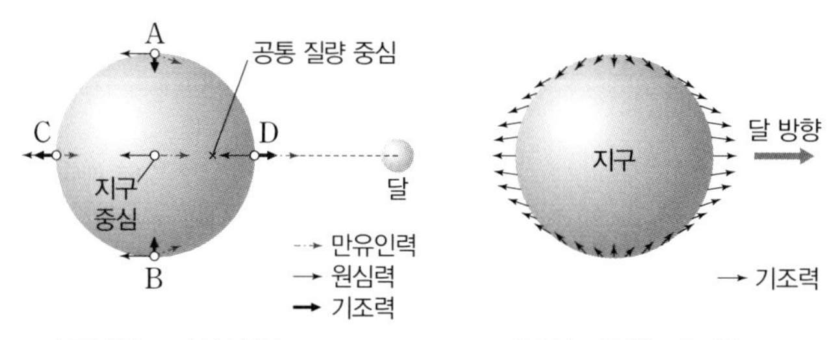

기조력의 크기와 방향　　　지구의 지점별 기조력

① 기조력의 발생 원인: 지구가 다른 천체와의 공통 질량 중심 주위를 회전할 때 생기는 원심력과 천체가 잡아당기는 만유인력의 합력에 의해 생긴다.

② 기조력의 크기(T): 영향을 미치는 천체의 질량(M)에 비례하고, 천체까지 거리(d)의 세제곱에 반비례한다. ➡ $T \propto \frac{M}{d^3}$

③ 달과 태양에 의한 기조력: 태양의 질량은 달의 질량에 비해 훨씬 크지만 태양은 달에 비해 지구로부터의 거리가 훨씬 멀다. 따라서 달에 의한 기조력이 태양에 의한 기조력의 약 2배이다.

(2) **조석 주기**

① 만조와 간조: 해수면이 가장 높아졌을 때를 만조, 가장 낮아졌을 때를 간조라고 한다.

② 조석 주기: 만조(간조)에서 다음 만조(간조)까지의 시간

③ 달의 공전과 조석 주기: 달이 하루 동안에 약 13° 공전하므로 지구의 부풀어 오른 위치도 달을 따라 움직이게 된다. 따라서 달 방향에 있던 지구의 어떤 지점(A)이 하루 뒤 다시 달 방향(B)에 있기 위해서는 지구는 약 13° 더 회전해야 한다. 그 시간은 대략 50분이 더 소요되므로 달이 같은 위치가 되는 데 걸린 시간은 약 24시간 50분이 된다. 반일주조의 경우 하루 동안 약 2회의 만조(간조)가 나타나므로 조석 주기는 약 12시간 25분이 된다.

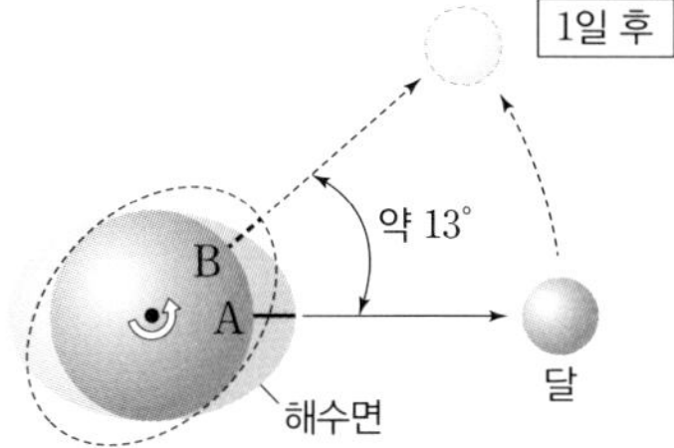

(3) **사리와 조금**

① 조차: 만조와 간조 때 해수면의 높이 차이

② 사리와 조금: 조차가 최대일 때를 사리, 최소일 때를 조금이라 한다.

③ 달의 위상과 조석 현상: 삭이나 망일 때는 사리, 상현이나 하현일 때는 조금이 발생한다.

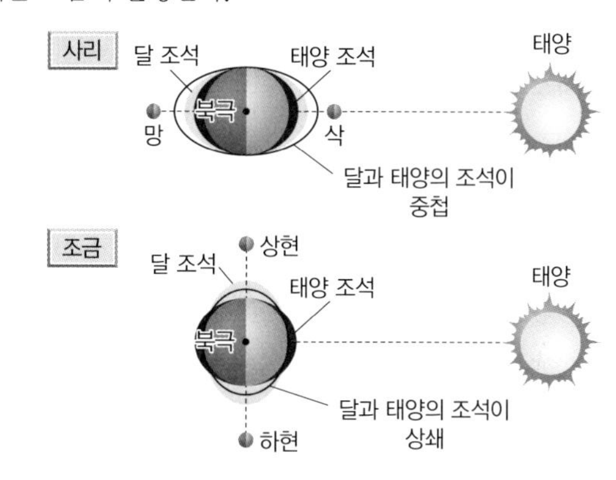

(4) **위도에 따른 조석의 차이와 조석 형태**: 달의 위치에 따라서 해수면이 부풀어 오르는 방향이 달라지고, 또한 위도에 따라서 조석의 형태가 달라진다.

① 원인: 달의 공전 궤도가 지구의 적도와 약 23.5°±5° 기울어져 있기 때문이다.

② 조석의 형태

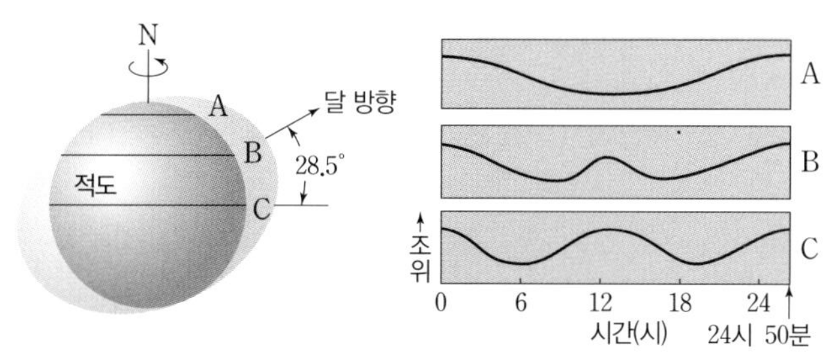

달의 공전 궤도 최대 기울기와 지역에 따른 다양한 조석 형태

- 일주조(A): 하루에 만조와 간조가 한 번씩만 나타난다.
- 혼합조(B): 일주조와 반일주조가 혼합된 형태
- 반일주조(C): 하루에 만조와 간조가 대략 두 번씩 나타난다.

더 알기 조석 자료(수위 변화 곡선)의 해석

- 하루에 만조와 간조는 각각 약 2회씩 일어나며, 조석 주기는 약 12시간 25분이다.
- 해수면의 높이 변화는 지구, 달, 태양의 상대적인 위치에 따라 주기적으로 나타난다.
- 해수면의 높이 변화가 가장 크게 나타나는 시기는 태양과 달이 지구와 일직선을 이루고 있는 삭이나 망일 때이다.
- 해수면의 높이 변화가 가장 작게 나타나는 시기는 달과 태양의 기조력이 서로 직각 방향으로 작용하는 상현이나 하현일 때이다.

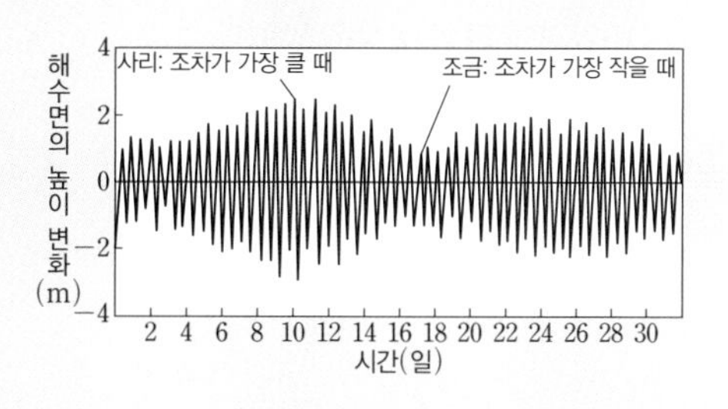

테마 대표 문제

| 2024학년도 수능 |

그림은 어느 지역에서 3일 동안 조석에 의한 해수면의 높이 변화를 나타낸 것이다.

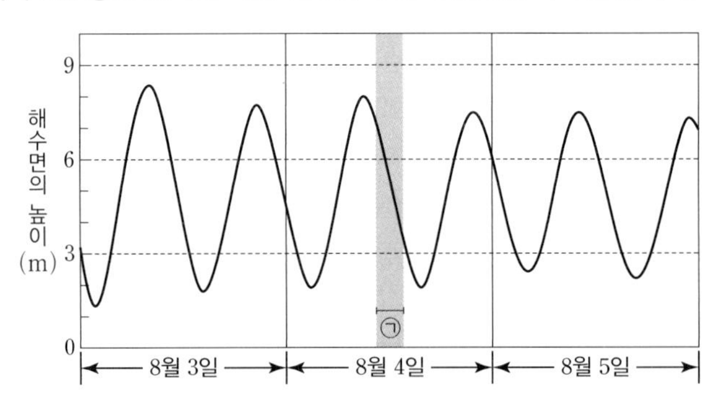

이 자료에 대한 설명으로 옳은 것만을 〈보기〉에서 있는 대로 고른 것은?

보기

ㄱ. 8월 3일에 고조(만조) 때의 해수면 높이는 9 m보다 높다.
ㄴ. 8월 4일의 ㉠ 시기에 썰물이 나타난다.
ㄷ. 8월 5일에 조차는 3 m보다 작다.

① ㄱ ② ㄴ ③ ㄷ ④ ㄱ, ㄴ ⑤ ㄴ, ㄷ

접근 전략

해수면의 높이 변화로부터 고조와 저조 및 밀물과 썰물이 일어나는 시기를 파악해야 한다. 그리고 고조와 저조 때 해수면의 높이 차이인 조차를 구해야 한다.

간략 풀이

해수면의 높이가 가장 높을 때를 고조, 해수면의 높이가 가장 낮을 때를 저조라고 한다.

~~ㄱ~~. 8월 3일에 고조 때의 해수면 높이는 9 m보다 낮다.

ⓛ. 8월 4일의 ㉠ 시기에는 시간이 지남에 따라 해수면의 높이가 낮아지므로 썰물이 나타난다.

~~ㄷ~~. 8월 5일에 저조 때의 해수면 높이는 3 m보다 낮고, 고조 때의 해수면 높이는 6 m보다 높으므로 조차는 3 m보다 크다.

정답 | ②

닮은 꼴 문제로 유형 익히기

정답과 해설 17쪽

▶ 24073-0099

그림은 어느 해안에서 보름달이 관측된 날부터 한 달 동안 관측한 해수면의 높이 변화를 나타낸 것이다.

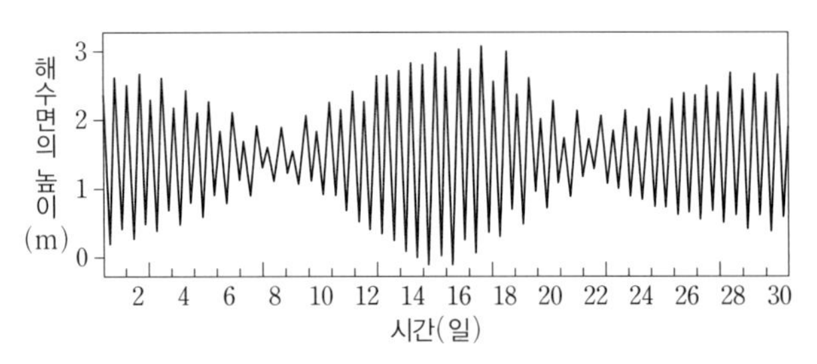

이 자료에 대한 설명으로 옳은 것만을 〈보기〉에서 있는 대로 고른 것은?

보기

ㄱ. 2일에 조차는 1 m보다 크다.
ㄴ. 최대 만조 수위는 17일경에 가장 높다.
ㄷ. 15일경에 달의 위상은 망이다.

① ㄱ ② ㄴ ③ ㄷ ④ ㄱ, ㄴ ⑤ ㄴ, ㄷ

유사점과 차이점

해수면의 높이 변화를 보고 만조 수위와 조차를 판단한다는 점에서 대표 문제와 유사하지만, 달의 위상에서 삭과 망을 구분한다는 점에서 대표 문제와 다르다.

배경 지식

- 만조 수위는 해수면의 높이가 가장 높을 때 수위이다.
- 조차는 해수면의 높이가 가장 높을 때와 가장 낮을 때의 차이이다.
- 조차는 망일 때뿐만 아니라 삭일 때도 크다.

01

▶24073-0100

그림 (가), (나), (다)는 외해에서 바람에 의해 발생한 어느 해파가 해안으로 이동할 때 서로 다른 곳에서 관측한 이 해파의 모양을 순서 없이 나타낸 것이다.

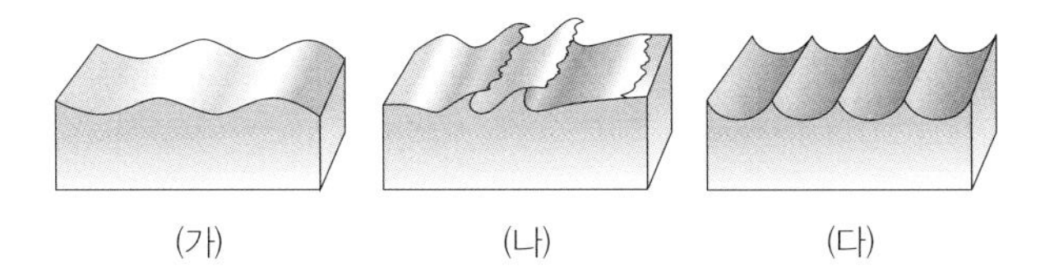

이에 대한 설명으로 옳은 것만을 <보기>에서 있는 대로 고른 것은?

보기

ㄱ. 해파가 전달될 때 수심은 (가)가 (나)보다 깊다.
ㄴ. 가장 나중에 나타나는 형태는 (나)이다.
ㄷ. 해파의 파장은 (가)가 (다)보다 길다.

① ㄱ ② ㄷ ③ ㄱ, ㄴ
④ ㄴ, ㄷ ⑤ ㄱ, ㄴ, ㄷ

02

▶24073-0101

다음은 해안으로 접근하는 천해파의 성질을 알아보기 위한 실험이다.

[실험 과정]
(가) 그림과 같이 한쪽 모퉁이에 경사면이 있는 긴 수조를 수평한 바닥에 놓고 물을 채운다.
(나) 해파 발생판을 그림과 같이 천천히 왕복시켜 천해파를 발생시킨다.

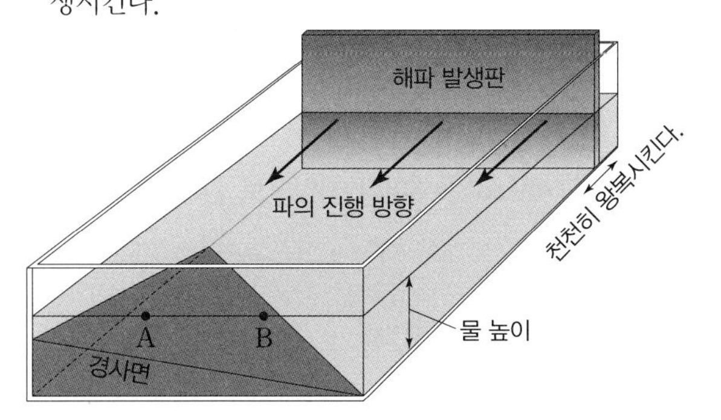

이에 대한 설명으로 옳은 것만을 <보기>에서 있는 대로 고른 것은? (단, 해파는 A, B가 표시된 수조 벽면에 도착할 때까지 부서지지 않으며, 벽면에서의 반사파는 무시한다.)

보기

ㄱ. 해파는 A보다 B에 먼저 도달한다.
ㄴ. 해파 발생판을 빠르게 움직일수록 A에서 해파의 속력이 빨라진다.
ㄷ. 경사면의 기울기를 크게 할수록 A와 B에서 해파의 속력 차이는 커진다.

① ㄱ ② ㄴ ③ ㄱ, ㄷ
④ ㄴ, ㄷ ⑤ ㄱ, ㄴ, ㄷ

03

▶24073-0102

그림은 어느 해역을 진행하는 해파의 모습과 물 입자의 운동 궤적을 나타낸 것이다. A, B 지점은 각각 골과 마루에 위치한다.

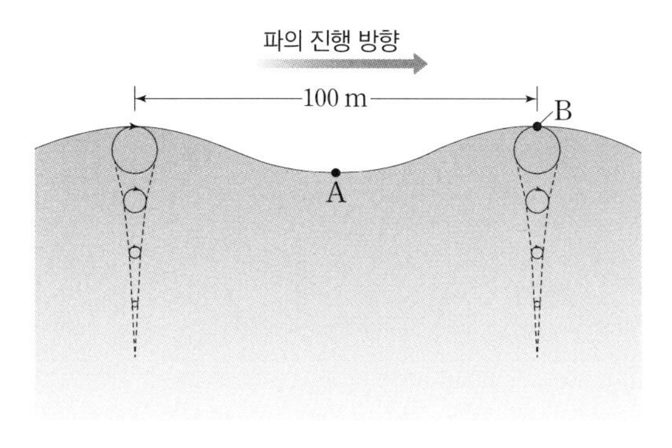

이에 대한 설명으로 옳은 것만을 <보기>에서 있는 대로 고른 것은?

보기

ㄱ. 이 해역의 수심은 50 m보다 깊다.
ㄴ. 이 해역에서 해파의 속력은 파장이 50 m인 해파의 $\sqrt{2}$배이다.
ㄷ. A 지점에 있는 물 입자는 파의 진행 방향과 같은 방향으로 움직인다.

① ㄱ ② ㄷ ③ ㄱ, ㄴ
④ ㄴ, ㄷ ⑤ ㄱ, ㄴ, ㄷ

04

▶24073-0103

표는 해파 A ~ D의 파장, 속력 및 각 해파가 진행하는 해역의 수심을 나타낸 것이다. 중력 가속도는 10 m/s^{2}이다.

해파	파장(m)	속력(m/s)	수심(m)
A	100	a	2
B	200	b	1
C	100	c	100
D	200	d	400

이에 대한 설명으로 옳은 것만을 <보기>에서 있는 대로 고른 것은?

보기

ㄱ. $b=\frac{1}{\sqrt{2}}a$이다.
ㄴ. d=2c이다.
ㄷ. a는 c보다 크다.

① ㄱ ② ㄴ ③ ㄷ
④ ㄱ, ㄴ ⑤ ㄱ, ㄷ

05

▸24073-0104

그림은 해안에 접근하는 해파의 진행 방향을 나타낸 것이다.

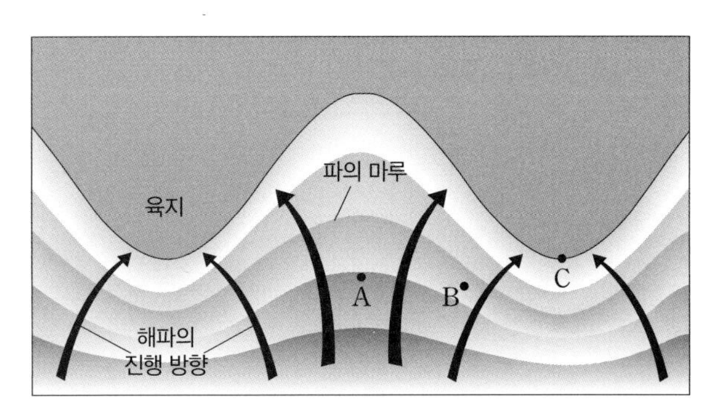

이에 대한 설명으로 옳은 것만을 〈보기〉에서 있는 대로 고른 것은?

보기

ㄱ. 수심은 A보다 B에서 깊다.
ㄴ. 파고는 A보다 B에서 높다.
ㄷ. C에서는 퇴적 작용보다 침식 작용이 활발하다.

① ㄱ ② ㄷ ③ ㄱ, ㄴ
④ ㄴ, ㄷ ⑤ ㄱ, ㄴ, ㄷ

06

▸24073-0105

그림은 속력이 **10 m/s**인 어느 해파의 전파 모습을 나타낸 것이다.

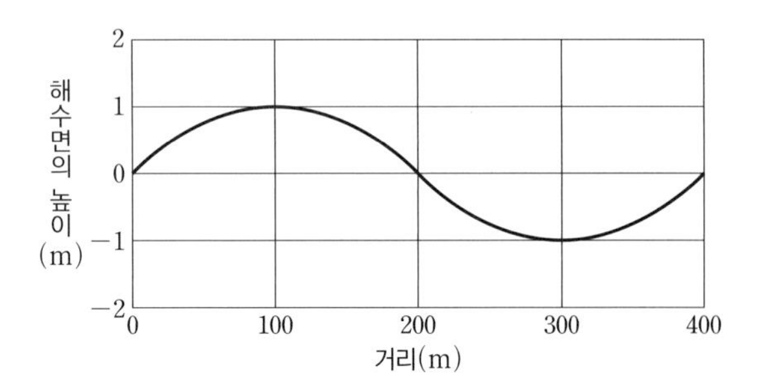

이에 대한 설명으로 옳은 것만을 〈보기〉에서 있는 대로 고른 것은?

보기

ㄱ. 파고는 1 m이다.
ㄴ. 해파의 주기는 40초이다.
ㄷ. 해수면의 물 입자는 원운동을 한다.

① ㄱ ② ㄴ ③ ㄷ
④ ㄱ, ㄴ ⑤ ㄱ, ㄷ

07

▸24073-0106

그림은 동해에서 발생한 어느 지진 해일의 전파 시간을 나타낸 것이다.

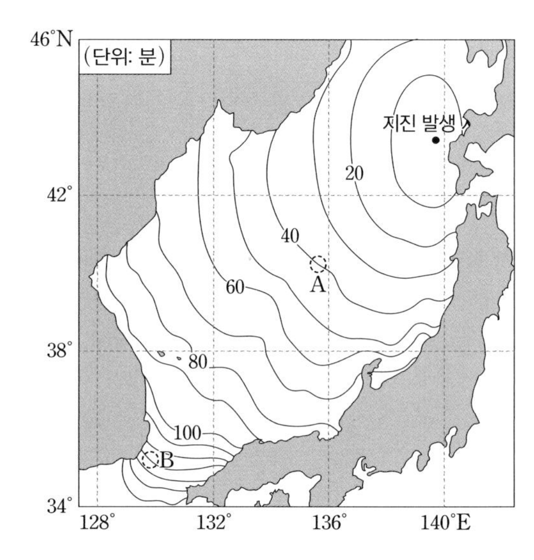

이에 대한 설명으로 옳은 것만을 〈보기〉에서 있는 대로 고른 것은?

보기

ㄱ. 수심은 A 해역이 B 해역보다 깊다.
ㄴ. 지진 해일의 파장은 A 해역이 B 해역보다 짧다.
ㄷ. 지진 해일이 A 해역을 지날 때 해수 표면의 물 입자는 타원 운동을 한다.

① ㄱ ② ㄴ ③ ㄷ
④ ㄱ, ㄷ ⑤ ㄴ, ㄷ

08

▸24073-0107

그림은 파장이 **500 m**인 해파가 해안으로 진행하는 것을 나타낸 모식도이다.

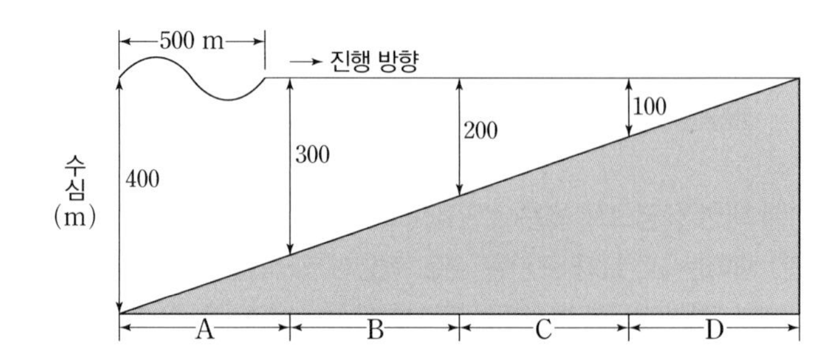

이에 대한 설명으로 옳은 것만을 〈보기〉에서 있는 대로 고른 것은?

보기

ㄱ. 해파가 해저의 영향을 받기 시작하는 지점은 B 해역에 있다.
ㄴ. C 해역을 지날 때 해파는 천해파이다.
ㄷ. A와 D 해역에서 해파의 파장은 같다.

① ㄱ ② ㄷ ③ ㄱ, ㄴ
④ ㄴ, ㄷ ⑤ ㄱ, ㄴ, ㄷ

09

▸24073-0108

그림은 지표면상의 두 지점 P, Q와 P 지점에 작용하는 힘 a, b, c를 나타낸 것이다. a, b, c는 각각 달에 의한 기조력, 해수와 달 사이의 만유인력, 지구가 달과의 공통 질량 중심 주위를 회전할 때 생기는 원심력 중 하나이다.

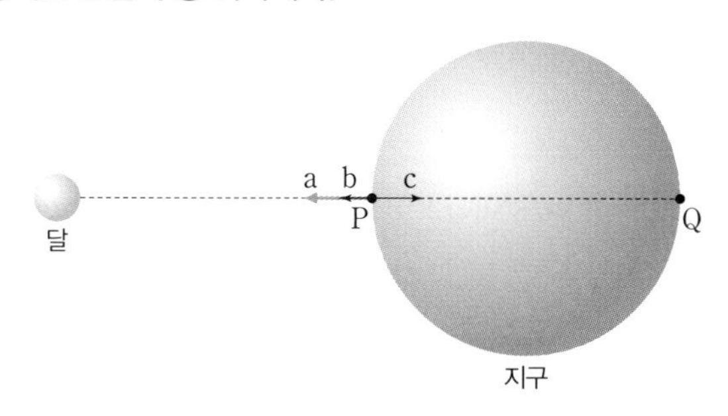

이에 대한 설명으로 옳은 것만을 〈보기〉에서 있는 대로 고른 것은?

보기
ㄱ. a는 달에 의한 기조력이다.
ㄴ. b의 크기는 P가 Q보다 크다.
ㄷ. c의 크기는 P와 Q에서 같다.

① ㄱ ② ㄷ ③ ㄱ, ㄴ
④ ㄴ, ㄷ ⑤ ㄱ, ㄴ, ㄷ

10

▸24073-0109

그림은 어느 지역에서 5일 동안 관측한 해수면의 높이 변화를 나타낸 것이다.

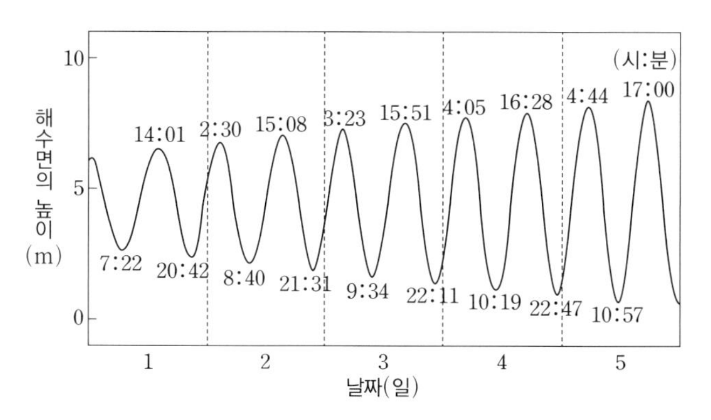

이에 대한 설명으로 옳은 것만을 〈보기〉에서 있는 대로 고른 것은?

보기
ㄱ. 조차는 1일이 3일보다 작다.
ㄴ. 3일 0시에는 밀물이 나타난다.
ㄷ. 이 지역은 조석 주기가 일정하다.

① ㄱ ② ㄷ ③ ㄱ, ㄴ
④ ㄴ, ㄷ ⑤ ㄱ, ㄴ, ㄷ

11

▸24073-0110

그림은 태양, 지구, 달의 상대적인 위치 변화와 조석 현상을 나타낸 모식도이다.

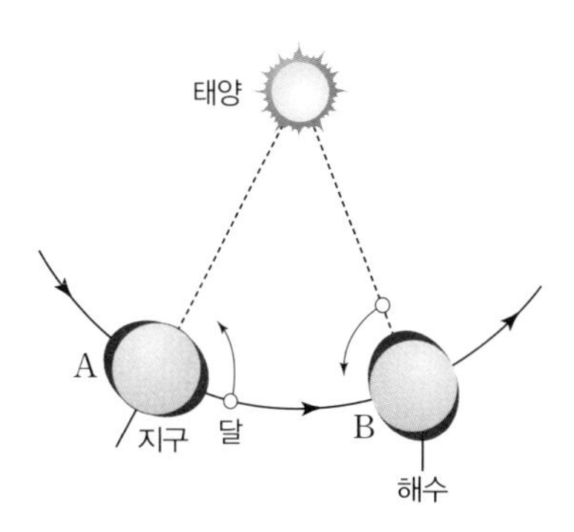

이에 대한 설명으로 옳은 것만을 〈보기〉에서 있는 대로 고른 것은? (단, 태양과 달의 기조력 이외의 조석 변동 요인은 고려하지 않는다.)

보기
ㄱ. A일 때 자정에 만조가 나타난다.
ㄴ. 최대 만조 수위는 A보다 B에서 높다.
ㄷ. A일 때 사리, B일 때 조금이다.

① ㄱ ② ㄴ ③ ㄱ, ㄷ
④ ㄴ, ㄷ ⑤ ㄱ, ㄴ, ㄷ

12

▸24073-0111

그림은 어느 시각에 해수면의 모양과 세 지점 A, B, C의 위치를 나타낸 것이다.

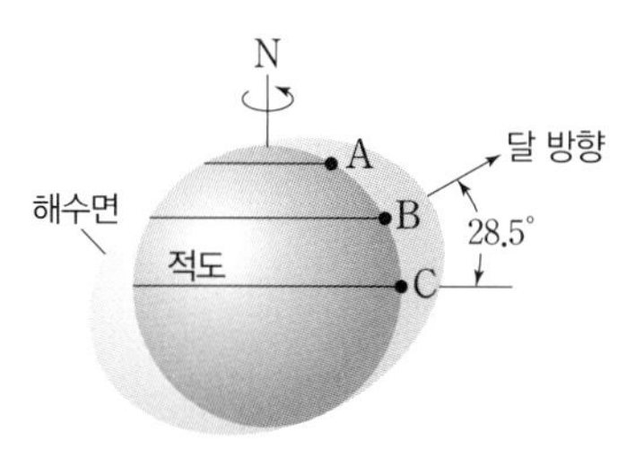

이에 대한 설명으로 옳은 것만을 〈보기〉에서 있는 대로 고른 것은? (단, 달의 기조력 이외의 조석 변동 요인은 고려하지 않는다.)

보기
ㄱ. 조석 주기는 A가 C보다 길다.
ㄴ. A, B, C에서 달에 의한 기조력의 크기는 같다.
ㄷ. C에서는 반일주조가 나타난다.

① ㄱ ② ㄴ ③ ㄷ
④ ㄱ, ㄷ ⑤ ㄴ, ㄷ

정답과 해설 18쪽

01

▸24073-0112

표는 파장이 300 m인 해파가 진행하는 동안 연안의 정지된 지점에서 측정한 시간에 따른 해수면의 상대적인 높이 변화를 나타낸 것이다.

시간(초)	0	5	10	15	20
해수면 높이(m)	0	0.83	0.83	0	−0.83
시간(초)	25	30	35	40	45
해수면 높이(m)	−0.83	0	0.83	0.83	0

이에 대한 설명으로 옳은 것만을 〈보기〉에서 있는 대로 고른 것은? (단, 중력 가속도는 $10\ m/s^2$이다.)

보기

ㄱ. 파고는 1.5 m보다 높다.
ㄴ. 이 해역의 수심은 10 m이다.
ㄷ. 해수면의 물 입자는 원운동을 한다.

① ㄱ ② ㄷ ③ ㄱ, ㄴ ④ ㄴ, ㄷ ⑤ ㄱ, ㄴ, ㄷ

02

▸24073-0113

그림은 파장이 200 m인 어느 해파가 진행할 때 해수면에 있는 물 입자의 운동을 나타낸 것이다.

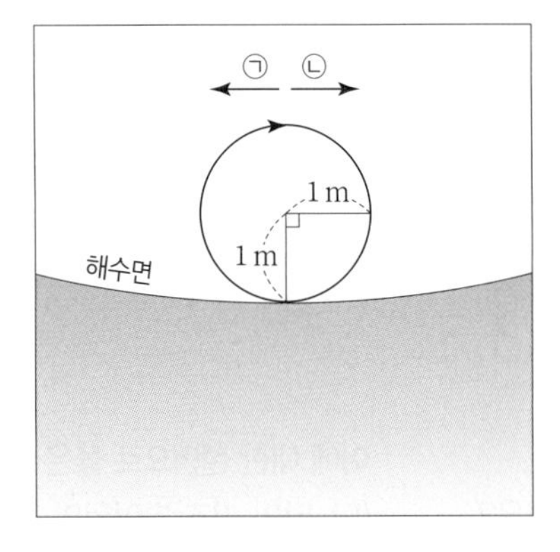

이에 대한 설명으로 옳은 것만을 〈보기〉에서 있는 대로 고른 것은?

보기

ㄱ. 해파의 진행 방향은 ㉡이다.
ㄴ. 해파의 파고는 1 m보다 높다.
ㄷ. 이 해역의 수심은 100 m보다 깊다.

① ㄱ ② ㄷ ③ ㄱ, ㄴ ④ ㄴ, ㄷ ⑤ ㄱ, ㄴ, ㄷ

03

▸ 24073-0114

그림은 파장이 **100 m**인 해파가 해안선에 비스듬히 접근하는 모습을 나타낸 것이다.

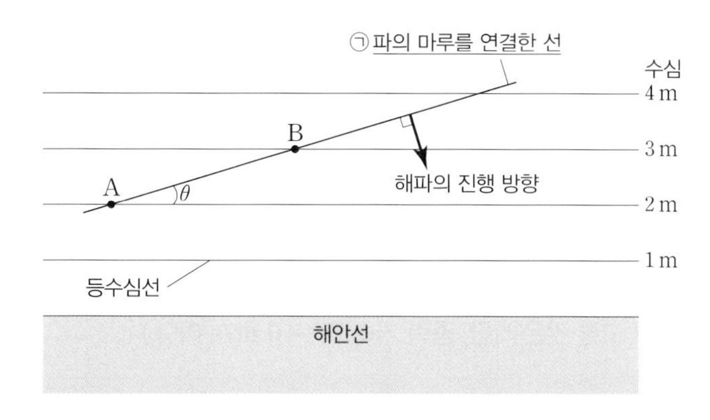

이에 대한 설명으로 옳은 것만을 〈보기〉에서 있는 대로 고른 것은? (단, 중력 가속도는 $10\ m/s^2$이다.)

보기
ㄱ. 해파의 파장은 A보다 B에서 길다. ㄴ. A 지점에서 해파의 속력은 4 m/s보다 크다. ㄷ. 해파가 해안에 접근할수록 ㉠과 등수심선이 이루는 각(θ)은 작아진다.

① ㄱ ② ㄴ ③ ㄱ, ㄷ ④ ㄴ, ㄷ ⑤ ㄱ, ㄴ, ㄷ

04

▸ 24073-0115

그림은 수심에 따른 해파의 속력을 나타낸 것이다. 해파 ㉠, ㉡은 서로 다른 파장을 갖는 해파이다.

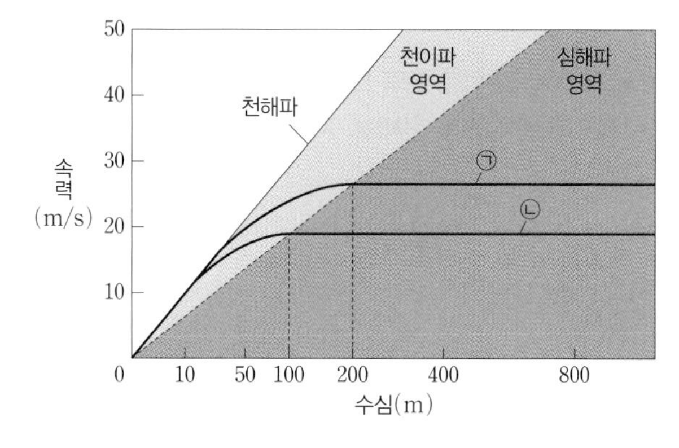

이에 대한 설명으로 옳은 것만을 〈보기〉에서 있는 대로 고른 것은? (단, 중력 가속도는 $10\ m/s^2$이다.)

보기
ㄱ. 파장은 ㉠이 ㉡의 4배이다. ㄴ. 수심 20 m인 곳에서 ㉠의 속력은 20 m/s이다. ㄷ. 수심 300 m인 곳에서 해파의 주기는 ㉠이 ㉡의 $\sqrt{2}$배이다.

① ㄱ ② ㄷ ③ ㄱ, ㄴ ④ ㄴ, ㄷ ⑤ ㄱ, ㄴ, ㄷ

05

▸24073-0116

그림은 해저 지진으로 발생한 파장 200 km인 해파가 A 지점을 지나 해안 쪽으로 이동하는 모습을 나타낸 것이다. A는 해수면상의 지점이다.

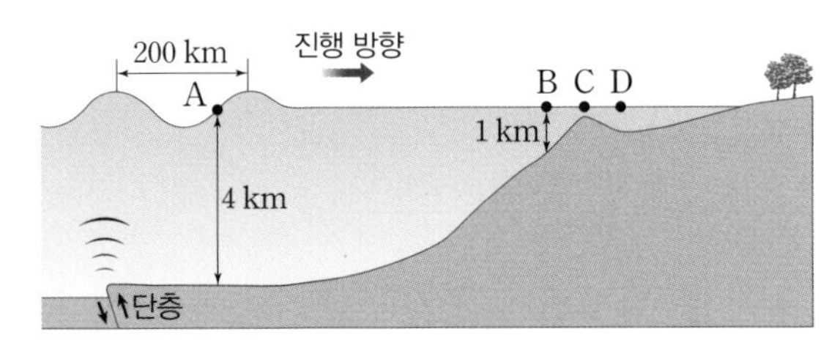

이에 대한 설명으로 옳은 것만을 〈보기〉에서 있는 대로 고른 것은? (단, 중력 가속도는 10 m/s^2이다.)

보기

ㄱ. A 지점의 물 입자는 원운동을 한다.
ㄴ. 해파가 B 지점을 지날 때 파장은 100 km이다.
ㄷ. C → D 구간에서는 해파의 속력이 빨라진다.

① ㄱ ② ㄷ ③ ㄱ, ㄴ ④ ㄴ, ㄷ ⑤ ㄱ, ㄴ, ㄷ

06

▸24073-0117

그림은 어느 시각에 북극 상공에서 내려다본 지구와 달의 위치 및 해수면의 모습을 나타낸 것이다. 지구에서 달과 가장 가까운 지점의 위도는 20°N이고, 지점 A, B, C는 적도에 위치하며, 현재 A 지점은 만조이다.

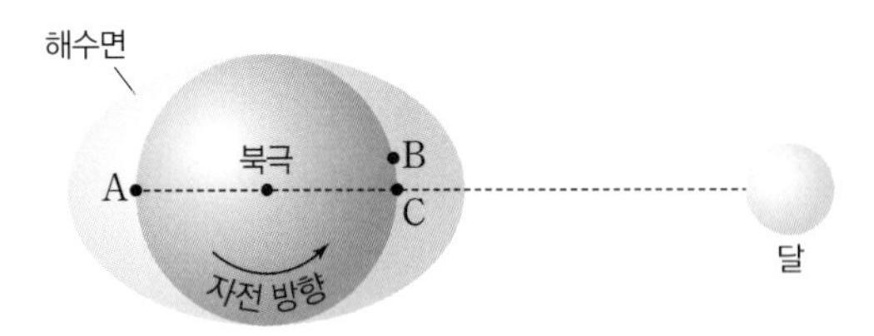

이에 대한 설명으로 옳은 것만을 〈보기〉에서 있는 대로 고른 것은? (단, 달의 기조력 이외의 조석 변동 요인은 고려하지 않는다.)

보기

ㄱ. 현재 B에서는 밀물이 나타난다.
ㄴ. 현재 해수면의 높이는 북극에서 C로 갈수록 점점 높아진다.
ㄷ. 다음 번 만조는 A와 C에서 동시에 나타난다.

① ㄱ ② ㄷ ③ ㄱ, ㄴ ④ ㄴ, ㄷ ⑤ ㄱ, ㄴ, ㄷ

07

▸24073-0118

표는 어느 지역의 조석 예보표를 나타낸 것이다.

▲: 만조 ▼: 간조 조위 단위(cm)

날짜	시 : 분 (조위)	시 : 분 (조위)	시 : 분 (조위)	시 : 분 (조위)
23일	00 : 21 (132)▼	06 : 21 (659)▲	12 : 58 (166)▼	18 : 33 (590)▲
24일	00 : 55 (155)▼	06 : 52 (639)▲	13 : 29 (172)▼	19 : 11 (579)▲
25일	01 : 32 (186)▼	07 : 26 (610)▲	14 : 05 (182)▼	19 : 55 (565)▲

이에 대한 설명으로 옳은 것만을 〈보기〉에서 있는 대로 고른 것은?

보기

ㄱ. 조차는 점점 작아지고 있다.
ㄴ. 24일 오전 9시에는 밀물이 나타난다.
ㄷ. 만조 시각은 매일 조금씩 빨라지고 있다.

① ㄱ ② ㄷ ③ ㄱ, ㄴ ④ ㄴ, ㄷ ⑤ ㄱ, ㄴ, ㄷ

08

▸24073-0119

그림은 어느 날 0시에 해수면의 모습과 만조인 A와 B 지점의 위치를 나타낸 것이다.

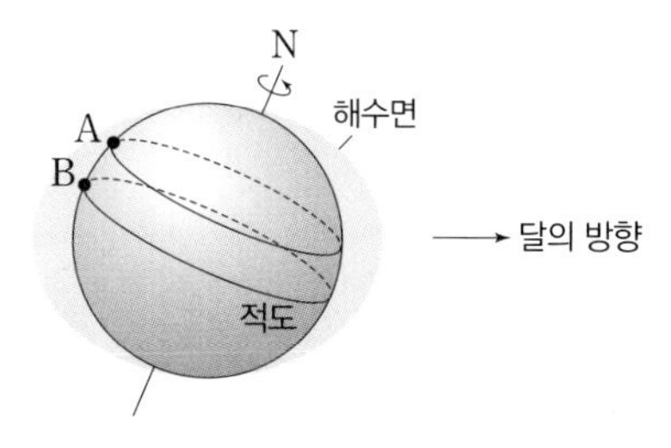

이에 대한 설명으로 옳은 것만을 〈보기〉에서 있는 대로 고른 것은? (단, 달의 기조력 이외의 조석 변동 요인은 고려하지 않는다.)

보기

ㄱ. 이 시각에 기조력의 크기는 A가 B보다 크다.
ㄴ. 이날 A에서 나타나는 두 번의 만조 수위는 같다.
ㄷ. B에서는 반일주조가 나타난다.

① ㄱ ② ㄷ ③ ㄱ, ㄴ ④ ㄴ, ㄷ ⑤ ㄱ, ㄴ, ㄷ

대기의 운동

1 단열 변화

(1) **단열 변화:** 공기 덩어리가 상승 또는 하강할 때 외부와의 열 교환 없이 주위 기압 변화에 따른 부피 변화로 기온이 변하는 현상

① 단열 팽창: 공기 덩어리 상승 → 주위 기압 하강 → 공기 덩어리 부피 팽창 → 공기 덩어리 내부 에너지 감소 → 공기 덩어리 기온 하강

② 단열 압축: 공기 덩어리 하강 → 주위 기압 상승 → 공기 덩어리 부피 수축 → 공기 덩어리 내부 에너지 증가 → 공기 덩어리 기온 상승

(2) **단열 감률(대류권)**

① 건조 단열 감률: 약 10 ℃/km(불포화 상태인 공기)

② 습윤 단열 감률: 약 5 ℃/km(포화 상태인 공기)

③ 이슬점 감률: 불포화 상태인 공기는 약 2 ℃/km, 포화 상태인 공기는 약 5 ℃/km

(3) **상승 응결 고도:** 불포화 상태의 공기 덩어리가 단열 상승하여 구름이 생성되기 시작하는 고도 ➡ 기온(T)과 이슬점(T_d)의 차이가 클수록 상승 응결 고도(H)가 높다.

$$T-(10\ ℃/km)\times H=T_d-(2\ ℃/km)\times H$$

$$\therefore H(km)=\frac{1}{8}(T-T_d) \text{ 또는 } H(m)=125(T-T_d)$$

2 대기 안정도와 구름

(1) **안정과 불안정, 중립:** 단열적으로 강제 상승 또는 하강시킨 공기가 제자리로 돌아오려 하면 기층은 안정, 계속 상승하거나 계속 하강하려 하면 기층은 불안정, 상승 또는 하강한 높이에 머물러 있으려 하면 기층은 중립

(2) **기층의 안정도와 구름**

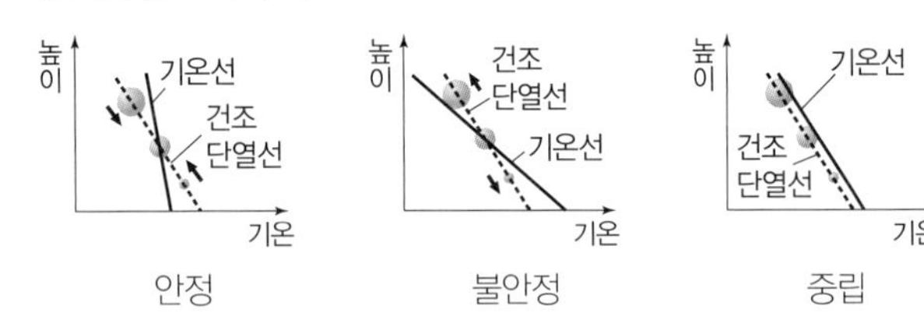

안정　　불안정　　중립

① 안정한 기층: 기온 감률<단열 감률 ➡ 주로 층운형 구름 형성

② 불안정한 기층: 기온 감률>단열 감률 ➡ 주로 적운형 구름 형성

③ 중립: 기온 감률=단열 감률

(3) **공기의 수증기 포화 여부에 따른 기층의 안정도**

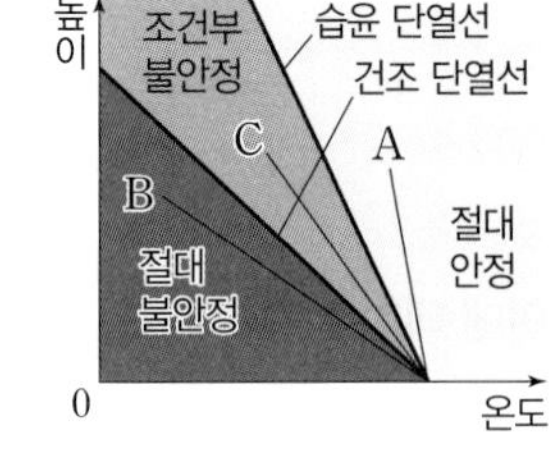

기층의 안정도

① A: 절대 안정 상태
➡ 기온 감률<습윤 단열 감률

② B: 절대 불안정 상태
➡ 기온 감률>건조 단열 감률

③ C: 조건부 불안정 상태
➡ 습윤 단열 감률<기온 감률 <건조 단열 감률

• 불포화 상태의 기층: 안정한 상태

• 포화 상태의 기층: 불안정한 상태

(4) **구름의 생성:** 국지적 가열, 공기의 수렴 등에 의해 지상에서 공기 덩어리 상승 → 기온은 건조 단열선을 따라 하강, 이슬점은 이슬점 감률선을 따라 하강 → 공기 덩어리의 상대 습도 증가 → 상승 응결 고도에서 구름 생성 → 주변 공기보다 온도가 높으면 계속 상승하면서 구름 발달 → 상승한 공기는 주위 공기와 온도가 같아지는 지점에 도달하면 상승 억제

① 절대 안정한 대기: 공기가 강제로 상승하면 얇은 층운형 구름이 생성된다.

② 절대 불안정한 대기: 구름이 생성된 후에도 계속 상승하여 수직으로 두꺼운 적운형 구름이 생성된다.

③ 조건부 불안정한 대기: 강제로 상승이 일어나면 층운형 구름이 만들어지다가 주변 공기의 기온보다 높아지면 스스로 상승하여 적운형 구름이 생성된다.

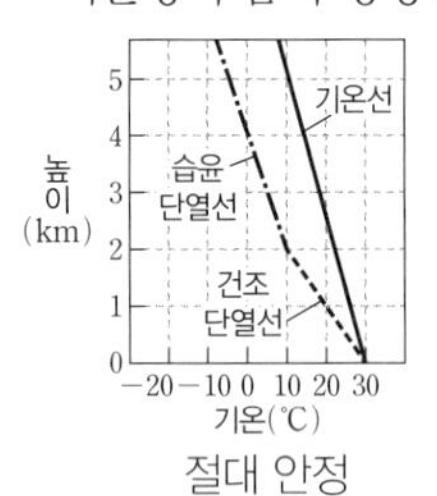

절대 안정

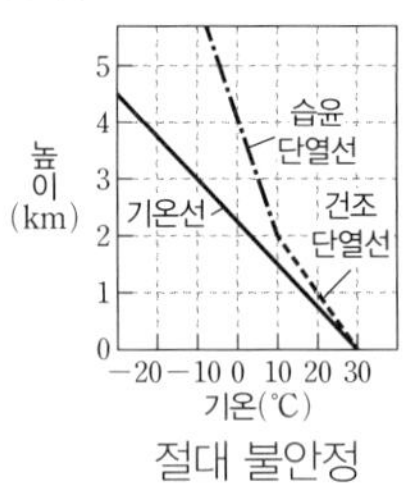

절대 불안정

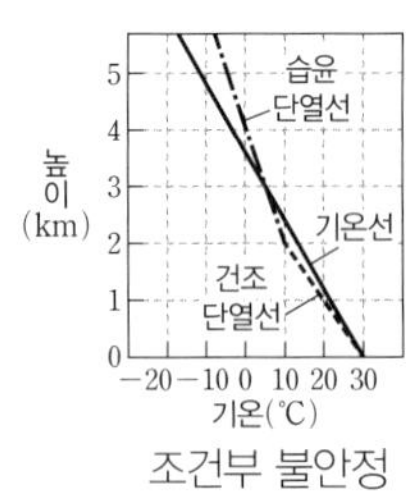

조건부 불안정

더 알기 푄 현상

• 푄 현상: 산 사면을 따라 공기가 산을 넘을 때, 산을 넘기 전에 비하여 공기의 상태가 고온 건조한 상태로 변하는 현상

• 산을 넘는 공기의 물리량 변화

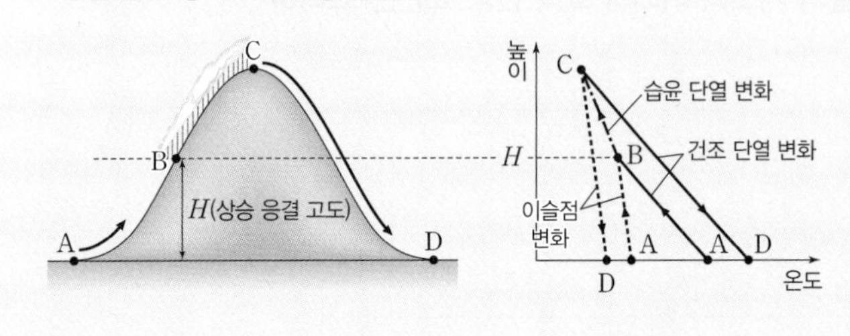

① A(지표면) → B: 건조 단열 변화 ➡ 기온 하강, 이슬점 하강, 상대 습도 증가

② B: 상승 응결 고도 ➡ 기온=이슬점, 상대 습도 100 %

③ B → C(산 정상): 습윤 단열 변화 ➡ 기온 하강, 이슬점 하강, 상대 습도 100 % 유지(기온=이슬점), 절대 습도 감소

④ C → D(산 사면 너머 지표면): 건조 단열 변화 ➡ 기온 상승, 이슬점 상승, 상대 습도 감소, 절대 습도 증가

⑤ D: 산을 넘기 전(A)과 비교해서 기온 상승, 이슬점 하강, 상대 습도 감소

테마 대표 문제

| 2024학년도 수능 |

그림은 어느 지역의 고도에 따른 기온 분포를 단열선도에 나타낸 것이다. 지표에서 공기 덩어리 A가 30 ℃로 가열된 후 자발적으로 상승하여 고도 1 km에서부터 구름이 생성되기 시작하였다.

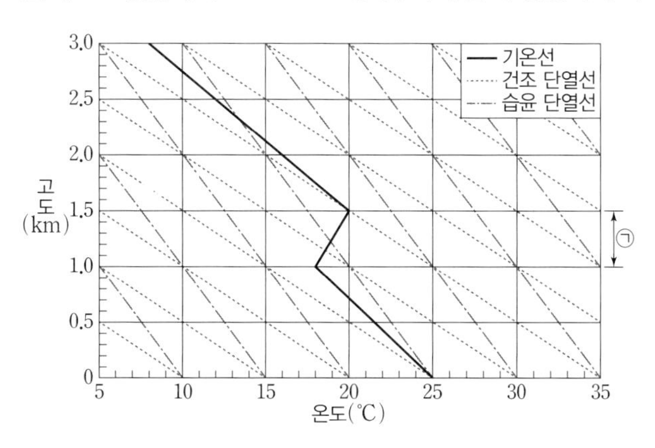

이 자료에 대한 설명으로 옳은 것만을 〈보기〉에서 있는 대로 고른 것은? (단, 이슬점 감률은 2 ℃/km이다.)

보기
ㄱ. 지표에서 A의 이슬점은 20 ℃이다.
ㄴ. ㉠ 구간에서 대기 안정도는 절대 안정이다.
ㄷ. 생성된 구름의 두께는 500 m보다 얇다.

① ㄱ ② ㄴ ③ ㄱ, ㄷ ④ ㄴ, ㄷ ⑤ ㄱ, ㄴ, ㄷ

접근 전략

고도에 따른 기온 감률과 단열 감률을 비교하여 각 고도에서 기층의 안정도를 파악할 수 있어야 한다. 그리고 상승 응결 고도를 이용하여 지표에서의 이슬점을 구할 수 있어야 하며, 상승하는 공기 덩어리의 기온과 주변 기온을 비교하여 생성된 구름의 두께를 파악할 수 있어야 한다.

간략 풀이

공기 덩어리가 자발적으로 상승하려면 상승하는 공기 덩어리의 기온이 주변 기온보다 높아야 한다.

ㄱ. 지표에서 기온이 30 ℃인 공기 덩어리의 상승 응결 고도가 1 km이므로 A의 이슬점은 22 ℃이다.

ㄴ. ㉠ 구간은 기온의 역전층이므로 절대 안정한 기층이다.

ㄷ. 지표에서 30 ℃인 A의 기온은 건조 단열선을 따라 변하다가 고도 1 km에서 구름이 생성된 이후, 습윤 단열선을 따라 변한다. 고도 약 1.2 km에서 A의 기온은 주변 기온과 같아져 공기 덩어리는 더 이상 상승하지 못한다. 따라서 생성된 구름의 두께는 500 m보다 얇다.

정답 | ④

닮은 꼴 문제로 유형 익히기

정답과 해설 20쪽

▸ 24073-0120

그림은 어느 지역의 기온과 이슬점의 연직 분포를 단열선도에 나타낸 것이다.
이 자료에 대한 설명으로 옳은 것만을 〈보기〉에서 있는 대로 고른 것은?

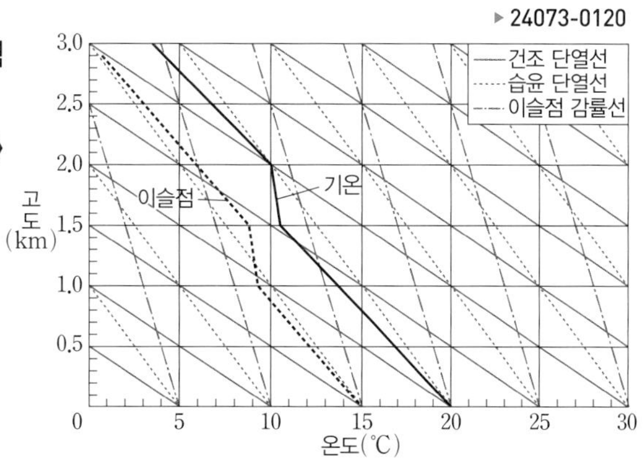

보기
ㄱ. 고도 1.5~2.0 km 구간에서 대기 안정도는 절대 안정이다.
ㄴ. 고도 0~3 km 구간에서 절대 습도가 가장 높은 지점은 고도 1.5 km 지점이다.
ㄷ. 지표의 공기 덩어리가 가열되어 25 ℃가 되면, 이 공기 덩어리는 자발적으로 상승하여 구름을 생성한다.

① ㄱ ② ㄴ ③ ㄱ, ㄷ ④ ㄴ, ㄷ ⑤ ㄱ, ㄴ, ㄷ

유사점과 차이점

기온 분포를 보고 안정도를 판단하고, 단열선도를 이용하여 상승하는 공기 덩어리의 연직 운동을 파악한다는 점에서 대표 문제와 유사하지만, 절대 습도를 다룬다는 점에서 대표 문제와 다르다.

배경 지식

- 기온 감률이 습윤 단열 감률보다 작으면 기층의 안정도는 절대 안정이다.
- 절대 습도는 단위 부피당 수증기량이므로 기온이 일정할 때, 이슬점이 높을수록 절대 습도가 높다.
- 지표에서 가열된 공기 덩어리가 자발적으로 상승하여 구름을 생성하기 위해서는 상승 응결 고도까지 상승할 수 있어야 한다.

01

▸24073-0121

그림은 (가)와 (나) 지역에서 온도가 같은 공기 덩어리가 지표면에서부터 상승하여 구름을 만든 모습을 나타낸 것이다.

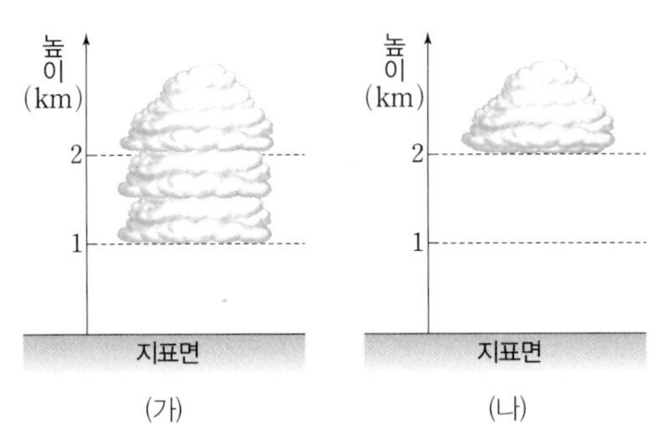

이에 대한 설명으로 옳은 것만을 〈보기〉에서 있는 대로 고른 것은? (단, 건조 단열 감률은 10 ℃/km, 습윤 단열 감률은 5 ℃/km, 이슬점 감률은 2 ℃/km이다.)

보기

ㄱ. 지표면에서 이슬점은 (가)가 (나)보다 높다.
ㄴ. 높이 2 km에서 공기 덩어리의 기온은 (가)가 (나)보다 높다.
ㄷ. 높이 500 m에서 상대 습도는 (가)가 (나)보다 높다.

① ㄱ ② ㄷ ③ ㄱ, ㄴ ④ ㄴ, ㄷ ⑤ ㄱ, ㄴ, ㄷ

02

▸24073-0122

그림은 A, B 두 지역의 높이에 따른 기온 분포를 건조 단열선과 함께 나타낸 것이다.

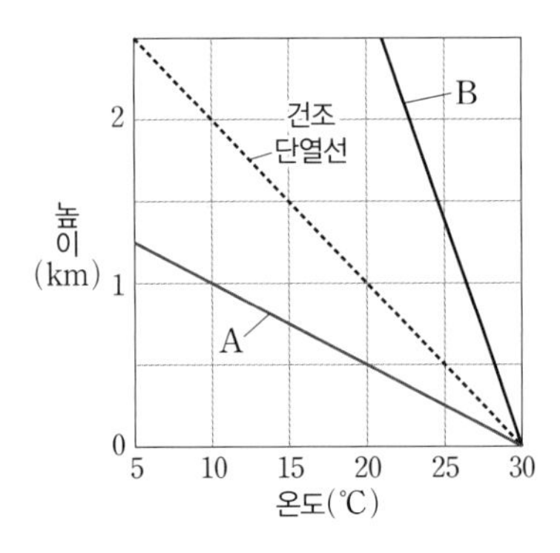

이에 대한 설명으로 옳은 것만을 〈보기〉에서 있는 대로 고른 것은? (단, 습윤 단열 감률은 5 ℃/km이다.)

보기

ㄱ. 기층의 안정도는 A가 B보다 크다.
ㄴ. 공기의 연직 운동은 A가 B보다 활발하다.
ㄷ. B 지역의 기층은 포화 공기에 대해 안정하다.

① ㄱ ② ㄷ ③ ㄱ, ㄴ ④ ㄴ, ㄷ ⑤ ㄱ, ㄴ, ㄷ

03

▸24073-0123

그림은 (가)와 (나) 지역의 높이에 따른 기온 분포와 두 지역의 지표면에서 35 ℃로 가열된 공기 덩어리가 상승하는 모습을 나타낸 것이다. 두 지역의 지표면에서 공기 덩어리의 이슬점은 모두 15 ℃로 같다.

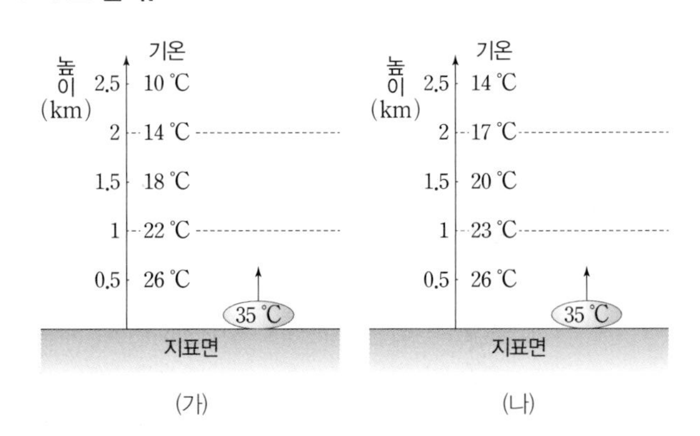

이에 대한 설명으로 옳은 것만을 〈보기〉에서 있는 대로 고른 것은? (단, 두 지역에서 높이에 따른 기온 감률은 각각 일정하며, 건조 단열 감률은 10 ℃/km, 습윤 단열 감률은 5 ℃/km, 이슬점 감률은 2 ℃/km이다.)

보기

ㄱ. 높이에 따른 기온 감률은 (가)가 (나)보다 작다.
ㄴ. 공기 덩어리가 자발적으로 상승하는 높이는 (가)가 (나)보다 높다.
ㄷ. (나)에서는 공기 덩어리가 자발적으로 상승하여 구름을 생성하지 못한다.

① ㄱ ② ㄷ ③ ㄱ, ㄴ ④ ㄴ, ㄷ ⑤ ㄱ, ㄴ, ㄷ

04

▸24073-0124

그림은 (가)와 (나) 지역의 높이에 따른 기온과 지표에서 상승하는 공기 덩어리의 단열 변화를 나타낸 것이다.

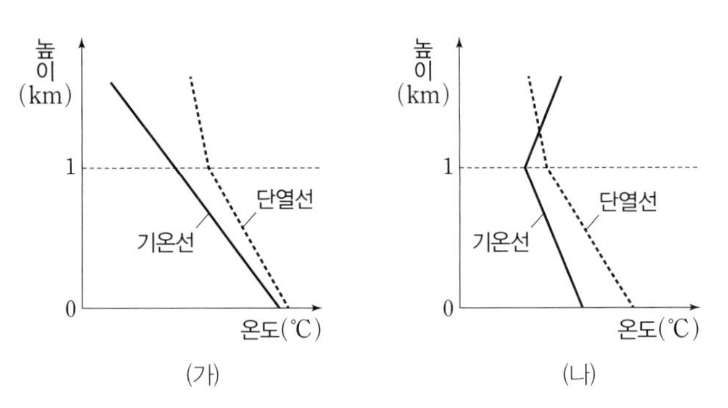

이에 대한 설명으로 옳은 것만을 〈보기〉에서 있는 대로 고른 것은?

보기

ㄱ. 높이 1 km 아래의 기층은 (가)가 (나)보다 안정하다.
ㄴ. (가)에서는 공기의 자발적 상승이 일어난다.
ㄷ. 공기 덩어리가 상승하여 생성된 구름의 두께는 (가)가 (나)보다 얇다.

① ㄱ ② ㄴ ③ ㄱ, ㄷ ④ ㄴ, ㄷ ⑤ ㄱ, ㄴ, ㄷ

05

▸24073-0125

그림은 어느 지역의 높이에 따른 기온 분포와 지표면에서 국지적으로 가열되어 상승하는 공기 덩어리의 단열 변화선을 나타낸 것이다.

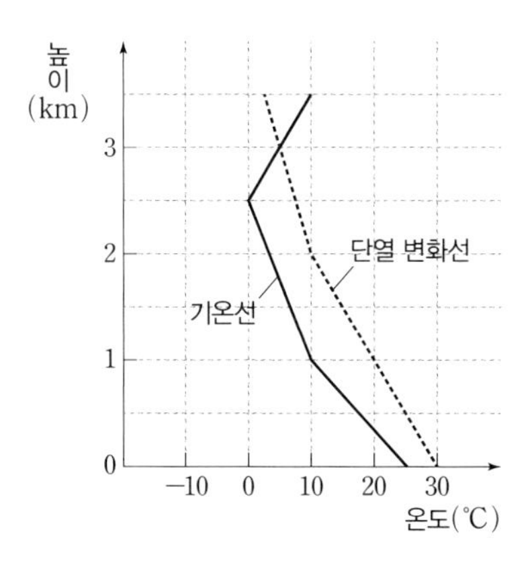

이에 대한 설명으로 옳은 것만을 〈보기〉에서 있는 대로 고른 것은? (단, 건조 단열 감률은 10 ℃/km, 습윤 단열 감률은 5 ℃/km, 이슬점 감률은 2 ℃/km이다.)

보기

ㄱ. 지표면에 있는 공기 덩어리의 이슬점은 14 ℃이다.
ㄴ. 높이 1~2.5 km 구간의 대기 안정도는 조건부 불안정이다.
ㄷ. 생성되는 구름의 두께는 1 km이다.

① ㄱ ② ㄷ ③ ㄱ, ㄴ
④ ㄴ, ㄷ ⑤ ㄱ, ㄴ, ㄷ

06

▸24073-0126

그림은 어느 지역에서 서로 다른 (가)와 (나) 시기에 굴뚝에서 배출되는 연기의 모습을 나타낸 것이다. 두 시기 중 한 시기는 대기가 절대 불안정한 상태이고, 다른 한 시기는 높이 h 구간에 역전층이 형성되어 있다.

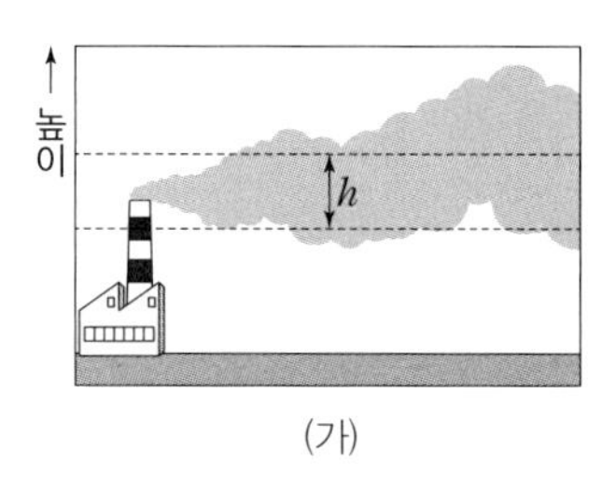

(가)

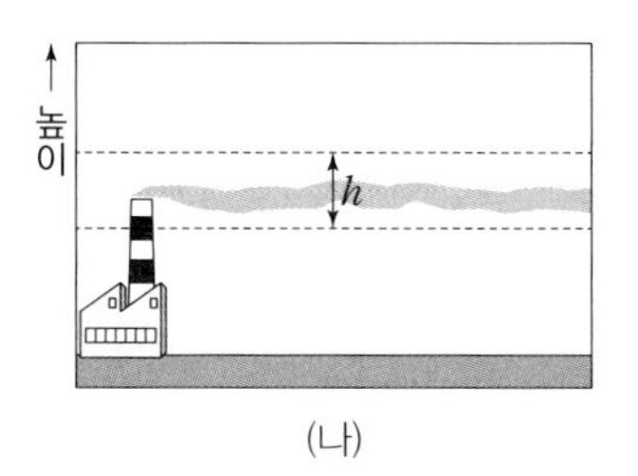

(나)

이에 대한 설명으로 옳은 것만을 〈보기〉에서 있는 대로 고른 것은?

보기

ㄱ. (가) 시기에는 기온 감률이 건조 단열 감률보다 크다.
ㄴ. (나) 시기에 높이 h 구간의 기층은 안정한 상태이다.
ㄷ. 높이 h 구간에서 높이에 따른 기온 감률은 (가) 시기가 (나) 시기보다 작다.

① ㄱ ② ㄷ ③ ㄱ, ㄴ
④ ㄴ, ㄷ ⑤ ㄱ, ㄴ, ㄷ

07

▸24073-0127

그림은 기온이 30 ℃, 이슬점이 22 ℃인 공기 덩어리가 A 지점을 출발하여 높이 2 km인 산을 넘어 D 지점까지 이동하는 모습을 나타낸 것이다. 산을 넘는 동안 응결한 수증기는 모두 비로 내렸다.

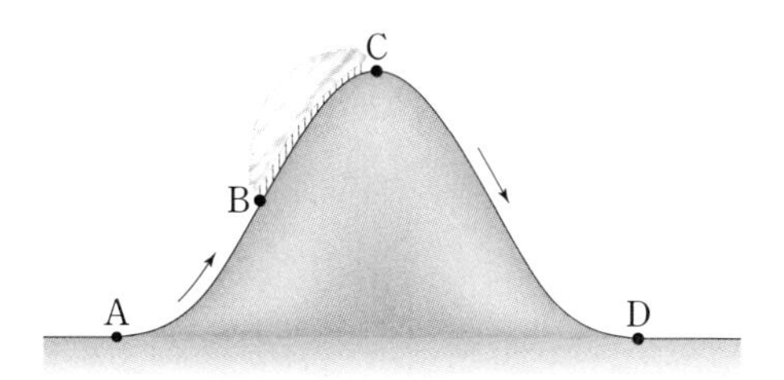

이에 대한 설명으로 옳은 것만을 〈보기〉에서 있는 대로 고른 것은?

보기

ㄱ. B 지점의 높이는 1 km이다.
ㄴ. (기온−이슬점)은 A 지점이 D 지점보다 크다.
ㄷ. 높이에 따른 이슬점 변화율은 B~C 구간에서 가장 작다.

① ㄱ ② ㄴ ③ ㄷ
④ ㄱ, ㄷ ⑤ ㄴ, ㄷ

08

▸24073-0128

그림은 어느 공기 덩어리가 산을 넘어가는 동안의 기온 변화를 나타낸 것이다.

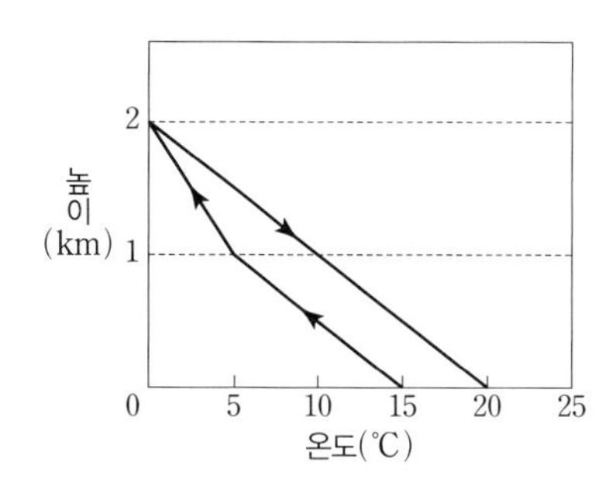

이에 대한 설명으로 옳은 것만을 〈보기〉에서 있는 대로 고른 것은? (단, 건조 단열 감률은 10 ℃/km, 습윤 단열 감률은 5 ℃/km, 이슬점 감률은 2 ℃/km이다.)

보기

ㄱ. 산을 넘기 전 지표면에서 이슬점은 12 ℃이다.
ㄴ. 공기 덩어리의 상승 응결 고도는 1 km이다.
ㄷ. 공기 덩어리가 지표면에서 높이 1 km까지 상승하는 동안 절대 습도는 계속 높아진다.

① ㄱ ② ㄴ ③ ㄱ, ㄷ
④ ㄴ, ㄷ ⑤ ㄱ, ㄴ, ㄷ

정답과 해설 21쪽

01

▸24073-0129

그림은 어느 지역의 높이에 따른 기온 분포와 국지적으로 가열된 공기 덩어리의 단열 변화를 나타낸 것이다.

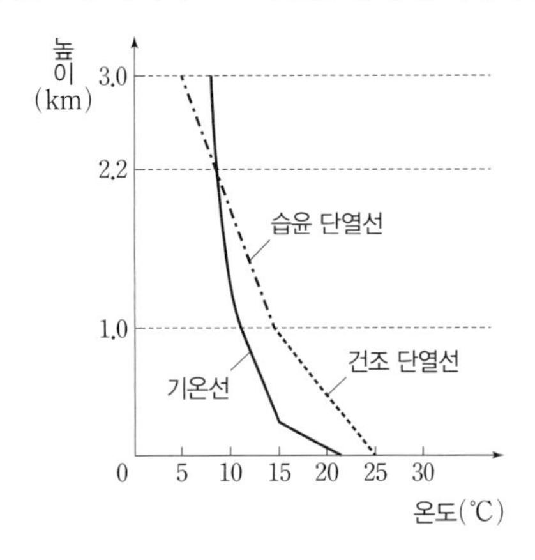

이에 대한 설명으로 옳은 것만을 〈보기〉에서 있는 대로 고른 것은?

보기

ㄱ. 공기 덩어리가 상승하여 생성된 구름 꼭대기의 높이는 2.2 km이다.
ㄴ. 이 지역에서 절대 불안정 상태인 기층은 존재하지 않는다.
ㄷ. 지표면에서 가열된 공기가 자발적으로 상승하여 구름을 생성하기 위해서는 최소한 25 ℃ 이상으로 가열되어야 한다.

① ㄱ ② ㄴ ③ ㄱ, ㄷ ④ ㄴ, ㄷ ⑤ ㄱ, ㄴ, ㄷ

02

▸24073-0130

그림은 어느 지역의 고도에 따른 기온 분포를 나타낸 것이다. 지표면에 있는 공기 덩어리의 이슬점은 0 ℃이다.

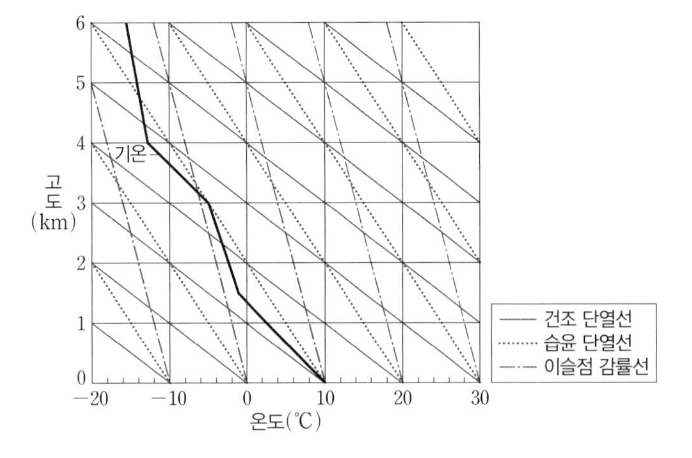

이에 대한 설명으로 옳은 것만을 〈보기〉에서 있는 대로 고른 것은?

보기

ㄱ. 지표면의 공기 덩어리를 강제 상승시키면 상승 응결 고도는 1 km보다 높다.
ㄴ. 고도 1.5 ~ 3 km 구간에서 대기 안정도는 절대 안정이다.
ㄷ. 지표면의 공기 덩어리가 20 ℃로 가열되면 자발적으로 상승하여 구름을 생성할 수 있다.

① ㄱ ② ㄷ ③ ㄱ, ㄴ ④ ㄴ, ㄷ ⑤ ㄱ, ㄴ, ㄷ

03

▸24073-0131

그림 (가)는 산을 넘어가는 공기 덩어리의 이동 경로를, (나)는 A～D 구간의 이슬점과 상대 습도를 ㉠, ㉡으로 순서 없이 나타낸 것이다.

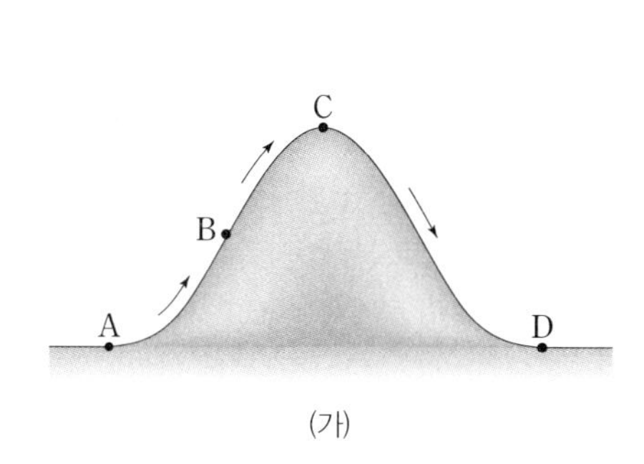

(가)

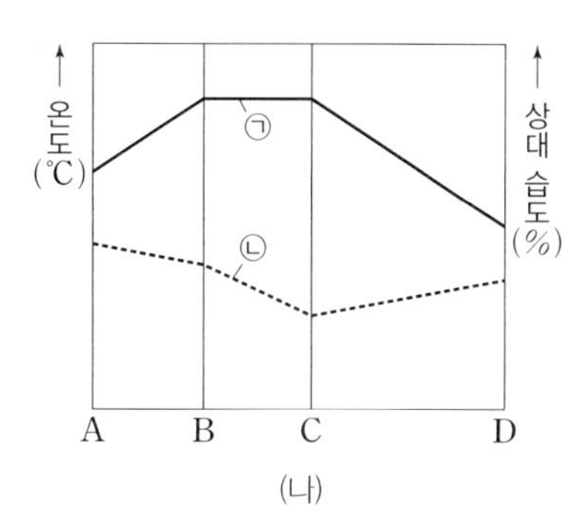

(나)

이에 대한 설명으로 옳은 것만을 〈보기〉에서 있는 대로 고른 것은?

보기

ㄱ. ㉠은 이슬점이다.
ㄴ. 이슬점이 낮을수록 상대 습도는 높아진다.
ㄷ. 높이에 따른 (기온－이슬점)의 변화는 A～B 구간이 B～C 구간보다 크다.

① ㄱ ② ㄷ ③ ㄱ, ㄴ ④ ㄴ, ㄷ ⑤ ㄱ, ㄴ, ㄷ

04

▸24073-0132

그림은 A 지점에서 기온이 T, 이슬점이 t인 공기 덩어리가 높이 H인 산을 넘어가는 경로를 나타낸 것이다. A 지점에 있는 공기 덩어리의 상승 응결 고도는 h이며, 공기 덩어리가 산을 넘어 A 지점과 같은 높이에 도달하였을 때 기온과 이슬점은 각각 T', t'이다. 산을 넘는 동안 응결한 수증기는 모두 비로 내렸다.

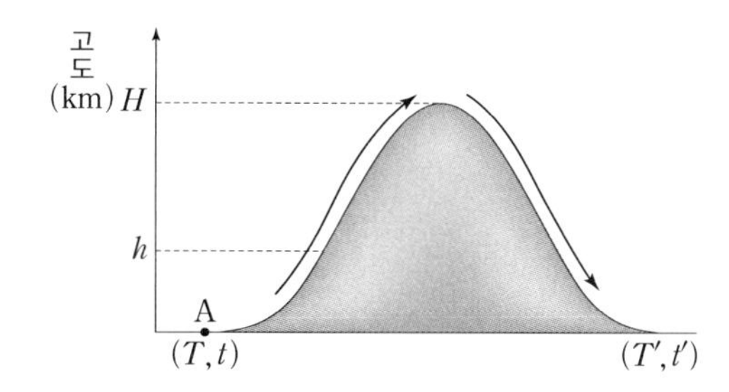

이에 대한 설명으로 옳은 것만을 〈보기〉에서 있는 대로 고른 것은? (단, $h < H$이고, 건조 단열 감률은 10 ℃/km, 습윤 단열 감률은 5 ℃/km, 이슬점 감률은 2 ℃/km이다.)

보기

ㄱ. $(T-t) < (T'-t')$이다.
ㄴ. $|T-T'| > |t-t'|$이다.
ㄷ. H가 높을수록 $(T'-t)$는 커진다.

① ㄱ ② ㄷ ③ ㄱ, ㄴ ④ ㄴ, ㄷ ⑤ ㄱ, ㄴ, ㄷ

바람의 종류

1 대기를 움직이는 힘

(1) 대기의 압력

① 기압: 단위 면적에 작용하는 공기 기둥의 무게와 같은 크기의 힘에 의해 나타나는 압력으로, 지상 일기도에 기입하는 기압 값은 해면 기압으로 보정한 값이다. ➡ 기압 $P=\rho gh$(ρ: 공기의 밀도, g: 중력 가속도, h: 공기 기둥의 높이)

② 기압의 단위: hPa(헥토파스칼) ➡ $1\ hPa=100\ N/m^2$

• 1기압=76 cmHg≒10 mH_2O≒101300 N/m^2 =1013 hPa

(2) 바람에 작용하는 힘

① 기압 경도력: 기압 차에 의해 발생하는 힘 ➡ 바람을 일으키는 근본적인 힘

• 방향: 고기압에서 저기압 쪽으로 등압선에 직각 방향으로 작용

• 크기: 기압 차(ΔP)가 클수록, 등압선의 간격(ΔL)이 좁을수록 커진다. ➡ $P_H=\frac{1}{\rho}\cdot\frac{\Delta P}{\Delta L}$($P_H$: 공기 1 kg에 작용하는 기압 경도력, ρ: 공기의 밀도, ΔP: 기압 차, ΔL: 등압선 간격)

② 전향력(코리올리 힘): 지구 자전에 의해 나타나는 가상의 힘 ➡ 전향력은 운동하는 물체의 진행 방향을 변화시킨다.

• 방향: 북반구에서는 물체가 운동하는 방향의 오른쪽 직각 방향, 남반구에서는 왼쪽 직각 방향으로 작용

• 크기: $C=2v\Omega\sin\varphi$(C: 공기 1 kg에 작용하는 전향력, v: 운동 속도, Ω: 지구 자전 각속도, φ: 위도)

③ 구심력: 물체의 궤적을 직선이 아닌 곡선이 되게 만드는 힘

• 방향: 회전의 중심 방향으로 작용

• 크기: $C_P=\frac{v^2}{r}=r\omega^2$($C_P$: 공기 1 kg에 작용하는 구심력, v: 운동 속도, r: 회전 반지름, ω: 회전 각속도)

④ 마찰력: 지표 가까이에서 운동하는 공기가 지표나 공기 자체의 마찰에 의해 운동을 방해받는 힘

• 방향: 풍향의 반대 방향으로 작용

• 크기: 지표면이 거칠수록, 지표면에 가까울수록, 풍속이 빠를수록 크다.

• 마찰층(대기 경계층): 지표면의 마찰이 작용하는 대기층으로, 지표면에서 약 1 km 높이까지 해당한다.

2 바람의 종류

(1) 지균풍: 등압선이 직선으로 평행할 때, 기압 경도력과 전향력의 평형으로 발생

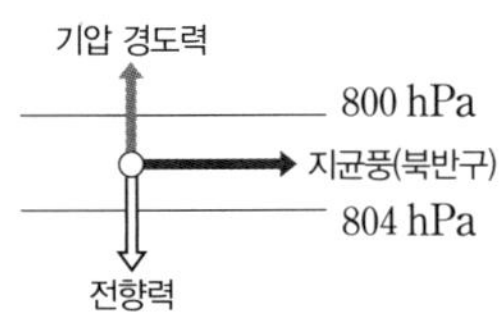

① 풍향: 북반구에서는 기압 경도력의 오른쪽 직각 방향으로, 남반구에서는 왼쪽 직각 방향으로 분다.

② 풍속: 기압 경도력이 클수록 빠르고, 기압 경도력의 크기가 같은 경우에는 저위도 지역이 고위도 지역보다 빠르다. ➡ 기압 경도력(P_H)=전향력(C)

$$\frac{1}{\rho}\cdot\frac{\Delta P}{\Delta L}=2v\Omega\sin\varphi \qquad \therefore v=\frac{1}{2\rho\Omega\sin\varphi}\cdot\frac{\Delta P}{\Delta L}$$

(2) 경도풍: 등압선이 원형이나 곡선일 때, 기압 경도력과 전향력의 차이가 구심력으로 작용하여 발생

① 바람에 작용하는 힘의 관계

• 중심부가 저기압일 때: 기압 경도력−전향력=구심력(힘의 크기만을 고려함)

• 중심부가 고기압일 때: 전향력−기압 경도력=구심력(힘의 크기만을 고려함)

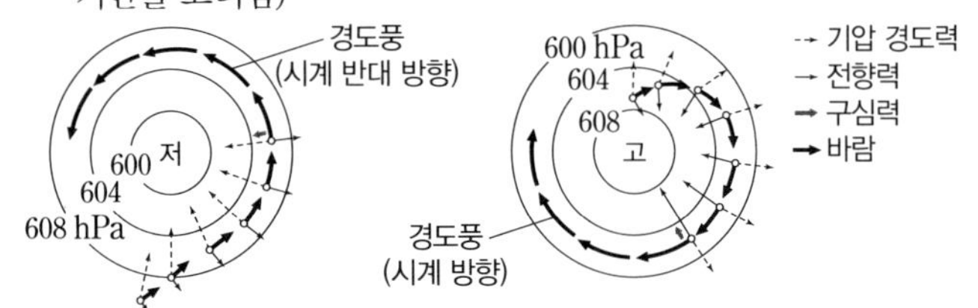

중심부가 저기압일 때(북반구)　　중심부가 고기압일 때(북반구)

② 풍향

• 중심부가 저기압일 때: 북반구에서는 시계 반대 방향, 남반구에서는 시계 방향으로 등압선에 나란하게 분다.

• 중심부가 고기압일 때: 북반구에서는 시계 방향, 남반구에서는 시계 반대 방향으로 등압선에 나란하게 분다.

③ 풍속: 동일 위도에서 등압선의 지름이 같고 기압 경도력이 같을 때 경도풍의 풍속은 중심부가 고기압일 때가 저기압일 때보다 빠르다.

(3) 지상풍

① 풍향: 등압선과 비스듬하게 고기압에서 저기압 쪽으로 분다.

② 풍속: 기압 경도력이 클수록, 마찰력이 작을수록 빠르다.

더 알기　북반구에서 지균풍의 발달 과정

• 대기 상층의 A에 있는 공기 덩어리가 기압 경도력에 의해 움직이기 시작하면 운동 방향의 오른쪽으로 전향력을 받아 기압 경도력의 오른쪽으로 휘어지게 된다.

• 이동하기 시작한 공기 덩어리에는 기압 경도력이 계속 작용하므로 A에서 B까지 속력이 증가하는 운동을 하게 되며 그에 따라 전향력이 증가하여 점차 시계 방향으로 풍향이 변하게 된다.

• 일정하게 작용하는 기압 경도력에 의해 증가한 전향력이 B에서와 같이 기압 경도력과 평형을 이룰 때 부는 바람을 지균풍이라고 한다.

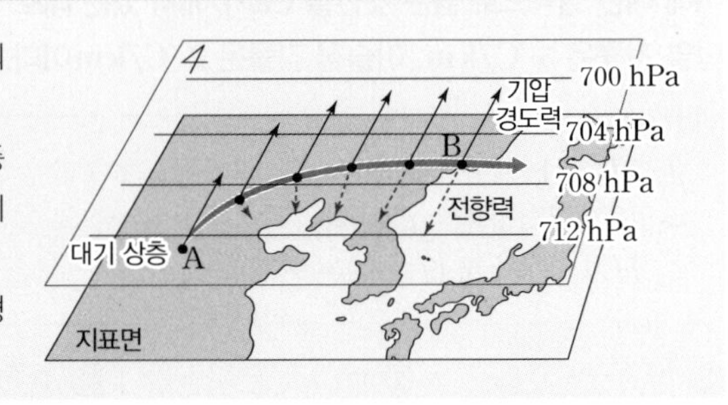

테마 대표 문제

| 2024학년도 수능 |

그림 (가)는 북반구 어느 지역의 500 hPa 등압면의 고도 분포를, (나)는 (가)의 위도선 a, b, c 중 하나를 따라 이 등압면의 고도 변화를 나타낸 것이다. P, Q, R 각 지점에서 지균풍 또는 경도풍이 불고 있으며, 세 지점에서 부는 바람에 작용하는 기압 경도력의 크기는 같다.

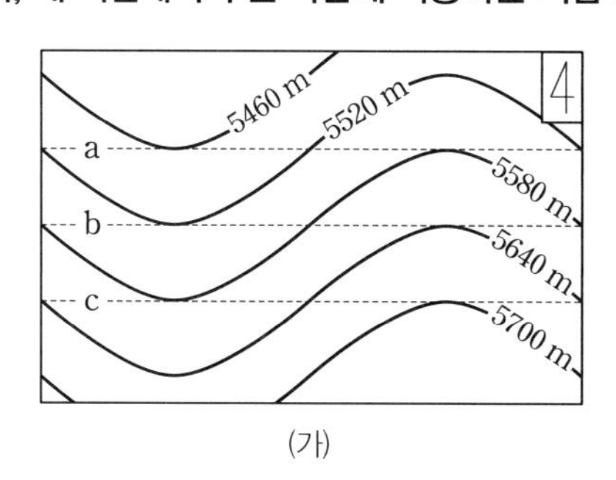

(가)

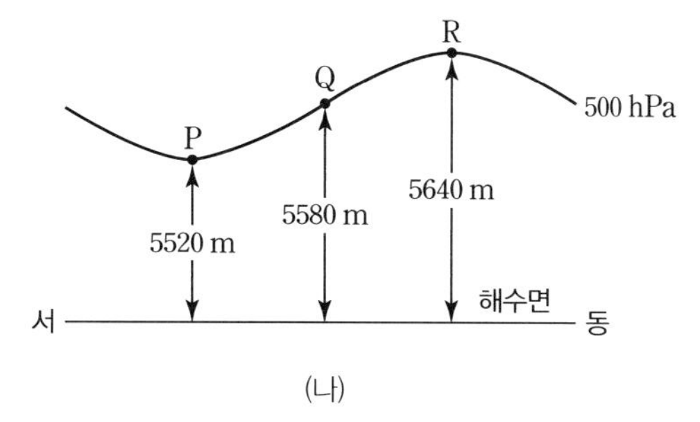

(나)

이 자료에 대한 설명으로 옳은 것만을 〈보기〉에서 있는 대로 고른 것은? (단, 대기는 정역학 평형 상태에 있다.)

보기
ㄱ. (나)는 b를 따라 나타낸 고도 변화이다.
ㄴ. Q에서 기압 경도력의 방향은 북서쪽이다.
ㄷ. 바람에 작용하는 전향력의 크기는 P가 R보다 크다.

① ㄱ ② ㄷ ③ ㄱ, ㄴ ④ ㄴ, ㄷ ⑤ ㄱ, ㄴ, ㄷ

접근 전략

먼저 등압면의 고도가 (나)와 같이 변하는 곳을 찾아야 한다. 다음으로는 각 지점에서 기압 경도력의 방향을 찾고, 고기압성 경도풍이 부는 지점과 저기압성 경도풍이 부는 지점에서 기압 경도력과 전향력의 크기 관계를 파악해야 한다.

간략 풀이

P에서는 저기압성 경도풍, R에서는 고기압성 경도풍이 분다.

ⓞ 500 hPa 등압면의 고도가 가장 낮은 지점이 5520 m이고 가장 높은 지점이 5640 m인 위도는 b이다.

ⓞ Q에서 바람은 등압선과 나란하게 북동쪽으로 불고, 기압 경도력은 북서쪽으로 작용한다.

✕ P에서는 전향력이 기압 경도력보다 작고, R에서는 전향력이 기압 경도력보다 크다.

정답 | ③

닮은 꼴 문제로 유형 익히기

정답과 해설 23쪽

▸ 24073-0133

그림은 북반구 어느 지역의 500 hPa 등압면의 고도 분포를 나타낸 것이다. 500 hPa 등압면상의 세 지점 A, B, C에서는 지균풍 또는 경도풍이 불고 있으며, 세 지점에서 부는 바람에 작용하는 기압 경도력의 크기는 같다.

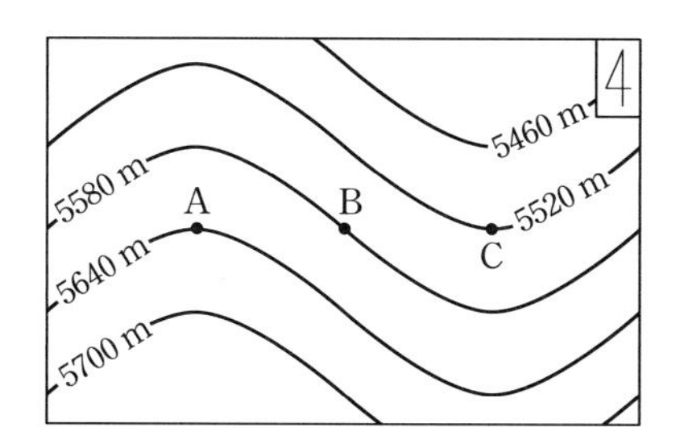

이 자료에 대한 설명으로 옳은 것만을 〈보기〉에서 있는 대로 고른 것은? (단, 대기는 정역학 평형 상태에 있으며, A, B, C 지점의 위도는 같다.)

보기
ㄱ. A를 지나는 위도선을 따라 이동할 때, A, B, C 중 500 hPa 등압면의 고도는 A에서 가장 낮다.
ㄴ. B에서 기압 경도력의 방향은 남동쪽이다.
ㄷ. 바람에 작용하는 전향력의 크기는 A가 C보다 크다.

① ㄱ ② ㄷ ③ ㄱ, ㄴ ④ ㄴ, ㄷ ⑤ ㄱ, ㄴ, ㄷ

유사점과 차이점

등압면의 고도 분포를 보고 고기압성 경도풍이 부는 지점과 저기압성 경도풍이 부는 지점을 찾는다는 점에서 대표 문제와 유사하지만, 등압면의 고도가 가장 낮은 지점을 찾는다는 점에서 대표 문제와 다르다.

배경 지식

- A에서 C로 가면서 등압면의 고도는 낮아진다.
- 기압 경도력은 기압이 높은 쪽에서 기압이 낮은 쪽으로 작용한다.
- 고기압성 경도풍에서는 전향력이 기압 경도력보다 크다.

01

▸24073-0134

그림은 정역학 평형을 이루고 있는 높이 h인 공기 기둥을 나타낸 것이다. 윗면과 아랫면에서 기압은 각각 880 hPa, 1000 hPa 이고, 공기의 밀도는 ρ, 중력 가속도는 g이다.

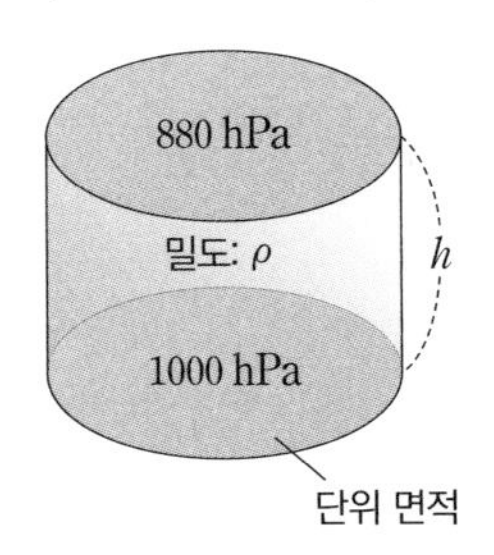

이에 대한 설명으로 옳은 것만을 〈보기〉에서 있는 대로 고른 것은? (단, 공기 기둥의 밀도는 일정하다.)

보기

ㄱ. 공기 기둥의 질량은 ρgh이다.
ㄴ. 공기 기둥에 작용하는 중력과 공기 기둥 윗면과 아랫면에 작용하는 압력 차에 의한 힘은 크기와 방향이 같다.
ㄷ. $\rho=1.2\ \mathrm{kg/m^3}$, $g=10\ \mathrm{m/s^2}$일 때, $h=1\ \mathrm{km}$이다.

① ㄱ ② ㄷ ③ ㄱ, ㄴ ④ ㄴ, ㄷ ⑤ ㄱ, ㄴ, ㄷ

02

▸24073-0135

그림은 거리 L만큼 떨어져 있는 나란한 두 등압선 사이에 있는 단면적 S인 직육면체 모양의 공기 덩어리의 모습을 나타낸 것이다. 양쪽 면에 작용하는 기압의 크기는 각각 P, $P+\Delta P$이며, 공기의 밀도는 ρ, $\Delta P>0$이다.

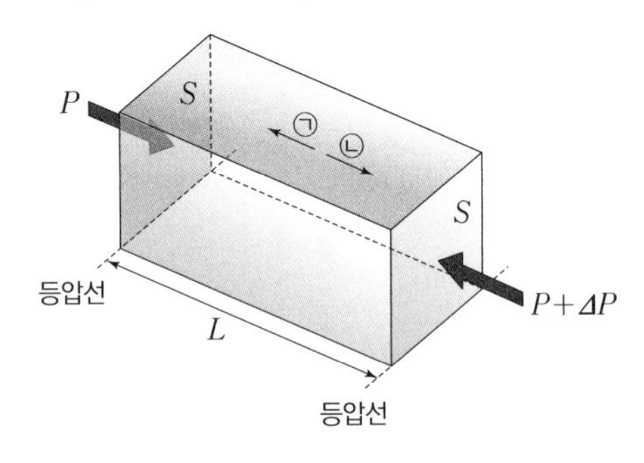

이에 대한 설명으로 옳은 것만을 〈보기〉에서 있는 대로 고른 것은?

보기

ㄱ. 공기 덩어리의 질량은 ρL이다.
ㄴ. 기압 경도력은 ㉠ 방향으로 작용한다.
ㄷ. 공기 1 kg에 작용하는 수평 기압 경도력은 ρ에 반비례한다.

① ㄱ ② ㄷ ③ ㄱ, ㄴ ④ ㄴ, ㄷ ⑤ ㄱ, ㄴ, ㄷ

03

▸24073-0136

그림은 어느 지역에서 부는 지상풍과 이에 작용하는 힘을 나타낸 것이다.

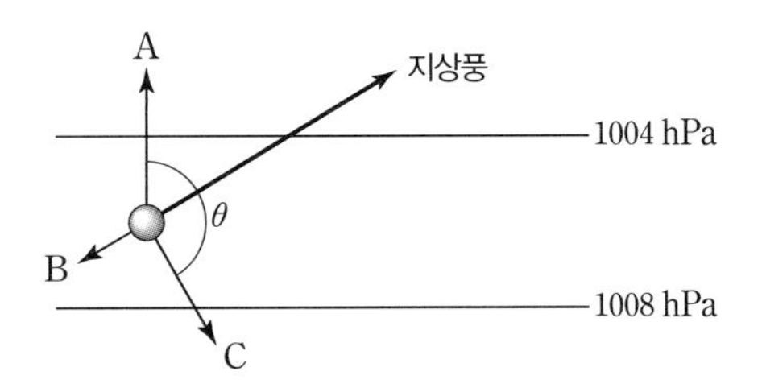

이에 대한 설명으로 옳은 것만을 〈보기〉에서 있는 대로 고른 것은?

보기

ㄱ. 이 지역은 북반구에 위치한다.
ㄴ. 지상풍과 등압선이 이루는 각은 B의 세기와 무관하다.
ㄷ. B가 커질수록 A와 C가 이루는 각 θ는 커진다.

① ㄱ ② ㄷ ③ ㄱ, ㄴ ④ ㄴ, ㄷ ⑤ ㄱ, ㄴ, ㄷ

04

▸24073-0137

그림은 어느 지역에서 등압선의 분포와 X 지점에서 부는 바람의 방향을 나타낸 것이다.

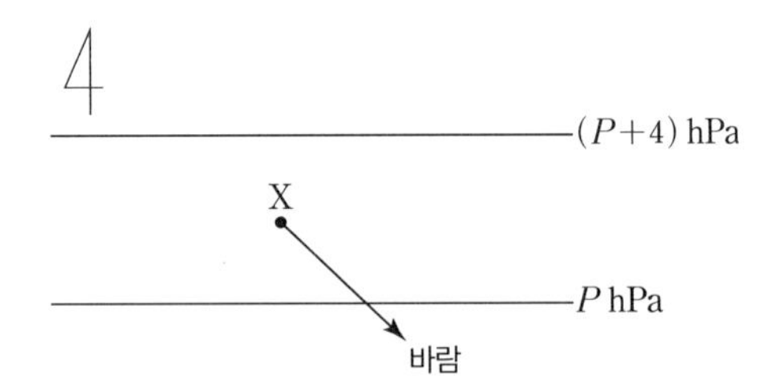

이에 대한 설명으로 옳은 것만을 〈보기〉에서 있는 대로 고른 것은?

보기

ㄱ. 이 지역은 남반구이다.
ㄴ. X 지점의 공기에 작용하는 전향력의 방향은 남서쪽이다.
ㄷ. 마찰층 내에서 X의 연직 위로 갈수록 풍향은 시계 방향으로 변한다.

① ㄱ ② ㄴ ③ ㄷ ④ ㄱ, ㄴ ⑤ ㄴ, ㄷ

05

▸24073-0138

그림 (가)와 (나)는 어느 지역의 서로 다른 고도에서 부는 바람의 방향과 바람에 작용하는 힘 A~E를 나타낸 것이다. (가)와 (나)에서 등압선 사이의 거리는 같다.

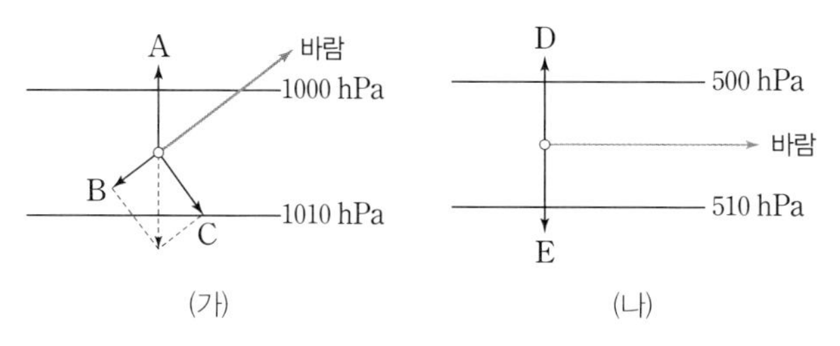

이에 대한 설명으로 옳은 것만을 〈보기〉에서 있는 대로 고른 것은?

보기

ㄱ. 고도는 (가)가 (나)보다 높다.
ㄴ. A와 D의 크기는 같다.
ㄷ. C와 E는 같은 종류의 힘이다.

① ㄱ ② ㄷ ③ ㄱ, ㄴ
④ ㄴ, ㄷ ⑤ ㄱ, ㄴ, ㄷ

06

▸24073-0139

그림은 북반구 상공의 등압선과 각 등압선 사이의 두 지점 A, B를 나타낸 것이다. A와 B 부근에서 공기의 밀도는 같다.

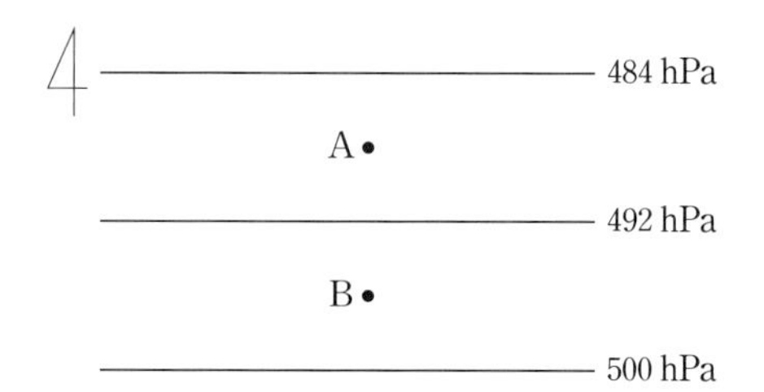

이에 대한 설명으로 옳은 것만을 〈보기〉에서 있는 대로 고른 것은? (단, A와 B에서 등압선 사이의 거리는 같다.)

보기

ㄱ. A 지점의 공기는 서쪽으로 이동하고 있다.
ㄴ. B 지점의 지균풍에 작용하는 전향력의 방향은 남쪽이다.
ㄷ. 바람의 속력은 A가 B보다 빠르다.

① ㄱ ② ㄴ ③ ㄷ
④ ㄱ, ㄴ ⑤ ㄴ, ㄷ

07

▸24073-0140

그림은 동일한 위도에 있는 (가)와 (나) 지역에서 부는 경도풍을 나타낸 것이다. 두 지역에서 바람에 작용하는 기압 경도력의 크기는 같다.

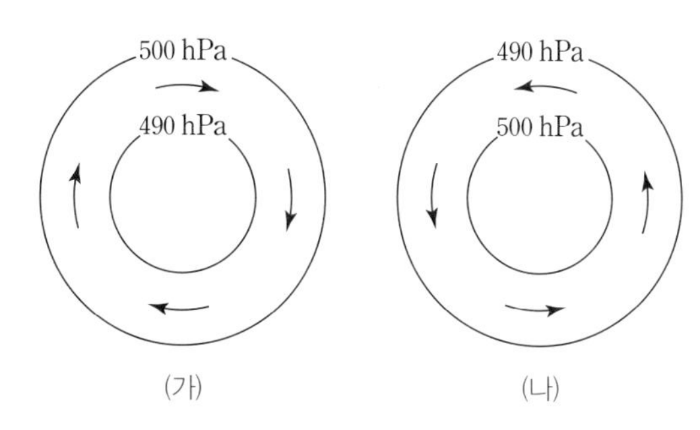

이에 대한 설명으로 옳은 것만을 〈보기〉에서 있는 대로 고른 것은?

보기

ㄱ. (가)와 (나)는 북반구에 위치한다.
ㄴ. 바람의 속력은 (가)가 (나)보다 빠르다.
ㄷ. 바람에 작용하는 전향력의 크기는 (가)가 (나)보다 작다.

① ㄱ ② ㄴ ③ ㄷ
④ ㄱ, ㄷ ⑤ ㄴ, ㄷ

08

▸24073-0141

그림은 어느 지역에서 부는 경도풍과 A 지점의 공기에 작용하는 힘 ㉠, ㉡을 나타낸 것이다. ㉠과 ㉡은 각각 기압 경도력과 전향력 중 하나이다.

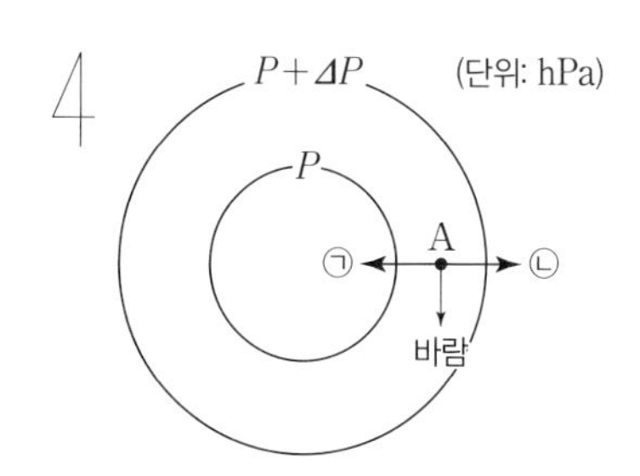

이에 대한 설명으로 옳은 것만을 〈보기〉에서 있는 대로 고른 것은?

보기

ㄱ. ㉠은 ㉡보다 크다.
ㄴ. ㉠이 기압 경도력이면 이 지역은 남반구에 위치한다.
ㄷ. ㉡이 전향력이면 $\Delta P>0$이다.

① ㄱ ② ㄴ ③ ㄱ, ㄷ
④ ㄴ, ㄷ ⑤ ㄱ, ㄴ, ㄷ

01

▸24073-0142

그림은 남반구에서 위도별 온도 차에 의해 형성된 등압면의 남북 방향 연직 분포를 나타낸 것이다. X, Y는 각각 남과 북 중 하나이며, A와 B 지점의 높이는 각각 11 km, 7 km이고 대기는 정역학 평형을 이루고 있다.

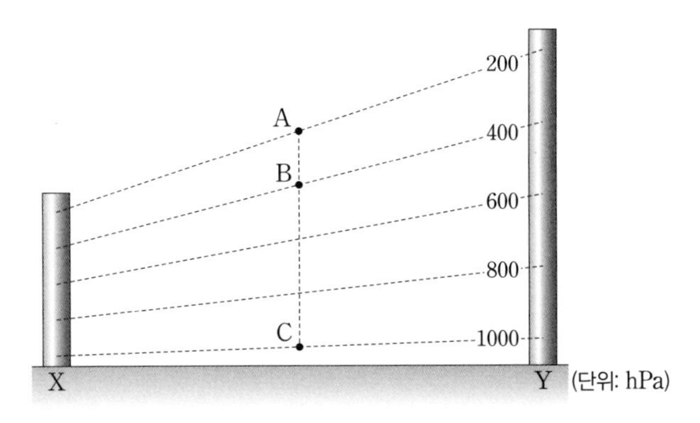

이에 대한 설명으로 옳은 것만을 〈보기〉에서 있는 대로 고른 것은? (단, 중력 가속도는 10 m/s^2이다.)

보기

ㄱ. A에서 지균풍은 서쪽으로 분다.

ㄴ. A와 B 사이에 있는 공기의 평균 밀도는 0.5 kg/m^3이다.

ㄷ. A와 C 사이의 단위 면적에 세워진 공기 기둥의 질량은 8000 kg/m^2이다.

① ㄱ ② ㄷ ③ ㄱ, ㄴ ④ ㄴ, ㄷ ⑤ ㄱ, ㄴ, ㄷ

02

▸24073-0143

그림은 어느 지역에서 등압선의 분포와 A 지점에서 부는 지상풍에 작용하는 전향력의 방향을 나타낸 것이다.

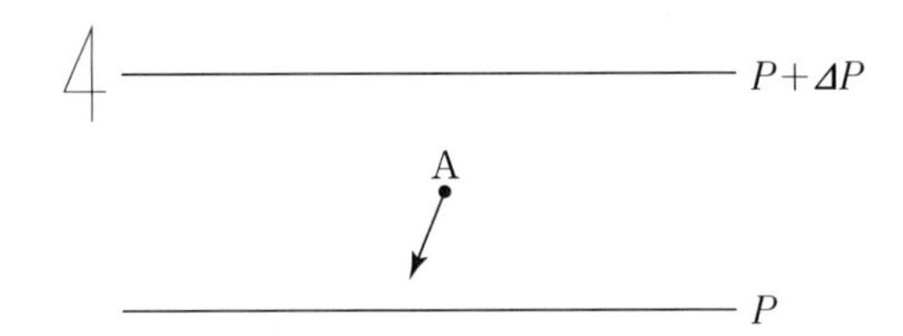

이에 대한 설명으로 옳은 것만을 〈보기〉에서 있는 대로 고른 것은?

보기

ㄱ. $\Delta P>0$이다.

ㄴ. A에는 남동풍이 분다.

ㄷ. 마찰층 내에서 A의 연직 위로 갈수록 바람에 작용하는 전향력의 방향은 시계 방향으로 변한다.

① ㄱ ② ㄴ ③ ㄱ, ㄷ ④ ㄴ, ㄷ ⑤ ㄱ, ㄴ, ㄷ

03

▸ 24073-0144

그림은 어느 중위도 지역 상공의 A 지점에서 부는 지균풍의 방향을 나타낸 것이다.

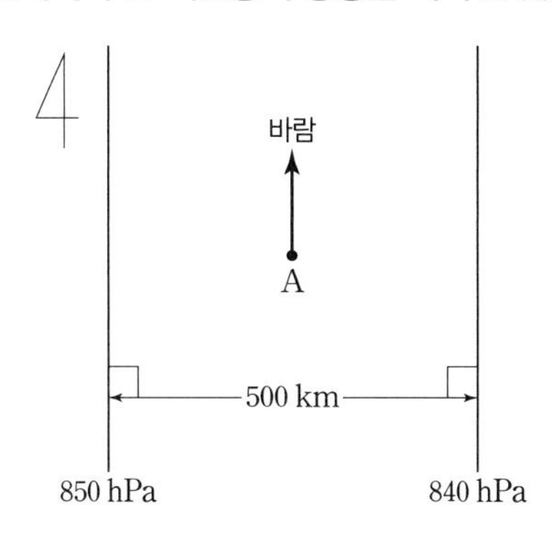

이에 대한 설명으로 옳은 것만을 〈보기〉에서 있는 대로 고른 것은? (단, A 지점의 공기 밀도는 $1.0\ kg/m^3$이고, 지구의 자전 각속도를 Ω, 위도를 φ라 할 때, $2\Omega\sin\varphi = 10^{-4}/s$이다.)

보기
ㄱ. 이 지역은 남반구이다.
ㄴ. 지균풍의 속력은 20 m/s이다.
ㄷ. A 지점의 공기에 작용하는 전향력의 방향은 서쪽이다.

① ㄱ　② ㄴ　③ ㄱ, ㄷ　④ ㄴ, ㄷ　⑤ ㄱ, ㄴ, ㄷ

04

▸ 24073-0145

그림 (가)와 (나)는 동일 경도상에 위치한 두 지점 A와 B에서 부는 경도풍의 방향을 나타낸 것이다. (가)와 (나)에서 등압선 사이의 거리와 경도풍의 풍속은 같으며, A와 B 지점의 공기 밀도는 같다.

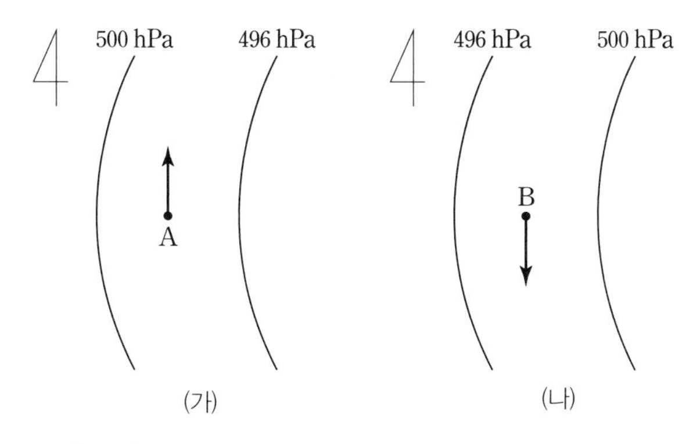

이에 대한 설명으로 옳은 것만을 〈보기〉에서 있는 대로 고른 것은?

보기
ㄱ. A는 남반구에 위치한다.
ㄴ. A는 B보다 북쪽에 위치한다.
ㄷ. B에서 전향력은 서쪽으로 작용한다.

① ㄱ　② ㄷ　③ ㄱ, ㄴ　④ ㄴ, ㄷ　⑤ ㄱ, ㄴ, ㄷ

10 편서풍 파동과 대기 대순환

1 편서풍 파동과 제트류

(1) 편서풍 파동

① 발생 원인: 저위도와 고위도의 기온 차와 지구 자전에 의한 전향력

② 역할 및 영향: 저위도에서 고위도로 에너지를 수송하고, 지상에 온대 저기압과 이동성 고기압을 발달시킨다.

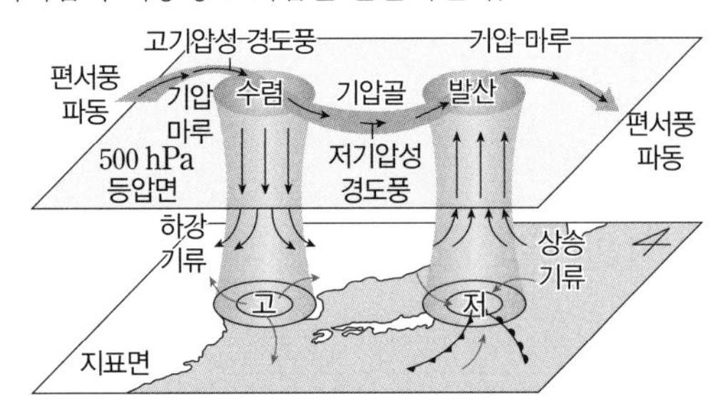

(2) 편서풍 파동과 날씨

① 기압골 서쪽: 상층 공기 수렴, 하강 기류 발달, 지상에 고기압 발달

② 기압골 동쪽: 상층 공기 발산, 상승 기류 발달, 지상에 저기압 발달

(3) 제트류: 상층 대기 편서풍 내의 좁은 영역에서 아주 강하게 나타나는 공기의 흐름 ➡ 남북으로 굽이치면서 이동

① 발생 원인: 남북 간의 온도 차

② 생성 과정: 남북 간 온도 차에 따른 기압 차 발생, 따라서 고위도 쪽으로 기압 경도력 발생 → 고도가 증가할수록 등압면 기울기 증가 → 대류권 계면 부근에서 서풍의 풍속 최대 → 제트류 형성

(4) 한대 (전선) 제트류와 아열대 제트류

① 한대 (전선) 제트류: 한대 전선대(위도 60° 부근) 상공에서 형성, 겨울철에 남하하고 여름철에 북상

② 아열대 제트류: 위도 30° 부근 상공에서 형성

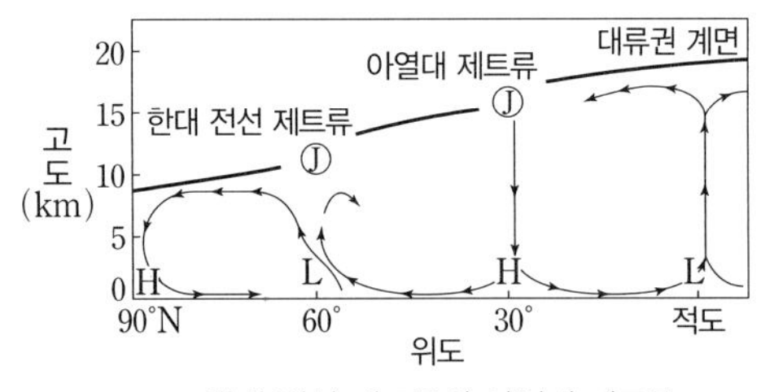

한대 전선 제트류와 아열대 제트류

2 대기 대순환

(1) 대기 대순환

① 지구의 복사 평형: 태양 복사 에너지 흡수량과 지구 복사 에너지 방출량이 같아서 연평균 기온이 일정하게 유지된다.

② 위도별 열수지: 지구 전체적으로는 복사 평형을 이루지만 위도에 따라 에너지 불균형 발생 → 저위도의 과잉 에너지를 고위도로 수송 → 대기 대순환 발생

(2) 대기 대순환의 모델

① 지구 자전에 의한 전향력을 고려하지 않는 경우(단일 세포 순환 모델): 적도 지방에서는 상승 기류, 극지방에서는 하강 기류가 발달하고, 북반구 지상에서는 북풍, 남반구 지상에서는 남풍이 분다.

② 지구 자전에 의한 전향력을 고려한 경우(3세포 순환 모델)

- 해들리 순환: 적도에서 상승한 공기는 고위도로 이동한 다음 위도 30° 부근에서 하강하여 적도로 되돌아온다.
- 페렐 순환: 위도 30° 부근에서 하강한 공기는 고위도로 이동한 다음 위도 60° 부근에서 상승한다.
- 극순환: 극에서 하강한 공기는 저위도로 이동하다가 위도 60° 부근에서 상승한 후 극으로 되돌아온다.

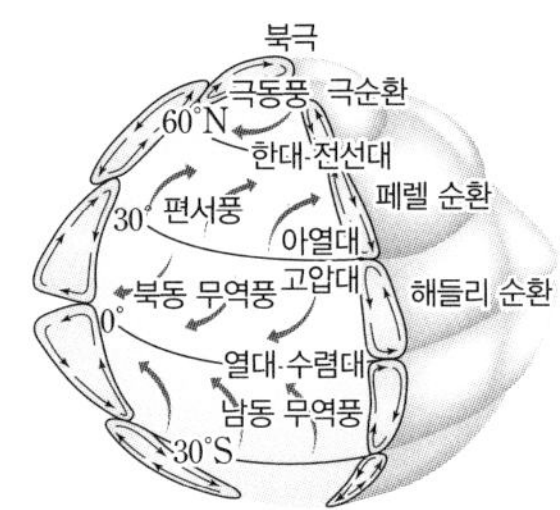

3세포 순환 모델

(3) 대기 순환의 규모

① 대기 순환의 규모: 미규모, 중간 규모, 종관 규모, 지구 규모로 구분한다.

② 대기 순환 규모의 특징

- 대체로 공간 규모(수평 규모)가 클수록 시간 규모도 크다.
- 미규모와 중간 규모 순환은 크기가 작아서 일기도에 잘 나타나지 않으며, 전향력의 효과는 무시할 수 있을 정도로 작다.

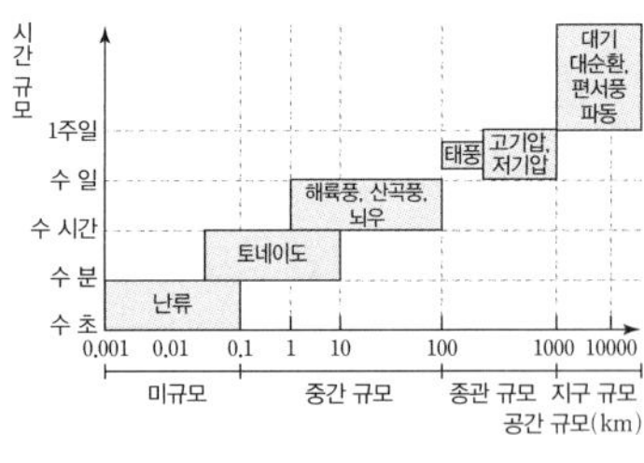

대기 순환의 규모

더 알기 회전 원통을 이용한 편서풍 파동 실험

1. 회전 속도가 느릴 때: 물이 회전판과 같은 방향으로 흐르면서 따뜻한 외벽을 따라 상승하고 얼음이 든 내벽을 따라 하강한다.
2. 회전 속도가 중간 정도일 때: 물의 흐름이 파동의 형태를 이룬다.
3. 회전 속도가 빠를 때: 파동의 수가 늘어나고 파동의 안쪽과 바깥쪽에 회전 방향이 서로 반대인 소용돌이가 생긴다.

➡ 회전 속도가 느릴 때는 회전판과 같은 방향의 동심원을 그리는 흐름이 나타나고, 회전 속도가 빠를 때는 편서풍 파동에 해당하는 흐름이 나타난다.

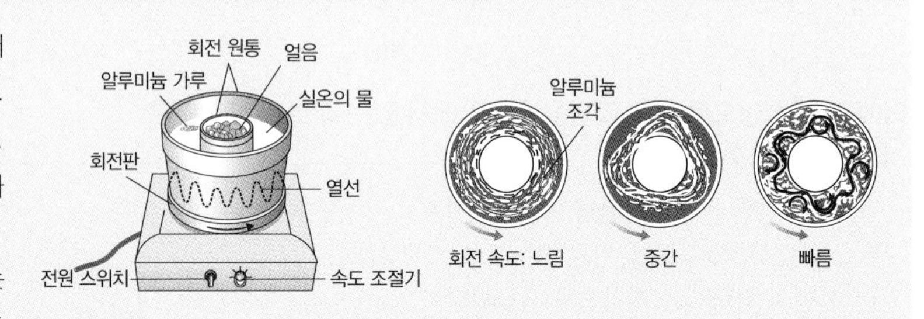

테마 대표 문제

| 2024학년도 수능 |

표는 대기의 운동을 시 · 공간적 규모에 따라 구분하고, 이 중 A와 B에 대한 수평 규모와 예를 나타낸 것이다.

구분	수평 규모	예
A	1~100 km	산곡풍, (㉠)
B	1000 km 이상	편서풍, 무역풍

이에 대한 설명으로 옳은 것만을 〈보기〉에서 있는 대로 고른 것은?

보기
ㄱ. 해륙풍은 ㉠에 해당한다.
ㄴ. 지구 규모는 A에 해당한다.
ㄷ. 시간 규모는 A가 B보다 크다.

① ㄱ ② ㄴ ③ ㄱ, ㄷ ④ ㄴ, ㄷ ⑤ ㄱ, ㄴ, ㄷ

접근 전략

대기 순환의 공간(수평) 규모가 클수록 시간 규모가 크다는 것과 대기 순환의 규모별 대표적인 대기 현상의 예를 알고 있어야 한다.

간략 풀이

㉠ 수평 규모가 1~100 km인 대기 순환 규모의 예로는 산곡풍과 해륙풍이 있다.

ㄴ. 산곡풍은 하루를 주기로 산풍과 곡풍이 나타나는 현상이므로 대기 순환의 규모는 중간 규모에 해당한다.

ㄷ. 대기 순환의 수평 규모가 클수록 시간 규모도 크다. 따라서 수평 규모가 A가 B보다 작으므로 시간 규모도 A가 B보다 작다.

정답 | ①

닮은 꼴 문제로 유형 익히기

정답과 해설 25쪽

▸24073-0146

다음은 영희가 대기 순환의 시간 규모에 대해 학습한 후 정리한 내용이다.

• 대기 순환의 시간 규모
– 미규모: 수 초 ~ 수 분
– (㉠): 수 분 ~ 수 일
– 종관 규모: 수 일 ~ 1주일 정도
– ㉡지구 규모: 1주일 이상

이에 대한 설명으로 옳은 것만을 〈보기〉에서 있는 대로 고른 것은?

보기
ㄱ. 산곡풍은 ㉠의 예로 적절하다.
ㄴ. ㉡의 $\frac{\text{연직 규모}}{\text{수평 규모}}$는 1보다 작다.
ㄷ. 대기 운동에 작용하는 전향력의 크기는 ㉠이 ㉡보다 작다.

① ㄱ ② ㄴ ③ ㄱ, ㄷ ④ ㄴ, ㄷ ⑤ ㄱ, ㄴ, ㄷ

유사점과 차이점

대기 순환의 규모에 따른 대표적인 예와 서로 다른 두 대기 순환의 규모를 비교하여 묻고 있다는 점에서 대표 문제와 유사하지만, 특정 대기 순환의 규모에서 나타나는 특징을 다룬다는 점에서 대표 문제와 다르다.

배경 지식

• 대기 순환의 시 · 공간적 규모가 클수록 대체로 연직 규모에 비해 수평 규모가 훨씬 크다.
• 대기 순환의 규모가 작을수록 전향력의 효과도 작다.

01

▸24073-0147

그림은 북반구의 500 hPa 등압면의 등고도선을 평면에 투영시켜 나타낸 것이다. A~D 지점은 500 hPa 등압면에 위치하고, 중력 가속도는 같다.

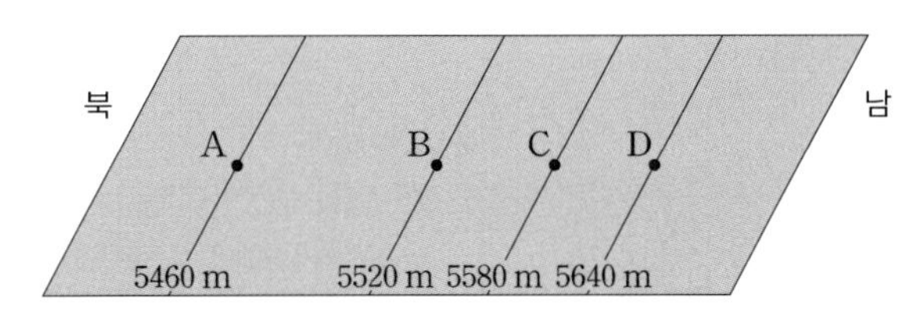

지점 A~D에 대한 설명으로 옳은 것만을 〈보기〉에서 있는 대로 고른 것은?

보기
ㄱ. A~B 구간에는 서풍이 분다.
ㄴ. 지표면 부근의 평균 기온은 A가 D보다 높다.
ㄷ. 풍속은 B~C 구간이 C~D 구간보다 빠르다.

① ㄱ ② ㄴ ③ ㄱ, ㄷ
④ ㄴ, ㄷ ⑤ ㄱ, ㄴ, ㄷ

02

▸24073-0148

표는 편서풍 파동의 변동 단계 중 일부의 내용을 간략히 나타낸 것이다.

단계	내용
Ⅰ	㉠ 편서풍 파동의 진폭이 크지 않을 때에는 남북 간의 기온 차가 점점 커진다.
Ⅱ	남북 간의 기온 차가 커지면 편서풍 파동이 발달하기 시작한다.
Ⅲ	파동의 일부가 분리되기 시작하여 ㉡ 공기 덩어리가 떨어져 나가면서 편서풍 파동의 진폭은 좁아진다.

이에 대한 설명으로 옳은 것만을 〈보기〉에서 있는 대로 고른 것은?

보기
ㄱ. ㉠이 커질수록 남북 간의 열에너지 수송량이 적어진다.
ㄴ. 단계 Ⅲ에서 저위도 지역으로 떨어져 나간 ㉡은 고기압성 흐름을 나타낸다.
ㄷ. 편서풍 파동은 지구의 에너지 불균형을 해소하는 역할을 한다.

① ㄱ ② ㄷ ③ ㄱ, ㄴ
④ ㄴ, ㄷ ⑤ ㄱ, ㄴ, ㄷ

03

▸24073-0149

그림은 2023년 7월의 어느 날 우리나라 주변 500 hPa 등압면의 등고도선과 기온 분포를 나타낸 것이다. 지점 A, B, C는 500 hPa 등압면에 위치하고, A와 B의 위도는 같다.

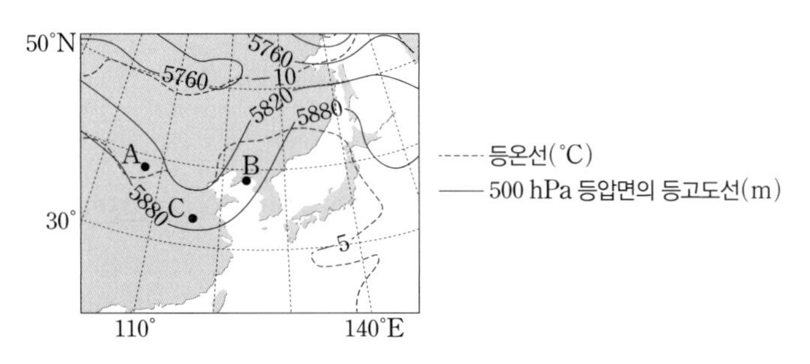

지점 A, B, C에 대한 설명으로 옳은 것만을 〈보기〉에서 있는 대로 고른 것은? (단, A, B, C 지점에서 기압 경도력의 크기는 같다.)

보기
ㄱ. 기온은 A가 B보다 높다.
ㄴ. 다른 조건이 동일하다면, 풍속은 B가 C보다 빠르다.
ㄷ. A, B, C 중 지상에 온대 저기압이 형성될 가능성이 가장 높은 지점은 B이다.

① ㄱ ② ㄴ ③ ㄱ, ㄷ
④ ㄴ, ㄷ ⑤ ㄱ, ㄴ, ㄷ

04

▸24073-0150

그림 (가)와 (나)는 어느 해 북반구에 형성된 한대 (전선) 제트류의 모습을 나타낸 것이다. (가)와 (나)는 각각 1월과 7월 중 하나이다.

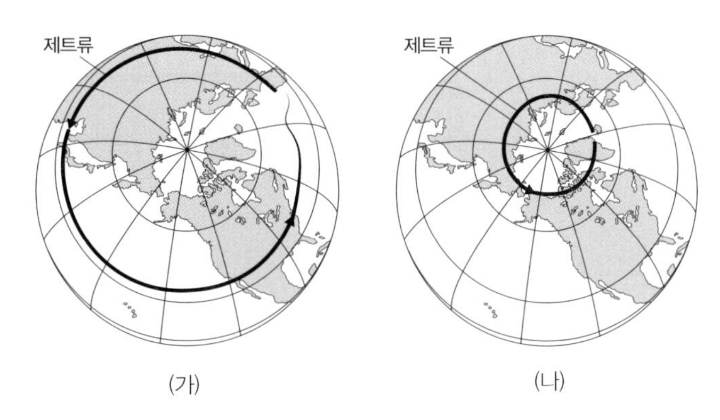

(가) (나)

이에 대한 설명으로 옳은 것만을 〈보기〉에서 있는 대로 고른 것은?

보기
ㄱ. 1월의 모습은 (가)이다.
ㄴ. (나)에서 한대 (전선) 제트류는 해들리 순환과 페렐 순환의 경계에서 형성된다.
ㄷ. 제트류의 평균 풍속은 (가)보다 (나)가 느리다.

① ㄱ ② ㄴ ③ ㄱ, ㄷ
④ ㄴ, ㄷ ⑤ ㄱ, ㄴ, ㄷ

05

▸24073-0151

그림은 대기 순환의 공간 규모와 시간 규모를 나타낸 것이다.

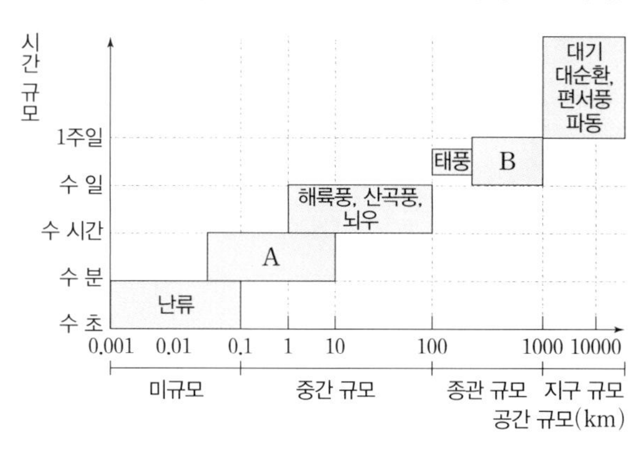

이에 대한 설명으로 옳은 것만을 <보기>에서 있는 대로 고른 것은?

보기
ㄱ. 용오름은 A에 해당한다.
ㄴ. 대기 순환에 미치는 전향력의 영향은 A보다 B에서 크다.
ㄷ. 공간 규모가 클수록 대기 순환의 지속 시간은 길어진다.

① ㄱ ② ㄴ ③ ㄱ, ㄷ
④ ㄴ, ㄷ ⑤ ㄱ, ㄴ, ㄷ

06

▸24073-0152

그림은 지구의 위도에 따른 순 복사 에너지양을 나타낸 것이다. 순 복사 에너지양은 (태양 복사 에너지의 입사량 − 지구 복사 에너지의 방출량)이다.

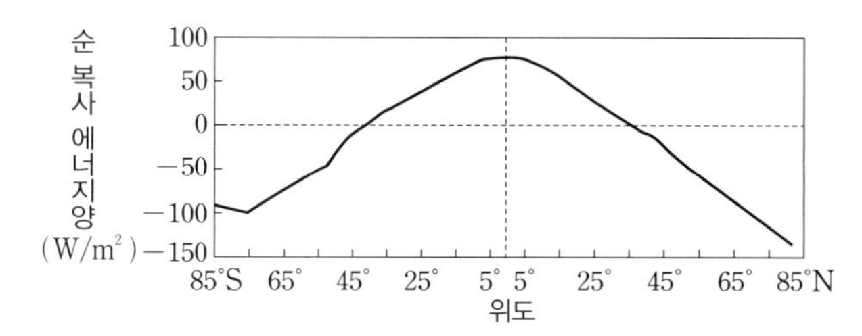

이에 대한 설명으로 옳은 것만을 <보기>에서 있는 대로 고른 것은?

보기
ㄱ. 위도 45°에서 (태양 복사 에너지의 입사량−지구 복사 에너지의 방출량)은 양(+)의 값이다.
ㄴ. 지구에서 열에너지는 주로 저위도에서 고위도로 이동한다.
ㄷ. 열에너지를 이동시키는 주된 대기 순환 규모는 중간 규모이다.

① ㄱ ② ㄴ ③ ㄱ, ㄷ
④ ㄴ, ㄷ ⑤ ㄱ, ㄴ, ㄷ

07

▸24073-0153

그림은 지구가 자전할 때의 대기 대순환 모델을 나타낸 것이다. ㉠, ㉡ 지점은 지표에 위치한다.

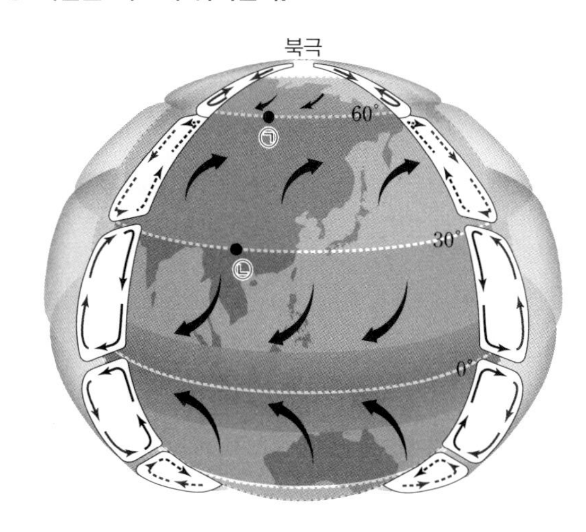

㉠ 지점이 ㉡ 지점보다 큰 값을 갖는 것만을 <보기>에서 있는 대로 고른 것은?

보기
ㄱ. 대류권 계면의 연평균 높이
ㄴ. 연평균 상대 습도
ㄷ. 단위 면적당 입사하는 연평균 태양 복사 에너지양

① ㄱ ② ㄴ ③ ㄱ, ㄷ
④ ㄴ, ㄷ ⑤ ㄱ, ㄴ, ㄷ

08

▸24073-0154

그림 (가)와 (나)는 맑은 날 어느 산악 지역에서 서로 다른 시기에 관측된 공기의 흐름을 나타낸 것이다. (가)와 (나)는 각각 낮과 밤 중 하나이다.

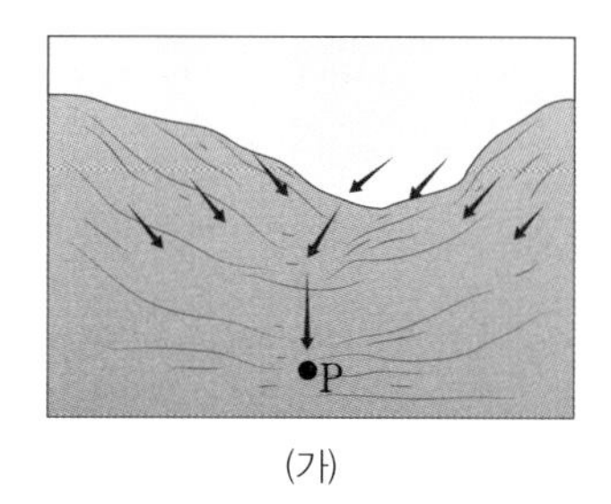

(가)

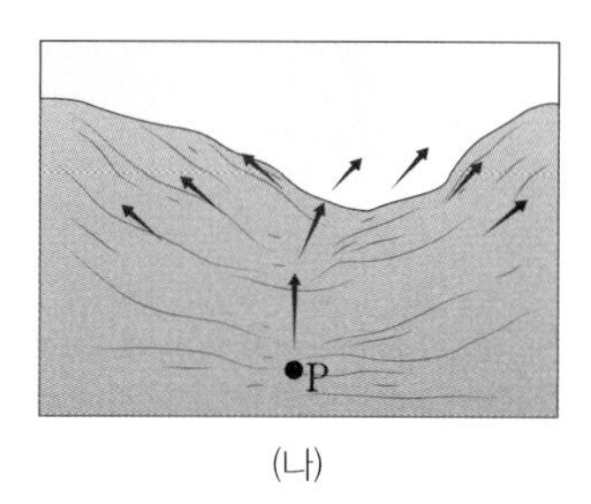

(나)

이에 대한 설명으로 옳은 것만을 <보기>에서 있는 대로 고른 것은?

보기
ㄱ. 낮에 관측한 모습은 (가)이다.
ㄴ. (나)는 곡풍이 나타나는 모습이다.
ㄷ. P 지점의 평균 기온은 (가)보다 (나)가 높다.

① ㄱ ② ㄴ ③ ㄱ, ㄷ
④ ㄴ, ㄷ ⑤ ㄱ, ㄴ, ㄷ

01

▸24073-0155

그림은 1월과 7월 중 어느 한 시기에 관측한 500 hPa 등압면의 등고도선을 나타낸 것이다. A, B, C 지점에서 기압 경도력은 같고, B와 C 지점의 위도는 같다.

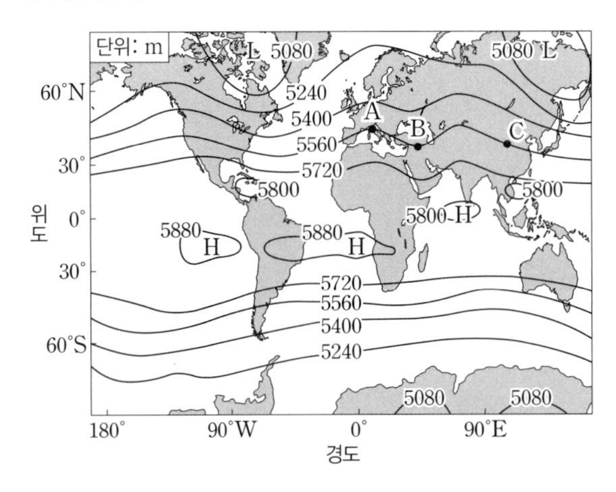

이에 대한 설명으로 옳은 것만을 <보기>에서 있는 대로 고른 것은?

보기
ㄱ. 이 시기는 1월이다. ㄴ. 풍속은 B가 C보다 빠르다. ㄷ. A에서 공기 덩어리에 작용하는 기압 경도력과 구심력의 방향은 서로 같다.

① ㄱ ② ㄷ ③ ㄱ, ㄴ ④ ㄴ, ㄷ ⑤ ㄱ, ㄴ, ㄷ

02

▸24073-0156

그림 (가)와 (나)는 1965년부터 2020년까지 남반구의 250 hPa 등압면에서의 평균 풍속 분포를 나타낸 것이다. (가)와 (나)는 각각 4월 ~ 9월과 10월 ~ 3월의 자료 중 하나이다.

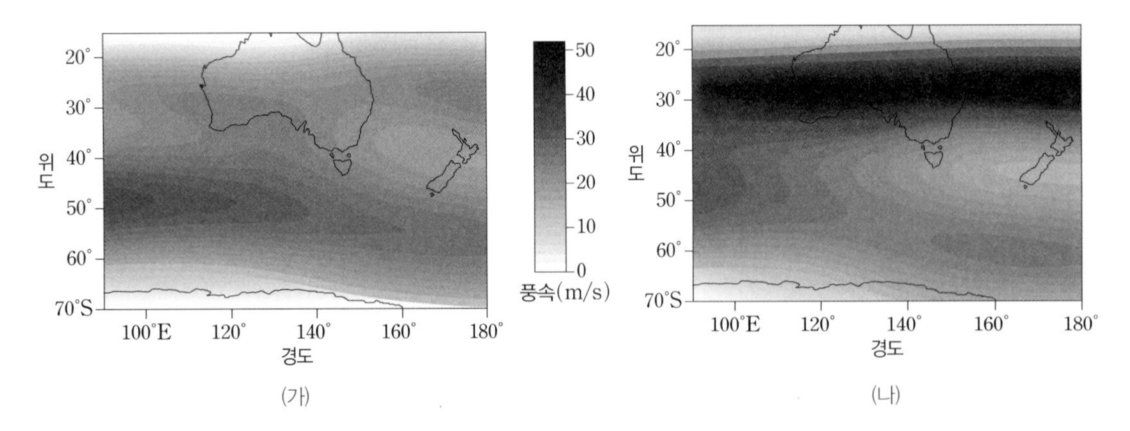

(가) (나)

이에 대한 설명으로 옳은 것만을 <보기>에서 있는 대로 고른 것은?

보기
ㄱ. (가)는 10월~3월의 자료이다. ㄴ. 250 hPa 등압면에서 위도에 따른 평균 기온의 변화 폭은 (가)보다 (나)가 크다. ㄷ. 위도 40°S에서 250 hPa 등압면의 평균 등고선의 높이는 (가)보다 (나)가 높다.

① ㄱ ② ㄷ ③ ㄱ, ㄴ ④ ㄴ, ㄷ ⑤ ㄱ, ㄴ, ㄷ

03

▸24073-0157

그림 (가)와 (나)는 지표 부근의 평균 기압과 바람의 분포를 나타낸 것이다. (가)와 (나)는 각각 북반구의 여름철과 겨울철 중 하나이다.

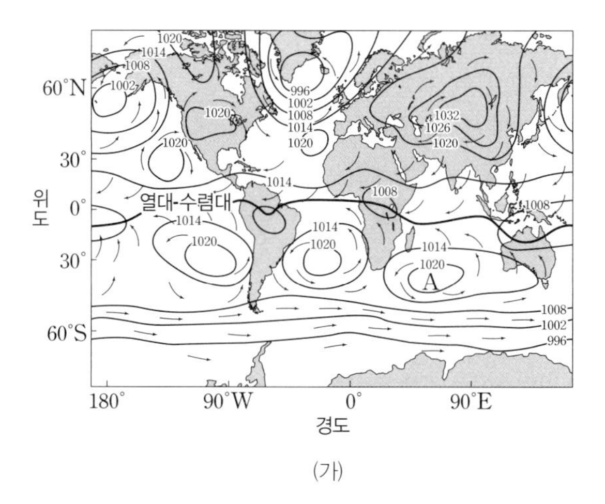

(가)

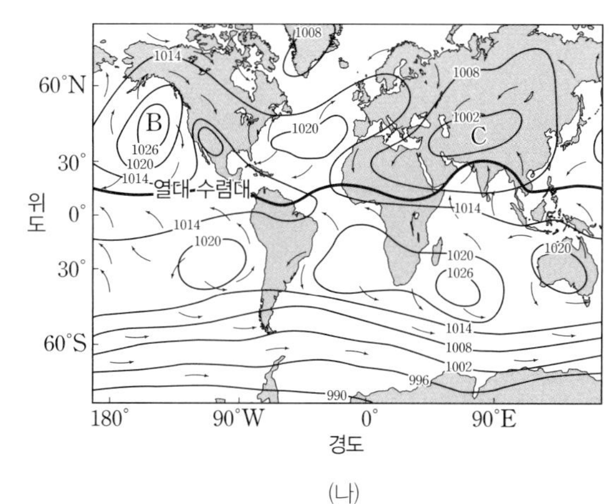

(나)

이에 대한 설명으로 옳은 것만을 〈보기〉에서 있는 대로 고른 것은?

보기

ㄱ. 북반구의 여름철은 (가)이다.
ㄴ. A와 B는 모두 중위도 고압대에서 형성된다.
ㄷ. C는 일기도에 나타나는 대기 순환 규모이다.

① ㄱ　② ㄷ　③ ㄱ, ㄴ　④ ㄴ, ㄷ　⑤ ㄱ, ㄴ, ㄷ

04

▸24073-0158

그림 (가)와 (나)는 해륙풍이 부는 어느 해안 지역에서 하루 동안 관측한 풍향과 풍속의 분포를 나타낸 것이다.

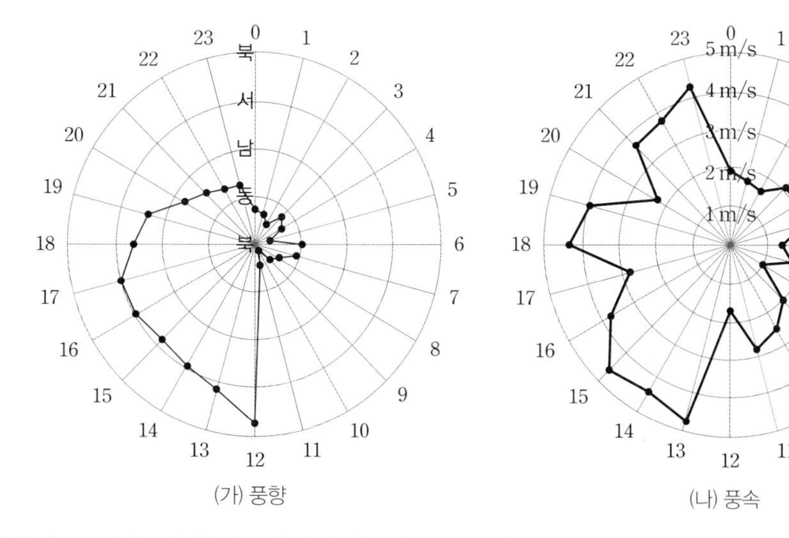

(가) 풍향　(나) 풍속

이에 대한 설명으로 옳은 것만을 〈보기〉에서 있는 대로 고른 것은?

보기

ㄱ. 평균 풍속은 오전이 오후보다 느리다.
ㄴ. 육지는 관측 지점의 북동쪽에 위치한다.
ㄷ. 육지에서 높이에 따른 기압 변화율은 해풍이 불 때가 육풍이 불 때보다 작다.

① ㄱ　② ㄷ　③ ㄱ, ㄴ　④ ㄴ, ㄷ　⑤ ㄱ, ㄴ, ㄷ

테마 11 좌표계와 태양계 모형

1 천체의 위치와 좌표계

(1) 방위

① 지구에서의 방위: 관측자를 통과하는 경선(북극과 남극을 최단으로 잇는 선)을 기준으로 동쪽과 서쪽을 나타낸다.

② 지구의 위도와 경도

- 위도: 적도로부터 남북 방향으로 측정한 각도
- 경도: 그리니치 천문대를 지나는 경선으로부터 동서 방향으로 측정한 각도

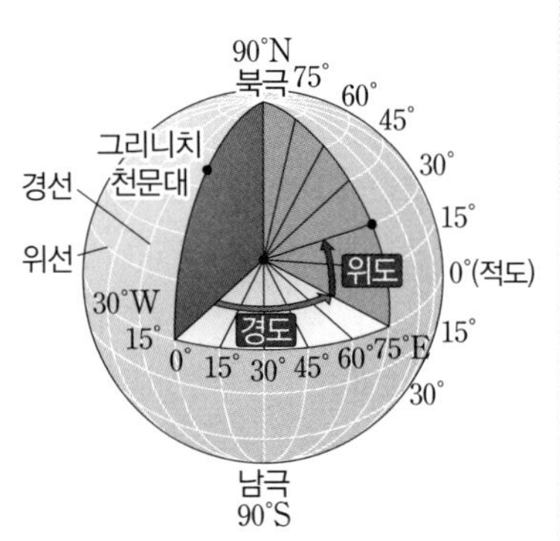

위도와 경도

(2) 천체의 좌표계

① 천구의 기준점과 기준선

- 천정(천저): 관측자를 지나는 연직선이 천구와 만나는 두 점 중 위(아래)에 있는 점
- 천구의 북극과 남극: 지구의 자전축을 연장할 때 천구와 만나는 두 점
- 북점(남점): 자오선이 지평선과 만나는 두 점 중 정북(정남) 쪽에 위치한 천구상의 점
- 천구의 적도: 지구의 적도면을 연장하여 천구와 만나서 생기는 대원
- 지평선: 관측자가 서 있는 평면을 연장하여 천구와 만나서 생기는 대원
- 시간권: 천구의 북극과 남극을 지나는 천구상의 대원 ➡ 시간권은 천구의 적도와 수직
- 수직권: 천정과 천저를 지나는 천구상의 대원 ➡ 수직권은 지평선과 수직
- 자오선: 천구의 북극과 남극, 천정과 천저를 동시에 지나는 천구상의 대원

천구의 기준점과 기준선

② 지평 좌표계: 천체의 위치를 방위각(A)과 고도(h)로 나타내는 좌표계로, 좌표의 기준은 북점(또는 남점)과 지평선이다.

- 방위각: 북점(또는 남점)으로부터 지평선을 따라 시계 방향으로 천체를 지나는 수직권까지 잰 각
- 고도: 지평선에서 천체까지 수직권을 따라 잰 각

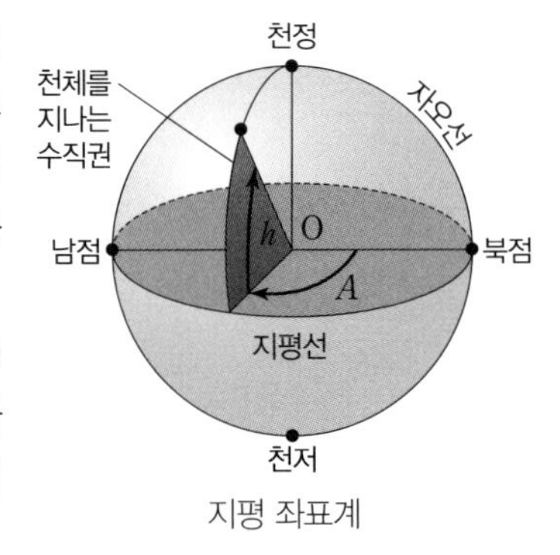

지평 좌표계

③ 적도 좌표계: 천체의 위치를 적경(α)과 적위(δ)로 나타내는 좌표계로, 좌표의 기준은 춘분점과 천구의 적도이다.

- 적경: 춘분점을 기준으로 천구의 적도를 따라 천체를 지나는 시간권까지 시계 반대 방향(서 → 동)으로 잰 각으로, 15°를 1시간으로 환산하여 0^h~24^h로 나타낸다.
- 적위: 천구의 적도에서 시간권을 따라 천체까지 잰 각으로 천구의 적도를 기준으로 북쪽은 (+), 남쪽은 (−)로 나타낸다.

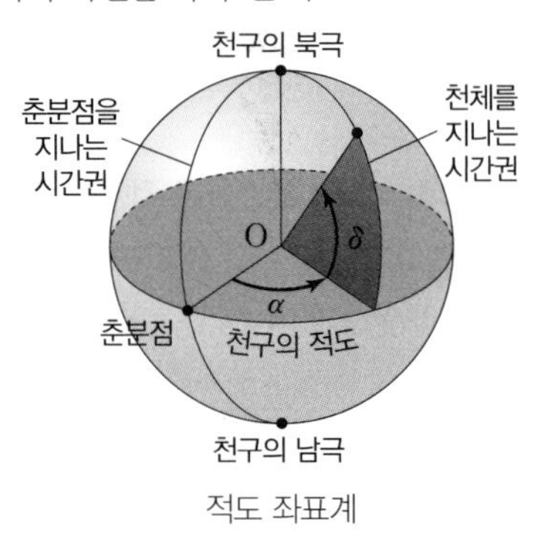

적도 좌표계

(3) 태양의 연주 운동

지구의 공전으로 태양은 별자리에 대해서 서에서 동으로 천구상을 1년 동안 1바퀴 도는 겉보기 운동을 한다.

- 황도: 천구상에서 태양이 연주 운동하는 경로로, 지구의 공전 궤도를 연장하여 천구와 만나는 대원에 해당하며, 천구의 적도와 약 23.5° 기울어져 있다.

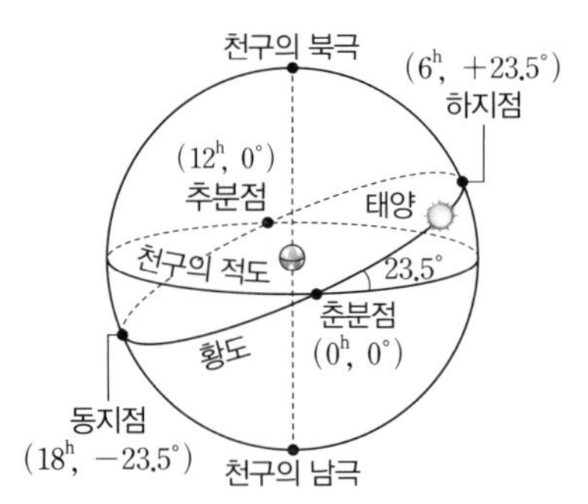

더 알기 계절에 따른 태양의 남중 고도 변화(북반구 중위도 지역)

- 태양의 남중 고도: 북반구에서 관측자의 위도가 φ, 태양의 적위가 δ일 때 태양의 남중 고도(h)는 $90° - \varphi + \delta$이다.($\varphi > \delta$인 경우)
- 춘분날(추분날): 태양은 적위가 0°이므로 천구의 적도에 위치하여 정동에서 떠서 정서로 진다. 낮과 밤의 길이가 같다.
- 하짓날: 태양은 적위가 +23.5°이므로 남중 고도가 가장 높다. 태양이 북동쪽에서 떠서 북서쪽으로 지며, 1년 중 낮의 길이가 가장 길다.
- 동짓날: 태양은 적위가 −23.5°이므로 남중 고도가 가장 낮다. 태양이 남동쪽에서 떠서 남서쪽으로 지며, 1년 중 낮의 길이가 가장 짧다.

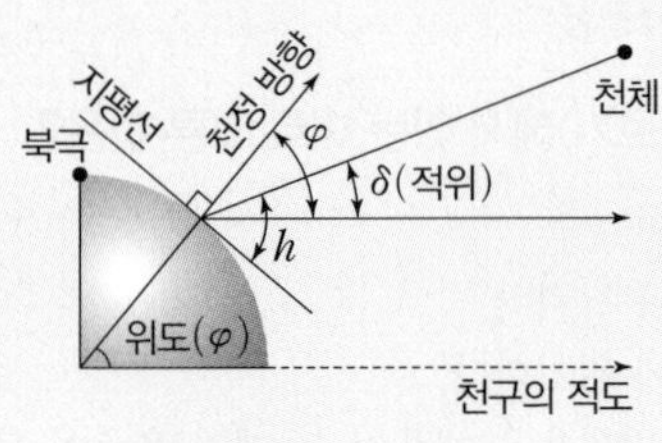

천체의 남중 고도(h)

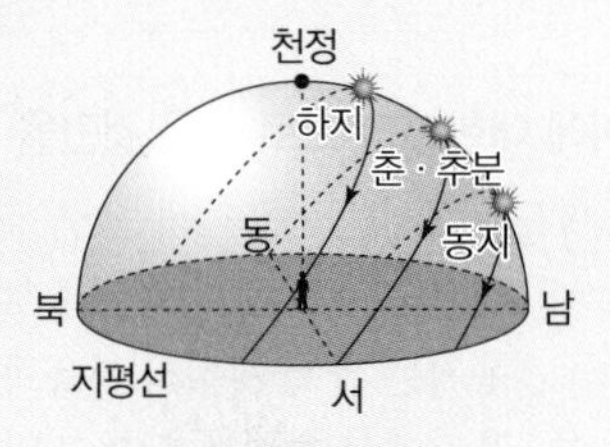

태양의 남중 고도 변화

② 행성의 겉보기 운동

(1) 행성의 겉보기 운동

① 순행: 별자리를 기준으로 서쪽에서 동쪽으로 이동하는 겉보기 운동 ➡ A → B, C → D

② 역행: 별자리를 기준으로 동쪽에서 서쪽으로 이동하는 겉보기 운동 ➡ B → C

③ 유: 순행에서 역행, 역행에서 순행으로 이동 방향이 바뀔 때 행성이 정지한 것처럼 보이는 시기(B, C)

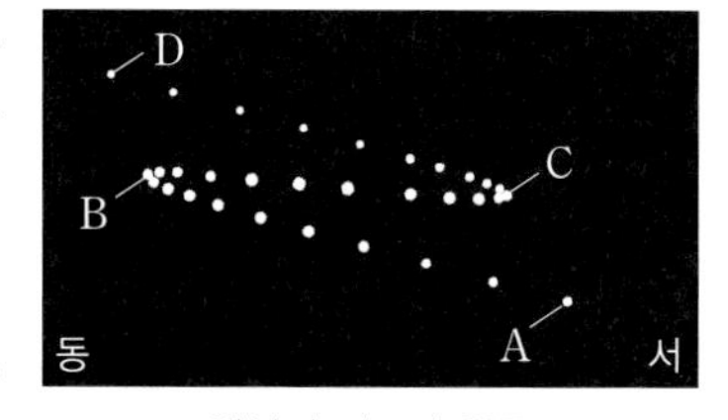

행성의 겉보기 운동

(2) 내행성의 위치와 겉보기 운동

① 내합: 태양－내행성－지구 순으로 일직선을 이루는 위치

② 외합: 내행성－태양－지구 순으로 일직선을 이루는 위치

③ 최대 이각: 내행성의 이각이 최대일 때로, 행성이 태양보다 동쪽에 위치하면 동방 최대 이각, 서쪽에 위치하면 서방 최대 이각이다.

④ 내행성은 지구보다 공전 속도가 빠르므로 외합 → 동방 최대 이각 → 내합 → 서방 최대 이각 순으로 위치 관계가 변한다.

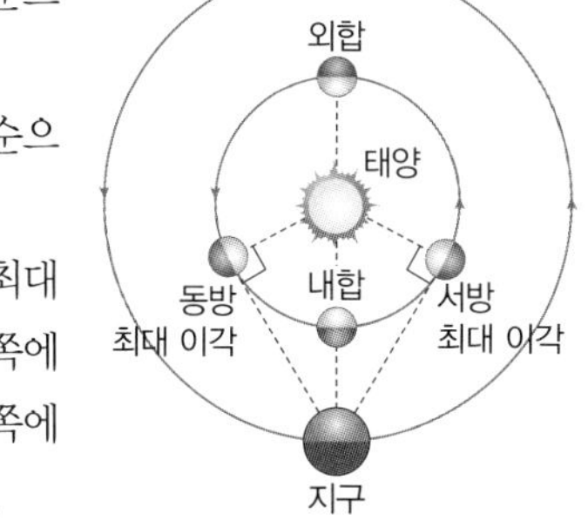

내행성의 위치 관계

(3) 외행성의 위치와 겉보기 운동

① 합: 외행성－태양－지구 순으로 일직선을 이루는 위치

② 충: 태양－지구－외행성 순으로 일직선을 이루는 위치

③ 구: 태양을 기준으로 행성이 동쪽 직각 방향에 위치하면 동구, 서쪽 직각 방향에 위치하면 서구이다.

④ 외행성은 지구보다 공전 속도가 느리므로 충 → 동구 → 합 → 서구의 순으로 위치 관계가 변한다.

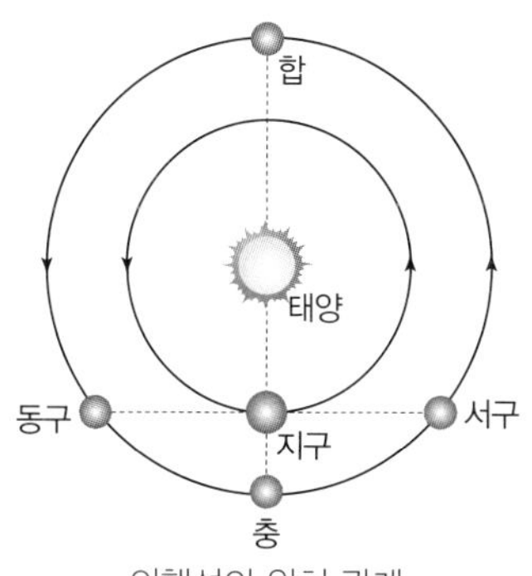

외행성의 위치 관계

③ 지구 중심설과 태양 중심설

(1) 프톨레마이오스의 지구 중심설: 모든 천체들이 지구 주위를 원 궤도로 공전하고 있다는 우주관

① 행성들은 주전원을 돌고, 주전원의 중심이 지구 주위를 돈다. ➡ 행성의 역행 설명

② 수성과 금성의 주전원 중심은 항상 지구와 태양을 잇는 일직선상에 위치한다. ➡ 내행성의 최대 이각 설명

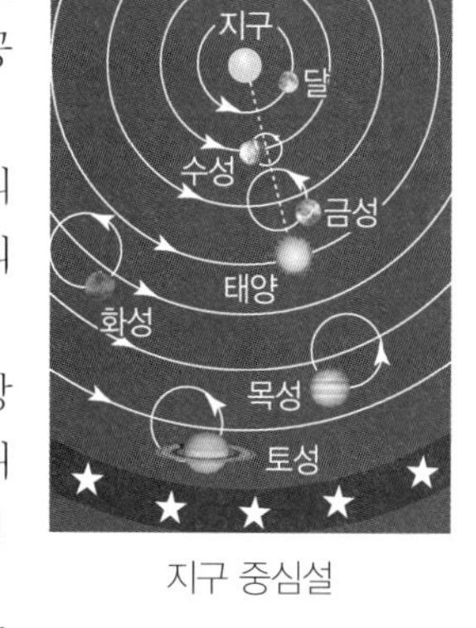

지구 중심설

(2) 코페르니쿠스의 태양 중심설: 지구를 포함한 행성들이 원 궤도로 태양 주위를 공전하고 있다는 우주관

① 태양을 중심으로 행성들이 원 궤도로 공전한다. ➡ 행성들의 공전 속도 차로 역행 설명

② 수성과 금성은 지구보다 안쪽 궤도에서 공전한다. ➡ 내행성의 최대 이각 설명

태양 중심설

(3) 티코 브라헤의 지구 중심설: 태양 중심설과 지구 중심설을 절충하여 수정한 지구 중심 우주관

① 지구는 우주의 중심이고, 달과 태양은 지구 둘레를 공전한다.

② 수성, 금성, 화성, 목성, 토성은 태양 둘레를 공전한다. ➡ 행성의 역행과 내행성의 최대 이각 설명

수정 지구 중심설

(4) 갈릴레이의 관측과 우주관의 확립

① 목성의 위성 관측: 목성의 위성 관측은 모든 천체가 지구를 중심으로 돈다고 주장한 지구 중심설로는 설명되지 않는다.

② 보름달 모양의 금성 위상 관측: 금성이 태양과 지구 사이에서 주전원 운동한다고 주장한 지구 중심설로는 설명되지 않는다.

더 알기 지구 중심설과 태양 중심설에서 금성의 위상 변화

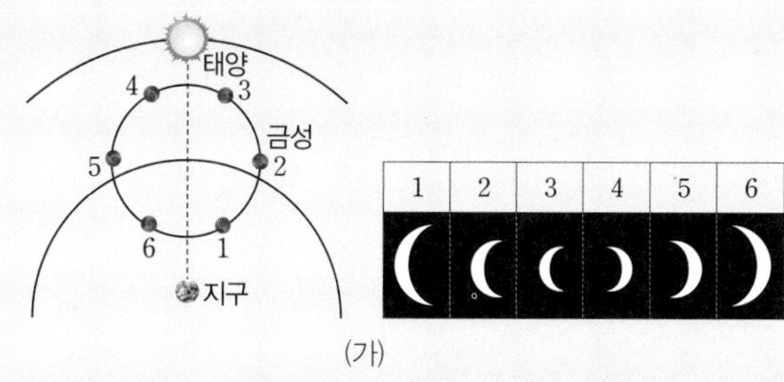

(가)

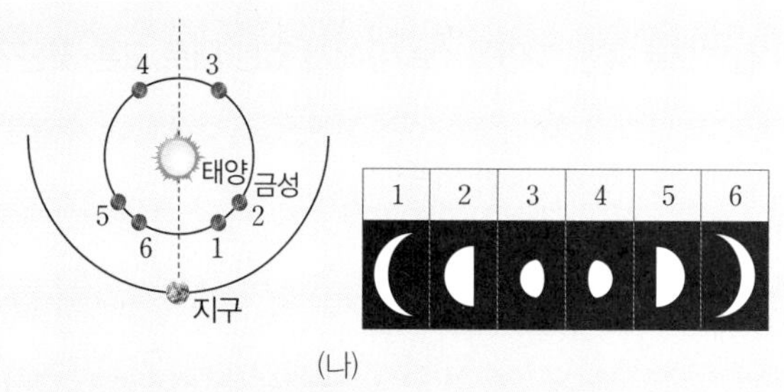

(나)

• (가): 금성이 1 → 3으로 이동하는 동안 위상은 그믐달 모양으로 나타난다. 한편, 4 → 6으로 이동하는 동안 위상은 초승달 모양으로 나타난다.

• (나): 달처럼 모든 모양의 위상이 나타난다. 특히 태양 반대편 부근에 위치하는 3, 4에서는 보름달에 가까운 모양으로 관측된다.

테마 대표 문제

| 2024학년도 수능 |

그림은 어느 해 태양과 행성 A의 남중 시각 변화를 나타낸 것이다.

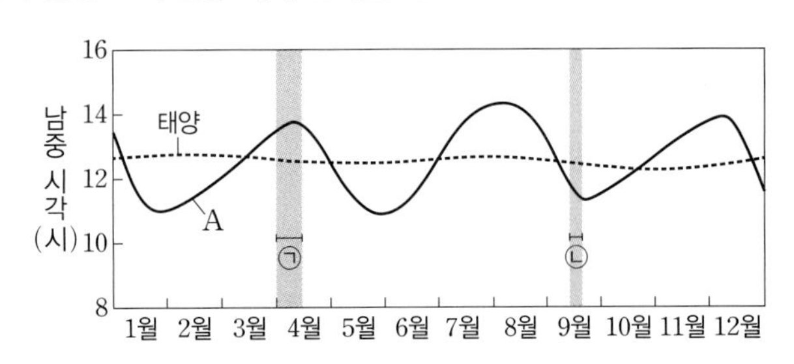

A에 대한 설명으로 옳은 것만을 〈보기〉에서 있는 대로 고른 것은?

보기

ㄱ. 공전 주기는 회합 주기보다 짧다.
ㄴ. ㉠ 기간에 해가 진 후 서쪽 하늘에서 관측된다.
ㄷ. ㉡ 기간에 지구와의 거리는 멀어진다.

① ㄱ ② ㄷ ③ ㄱ, ㄴ ④ ㄴ, ㄷ ⑤ ㄱ, ㄴ, ㄷ

접근 전략

시간에 따라 A의 남중 시각이 태양보다 빠르거나 느리게 나타남을 통해 A가 내행성임을 파악하고, ㉠, ㉡에서 행성의 위치와 겉보기 운동을 알아내야 한다.

간략 풀이

내행성의 남중 시각은 태양에 비해 빨라지고 느려짐을 반복하므로 A는 내행성이다.

㉠. 내행성의 공전 주기를 P, 회합 주기를 S라고 할 때 $\frac{1}{S}=\frac{1}{P}-1$(단위: 년)이므로 A의 공전 주기는 회합 주기보다 짧다.

㉡. ㉠ 기간에 A는 동방 최대 이각 부근에 위치하므로 해가 진 후 서쪽 하늘에서 관측된다.

㉢. ㉡ 기간에 A는 서방 최대 이각의 위치에 가까워지므로 지구와의 거리는 멀어진다.

정답 | ⑤

닮은 꼴 문제로 유형 익히기

정답과 해설 28쪽

▸24073-0159

그림은 어느 해 우리나라에서 태양과 행성 A, B의 남중 시각 변화를 나타낸 것이다.

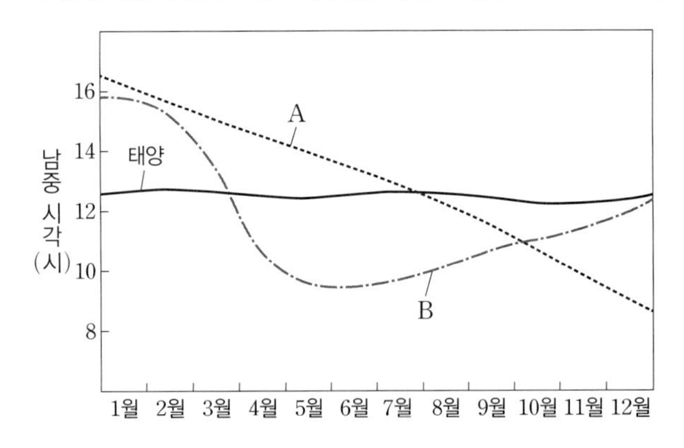

이에 대한 설명으로 옳은 것만을 〈보기〉에서 있는 대로 고른 것은?

보기

ㄱ. 7월 말에 A는 천구상에서 역행한다.
ㄴ. 2월에 B는 동방 이각에 위치한다.
ㄷ. 9월에 A의 적경은 B보다 크다.

① ㄱ ② ㄷ ③ ㄱ, ㄴ ④ ㄴ, ㄷ ⑤ ㄱ, ㄴ, ㄷ

유사점과 차이점

태양과 행성의 남중 시각을 제시했다는 점에서 대표 문제와 유사하지만, 외행성의 남중 시각 변화를 다룬다는 점에서 대표 문제와 다르다.

배경 지식

- A는 1년 동안 남중 시각이 계속 빨라지므로 외행성이다.
- 적경은 춘분점을 기준으로 시간권을 따라 시계 반대 방향으로 잰 각이다.

01

▸24073-0160

다음은 두 지역 A, B에서 관측한 별 ㉠에 대한 자료이다.

- 40°N, 115°E에 위치한 A에서 관측한 별 ㉠의 남중 고도는 70°이다.
- B에서 별 ㉠의 남중 고도는 50°이고, 남중 시각은 A에서보다 3시간 빨랐다.

이에 대한 설명으로 옳은 것만을 〈보기〉에서 있는 대로 고른 것은?

보기

ㄱ. B의 위도는 20°N이다.

ㄴ. B를 지나는 경선은 그리니치를 지나는 경선보다 160° 동쪽에 위치한다.

ㄷ. 이날 별 ㉠은 B보다 A에서 약 3시간 먼저 떴다.

① ㄱ ② ㄴ ③ ㄱ, ㄷ
④ ㄴ, ㄷ ⑤ ㄱ, ㄴ, ㄷ

02

▸24073-0161

그림은 어느 지역에서 관측한 별 A, B의 위치를 천구상에 나타낸 것이다.

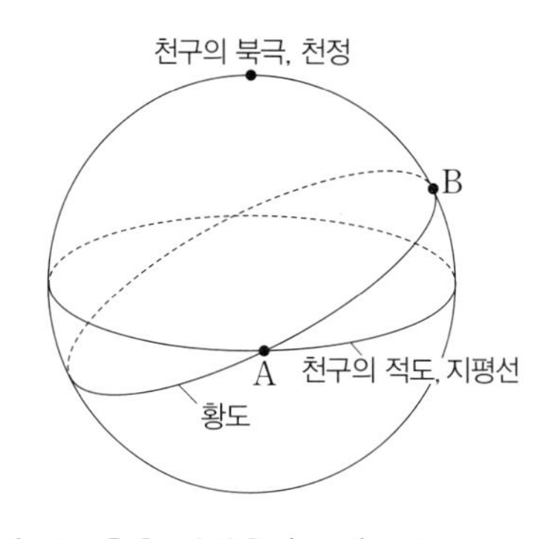

이에 대한 설명으로 옳은 것만을 〈보기〉에서 있는 대로 고른 것은?

보기

ㄱ. 관측 지역은 적도이다.

ㄴ. 적경은 A가 B보다 크다.

ㄷ. 고도는 A가 B보다 작다.

① ㄱ ② ㄷ ③ ㄱ, ㄴ
④ ㄴ, ㄷ ⑤ ㄱ, ㄴ, ㄷ

03

▸24073-0162

그림은 별 A, B의 위치를 천구상에 나타낸 것이다.

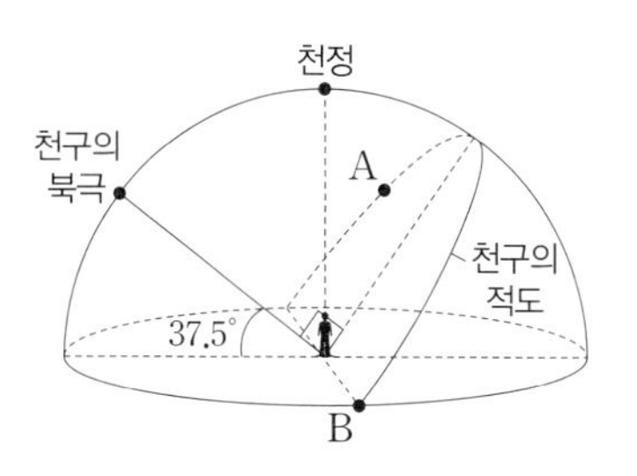

이에 대한 설명으로 옳은 것만을 〈보기〉에서 있는 대로 고른 것은?

보기

ㄱ. 관측 지점의 위도는 52.5°N이다.

ㄴ. A는 남중할 때까지 방위각이 커진다.

ㄷ. B는 시간권이면서 수직권인 대원에 위치한다.

① ㄱ ② ㄴ ③ ㄷ
④ ㄱ, ㄷ ⑤ ㄴ, ㄷ

04

▸24073-0163

그림은 북반구의 세 지점 A, B, C의 위치를 나타낸 것이다.

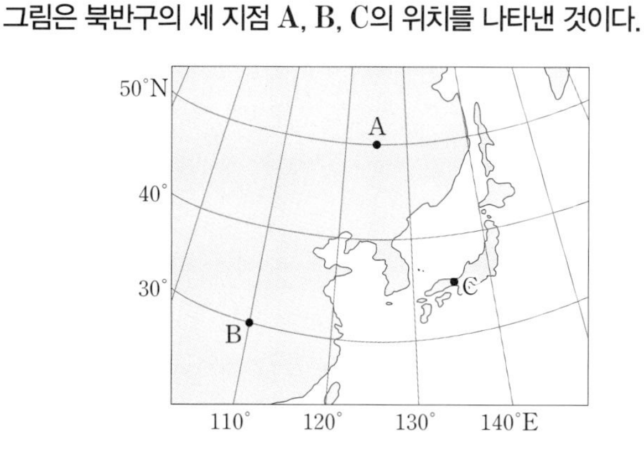

이에 대한 설명으로 옳은 것만을 〈보기〉에서 있는 대로 고른 것은?

보기

ㄱ. 같은 날 태양의 남중 고도는 A가 가장 낮다.

ㄴ. 천구의 적도와 지평선이 이루는 각은 B가 가장 크다.

ㄷ. C의 표준시는 그리니치 천문대보다 9시간 느리다.

① ㄱ ② ㄷ ③ ㄱ, ㄴ
④ ㄴ, ㄷ ⑤ ㄱ, ㄴ, ㄷ

05

▸24073-0164

그림은 어느 지역에서 계절에 따른 태양의 일주권을 나타낸 것이다.

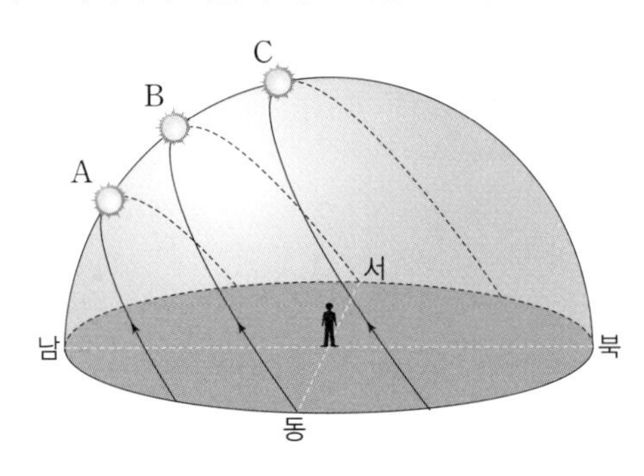

이에 대한 설명으로 옳은 것만을 〈보기〉에서 있는 대로 고른 것은?

보기

ㄱ. 이 지역은 남반구에 위치한다.
ㄴ. B에서 태양의 적위는 0°이다.
ㄷ. A, B, C에서 낮의 길이는 모두 같다.

① ㄱ ② ㄴ ③ ㄱ, ㄷ
④ ㄴ, ㄷ ⑤ ㄱ, ㄴ, ㄷ

06

▸24073-0165

그림은 어느 해 6월 6일(음력 4월 17일) 금성이 태양면을 통과하는 장면을 나타낸 것이다.

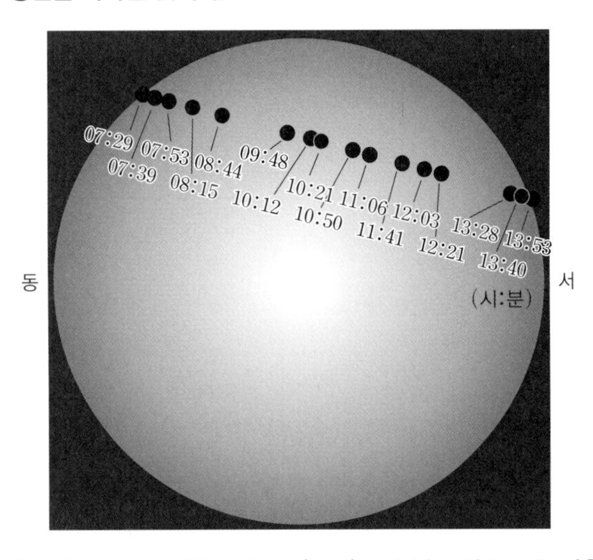

이에 대한 설명으로 옳은 것만을 〈보기〉에서 있는 대로 고른 것은?

보기

ㄱ. 금성은 태양면을 동쪽에서 서쪽으로 통과하였다.
ㄴ. 이날 금성은 내합의 위치를 통과하였다.
ㄷ. 이날 금성은 달보다 먼저 떴다.

① ㄱ ② ㄴ ③ ㄱ, ㄷ
④ ㄴ, ㄷ ⑤ ㄱ, ㄴ, ㄷ

07

▸24073-0166

그림은 어느 날 태양, 지구, 금성, 화성의 상대적 위치를 나타낸 것이다.

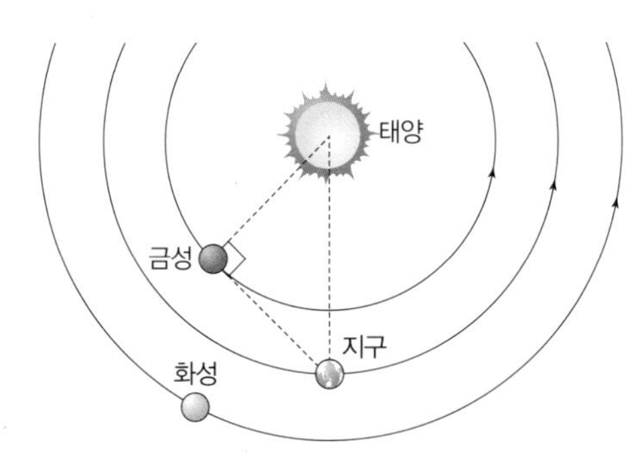

이에 대한 설명으로 옳은 것만을 〈보기〉에서 있는 대로 고른 것은?

보기

ㄱ. 이날 금성보다 화성을 관측할 수 있는 시간이 길다.
ㄴ. 다음 날 금성의 시지름은 커진다.
ㄷ. 화성은 새벽에 동쪽 하늘에서 관측할 수 있다.

① ㄱ ② ㄴ ③ ㄷ
④ ㄱ, ㄴ ⑤ ㄴ, ㄷ

08

▸24073-0167

그림은 지구에서 관측한 금성의 모습을 나타낸 것이다.

A

B

C

이에 대한 설명으로 옳은 것만을 〈보기〉에서 있는 대로 고른 것은?

보기

ㄱ. B일 때 금성을 관측할 수 있는 시간이 가장 길다.
ㄴ. C일 때 금성은 자정 무렵에 남중한다.
ㄷ. 금성의 모습은 A → B → C 순으로 관측된다.

① ㄱ ② ㄷ ③ ㄱ, ㄴ
④ ㄴ, ㄷ ⑤ ㄱ, ㄴ, ㄷ

09

▸24073-0168

그림은 태양의 적경과 적위를 나타낸 것이다.

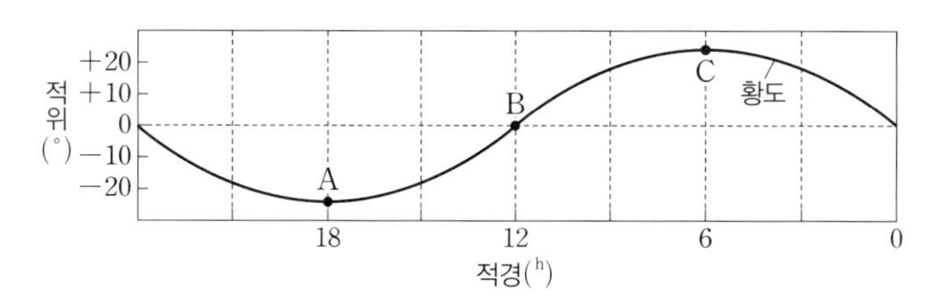

이에 대한 설명으로 옳은 것만을 〈보기〉에서 있는 대로 고른 것은?

보기

ㄱ. 태양은 A → B → C로 이동한다.
ㄴ. 우리나라에서 태양이 A와 C에 위치할 때의 남중 고도 차는 47°이다.
ㄷ. 남반구 중위도 지역에서 낮의 길이는 태양이 B보다 C에 위치할 때 길다.

① ㄱ ② ㄴ ③ ㄱ, ㄷ
④ ㄴ, ㄷ ⑤ ㄱ, ㄴ, ㄷ

10

▸24073-0169

그림은 북반구에서 동짓날 자정에 관측한 황도 부근의 별자리를 나타낸 것이다.

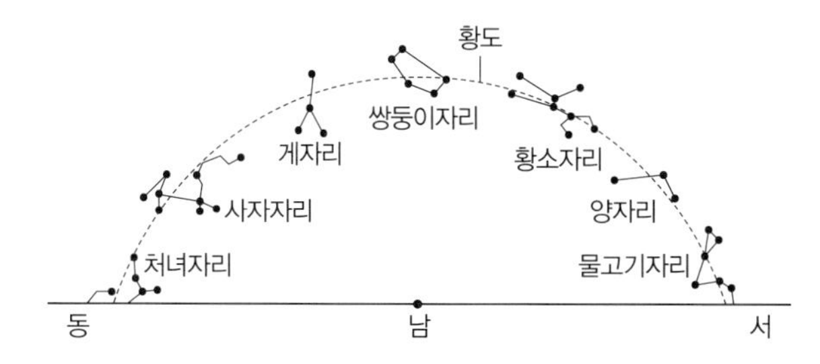

이에 대한 설명으로 옳은 것만을 〈보기〉에서 있는 대로 고른 것은?

보기

ㄱ. 처녀자리의 적경은 약 12^h이다.
ㄴ. 약 2시간 후에는 황소자리가 남중한다.
ㄷ. 약 3개월 후 같은 시각에는 물고기자리가 정남쪽에 위치한다.

① ㄱ ② ㄴ ③ ㄱ, ㄷ
④ ㄴ, ㄷ ⑤ ㄱ, ㄴ, ㄷ

11

▸24073-0170

그림 (가)와 (나)는 서로 다른 우주관을 나타낸 것이다.

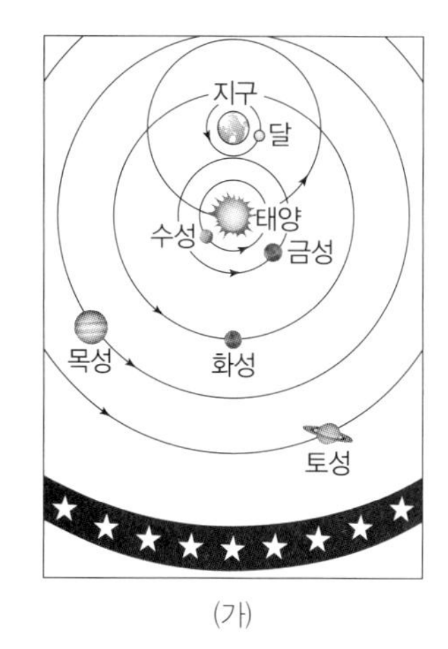

(가)

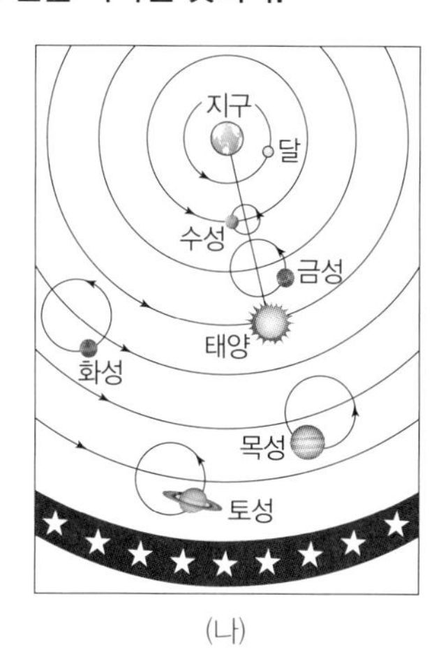

(나)

이에 대한 설명으로 옳은 것만을 〈보기〉에서 있는 대로 고른 것은?

보기

ㄱ. (가)에서는 별의 연주 시차를 설명할 수 없다.
ㄴ. (나)에서는 수성과 금성이 새벽이나 초저녁에만 관측되는 현상을 설명할 수 없다.
ㄷ. (가)와 (나)에서 태양과 지구 사이의 거리가 같다고 할 때, 금성의 시지름 변화는 (가)보다 (나)에서 크다.

① ㄱ ② ㄴ ③ ㄱ, ㄷ
④ ㄴ, ㄷ ⑤ ㄱ, ㄴ, ㄷ

12

▸24073-0171

다음은 우주관에 대해 세 학생이 나눈 대화를 나타낸 것이다.

세 학생 중 옳게 말한 학생만을 있는 대로 고른 것은?

① A ② B ③ C
④ A, B ⑤ B, C

01

▸24073-0172

그림은 몇 가지 별자리를 구성하는 별들을 관측하여 적도 좌표계에 나타낸 것이다.

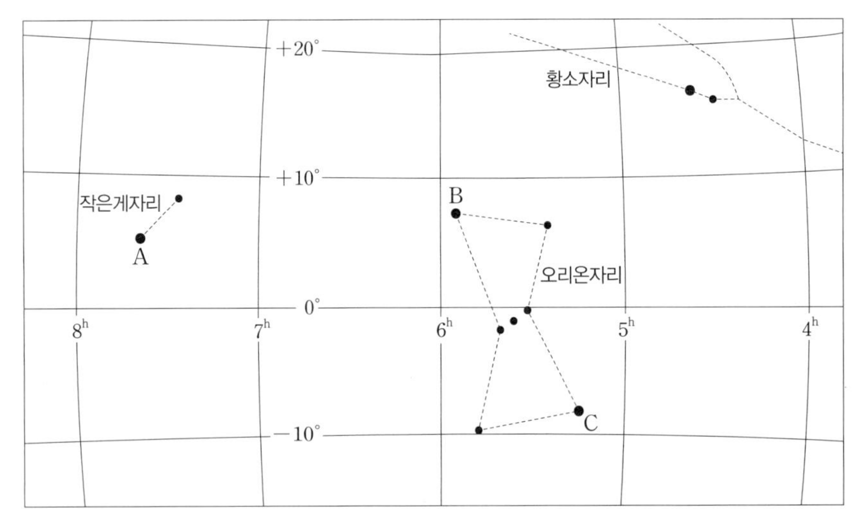

이에 대한 설명으로 옳은 것만을 〈보기〉에서 있는 대로 고른 것은?

보기

ㄱ. A는 B보다 먼저 뜬다.
ㄴ. A는 C보다 더 북쪽에서 뜬다.
ㄷ. B는 황도상에 위치한다.

① ㄱ ② ㄴ ③ ㄱ, ㄷ ④ ㄴ, ㄷ ⑤ ㄱ, ㄴ, ㄷ

02

▸24073-0173

그림은 북반구 중위도 지방에서 춘분날 자정에 관측한 별 A, B, C의 천구상의 위치를 나타낸 것이다.

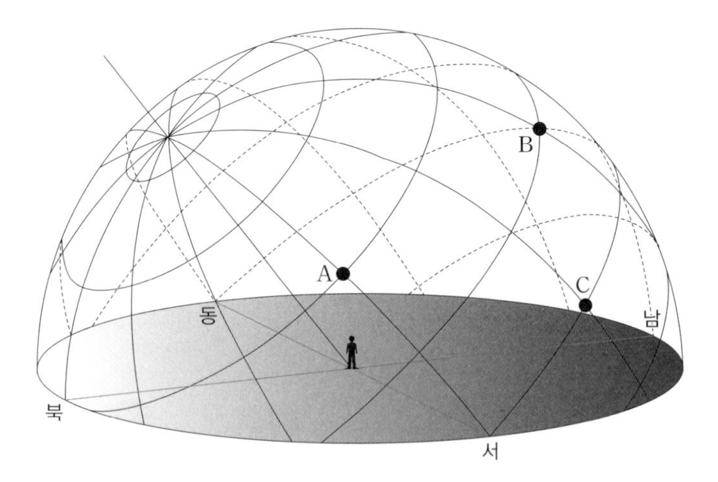

이에 대한 설명으로 옳은 것만을 〈보기〉에서 있는 대로 고른 것은?

보기

ㄱ. A는 B보다 방위각이 크다.
ㄴ. B는 C보다 지평선 위에 떠 있는 시간이 길다.
ㄷ. C는 A보다 적경이 크다.

① ㄱ ② ㄷ ③ ㄱ, ㄴ ④ ㄴ, ㄷ ⑤ ㄱ, ㄴ, ㄷ

03

▸24073-0174

그림 (가)는 어느 날 20시에, (나)는 같은 날 같은 지역에서 관측한 북극성과 북두칠성의 모습을 나타낸 것이다.

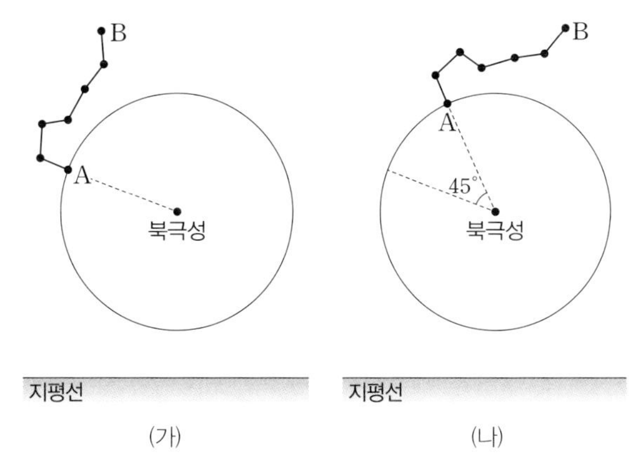

이에 대한 설명으로 옳은 것만을 〈보기〉에서 있는 대로 고른 것은? (단, 방위각은 북점을 기준으로 측정한다.)

보기
ㄱ. 적위는 A가 B보다 크다.
ㄴ. (나)에서 방위각은 A가 B보다 크다.
ㄷ. (나)는 23시에 관측한 모습이다.

① ㄱ ② ㄷ ③ ㄱ, ㄴ ④ ㄴ, ㄷ ⑤ ㄱ, ㄴ, ㄷ

04

▸24073-0175

표는 A～D 시기에 관측한 금성의 이각을 시간 순서대로 나타낸 것이고, 그림은 이 시기 중 한 시기에 관측한 금성의 모습을 나타낸 것이다.

관측 시기	이각의 방향과 크기
A	동방 46°
B	0°
C	서방 46°
D	0°

이에 대한 설명으로 옳은 것만을 〈보기〉에서 있는 대로 고른 것은?

보기
ㄱ. 그림은 A 시기에 관측한 것이다.
ㄴ. A → B 시기 동안 금성의 시지름은 작아진다.
ㄷ. C → D 시기 동안 금성은 역행한다.

① ㄱ ② ㄴ ③ ㄱ, ㄷ ④ ㄴ, ㄷ ⑤ ㄱ, ㄴ, ㄷ

05

▸24073-0176

그림은 어느 해 한 달 동안 행성들이 공전 궤도상에서 이동한 경로를 나타낸 것이다.

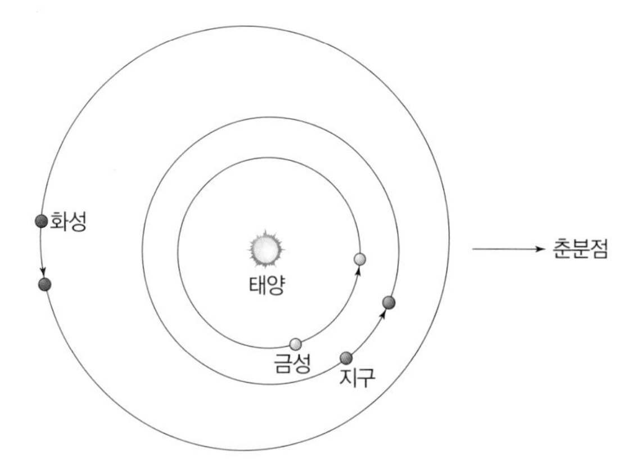

이 기간 동안 나타난 변화에 대한 설명으로 옳은 것만을 〈보기〉에서 있는 대로 고른 것은?

보기

ㄱ. 금성의 적경은 계속 증가하였다.
ㄴ. 화성의 위상은 점점 보름달 모양에 가까워졌다.
ㄷ. 우리나라에서 낮의 길이는 점점 짧아졌다.

① ㄱ ② ㄴ ③ ㄷ ④ ㄱ, ㄴ ⑤ ㄴ, ㄷ

06

▸24073-0177

그림은 어느 해 1년 동안 태양과 행성 A가 지는 시각을 나타낸 것이다.

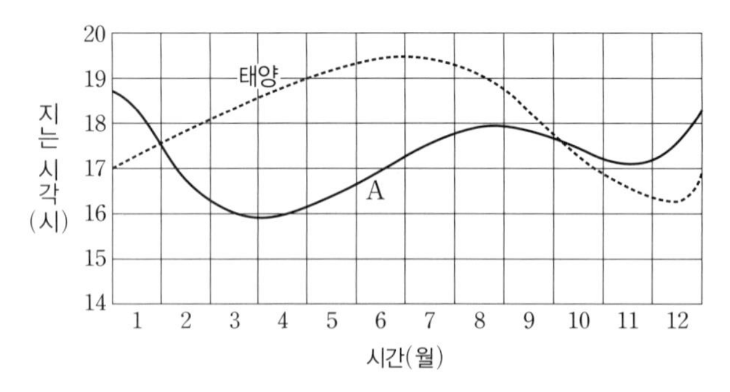

이에 대한 설명으로 옳은 것만을 〈보기〉에서 있는 대로 고른 것은?

보기

ㄱ. A는 내행성이다.
ㄴ. 5월 초에 A는 동방 최대 이각 부근에 위치한다.
ㄷ. 9월 말에 A의 적경은 감소한다.

① ㄱ ② ㄷ ③ ㄱ, ㄴ ④ ㄴ, ㄷ ⑤ ㄱ, ㄴ, ㄷ

07

▸24073-0178

다음은 티코 브라헤의 우주관에 대한 설명이다.

이 우주관은 프톨레마이오스의 체제도 아니고 코페르니쿠스 체제도 아닌 타협안이다. 지구가 우주 중심에 고정되어 있으며, 태양과 달, 고정된 별들이 지구 주위를 돌고 있다는 것을 기반으로 한다. 태양 그 자체는 다섯 행성들의 궤도 중심에 위치하고 있는데, 수성과 금성은 지구를 중심으로 돌고 있는 태양의 궤도 안쪽에서 돌고 있고, 화성, 목성, 토성은 태양을 중심으로 돌고 있지만 그들의 궤도 안에 태양과 지구가 모두 포함되어 있다. 프톨레마이오스의 천동설이 (㉠)을 설명하지 못했지만 티코 브라헤의 절충설은 이를 해결할 수 있는 모델이었다.

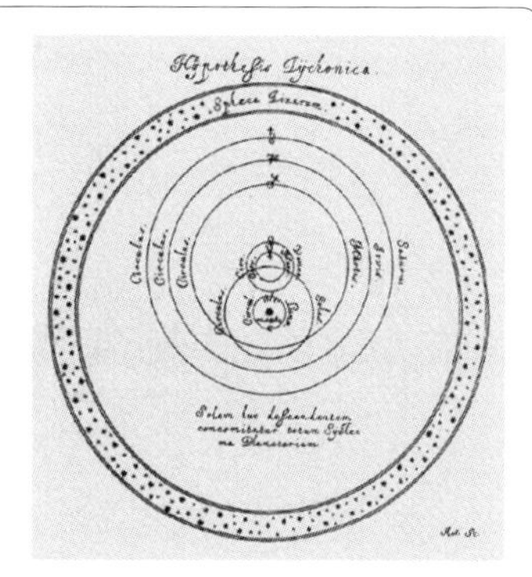

티코 브라헤의 우주 모델

이에 대한 설명으로 옳은 것만을 〈보기〉에서 있는 대로 고른 것은?

보기

ㄱ. 두 개의 회전 중심이 있는 태양계 모형이다.
ㄴ. 별의 연주 시차를 설명할 수 있다.
ㄷ. '내행성의 위상이 반달 ~ 보름달 모양으로 관측된다는 것'은 ㉠에 해당한다.

① ㄱ ② ㄴ ③ ㄷ ④ ㄱ, ㄴ ⑤ ㄱ, ㄷ

08

▸24073-0179

그림은 프톨레마이오스의 우주관에 따른 금성의 운동을 나타낸 것이다.

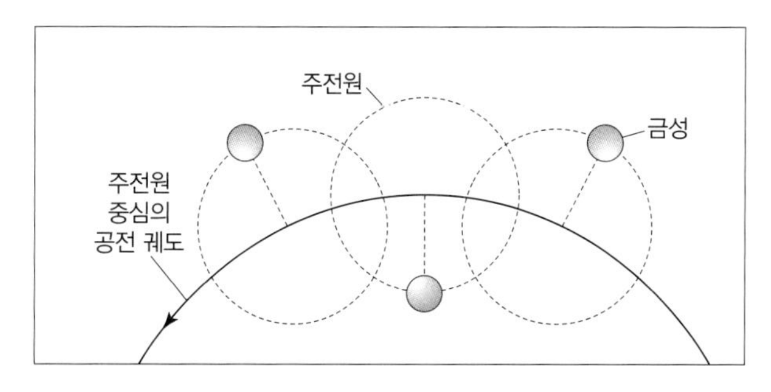

이 우주관에서 시간에 따른 지구와 금성, 지구와 태양 사이의 거리를 옳게 나타낸 것은?

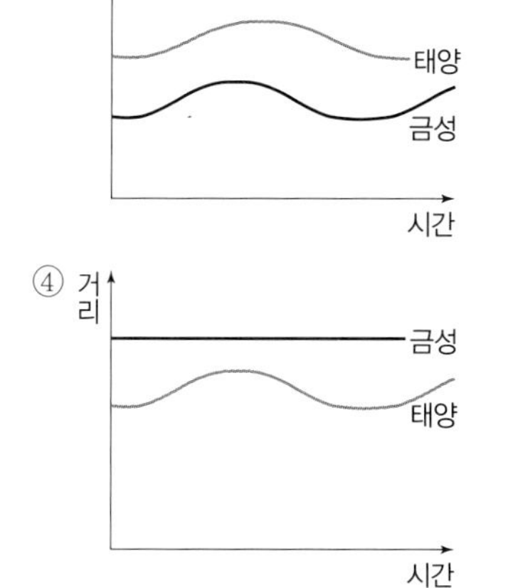

② 거리 금성 태양 시간

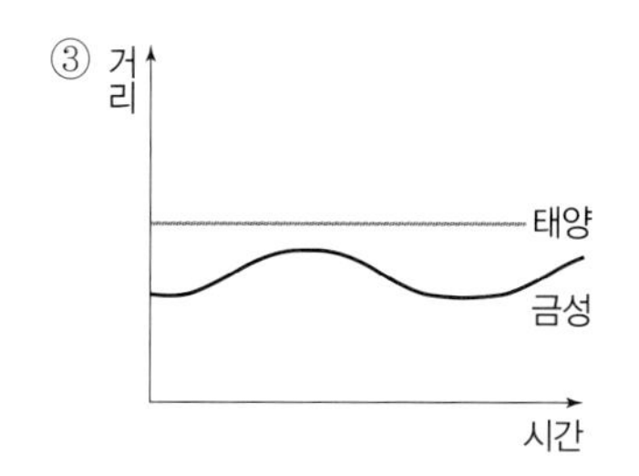

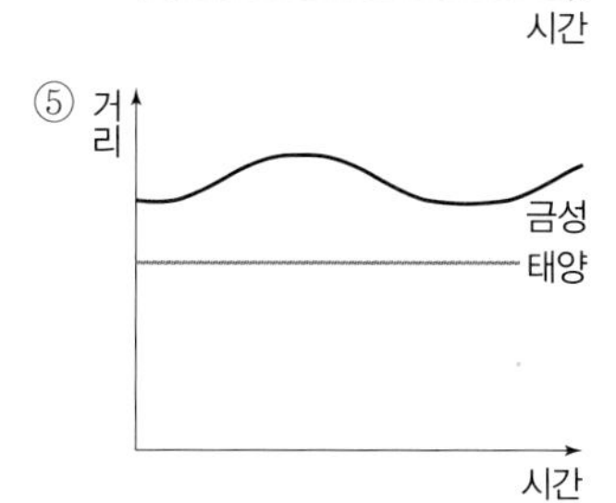

행성의 궤도 운동

1 행성의 공전 주기와 궤도 반지름

(1) 회합 주기

① 회합 주기: 내행성이 내합(또는 외합)에서 다음 내합(또는 외합)이 되는 데까지, 외행성이 충(또는 합)에서 다음 충(또는 합)이 되는 데까지 걸리는 시간이다.

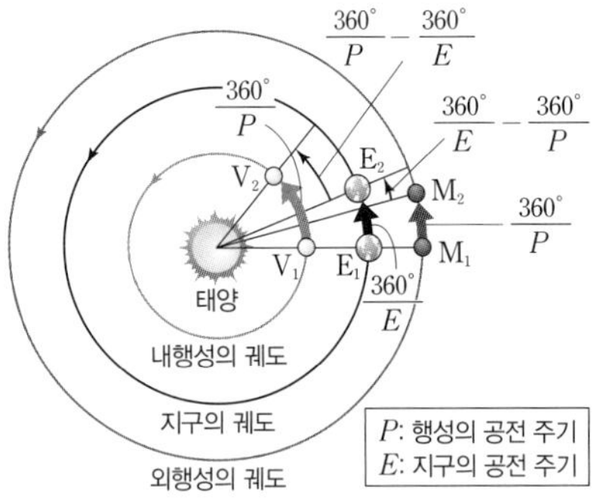

② 지구에서 직접 행성의 공전 주기를 측정하기 어려워, 회합 주기를 이용하여 행성의 공전 주기를 구한다. 행성의 회합 주기(S)와 공전 주기(P) 사이에는 다음과 같은 관계가 성립한다.

> 내행성: $\frac{1}{S}=\frac{1}{P}-\frac{1}{E}$, 외행성: $\frac{1}{S}=\frac{1}{E}-\frac{1}{P}$

(2) 행성의 공전 궤도 반지름

① 내행성의 공전 궤도 반지름은 내행성의 최대 이각을 관측하여 구할 수 있다.

➡ 지구의 공전 궤도 반지름이 10 cm이고, 금성의 최대 이각이 45°일 때 작도를 하면 금성의 공전 궤도 반지름(r)은 약 7 cm(10 cm × sin45° = $5\sqrt{2}$ ≒ 7 cm)이다.

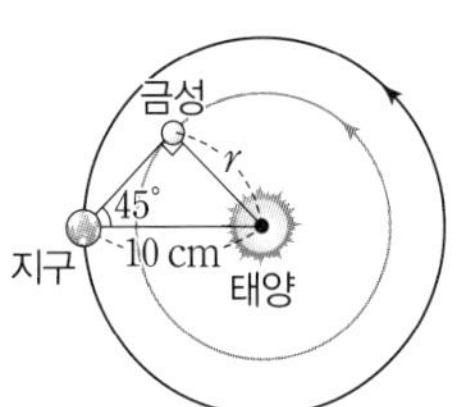

② 외행성의 공전 궤도 반지름은 행성의 공전 주기와 이각을 이용하여 구할 수 있다.

- 화성이 한 바퀴 공전했을 때, 지구의 위치는 E_1에서 E_2로 변하였다.
- E_1, E_2에서 측정한 이각 144°와 112°를 이용하여 화성의 위치를 찾은 다음, 공전 궤도 반지름을 구한다.

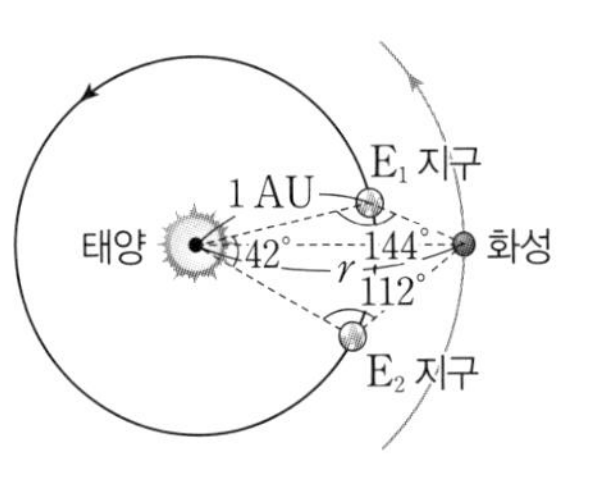

2 케플러 법칙

(1) 케플러 제1법칙(타원 궤도 법칙): 행성은 태양을 초점으로 하는 타원 궤도를 그리며 공전한다.

① 궤도 긴반지름: 타원 궤도의 중심으로부터 원일점 또는 근일점까지의 거리이다.

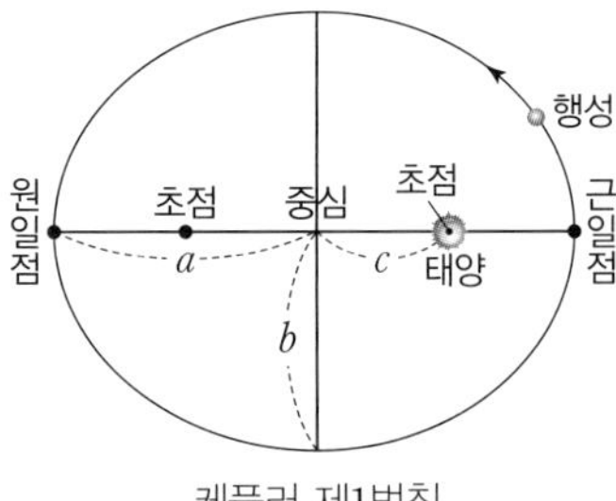

케플러 제1법칙

② 타원의 긴반지름을 a, 짧은반지름을 b, 중심에서 초점까지의 거리를 c라고 할 때, 이심률(e)은 다음과 같이 나타낸다.

➡ $e=\frac{c}{a}=\frac{\sqrt{a^2-b^2}}{a}$

(2) 케플러 제2법칙(면적 속도 일정 법칙): 태양과 행성을 연결한 선분은 같은 시간 동안에 같은 면적을 휩쓸고 지나간다.

➡ $S_1=S_2=S_3$

① 행성의 공전 속도는 근일점에서 가장 빠르고, 원일점에서 가장 느리다.

② 타원 궤도의 이심률이 클수록 근일점과 원일점에서의 공전 속도 차가 크다.

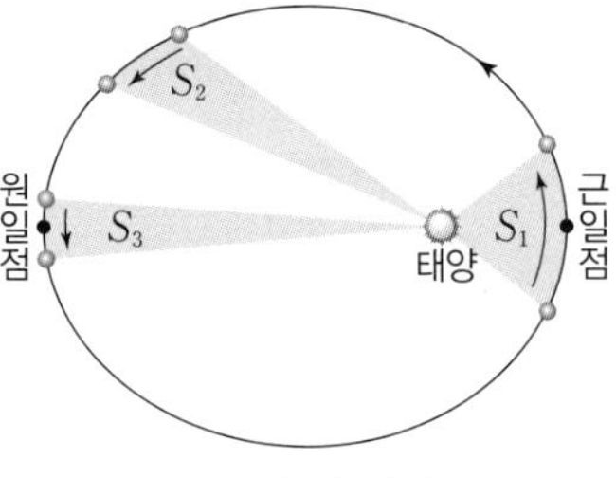

케플러 제2법칙

(3) 케플러 제3법칙(조화 법칙): 행성의 공전 주기(P)의 제곱은 공전 궤도 긴반지름(a)의 세제곱에 비례한다. ➡ $\frac{P^2}{a^3}=k$(일정)

① 공전 주기 P의 단위를 년, 궤도 긴반지름 a의 단위를 AU로 하면, 태양계의 행성에서 비례 상수 $k=1$이 된다.

② 두 별 사이의 거리와 공전 주기를 알면 케플러 제3법칙으로부터 쌍성계의 질량을 구할 수 있다.

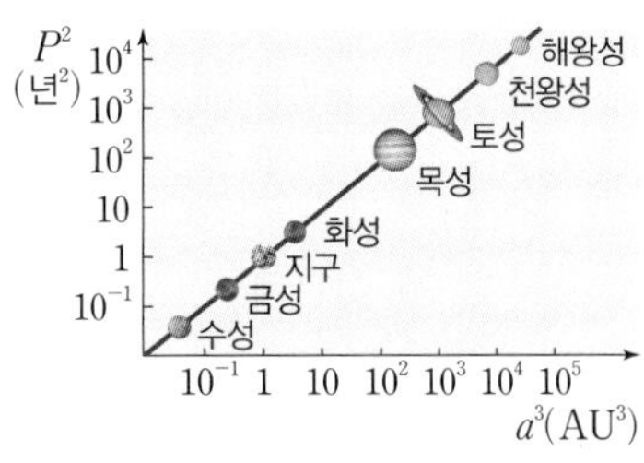

케플러 제3법칙

더 알기 행성의 회합 주기

- 내행성은 공전 궤도 반지름이 클수록 회합 주기가 길다.
- 외행성은 공전 궤도 반지름이 클수록 회합 주기가 짧아지면서 점점 1년에 가까워진다.

행성	수성	금성	지구	화성	목성	토성	천왕성	해왕성
회합 주기 (일)	116	584	–	780	399	378	370	368
공전 주기 (일)	88 (0.24년)	225 (0.62년)	365 (1년)	687 (1.88년)	4333 (11.86년)	10759 (29.46년)	30685 (84.01년)	60188 (164.78년)

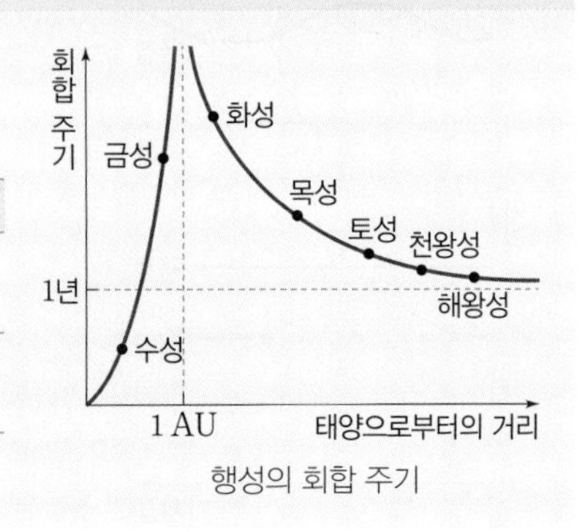

행성의 회합 주기

테마 대표 문제

| 2024학년도 수능 |

그림은 가상의 소행성이 태양을 공전하는 타원 궤도를 나타낸 것이다. A, B, C는 궤도상의 위치이며, 근일점 거리와 원일점 거리는 각각 2 AU와 6 AU이다.

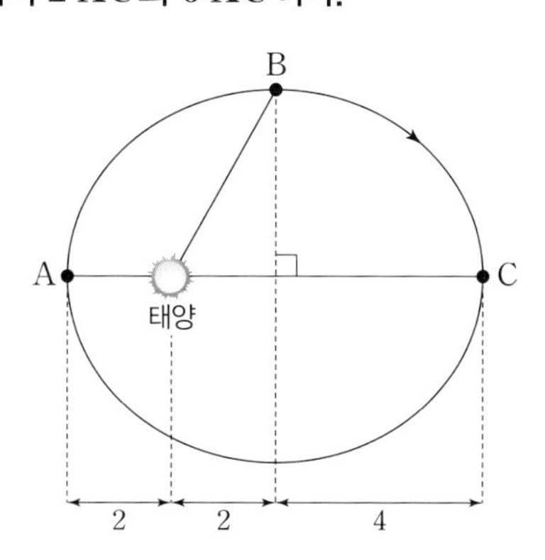

이에 대한 설명으로 옳은 것만을 〈보기〉에서 있는 대로 고른 것은?

보기

ㄱ. 이심률은 0.5이다.
ㄴ. B와 태양과의 거리는 $\sqrt{17}$ AU이다.
ㄷ. 면적 속도는 A가 C보다 크다.

① ㄱ ② ㄴ ③ ㄷ ④ ㄱ, ㄴ ⑤ ㄴ, ㄷ

접근 전략

케플러 제1법칙(타원 궤도 법칙)과 제2법칙(면적 속도 일정 법칙)을 이해하고 적용해야 한다.

간략 풀이

A는 근일점, C는 원일점이고, 태양은 초점에 위치한다.

㉠ 타원 궤도의 긴반지름을 a, 초점 거리를 c라고 할 때, 이심률 $e=\frac{c}{a}=\frac{2}{4}$이다.

ⓧ. B와 태양과의 거리는 공전 궤도 긴반지름(a)과 같으므로 4 AU이다.

ⓧ. 면적 속도는 일정하므로 A와 C에서 같다.

정답 | ①

닮은 꼴 문제로 유형 익히기

정답과 해설 31쪽

▸24073-0180

그림은 가상의 태양계 행성 A, B가 태양을 공전하는 타원 궤도를 나타낸 것이다.

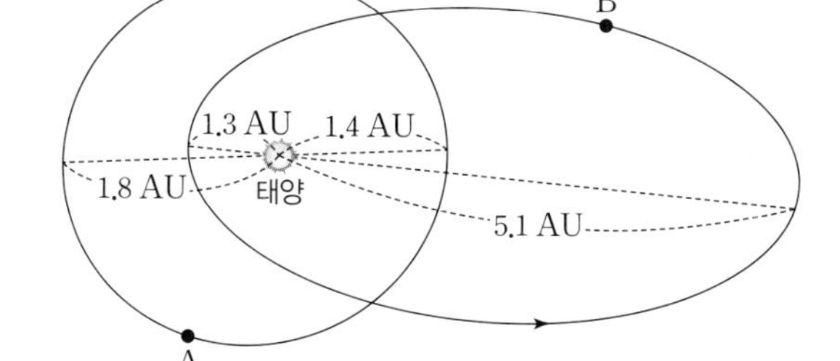

이에 대한 설명으로 옳은 것만을 〈보기〉에서 있는 대로 고른 것은?

보기

ㄱ. B의 타원 궤도에서 초점 거리는 1.9 AU이다.
ㄴ. 근일점 거리와 원일점 거리의 차는 B가 A보다 10배 이상 크다.
ㄷ. $\frac{\text{B의 공전 주기}}{\text{A의 공전 주기}}$는 2보다 크다.

① ㄱ ② ㄴ ③ ㄱ, ㄷ ④ ㄴ, ㄷ ⑤ ㄱ, ㄴ, ㄷ

유사점과 차이점

케플러 제1법칙을 다룬다는 점에서 대표 문제와 유사하지만, 케플러 제3법칙을 묻는다는 점에서 대표 문제와 다르다.

배경 지식

- 초점 거리는 타원 궤도의 중심에서 초점까지의 거리이다.
- 행성의 공전 주기의 제곱은 공전 궤도 긴반지름의 세제곱에 비례한다.

01

▸24073-0181

표는 태양계 행성 3개의 공전 주기 및 지구와 행성의 회합 주기를 나타낸 것이다. 행성 중 1개는 내행성이고, 2개는 외행성이다.

행성	A	B	C
공전 주기(년)	1.88	(㉠)	( )
회합 주기(년)	2.14	1.09	0.32

이에 대한 설명으로 옳은 것만을 〈보기〉에서 있는 대로 고른 것은?

보기

ㄱ. 내행성은 C이다.
ㄴ. ㉠은 1.88보다 길다.
ㄷ. 지구와 외행성의 공전 각속도 차가 클수록 회합 주기는 짧아진다.

① ㄱ ② ㄴ ③ ㄱ, ㄷ
④ ㄴ, ㄷ ⑤ ㄱ, ㄴ, ㄷ

02

▸24073-0182

그림은 가상의 태양계 행성 A에서 관측한 행성들과의 회합 주기를 나타낸 것이다.

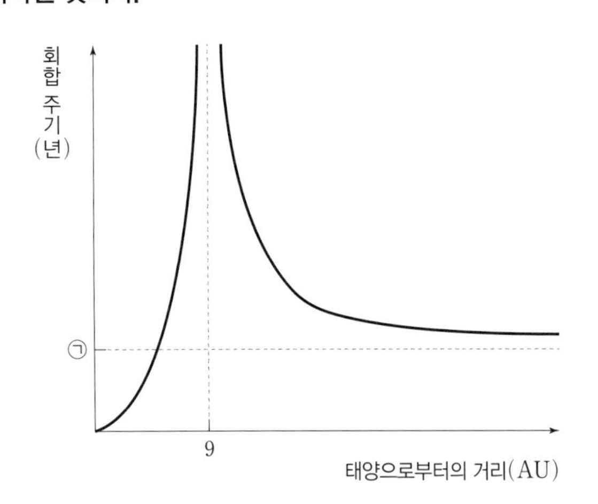

이에 대한 설명으로 옳은 것만을 〈보기〉에서 있는 대로 고른 것은?

보기

ㄱ. ㉠은 A의 공전 주기이다.
ㄴ. A보다 태양에서 멀리 있는 외행성일수록 A에서 관측한 회합 주기는 9년에 가까워진다.
ㄷ. A보다 태양에 가깝게 있는 내행성일수록 A에서 관측한 회합 주기가 짧다.

① ㄱ ② ㄴ ③ ㄱ, ㄷ
④ ㄴ, ㄷ ⑤ ㄱ, ㄴ, ㄷ

03

▸24073-0183

그림은 가상의 행성이 공전 궤도상의 A의 위치에서 태양, 지구와 일직선을 이루었을 때의 모습을 나타낸 것이다. 지구와 행성의 공전 궤도는 원이고, 행성의 공전 궤도 반지름은 4 AU이다.

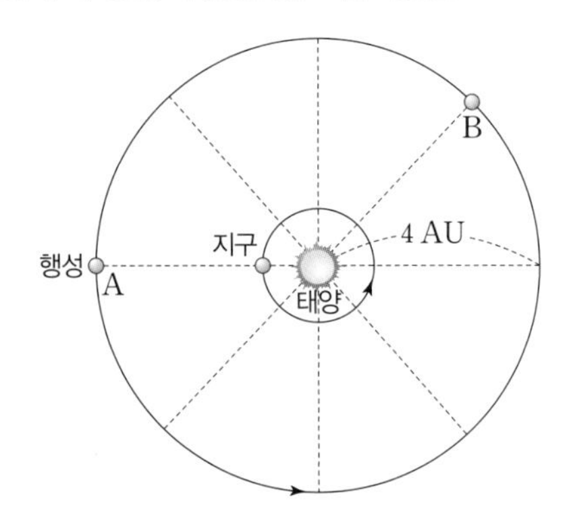

이에 대한 설명으로 옳은 것만을 〈보기〉에서 있는 대로 고른 것은?

보기

ㄱ. 현재 위치에서 15년 후 초저녁에 행성을 관측할 수 있다.
ㄴ. 지구와 행성의 회합 주기는 $\frac{15}{13}$년이다.
ㄷ. 행성이 A 이후 처음으로 다시 충의 위치가 되는 지점은 B이다.

① ㄱ ② ㄴ ③ ㄷ ④ ㄱ, ㄴ ⑤ ㄴ, ㄷ

04

▸24073-0184

그림은 지구와 외행성이 각각 하루 동안 공전한 각 θ_1과 θ_2를 나타낸 것이다. 외행성의 공전 주기는 P이고, 지구와 외행성은 모두 원 궤도로 공전한다.

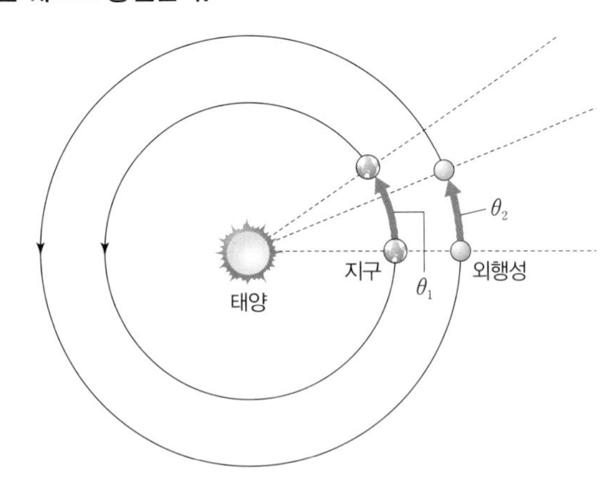

이에 대한 설명으로 옳은 것만을 〈보기〉에서 있는 대로 고른 것은?

보기

ㄱ. $\theta_2 = \frac{360°}{P}$ 이다.
ㄴ. $(\theta_1 - \theta_2)$가 누적되어 360°가 될 때까지의 시간이 회합 주기이다.
ㄷ. θ_1과 θ_2의 차이가 클수록 회합 주기는 길어진다.

① ㄱ ② ㄷ ③ ㄱ, ㄴ ④ ㄴ, ㄷ ⑤ ㄱ, ㄴ, ㄷ

05

▸24073-0185

그림은 태양 주위를 공전하는 가상의 행성의 공전 궤도를 나타낸 것이다. 근일점과 원일점에서의 공전 속도는 태양으로부터의 거리에 반비례한다.

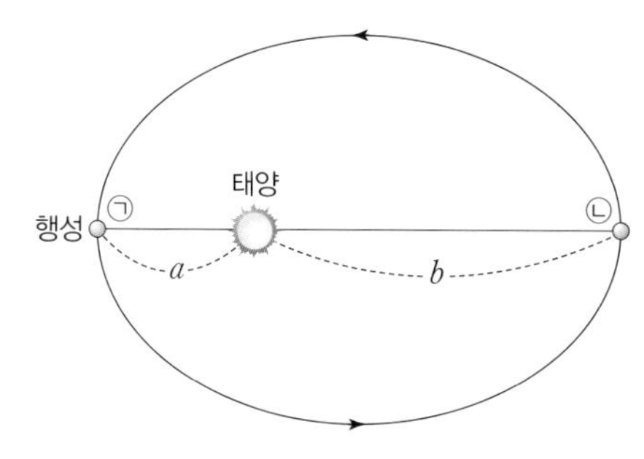

이에 대한 설명으로 옳은 것만을 〈보기〉에서 있는 대로 고른 것은?

보기
ㄱ. a는 공전 궤도 짧은반지름이다.
ㄴ. ㉠에서의 공전 속도는 ㉡에서의 $\frac{b}{a}$ 배이다.
ㄷ. $(a+b)$가 클수록 공전 주기가 짧다.

① ㄱ ② ㄴ ③ ㄱ, ㄷ
④ ㄴ, ㄷ ⑤ ㄱ, ㄴ, ㄷ

06

▸24073-0186

표는 공통 질량 중심을 중심으로 원 궤도로 공전하는 두 별 A, B의 시간에 따른 시선 속도 변화를 나타낸 것이다. 두 별의 공전 궤도면은 시선 방향과 나란하고, T는 A와 B의 공전 주기이다.

시선 속도(km/s) \ 시간	0	$0.25T$	$0.5T$	$0.75T$	$1T$
A	−50	10	70	10	−50
B	130	10	(㉠)	10	130

이에 대한 설명으로 옳은 것만을 〈보기〉에서 있는 대로 고른 것은?

보기
ㄱ. 이 쌍성계는 지구로부터 멀어지고 있다.
ㄴ. ㉠은 −110이다.
ㄷ. 공통 질량 중심으로부터의 거리는 B가 A보다 2배 크다.

① ㄱ ② ㄷ ③ ㄱ, ㄴ
④ ㄴ, ㄷ ⑤ ㄱ, ㄴ, ㄷ

07

▸24073-0187

표는 가상의 행성 X, Y의 물리량을 나타낸 것이다. 중심별의 질량은 태양 질량과 같으며 행성의 질량은 무시한다.

행성	X	Y
공전 주기(년)	8	27
궤도 이심률	0.06	( )
근일점 거리(AU)	(㉠)	8.1

이에 대한 설명으로 옳은 것만을 〈보기〉에서 있는 대로 고른 것은?

보기
ㄱ. $\frac{\text{Y의 공전 궤도 긴반지름}}{\text{X의 공전 궤도 긴반지름}}$은 3보다 크다.
ㄴ. ㉠은 3.76이다.
ㄷ. Y의 원일점과 근일점의 거리 차는 1.8 AU이다.

① ㄱ ② ㄴ ③ ㄷ
④ ㄱ, ㄴ ⑤ ㄴ, ㄷ

08

▸24073-0188

그림은 동일한 별 주위를 공전하는 가상의 행성 A, B의 공전 궤도를 나타낸 것이다.

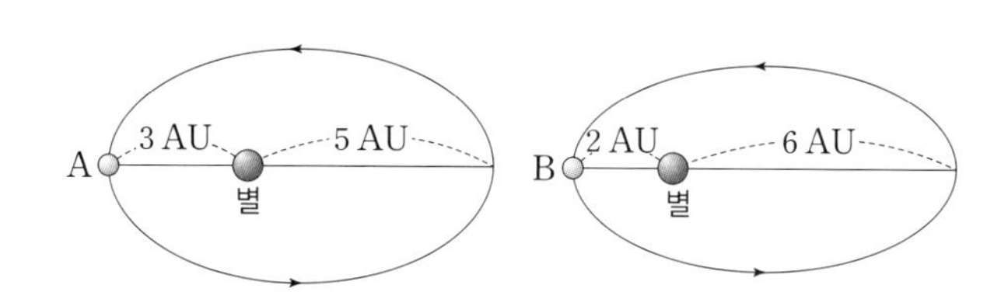

이에 대한 설명으로 옳은 것만을 〈보기〉에서 있는 대로 고른 것은?

보기
ㄱ. A의 이심률은 $\frac{1}{4}$이다.
ㄴ. 공전 주기는 A가 B보다 길다.
ㄷ. 평균 공전 속도는 A가 B보다 빠르다.

① ㄱ ② ㄴ ③ ㄱ, ㄷ
④ ㄴ, ㄷ ⑤ ㄱ, ㄴ, ㄷ

01

▸24073-0189

그림은 어느 해 수성, 금성, 목성이 뜨는 시각을 순서 없이 나타낸 것이다.

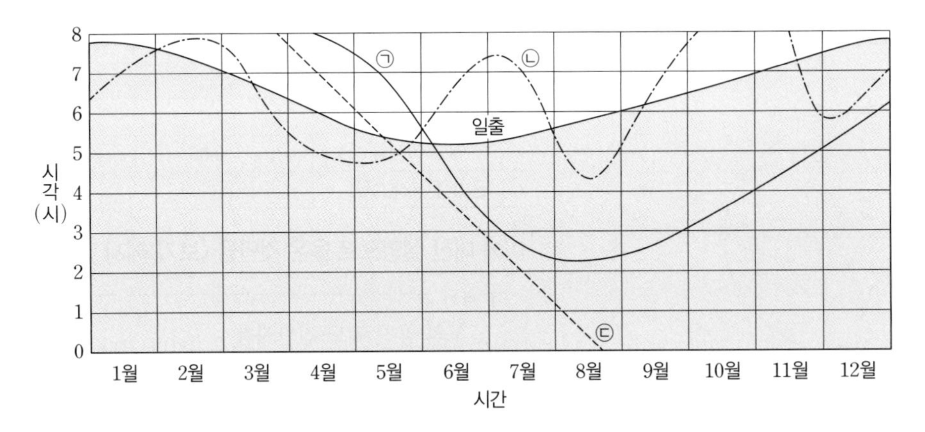

이에 대한 설명으로 옳은 것만을 〈보기〉에서 있는 대로 고른 것은?

보기

ㄱ. ㉠은 금성이다.
ㄴ. 지구와의 회합 주기는 ㉠이 ㉡보다 길다.
ㄷ. 공전 주기는 ㉡이 ㉢보다 길다.

① ㄱ ② ㄷ ③ ㄱ, ㄴ ④ ㄴ, ㄷ ⑤ ㄱ, ㄴ, ㄷ

02

▸24073-0190

다음은 행성의 거리를 측정하는 방법을 나타낸 것이다.

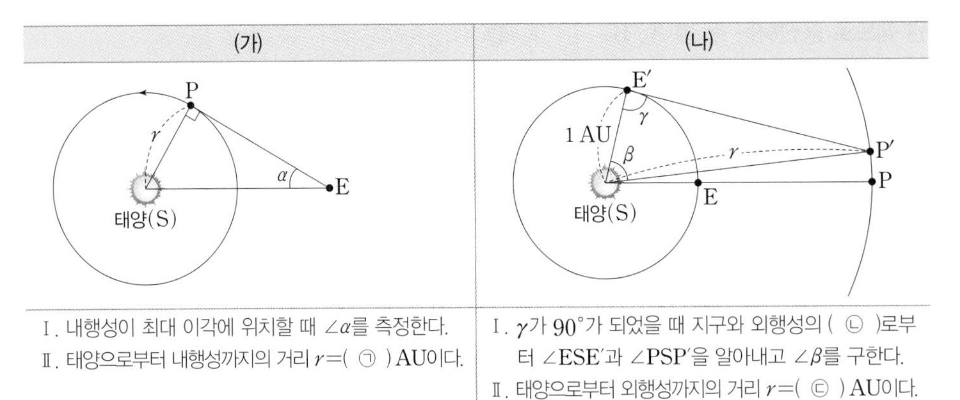

(가)	(나)
Ⅰ. 내행성이 최대 이각에 위치할 때 ∠α를 측정한다. Ⅱ. 태양으로부터 내행성까지의 거리 r=(㉠) AU이다.	Ⅰ. γ가 90°가 되었을 때 지구와 외행성의 (㉡)로부터 ∠ESE′과 ∠PSP′을 알아내고 ∠β를 구한다. Ⅱ. 태양으로부터 외행성까지의 거리 r=(㉢) AU이다.

이에 대한 설명으로 옳은 것만을 〈보기〉에서 있는 대로 고른 것은?

보기

ㄱ. ㉠은 sinα이다.
ㄴ. '자전 주기'는 ㉡에 해당한다.
ㄷ. β가 60°라면 ㉢은 2이다.

① ㄱ ② ㄴ ③ ㄱ, ㄷ ④ ㄴ, ㄷ ⑤ ㄱ, ㄴ, ㄷ

03

▸24073-0191

그림 (가)는 공전 궤도면이 시선 방향과 나란한 쌍성계의 두 별 A, B의 공전 궤도를, (나)는 시간에 따른 별 B의 시선 속도를 나타낸 것이다. A의 공전 주기는 3년, A와 B 사이의 거리는 3 AU, B의 질량은 A의 2배이다.

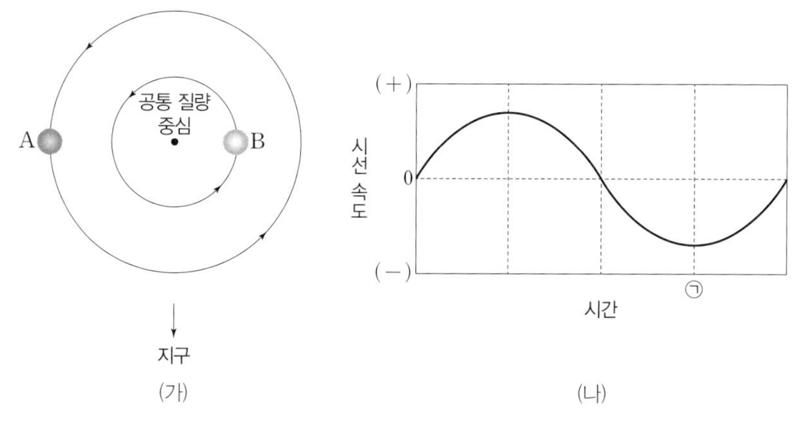

(가) (나)

이에 대한 설명으로 옳은 것만을 <보기>에서 있는 대로 고른 것은?

보기

ㄱ. (가)는 (나)의 ㉠일 때의 위치이다.
ㄴ. 공전 주기는 A가 B보다 길다.
ㄷ. $\frac{\text{B의 질량}}{\text{태양의 질량}}$은 3보다 작다.

① ㄱ ② ㄷ ③ ㄱ, ㄴ ④ ㄴ, ㄷ ⑤ ㄱ, ㄴ, ㄷ

04

▸24073-0192

그림은 가상의 태양계 행성 A와 B가 각각 1년 동안 공전 궤도 전체 면적의 $\frac{1}{3}$과 $\frac{1}{81}$을 쓸고 지나간 모습을 나타낸 것이다. A와 B의 공전 궤도 이심률은 같다.

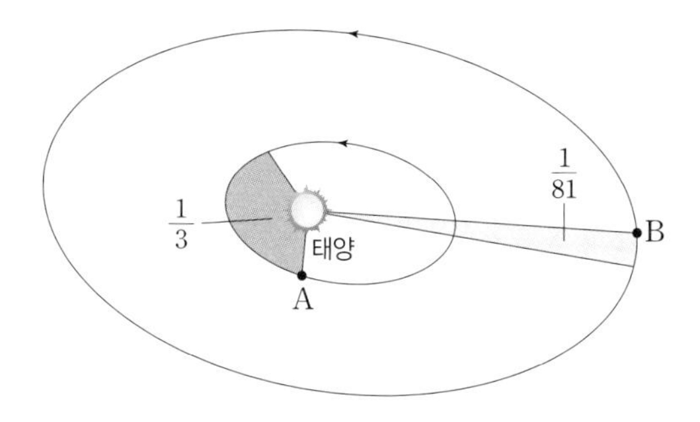

이에 대한 설명으로 옳은 것만을 <보기>에서 있는 대로 고른 것은?

보기

ㄱ. $\frac{\text{B의 공전 주기}}{\text{A의 공전 주기}}$는 27이다.
ㄴ. B의 공전 궤도 긴반지름은 A의 3배이다.
ㄷ. A와 B가 1년 동안 쓸고 지나간 면적은 같다.

① ㄱ ② ㄴ ③ ㄱ, ㄷ ④ ㄴ, ㄷ ⑤ ㄱ, ㄴ, ㄷ

13 천체의 거리

1 천체의 거리

(1) 연주 시차 이용

① 연주 시차(p''): 지구 공전 궤도의 양 끝에서 별을 바라보았을 때 나타나는 각(시차)의 $\frac{1}{2}$이다.

② 비교적 가까운 거리에 있는 별들의 거리(r)를 구하는 데 이용된다.

➡ $r(\text{pc})=\frac{1}{p''}$

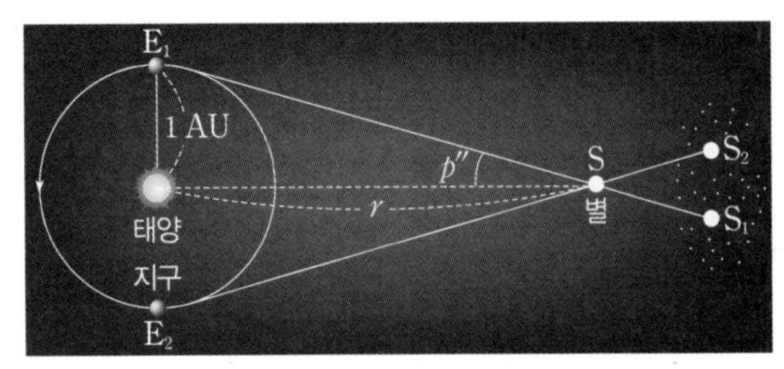

연주 시차와 별까지의 거리

③ 지구에서 가까운 거리에 있는 별일수록 연주 시차가 크며, 1 pc은 약 3.26광년이다.

> • 1 AU(천문단위): 태양과 지구 사이의 평균 거리 ≒1.496×10^8 km
> • 1 LY(광년): 빛의 속도로 1년 동안 움직인 거리 ≒9.46×10^{12} km≒63000 AU
> • 1 pc(파섹): 연주 시차가 1″인 별까지의 거리 ≒3.26광년≒206265 AU

④ 연주 시차가 0.001″보다 작은 별은 정확한 시차를 측정하기 어려우므로 주로 1000 pc 이내의 가까운 별의 거리를 구할 때 이용된다.

(2) 별의 밝기 이용

① 등급과 밝기 사이의 관계(포그슨 방정식): 겉보기 등급이 각각 m_1, m_2인 두 별의 밝기를 각각 l_1, l_2라고 하면 $\frac{l_1}{l_2}=10^{\frac{2}{5}(m_2-m_1)}$이므로 $m_2-m_1=2.5\log\frac{l_1}{l_2}$이다.

② 별의 밝기와 거리: 별의 밝기는 별까지 거리의 제곱에 반비례한다. 따라서 실제 밝기가 같고, 겉보기 밝기가 l_1, l_2인 두 별까지의 거리를 각각 r_1, r_2라고 하면, $\frac{l_1}{l_2}=\left(\frac{r_2}{r_1}\right)^2$이므로 $m_2-m_1=5\log\frac{r_2}{r_1}$이다.

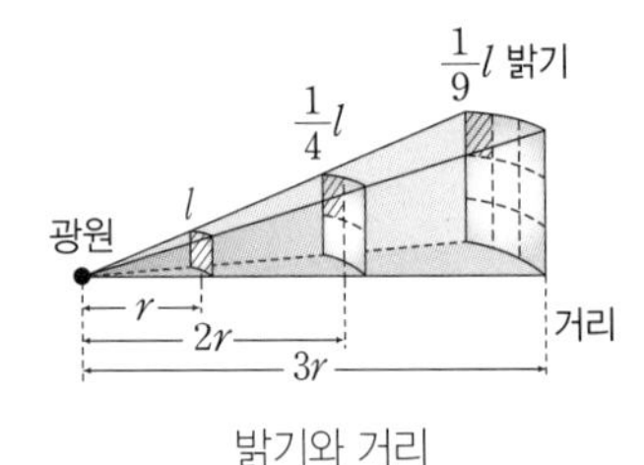

밝기와 거리

③ 거리 지수: 거리가 r(pc)인 어떤 별의 겉보기 등급을 m, 절대 등급을 M이라 하면 $m-M=5\log\frac{r}{10}$이므로 $m-M=5\log r-5$이다. 이때 $m-M$을 거리 지수라고 하며, 거리 지수가 클수록 별까지의 거리가 멀다.

(3) 맥동 변광성 이용

맥동 변광성 이용: 맥동 변광성은 별의 내부가 불안정하여 팽창과 수축을 반복하면서 밝기가 주기적으로 변하는 별로, 변광 주기와 절대 등급 사이의 관계를 이용하여 거리를 구할 수 있다.

① 세페이드 변광성: 변광 주기가 1~50일 정도인 맥동 변광성이다.
➡ 변광 주기를 관측하여 별의 절대 등급을 구한 후, 겉보기 등급과 비교하여 별이 속한 성단이나 외부 은하까지의 거리를 측정할 수 있다.

② 거문고자리 RR형 변광성: 변광 주기가 1일 이내인 맥동 변광성이다. ➡ 절대 등급이 약 0.75이므로 겉보기 등급만 측정하면 별의 거리를 구할 수 있다.

(4) 성단의 색등급도 이용

① 색지수: (사진 등급−안시 등급)의 값으로, 표면 온도가 높을수록 색지수가 작아진다. ➡ 색지수: $U-B$ 또는 $B-V$ [단, U, B, V는 각각 자외선(0.36 μm), 파란색(0.42 μm), 노란색(0.54 μm) 부근의 빛을 통과시키는 필터를 사용하여 정한 겉보기 등급이다.]

② 색등급도와 주계열 맞추기

• 색등급도(C-M도): 별의 색지수를 가로축에, 별의 등급을 세로축에 표현한 그림을 색등급도(C-M도)라고 한다. 성단의 색등급도는 별의 등급으로 겉보기 등급(m)을 사용한다.

• 성단의 주계열 맞추기: 색지수와 절대 등급이 알려진 표준 주계열성의 색등급도와 성단의 색등급도를 비교하면 성단을 구성하는 별들의 절대 등급을 알 수 있고, 이로부터 거리 지수($m-M$)를 구할 수 있다. 성단을 구성하는 별의 거리는 거의 같다고 할 수 있으므로 거리 지수($m-M$)로부터 성단까지의 거리를 구할 수 있다. 이를 주계열 맞추기라고 한다.

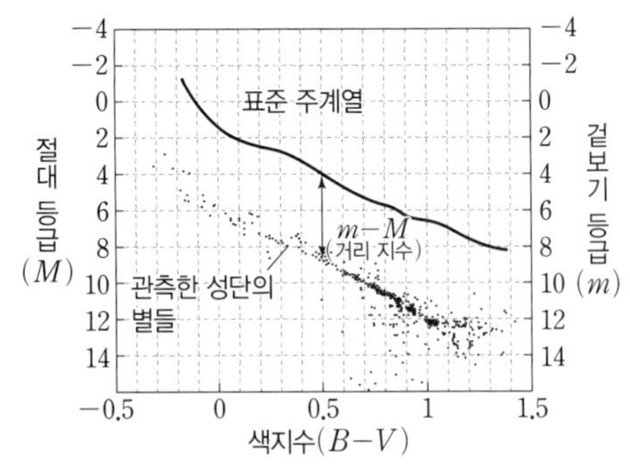

주계열 맞추기로 성단의 거리 구하기

> (가) 표준 주계열의 색지수(또는 표면 온도)와 절대 등급을 색등급도에 표시한다.
> (나) 거리를 구하고자 하는 성단을 구성하는 별들의 겉보기 등급과 색지수(또는 표면 온도)를 (가)의 색등급도에 표시한다.
> (다) (가)와 (나)의 색등급도를 비교하여 거리 지수를 결정한다.
> (라) $m-M=5\log r-5$를 이용하여 거리를 구한다.

2 산개 성단과 구상 성단

(1) 산개 성단: 수백~수천 개의 별들이 느슨하게 모여 있는 집단이다. 나이가 젊고, 고온의 파란색 별들이 많으며, 우리은하에서만 1000개가 넘게 발견된다. 주로 나선 은하와 불규칙 은하에서 발견된다.

산개 성단(플레이아데스 성단)

① 같은 분자 구름에서 형성되어 나이가 비슷하고 비교적 최근에 형성되었기 때문에 젊은 별이 많다.

② 성단의 색: 질량과 광도가 큰 주계열 단계의 별이 많기 때문에 성단은 대체로 파란색을 띤다.

(2) 구상 성단: 수만~수십만 개의 별들이 구형으로 매우 조밀하게 모여 있는 집단이다.

구상 성단(M3)

① 나이가 100억 년 이상인 것들도 관측될 만큼 오래전에 형성되었다. 형성 초기에 존재하였던 질량이 큰 별들은 주계열 단계를 벗어났다.

② 성단의 색: 현재 관측되는 별들은 대부분 적색 거성 또는 질량이 작은 주계열성이기 때문에 성단은 대체로 붉은색을 띤다.

(3) 산개 성단과 구상 성단의 비교

구분	산개 성단	구상 성단
질량(태양=1)	$10^2 \sim 10^3$	$10^4 \sim 10^5$
반지름(광년)	6~50	60~300
성단의 색	주로 파란색	주로 붉은색
분포	은하면, 나선팔	은하 중심부, 헤일로

(4) 전향점과 성단의 나이

① 질량이 큰 별은 수명이 짧아 주계열 단계를 빠르게 벗어난다.

② 색등급도에서 성단을 이루는 주계열성 중 광도가 가장 큰 별(주계열에서 거성으로 진화하기 직전의 별)의 위치를 전향점이라 하고, 성단의 나이가 많을수록 전향점이 오른쪽 아래로 이동한다.

(5) 성단의 색등급도: 성단은 거대한 분자운에서 수백~수십만 개의 별들이 거의 동시에 형성되어 서로의 중력으로 모여 있는 집단이므로 성단의 각 구성원은 본질적으로 동일한 화학 조성을 갖고 나이가 거의 같다. 그러나 성단을 구성하는 별들의 질량은 다를 수 있으므로 별들의 진화 속도가 달라 성단의 색등급도에서 진화 단계가 다른 별들을 볼 수 있다.

① 산개 성단의 색등급도

- 대부분 주계열성으로, 표면 온도가 높고 광도가 큰 별들이 많다.
- 전향점은 표면 온도가 높고 광도가 큰 곳에 위치하므로 산개 성단은 비교적 나이가 젊다는 것을 알 수 있다.
- 플레이아데스 성단의 전향점은 히아데스 성단의 전향점보다 광도가 큰 곳에 위치하므로 히아데스 성단보다 나이가 젊다는 것을 알 수 있다.
- 산개 성단의 색등급도에서는 광도가 클수록 주계열 단계와 적색 거성 단계 사이에 별들이 거의 없는데 이는 주계열성의 광도가 클수록 빠르게 진화하기 때문이다.

② 구상 성단의 색등급도

- 구상 성단의 색등급도에서 전향점에 위치하는 별은 산개 성단에서보다 상대적으로 어둡고 색지수가 크다. ➡ 주계열 단계에 남아 있는 별들은 질량이 작고 표면 온도가 낮아서 광도가 작은 별들이다.
- 구상 성단의 색등급도에는 주계열에 연결되는 적색 거성 가지에 별들이 많이 분포하고, 산개 성단에는 나타나지 않는 점근 거성 가지와 수평 가지에도 별들이 나타난다. 즉, 구상 성단은 나이가 많은 천체로 구성되어 있다.

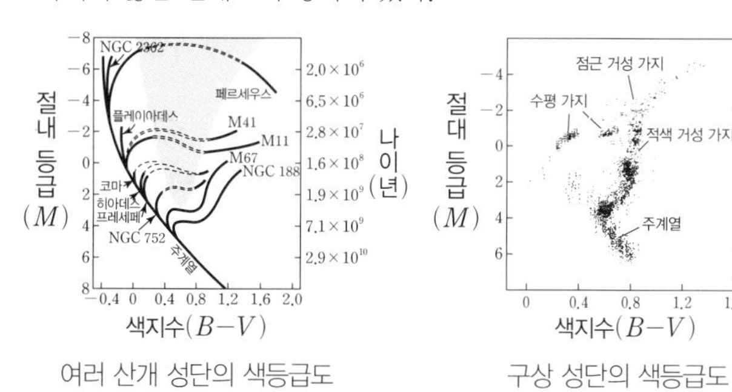

여러 산개 성단의 색등급도 / 구상 성단의 색등급도

더 알기 세페이드 변광성의 변광 주기-광도 관계를 이용한 거리 측정

- 세페이드 변광성의 광도 곡선: 별의 내부가 불안정한 세페이드 변광성은 팽창과 수축을 주기적으로 반복함에 따라 겉보기 등급이 주기적으로 변화한다. 광도 곡선을 해석하면 변광 주기와 평균 겉보기 등급(m)을 구할 수 있다. 그림의 세페이드 변광성은 평균 겉보기 등급이 4.0등급, 변광 주기가 15일이다.
- 세페이드 변광성의 변광 주기-광도 관계: 세페이드 변광성은 변광 주기가 길수록 절대 등급이 작다. 즉, 변광 주기가 길수록 광도가 크다.
- 세페이드 변광성의 거리 측정: 광도 곡선에서 별의 변광 주기를 구하면 변광 주기-광도 관계를 이용하여 별의 절대 등급(M)을 알 수 있다. 이를 $m-M=5\log r-5$에 대입하면 별까지의 거리를 계산할 수 있다. 세페이드 변광성의 거리 측정을 통해 변광성이 속한 성단이나 외부 은하까지의 거리를 측정할 수 있다.

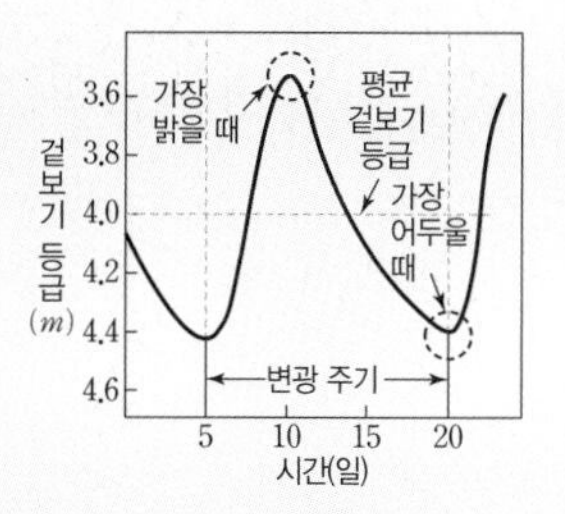

세페이드 변광성의 광도 곡선

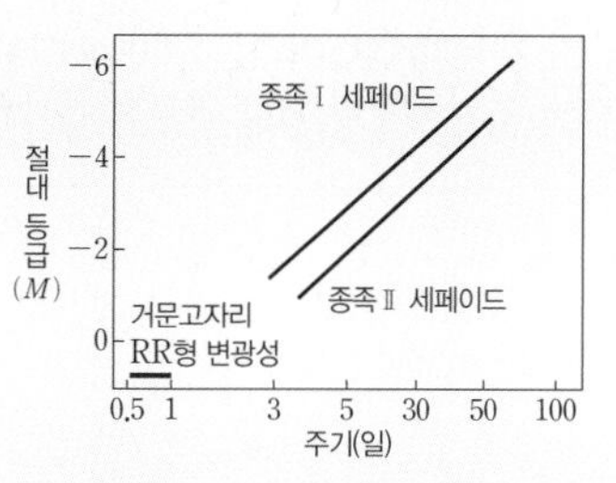

변광 주기-광도 관계

테마 대표 문제

| 2024학년도 수능 |

그림은 두 성단 (가)와 (나)의 색등급도를 나타낸 것이다.

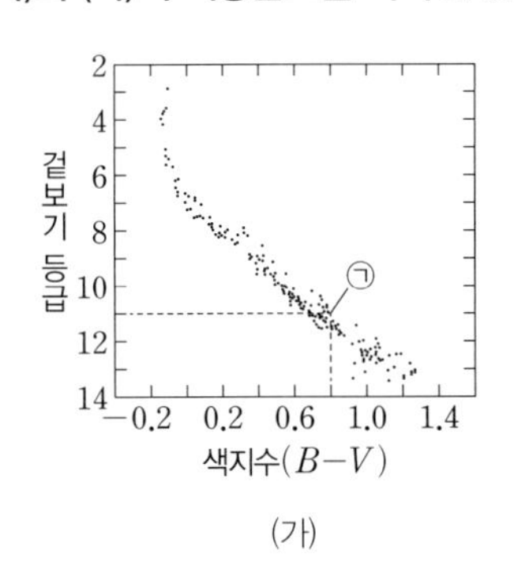

(가)

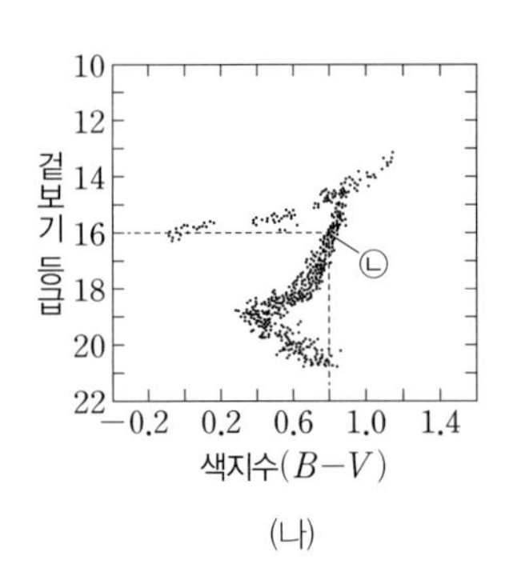

(나)

이에 대한 설명으로 옳은 것만을 〈보기〉에서 있는 대로 고른 것은?

보기

ㄱ. (가)는 산개 성단이다.
ㄴ. 광도는 별 ㉠이 별 ㉡보다 작다.
ㄷ. $\frac{\text{(나)까지의 거리}}{\text{(가)까지의 거리}}=10$이다.

① ㄱ ② ㄷ ③ ㄱ, ㄴ ④ ㄴ, ㄷ ⑤ ㄱ, ㄴ, ㄷ

접근 전략

산개 성단과 구상 성단의 색등급도를 구분하고, 별의 등급 및 밝기와 거리의 관계를 이해해야 한다.

간략 풀이

(가)는 산개 성단, (나)는 구상 성단의 색등급도이다.

㉠. (가)는 대부분의 별들이 주계열에 위치하므로 산개 성단이다.

㉡. (나)의 ㉡은 색지수($B-V$)가 0.8인 주계열성보다 위쪽에 위치하므로, 광도는 별 ㉠이 별 ㉡보다 작다.

✗. 절대 등급(광도)이 같은 별의 밝기는 (가)가 (나)의 $(\sqrt[5]{100})^{10}=10^4$배이다. 별의 밝기는 거리의 제곱에 반비례하므로 $\frac{\text{(나)까지의 거리}}{\text{(가)까지의 거리}}=100$이다.

정답 | ③

닮은 꼴 문제로 유형 익히기

정답과 해설 33쪽

▸24073-0193

표는 두 성단 (가)와 (나)의 거리 지수와 전향점의 절대 등급을 나타낸 것이다. (가)와 (나) 중 하나는 산개 성단이고 나머지 하나는 구상 성단이다.

성단	(가)	(나)
거리 지수($m-M$)	15.07	5.7
전향점의 절대 등급	3	0

이에 대한 설명으로 옳은 것만을 〈보기〉에서 있는 대로 고른 것은?

보기

ㄱ. (가)는 구상 성단이다.
ㄴ. (나)까지의 거리는 100 pc보다 멀다.
ㄷ. 주계열성의 평균 광도는 (가)가 (나)보다 크다.

① ㄱ ② ㄷ ③ ㄱ, ㄴ ④ ㄴ, ㄷ ⑤ ㄱ, ㄴ, ㄷ

유사점과 차이점

산개 성단과 구상 성단의 특징을 비교한다는 점에서 대표 문제와 유사하지만, 그림이 아닌 표로 자료를 제시하였다는 점에서 대표 문제와 다르다.

배경 지식

- 산개 성단의 전향점은 표면 온도가 높고 광도가 큰 곳에 위치한다.
- 별까지의 거리는 거리 지수가 클수록 멀다.
- 전향점이 오른쪽 아래에 위치할수록 성단의 나이가 많다.

01

▸24073-0194

표는 별 A, B, C의 연주 시차와 겉보기 등급을 나타낸 것이다. log2=0.3이다.

구분	A	B	C
연주 시차(″)	0.01	0.005	0.1
겉보기 등급	4	2	0

이에 대한 설명으로 옳은 것만을 〈보기〉에서 있는 대로 고른 것은?

보기
ㄱ. 별까지의 거리는 A가 B보다 크다.
ㄴ. 절대 등급은 B가 C보다 작다.
ㄷ. 거리 지수는 B>A>C이다.

① ㄱ ② ㄴ ③ ㄱ, ㄷ
④ ㄴ, ㄷ ⑤ ㄱ, ㄴ, ㄷ

02

▸24073-0195

그림은 절대 등급이 같은 세 별 A, B, C를 관측한 모습을 나타낸 것이다. 그림에서 별의 음영이 밝을수록 밝게 관측되는 별이다.

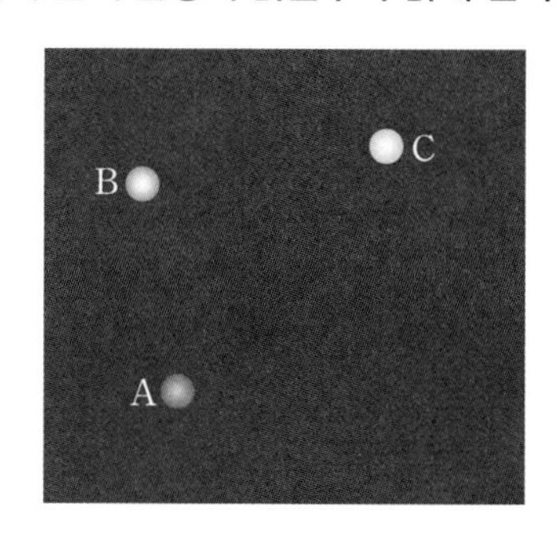

㉠ 연주 시차가 가장 큰 별과 ㉡ 겉보기 등급이 가장 큰 별을 옳게 짝지은 것은?

	㉠	㉡
①	A	B
②	A	C
③	B	B
④	C	A
⑤	C	B

03

▸24073-0196

그림은 지구 공전에 의해 나타나는 별 A, B의 시차를 나타낸 것이다. A와 B는 절대 등급이 같고, 같은 방향에서 관측된다.

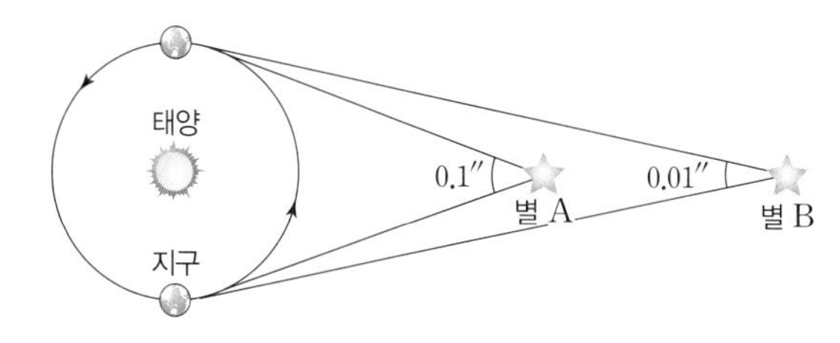

이에 대한 설명으로 옳은 것만을 〈보기〉에서 있는 대로 고른 것은?

보기
ㄱ. A의 연주 시차는 0.1″이다.
ㄴ. A와 B 사이의 거리는 90 pc이다.
ㄷ. 겉보기 등급은 A가 B보다 작다.

① ㄱ ② ㄴ ③ ㄷ
④ ㄱ, ㄴ ⑤ ㄴ, ㄷ

04

▸24073-0197

그림은 별 A, B, C의 겉보기 등급과 절대 등급을 나타낸 것이다.

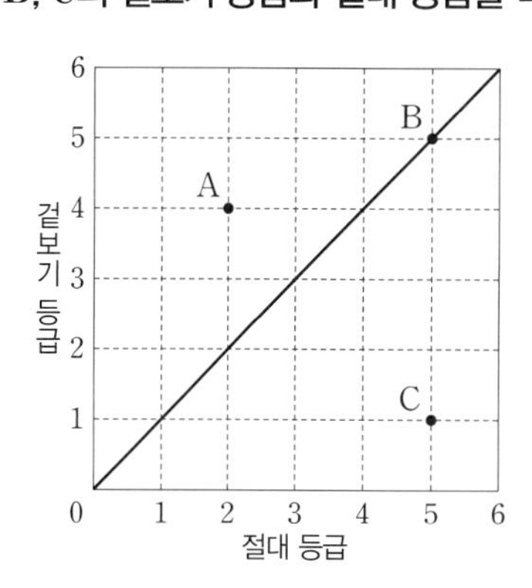

이에 대한 설명으로 옳은 것만을 〈보기〉에서 있는 대로 고른 것은?

보기
ㄱ. B는 A보다 3배 밝게 보인다.
ㄴ. C는 A보다 광도가 작지만 더 밝게 보인다.
ㄷ. A, B, C 모두 지구로부터 10 pc보다 가까운 거리에 있다.

① ㄴ ② ㄷ ③ ㄱ, ㄴ
④ ㄱ, ㄷ ⑤ ㄱ, ㄴ, ㄷ

05

▸24073-0198

표는 가상의 별 (가)와 (나)의 물리량을 나타낸 것이다.

별	(가)	(나)
겉보기 등급	1	4
절대 등급	-4	9
색지수($B-V$)	1	0

(가)가 (나)보다 더 큰 값을 갖는 것만을 〈보기〉에서 있는 대로 고른 것은?

보기
ㄱ. 광도
ㄴ. 표면 온도
ㄷ. 별까지의 거리

① ㄱ ② ㄴ ③ ㄱ, ㄷ
④ ㄴ, ㄷ ⑤ ㄱ, ㄴ, ㄷ

06

▸24073-0199

그림은 크기가 같은 별 ㉠과 ㉡의 파장에 따른 복사 에너지의 상대적 세기를 나타낸 것이다. 지구로부터 두 별까지의 거리는 같다.

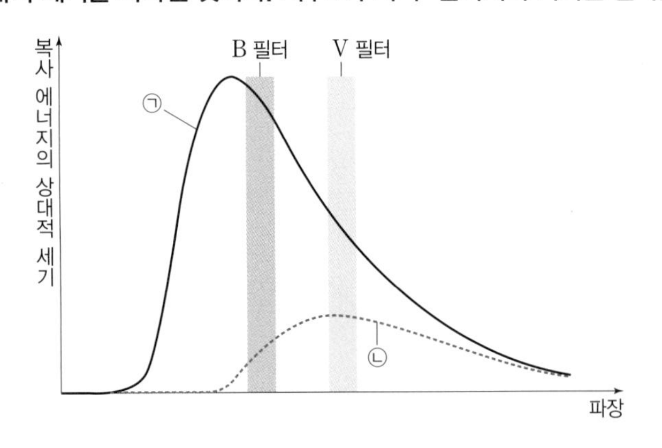

㉠이 ㉡보다 더 큰 값을 갖는 것만을 〈보기〉에서 있는 대로 고른 것은?

보기
ㄱ. 표면 온도
ㄴ. B 등급
ㄷ. 색지수

① ㄱ ② ㄷ ③ ㄱ, ㄴ
④ ㄴ, ㄷ ⑤ ㄱ, ㄴ, ㄷ

07

▸24073-0200

그림 (가)와 (나)는 각각 순서대로 거문고자리 RR형 변광성과 종족 Ⅰ 세페이드 변광성의 밝기 변화를 나타낸 것이다. (가)의 평균 절대 등급은 0.5, (나)의 평균 절대 등급은 -2이다.

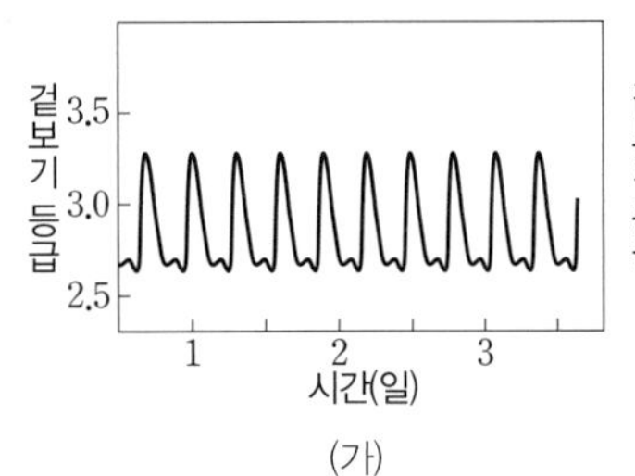

(가)

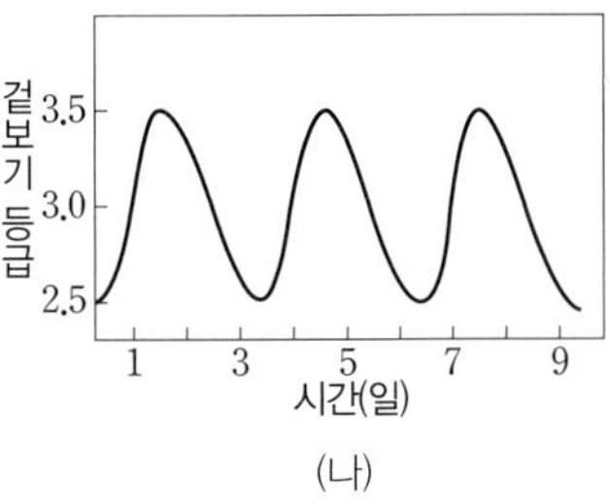

(나)

이에 대한 설명으로 옳은 것만을 〈보기〉에서 있는 대로 고른 것은?

보기
ㄱ. (가)는 (나)보다 변광 주기가 짧다.
ㄴ. (가)와 (나)의 실제 밝기는 같다.
ㄷ. (나)까지의 거리는 약 25 pc이다.

① ㄱ ② ㄴ ③ ㄷ
④ ㄱ, ㄴ ⑤ ㄴ, ㄷ

08

▸24073-0201

그림은 여러 산개 성단들을 색등급도에 겹쳐 나타낸 것이다.

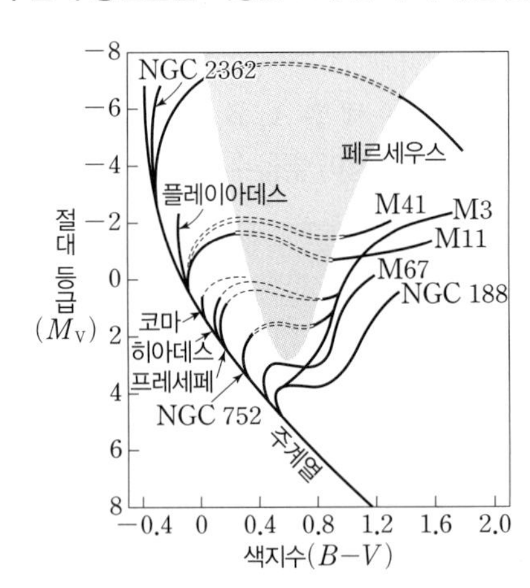

이에 대한 설명으로 옳은 것만을 〈보기〉에서 있는 대로 고른 것은?

보기
ㄱ. 광도가 큰 주계열성일수록 주계열을 먼저 떠난다.
ㄴ. M67은 페르세우스 성단보다 나이가 많다.
ㄷ. 플레이아데스 성단은 히아데스 성단보다 전향점의 광도가 더 크다.

① ㄱ ② ㄴ ③ ㄱ, ㄷ
④ ㄴ, ㄷ ⑤ ㄱ, ㄴ, ㄷ

01

▸24073-0202

그림은 어느 별자리의 별들을 6개월 간격으로 촬영한 사진을 나타낸 것이다. A의 위치는 6개월 간격으로 A → A′ → A로 변하였고, 별들은 황도 북극 방향에 있으며, 별의 음영이 밝을수록 밝게 관측되는 별이다.

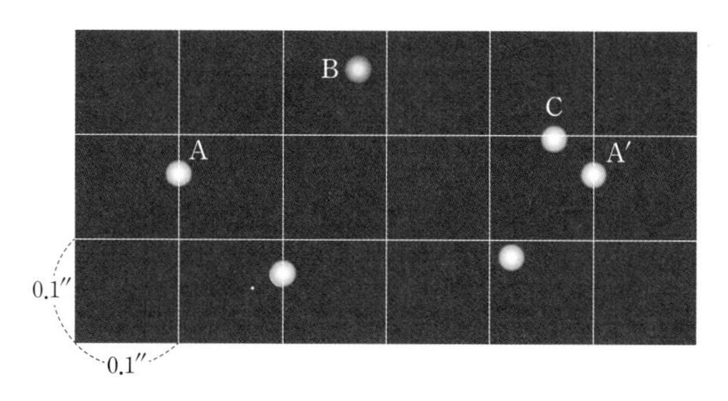

이에 대한 설명으로 옳은 것만을 〈보기〉에서 있는 대로 고른 것은?

보기
ㄱ. 빛으로 지구에서 A까지 가는 데는 약 32.6년이 걸린다.
ㄴ. A의 위치가 변하는 것은 지구가 태양 주위를 공전하기 때문이다.
ㄷ. A, B, C 중 B의 겉보기 등급이 가장 크다.

① ㄱ ② ㄷ ③ ㄱ, ㄴ ④ ㄴ, ㄷ ⑤ ㄱ, ㄴ, ㄷ

02

▸24073-0203

그림은 태양으로부터의 거리에 따른 태양의 겉보기 등급 변화를 나타낸 것이다.

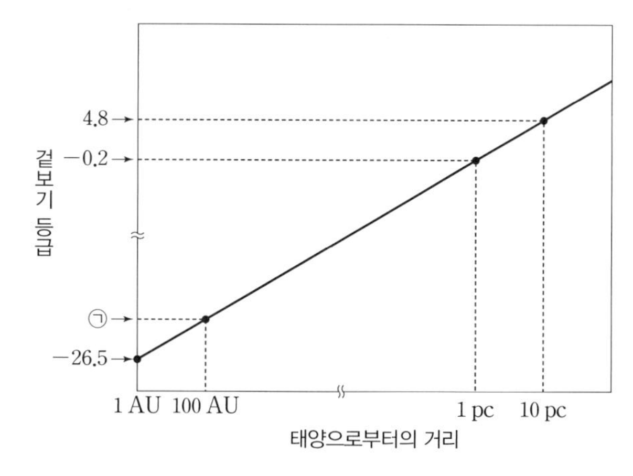

이에 대한 설명으로 옳은 것만을 〈보기〉에서 있는 대로 고른 것은?

보기
ㄱ. 현재 위치에서 태양의 거리 지수는 −31.3이다.
ㄴ. ㉠은 −16.5이다.
ㄷ. 거리가 10배 멀어지면 겉보기 밝기는 $\frac{1}{10}$배가 된다.

① ㄱ ② ㄷ ③ ㄱ, ㄴ ④ ㄴ, ㄷ ⑤ ㄱ, ㄴ, ㄷ

03

▸24073-0204

다음은 어느 세페이드 변광성을 이용한 거리 측정 과정이다.

[탐구 과정]

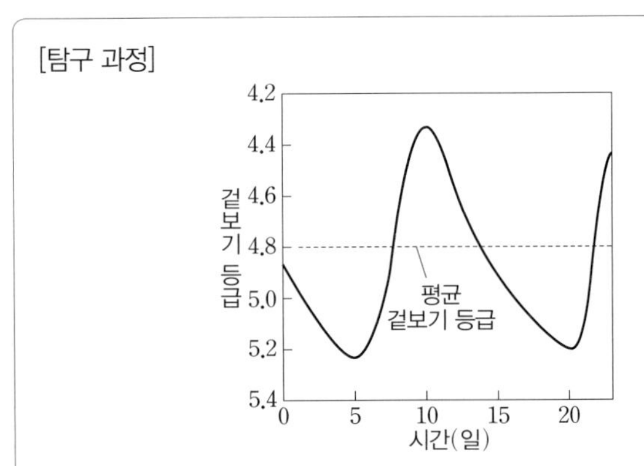

(가) 변광성 A의 변광 곡선

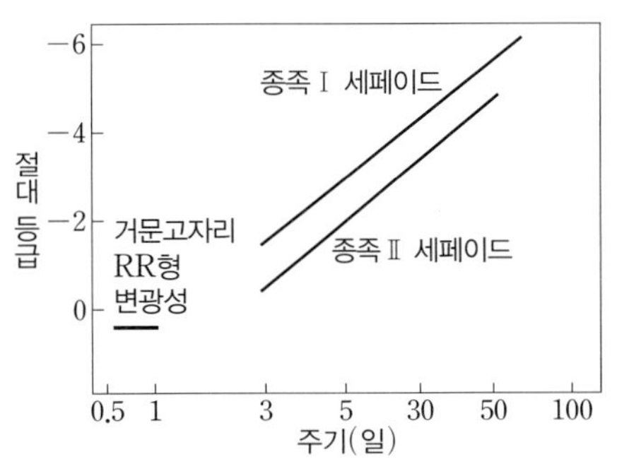

(나) 맥동 변광성의 주기 – 광도 관계

Ⅰ. (가)에서 변광성의 변광 주기와 겉보기 등급을 측정한다.
Ⅱ. (나)에서 변광성의 절대 등급을 구한다.
Ⅲ. (㉠)(으)로부터 변광성까지의 거리를 구한다.

이에 대한 설명으로 옳은 것만을 〈보기〉에서 있는 대로 고른 것은?

보기
ㄱ. 세페이드 변광성은 폭발 변광성이다.
ㄴ. 세페이드 변광성은 변광 주기가 길수록 광도가 크다.
ㄷ. '거리 지수'는 ㉠에 해당한다.

① ㄱ ② ㄷ ③ ㄱ, ㄴ ④ ㄴ, ㄷ ⑤ ㄱ, ㄴ, ㄷ

04

▸24073-0205

그림은 별의 표면 온도에 따른 색지수($B-V$)를 나타낸 것이다.

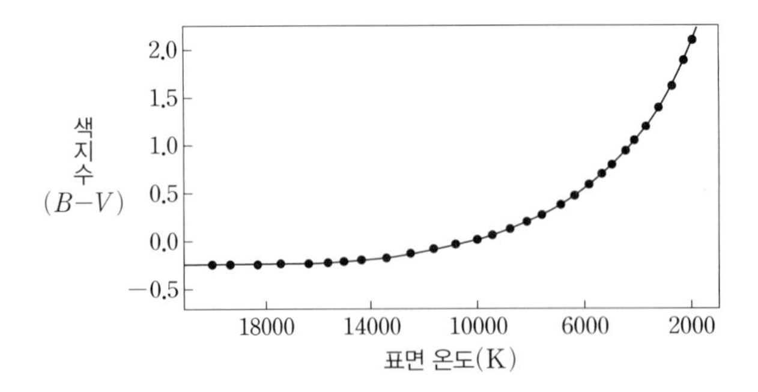

이에 대한 설명으로 옳은 것만을 〈보기〉에서 있는 대로 고른 것은?

보기
ㄱ. 표면 온도가 높을수록 색지수($B-V$)는 작아진다.
ㄴ. 표면 온도 10000 K의 별은 붉은색을 띤다.
ㄷ. 푸른색 별은 B 등급이 V 등급보다 작다.

① ㄱ ② ㄴ ③ ㄱ, ㄷ ④ ㄴ, ㄷ ⑤ ㄱ, ㄴ, ㄷ

05

▸24073-0206

그림은 표준 주계열과 성단 A를 색등급도에 나타낸 것이다.

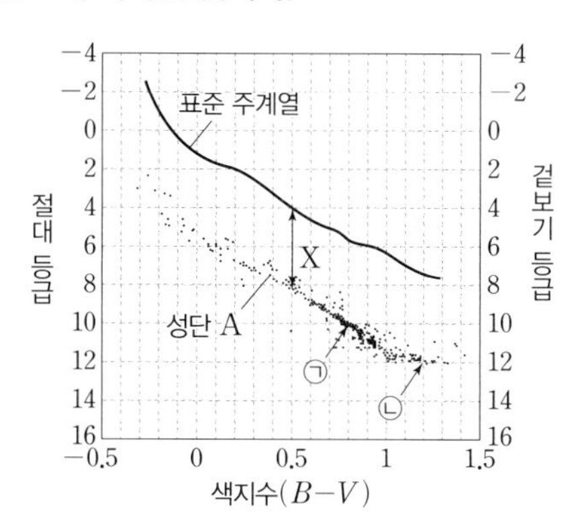

이에 대한 설명으로 옳은 것만을 <보기>에서 있는 대로 고른 것은?

보기

ㄱ. X가 클수록 성단까지의 거리는 멀어진다.
ㄴ. 지구로부터 성단 A까지의 거리는 약 250 pc이다.
ㄷ. ㉠은 ㉡보다 약 2.5^2배 밝다.

① ㄱ　② ㄴ　③ ㄱ, ㄷ　④ ㄴ, ㄷ　⑤ ㄱ, ㄴ, ㄷ

06

▸24073-0207

그림 (가)와 (나)는 서로 다른 성단의 색등급도를 나타낸 것이다.

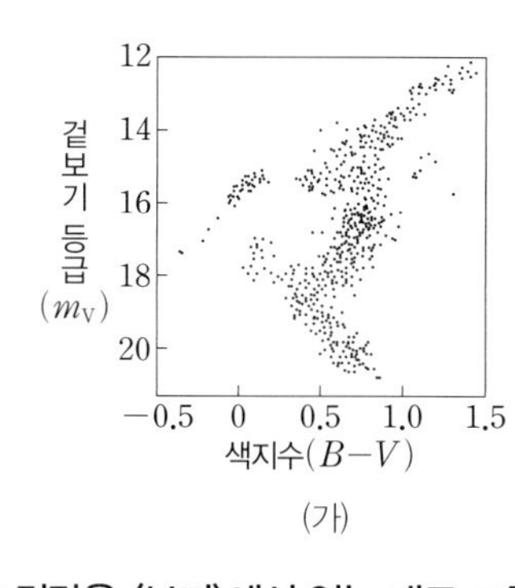

(가)

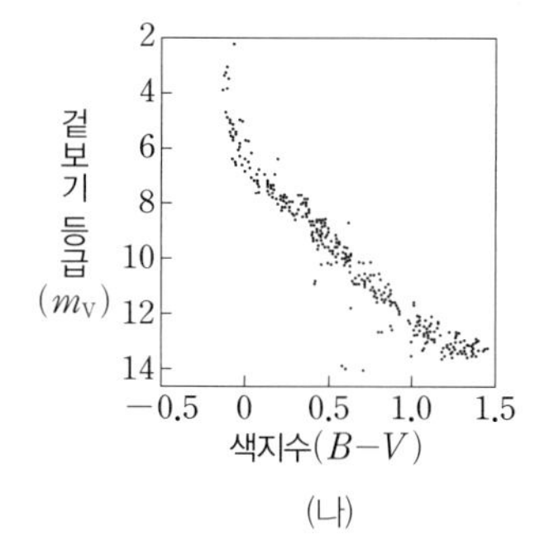

(나)

이에 대한 설명으로 옳은 것만을 <보기>에서 있는 대로 고른 것은?

보기

ㄱ. 색지수가 큰 주계열성일수록 진화 속도가 빠르다.
ㄴ. 성단까지의 거리는 (가)가 (나)보다 멀다.
ㄷ. 성단을 구성하는 별들 중 주계열성의 비율은 (가)가 (나)보다 낮다.

① ㄱ　② ㄷ　③ ㄱ, ㄴ　④ ㄴ, ㄷ　⑤ ㄱ, ㄴ, ㄷ

테마 14 우리은하의 구조

1 우리은하의 구조

(1) 우리은하의 발견

① 허셜: 밤하늘에 있는 별의 수를 세어 최초로 우리은하 지도를 작성하였다. ➡ 허셜은 은하의 중심에 태양이 있다고 믿었으며, 이를 중심으로 우리은하는 약 6000광년을 지름으로 하는 볼록 렌즈 모양이라고 생각하였다.

② 캅테인: 별의 분포를 통계적으로 연구하였다. ➡ 하늘을 206개의 구역으로 나누고, 밝은 별은 가깝고 어두운 별은 멀리 있다고 가정하여 별의 공간 분포를 계산해 은하의 모습을 추정하였다. 별들이 납작한 타원체 모양으로 분포하며, 그 지름은 16 kpc 정도로 생각하였다.

③ 섀플리: 변광성을 이용하여 93개 구상 성단의 공간 분포를 알아내어 우리은하의 구조를 연구하였다.
- 우리은하의 중심이 태양이 아니라는 사실을 밝혀내었다.
- 성간 소광을 고려하지 않아 우리은하의 지름을 실제보다 큰 100 kpc 정도로 생각하였다.

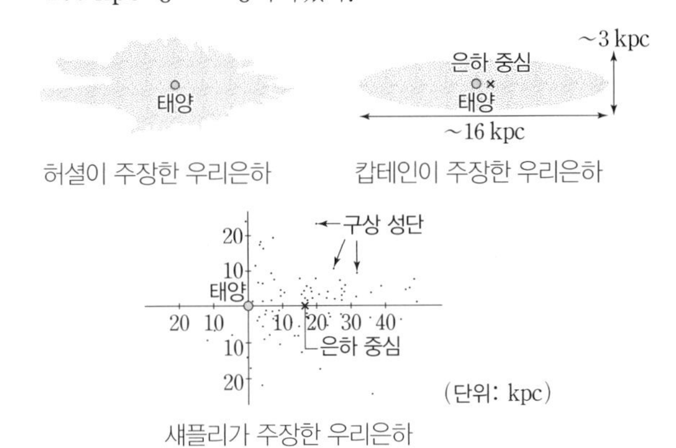

섀플리가 주장한 우리은하

(2) 우리은하의 구조

① 우리은하는 막대 모양의 구조와 나선팔을 가지고 있는 막대 나선 은하이다.

② 우리은하는 중심부에 구형의 은하 팽대부, 은하면에 해당하는 은하 원반, 이를 둘러싸고 있는 헤일로로 구성되어 있다.

③ 은하면에는 젊고 푸른 별이 많고 성간 물질이 풍부하며 산개 성단이 주로 분포한다. 반면 헤일로에는 늙고 붉은 별이 많고 구상 성단이 주로 분포한다.

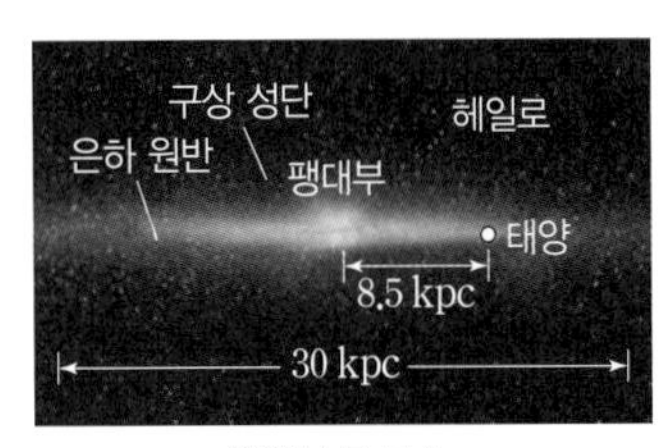

옆에서 본 모습

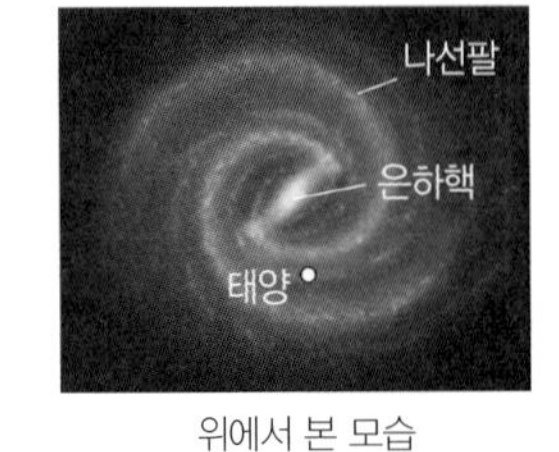

위에서 본 모습

우리은하의 구조

2 성간 물질

(1) **성간 물질:** 성간 기체(약 99 %)와 성간 티끌(약 1 %)로 구성된다.

(2) **성간 기체:** 대부분 수소로 이루어져 있다.

① 분자운: 온도가 10 K 정도로 낮아 수소가 분자 상태로 존재하는 성운으로 별이 태어나기 좋은 곳이다.

② HⅠ 영역: 온도가 수백 K 정도이고, 수소가 주로 원자 상태로 존재하는 성운이다.

③ HⅡ 영역: 고온의 별빛이 주변 성운의 수소를 전리시켜 대부분의 수소가 이온 상태로 존재하는 영역이다.

(3) 성간 티끌

① 성간 소광
- 성간 소광: 성간 티끌에 의한 별빛의 흡수와 산란으로 인해 별빛이 실제보다 더 어둡게 보이는 현상이다.
- 소광 보정: 성간 소광이 일어나면 별의 겉보기 등급이 실제보다 크게 관측되므로 관측한 별의 겉보기 등급에 성간 소광된 양을 등급으로 나타낸 값(A)만큼 보정해 주어야 정확한 거리를 구할 수 있다.

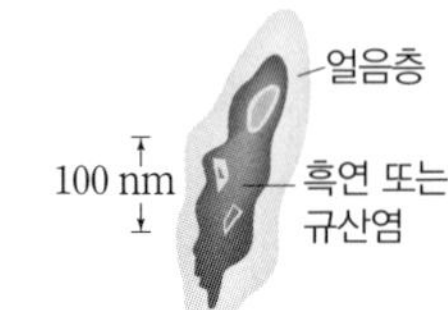

성간 티끌

$$m-A-M=5\log r-5$$

② 성간 적색화
- 성간 적색화: 성간 티끌층을 통과하면서 파란빛이 붉은빛보다 더 많이 산란되어 별빛이 실제보다 더 붉게 보이는 현상이다.
- 색초과: 실제로 측정한 별의 색지수($B-V$)와 그 별의 분광형에 대응하는 고유의 색지수의 차이이다. ➡ 색초과 값이 클수록 성간 적색화가 크게 일어난 것이다.

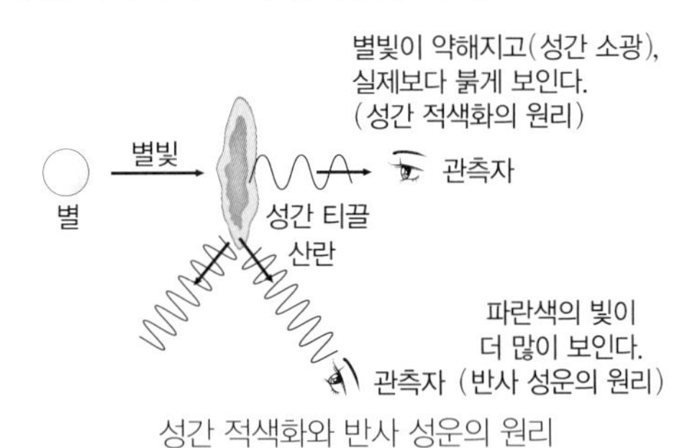

성간 적색화와 반사 성운의 원리

(4) 성운

① 암흑 성운: 성간 티끌에 의해 배경 별빛이 통과하지 못해 어둡게 보이는 성운이다.

② 반사 성운: 성간 티끌이 주변 별빛을 산란시켜 파란색으로 빛나는 성운이다.

③ 방출 성운: HⅡ 영역에서 전리된 수소가 전자와 결합하면서 방출하는 빛에 의해 붉게 빛나는 성운이다.

바너드68(암흑 성운)

메로페 성운(반사 성운)

장미 성운(방출 성운)

3 우리은하의 나선 구조

(1) 별의 공간 운동

① 고유 운동(μ): 별이 1년 동안 천구상을 움직인 각거리
➡ 단위: ″/년

② 접선 속도(V_t): 시선 방향에 수직인 방향의 속도를 말한다.
➡ V_t(km/s)$=4.74\mu r$ (r: 별까지의 거리, μ: 고유 운동)

③ 시선 속도(V_r): 별이 관측자의 시선 방향으로 멀어지거나 접근하는 속도를 말한다. ➡ $V_r = c \times \frac{\Delta\lambda}{\lambda_0}$($c$: 빛의 속도, λ_0: 흡수선의 고유 파장, $\Delta\lambda$: 흡수선의 파장 변화량)

④ 공간 속도(V): 별이 우주 공간에서 실제로 운동하는 것을 공간 운동이라고 하며, 공간 속도 $V=\sqrt{V_t^2+V_r^2}$이다.

(2) **태양계 부근 별들의 공간 운동**: 은하면에서 태양으로부터의 거리가 같은 별들의 시선 속도를 관측하면 은경에 따라 이중 사인 곡선을 나타낸다. ➡ 태양 근처의 별들은 은하 중심에서 멀수록 회전 속도가 느려진다.

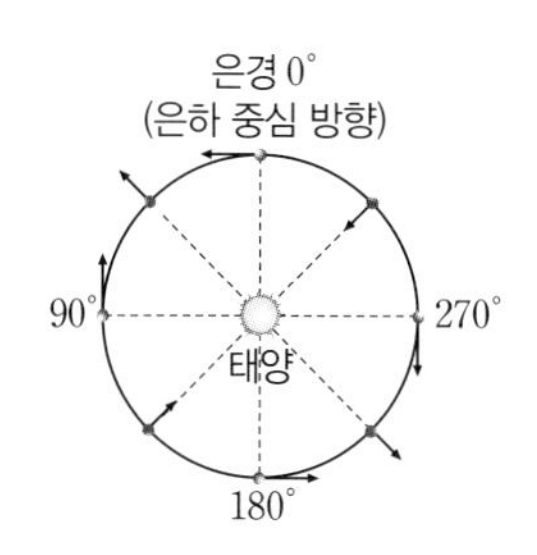

태양 부근 별의 상대 운동

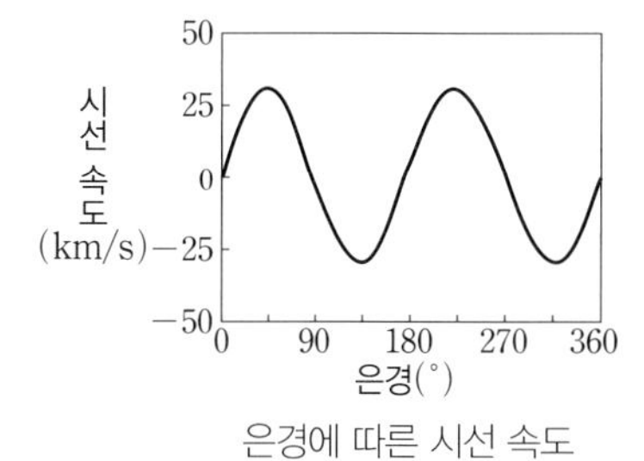

은경에 따른 시선 속도

(3) 중성 수소 21 cm파의 관측과 해석

① 21 cm파: 원자 상태로 존재하는 중성 수소는 양성자와 전자의 스핀 방향에 따라 두 종류의 에너지 상태로 존재하며, 자연적으로 에너지가 높은 상태에서 낮은 상태로 바뀌기도 하는데 이때 방출되는 것이 21 cm파이다.

② 나선팔 구조의 발견: 중성 수소 원자에서 방출되는 21 cm파를 관측하여 알아내었다.

4 우리은하의 회전과 질량 분포

(1) 우리은하의 회전 곡선

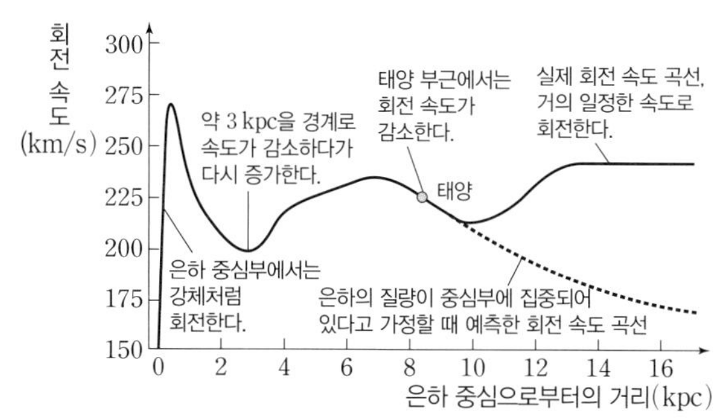

우리은하의 회전 속도 곡선

① 은하 중심부에서는 중심에서 밖으로 갈수록 속도가 증가하는 강체 회전을 한다.

② 은하 중심부를 벗어나면 약 3 kpc까지 케플러 회전과 유사한 분포를 보이지만 그 바깥에서는 회전 속도가 증가하다가 다시 조금 감소하고 약 13 kpc부터는 거의 일정한 속도를 유지한다.

③ 우리은하의 질량이 중심부에 집중되어 있지 않고 은하 외곽에도 상당히 분포하고 있다.

- 우리은하의 회전 속도 분포를 설명하기 위해서는 관측되는 물질보다 더 많은 암흑 물질이 존재해야 한다.
- 태양 궤도 안쪽의 모든 질량을 M, 태양의 질량을 $m_\odot$, 은하 중심에서 태양까지의 거리를 r, 태양의 공전 속도를 v라고 할 때, $G\frac{Mm_\odot}{r^2}=\frac{m_\odot v^2}{r}$이므로 $M=\frac{rv^2}{G}$이다. r를 약 26500광년, v를 약 225 km/s로 간주하면 $M \approx 10^{11}m_\odot$가 된다. 이와 같은 원리로 우리은하를 구성하는 가장 바깥에 있는 천체의 회전 속도를 이용하면 우리은하의 총 질량을 구할 수 있다.

(2) 암흑 물질

① 암흑 물질: 빛을 내지 않아서 관측되지 않으므로 중력적인 방법으로만 존재를 간접적으로 추정할 수 있는 물질이다.

② 중력 렌즈 현상: 큰 중력에 의해 공간이 휘어져 빛이 굴절되어 나타나는 현상으로 암흑 물질의 존재 확인에 이용된다.

③ 암흑 물질의 후보: 갈색 왜성, 블랙홀 같은 무거운 일반적 천체나 액시온(AXION), 윔프(WIMP), 비활성 중성미자와 같은 작은 입자들이 있다.

더 알기 21 cm 수소선의 관측 자료 해석

- 중성 수소 구름에서 나오는 방출선의 파장은 우리은하의 회전 때문에 도플러 이동을 일으킨다.
- 중성 수소 구름 A~D가 케플러 회전을 할 때, 태양보다 회전 속도가 느린 A의 시선 속도는 (−), 회전 속도가 빠른 B, C, D의 시선 속도는 (+)를 나타낸다.
- 태양과의 회전 속도 차가 클수록 시선 속도의 절댓값이 크다.
- 중성 수소 구름에서 나오는 21 cm파의 세기는 수소 원자 개수 밀도에 비례하므로 복사 강도가 가장 강한 B 영역에 수소의 양이 가장 많다.

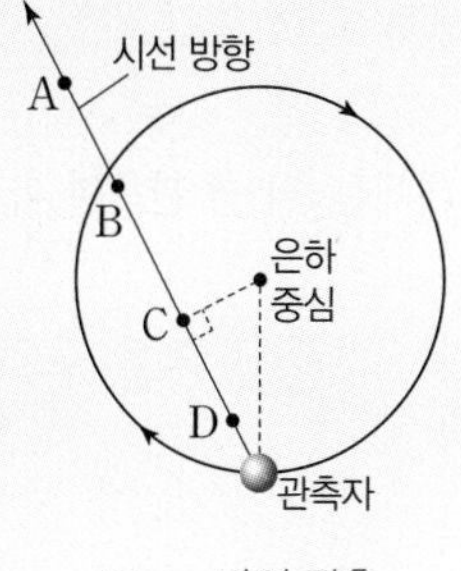

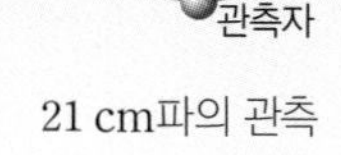
21 cm파의 관측

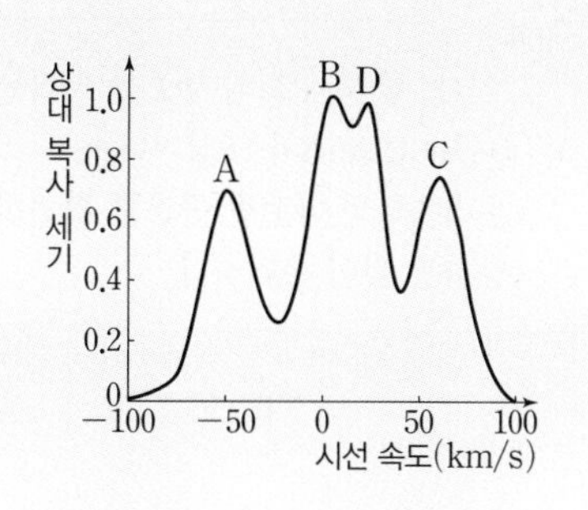

21 cm파의 세기 분포

테마 대표 문제

| 2024학년도 수능 |

그림 (가)와 (나)는 우리은하의 21 cm파 영상과 가시광선 영상을 순서 없이 나타낸 것이다.

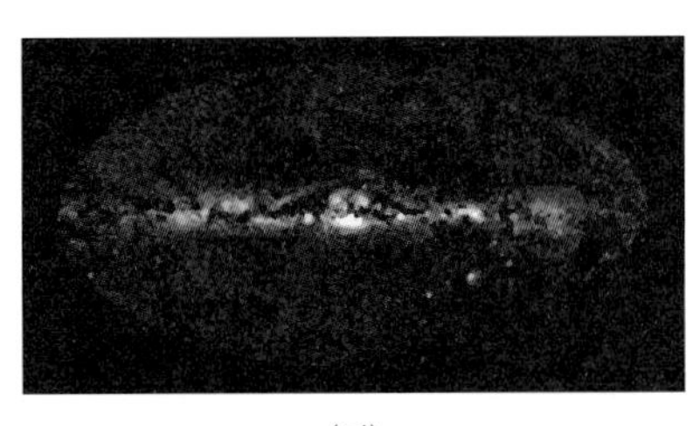
(가)

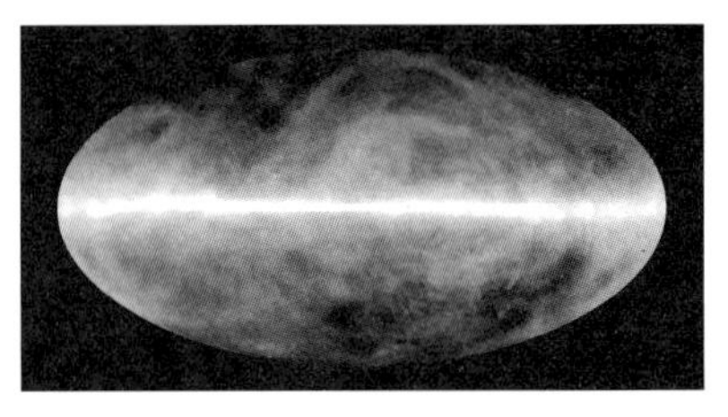
(나)

이에 대한 설명으로 옳은 것만을 <보기>에서 있는 대로 고른 것은?

보기

ㄱ. (가)는 가시광선 영상이다.
ㄴ. (나)는 이온화된 수소의 분포를 나타낸다.
ㄷ. (가)는 (나)보다 성간 티끌에 의한 소광의 영향을 적게 받았다.

① ㄱ ② ㄴ ③ ㄱ, ㄷ ④ ㄴ, ㄷ ⑤ ㄱ, ㄴ, ㄷ

접근 전략

성간 소광에 의해 은하면은 (가)가 (나)보다 어둡게 나타난다. 따라서 관측 파장은 (가)가 (나)보다 짧다는 것을 이해해야 한다.

간략 풀이

(가)는 가시광선 영상, (나)는 21 cm파 영상이다.

ㄱ. 성간 소광량은 (가)가 (나)보다 많으므로 (가)는 상대적으로 파장이 짧은 가시광선 영상이다.

ㄴ. (나)는 21 cm파 영상이며, 21 cm파는 중성 수소에서 발생되는 전자기파이다.

ㄷ. 파장이 길수록 성간 티끌에 의한 소광이 적게 일어난다. 따라서 파장이 상대적으로 긴 21 cm파가 가시광선보다 성간 티끌에 의한 소광이 적게 일어난다.

정답 | ①

닮은 꼴 문제로 유형 익히기

정답과 해설 36쪽

▸24073-0208

그림 (가)와 (나)는 M101 은하의 가시광선 영상과 21 cm파 영상을 순서 없이 나타낸 것이다.

(가)

(나)

이에 대한 설명으로 옳은 것만을 <보기>에서 있는 대로 고른 것은?

보기

ㄱ. (가)는 중성 수소의 분포를 나타낸다.
ㄴ. (나)는 21 cm파 영상이다.
ㄷ. 우리은하의 나선팔 구조를 확인하는 데에는 (나)를 관측한 파장대보다 (가)를 관측한 파장대를 이용하는 것이 유리하다.

① ㄱ ② ㄴ ③ ㄱ, ㄷ ④ ㄴ, ㄷ ⑤ ㄱ, ㄴ, ㄷ

유사점과 차이점

가시광선 영상과 21 cm파 영상을 비교하여 21 cm파의 특징을 알아내는 점이 대표 문제와 유사하지만, 우리은하 대신 M101 은하의 영상을 이용한 점에서 대표 문제와 다르다.

배경 지식

- 21 cm파는 중성 수소에서 발생되는 전자기파이다.
- 성간 소광은 파장이 짧을수록 강하게 나타난다.

정답과 해설 36쪽

01

▸24073-0209

그림 (가)와 (나)는 각각 허셜과 캡테인이 주장한 우리은하의 모양을 순서 없이 나타낸 것이다.

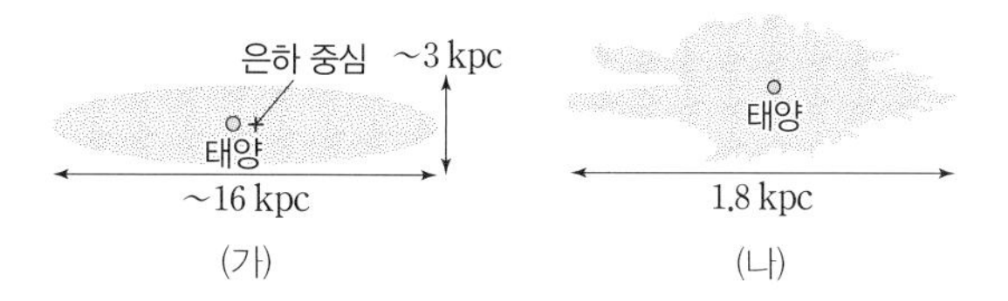

이에 대한 설명으로 옳은 것만을 ⟨보기⟩에서 있는 대로 고른 것은?

보기
ㄱ. 우리은하의 크기는 (가)가 (나)보다 작다.
ㄴ. 우리은하에 대한 모형이 등장한 시기는 (가)가 (나)보다 빠르다.
ㄷ. (가)와 (나) 모두 태양은 우리은하의 중심 부근에 위치한다.

① ㄱ ② ㄷ ③ ㄱ, ㄴ ④ ㄴ, ㄷ ⑤ ㄱ, ㄴ, ㄷ

02

▸24073-0210

그림은 섀플리가 측정한 구상 성단의 분포를 x축, y축 좌표에 나타낸 것이다. 좌표의 원점에 태양이 위치하며, 섀플리는 우리은하의 중심을 A와 B 중 하나에 있다고 주장하였다.

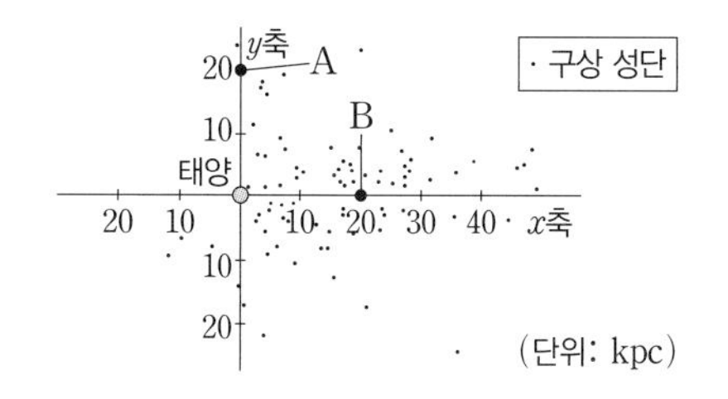

이에 대한 설명으로 옳은 것만을 ⟨보기⟩에서 있는 대로 고른 것은?

보기
ㄱ. 섀플리가 주장한 우리은하 중심은 A이다.
ㄴ. 구상 성단의 분포는 섀플리가 주장한 우리은하 모양의 근거가 된다.
ㄷ. 구상 성단의 분포는 은하 원반의 모양과 일치한다.

① ㄱ ② ㄴ ③ ㄱ, ㄷ ④ ㄴ, ㄷ ⑤ ㄱ, ㄴ, ㄷ

03

▸24073-0211

그림은 우리은하의 모습을 나타낸 것이다. A와 B 중 한 곳에 태양이 위치하며, X와 Y는 각각 산개 성단과 구상 성단 중 하나이고, 성단을 구성하는 별의 평균 나이는 X가 Y보다 많다.

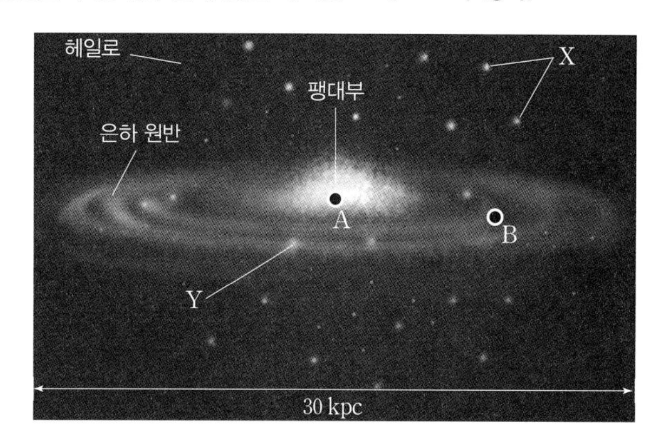

이에 대한 설명으로 옳은 것만을 ⟨보기⟩에서 있는 대로 고른 것은?

보기
ㄱ. X는 산개 성단이다.
ㄴ. 태양의 위치는 B이다.
ㄷ. 성간 물질은 헤일로에서가 은하 원반에서보다 풍부하다.

① ㄱ ② ㄴ ③ ㄱ, ㄷ ④ ㄴ, ㄷ ⑤ ㄱ, ㄴ, ㄷ

04

▸24073-0212

그림은 어느 성간 티끌의 모습을 나타낸 것이다. A와 B는 각각 얼음과 흑연 중 하나이다.

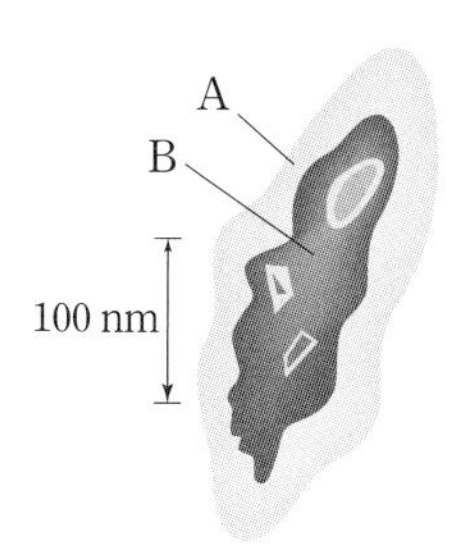

이 성간 티끌에 대한 설명으로 옳은 것만을 ⟨보기⟩에서 있는 대로 고른 것은?

보기
ㄱ. A는 흑연이다.
ㄴ. 성간 물질을 구성하는 질량비는 성간 기체보다 크다.
ㄷ. 별빛을 흡수하거나 산란시켜 성간 소광을 일으킨다.

① ㄱ ② ㄷ ③ ㄱ, ㄴ ④ ㄴ, ㄷ ⑤ ㄱ, ㄴ, ㄷ

05

▸24073-0213

그림은 성간 물질을 구성하는 고체 입자와 기체의 질량비를 A와 B로 순서 없이 나타낸 것이다.

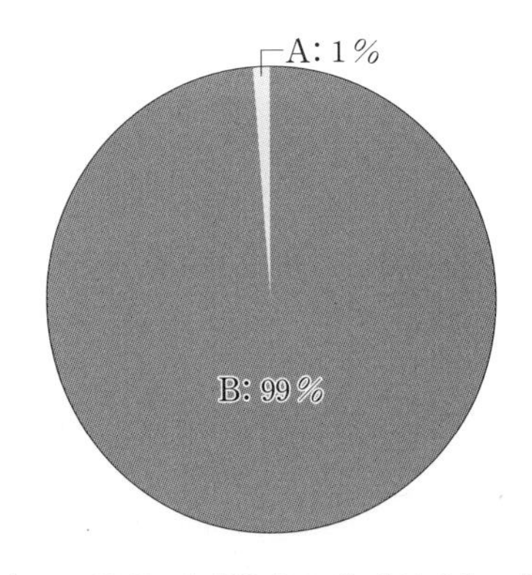

이에 대한 설명으로 옳은 것만을 〈보기〉에서 있는 대로 고른 것은?

보기
ㄱ. A는 고체 입자이다.
ㄴ. A는 주로 자외선 영역의 전자기파를 방출한다.
ㄷ. 대부분의 수소와 헬륨은 B에 포함된다.

① ㄱ ② ㄴ ③ ㄱ, ㄷ
④ ㄴ, ㄷ ⑤ ㄱ, ㄴ, ㄷ

06

▸24073-0214

그림 (가)와 (나)는 독수리 성운의 일부를 각각 서로 다른 파장 A와 B로 촬영한 것이다. A와 B는 각각 가시광선과 적외선 중 하나이다.

(가)

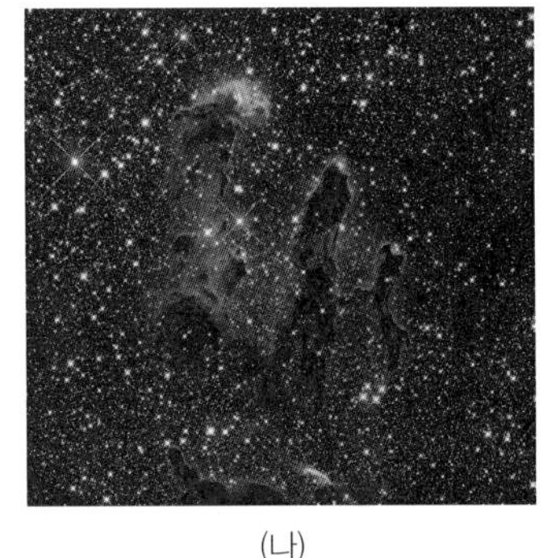
(나)

이에 대한 설명으로 옳은 것만을 〈보기〉에서 있는 대로 고른 것은?

보기
ㄱ. 관측 파장은 (가)가 (나)보다 길다.
ㄴ. 독수리 성운에 의한 성간 소광량은 (가)가 (나)보다 많다.
ㄷ. 우리은하 원반에 있는 별의 분포를 알아보고자 할 때는 A로 관측하는 것이 B로 관측하는 것보다 유리하다.

① ㄱ ② ㄴ ③ ㄱ, ㄷ
④ ㄴ, ㄷ ⑤ ㄱ, ㄴ, ㄷ

07

▸24073-0215

표는 서로 다른 별 X와 Y의 겉보기 등급, 절대 등급, 성간 소광된 양을 등급으로 나타낸 것이다.

구분	겉보기 등급	절대 등급	성간 소광된 양(등급)
X	2.0	3.0	0.1
Y	2.5	3.4	0.3

이에 대한 설명으로 옳은 것만을 〈보기〉에서 있는 대로 고른 것은?

보기
ㄱ. 실제 별까지의 거리는 X가 Y보다 멀다.
ㄴ. 지구에서 관측되는 별의 밝기는 X가 Y보다 밝다.
ㄷ. 성간 소광을 고려했을 때와 고려하지 않았을 때 계산한 별까지의 거리 차는 X가 Y보다 크다.

① ㄱ ② ㄷ ③ ㄱ, ㄴ
④ ㄴ, ㄷ ⑤ ㄱ, ㄴ, ㄷ

08

▸24073-0216

그림 (가)와 (나)는 각각 반사 성운과 방출 성운을 나타낸 것이다.

(가) 반사 성운

(나) 방출 성운

이에 대한 설명으로 옳은 것만을 〈보기〉에서 있는 대로 고른 것은?

보기
ㄱ. (가)는 성간 티끌에 의해 별빛이 산란되어 빛난다.
ㄴ. (가)는 (나)보다 붉게 관측된다.
ㄷ. 스펙트럼 관측에서 전리된 수소선은 (가)가 (나)보다 강하게 나타난다.

① ㄱ ② ㄴ ③ ㄱ, ㄷ
④ ㄴ, ㄷ ⑤ ㄱ, ㄴ, ㄷ

09

▸24073-0217

그림은 우주의 분자운, H I 영역, H II 영역의 온도 분포를 A, B, C로 순서 없이 나타낸 것이다.

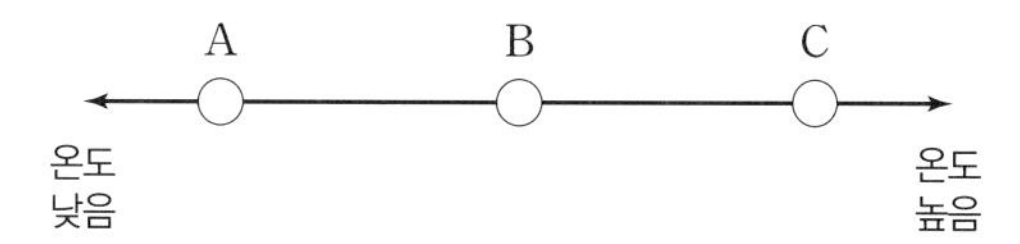

이에 대한 설명으로 옳은 것만을 〈보기〉에서 있는 대로 고른 것은?

보기
ㄱ. A는 분자운이다.
ㄴ. 별이 탄생하기 가장 좋은 환경은 B이다.
ㄷ. C는 수소가 이온화된 상태로 존재한다.

① ㄱ ② ㄴ ③ ㄱ, ㄷ
④ ㄴ, ㄷ ⑤ ㄱ, ㄴ, ㄷ

10

▸24073-0218

그림은 서로 다른 별 A와 B의 고유 운동과 접선 속도를 나타낸 것이다.

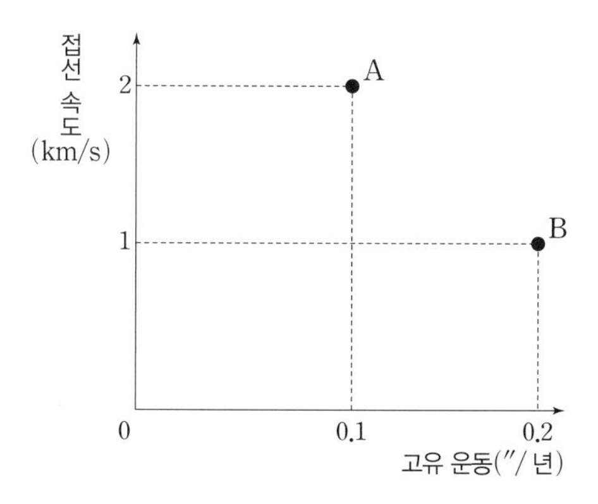

이에 대한 설명으로 옳은 것만을 〈보기〉에서 있는 대로 고른 것은?

보기
ㄱ. 주어진 자료로 별의 공간 속도를 계산할 수 있다.
ㄴ. 거리는 A가 B보다 4배 멀다.
ㄷ. 1년 동안 천구상에서 이동한 각거리는 A가 B의 2배이다.

① ㄱ ② ㄴ ③ ㄱ, ㄷ
④ ㄴ, ㄷ ⑤ ㄱ, ㄴ, ㄷ

11

▸24073-0219

그림 (가)와 (나)는 각각 중성 수소와 전리 수소의 모습을 나타낸 것이다.

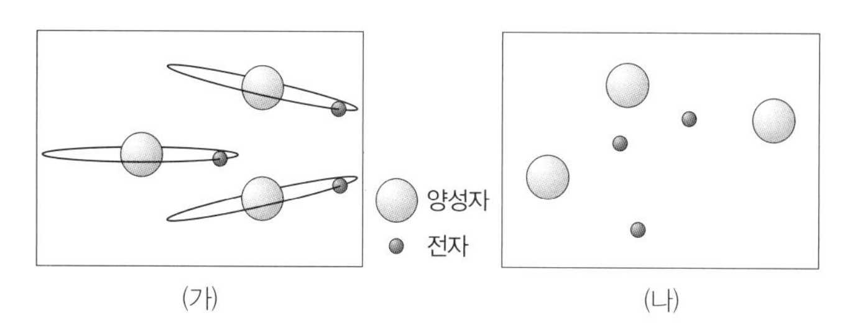

이에 대한 설명으로 옳은 것만을 〈보기〉에서 있는 대로 고른 것은?

보기
ㄱ. (가)와 (나) 사이의 에너지 차로 21 cm 전파가 발생된다.
ㄴ. H II 영역에서 수소는 주로 (가)보다 (나)의 형태로 존재한다.
ㄷ. (가)와 (나)는 수소 분자와 함께 성간 기체의 대부분을 구성한다.

① ㄱ ② ㄴ ③ ㄱ, ㄷ
④ ㄴ, ㄷ ⑤ ㄱ, ㄴ, ㄷ

12

▸24073-0220

그림은 21 cm 전파를 이용하여 관측한 우리은하의 나선팔 형태를 나타낸 것이다. 21 cm 전파의 세기가 강할수록 밝게 나타나며, A와 B의 수소는 각각 중성 수소 원자와 수소 분자 중 한 형태로 주로 분포한다.

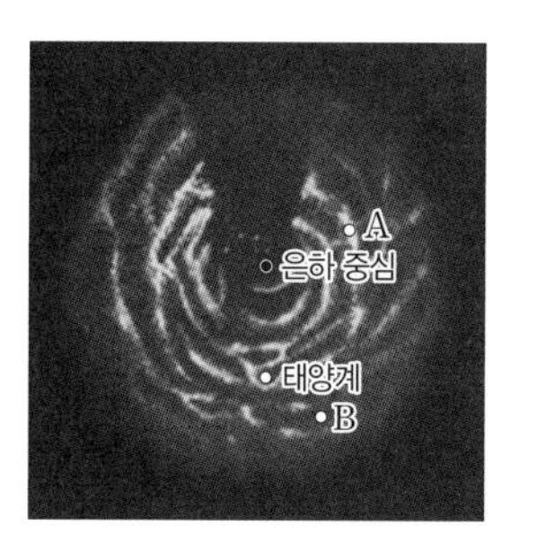

이에 대한 설명으로 옳은 것만을 〈보기〉에서 있는 대로 고른 것은?

보기
ㄱ. A에는 중성 수소 원자가 주로 분포한다.
ㄴ. 21 cm 전파 대신 가시광선을 이용한다면 우리은하의 나선팔 구조를 더 자세히 알 수 있다.
ㄷ. 21 cm 전파의 도플러 효과를 이용한 우리은하의 나선팔 구조 파악은 은하가 회전하지 않을 때가 회전할 때보다 어렵다.

① ㄱ ② ㄴ ③ ㄱ, ㄷ
④ ㄴ, ㄷ ⑤ ㄱ, ㄴ, ㄷ

13

▸24073-0221

그림 (가)는 우리은하의 중성 수소 구름 A, B, C를, (나)는 A, B, C의 시선 속도에 따른 상대적인 복사 세기를 X, Y, Z로 순서 없이 나타낸 것이다.

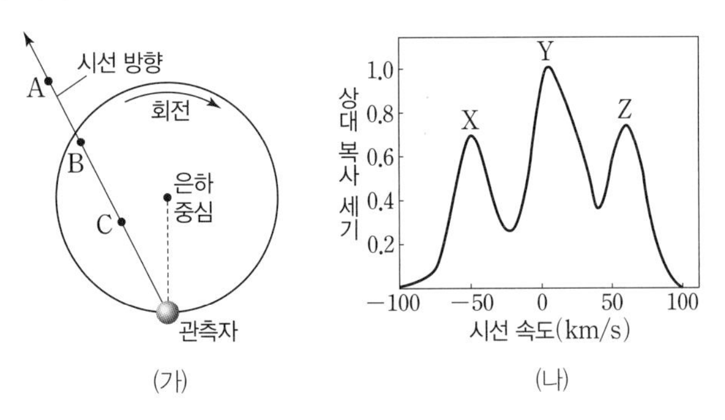

(가) (나)

이에 대한 설명으로 옳은 것만을 〈보기〉에서 있는 대로 고른 것은? (단, A, B, C와 관측자는 모두 은하 중심을 기준으로 케플러 회전을 하고 있다.)

보기

ㄱ. X는 A의 상대 복사 세기를 나타낸 것이다.
ㄴ. X, Y, Z 중 은하 중심에 가장 가까운 곳의 상대 복사 세기는 Z이다.
ㄷ. B와 C 사이의 거리는 가까워지고 있다.

① ㄱ ② ㄴ ③ ㄱ, ㄷ
④ ㄴ, ㄷ ⑤ ㄱ, ㄴ, ㄷ

14

▸24073-0222

그림 (가)는 은하 중심 방향을 기준으로 나타낸 은경의 분포를, (나)는 태양 주변 별들의 은경에 따른 시선 속도를 나타낸 것이다. 현재 태양은 은경 90° 방향으로 회전하고 있으며, 태양 주변 별들은 은하 중심을 기준으로 케플러 회전을 한다고 가정한다.

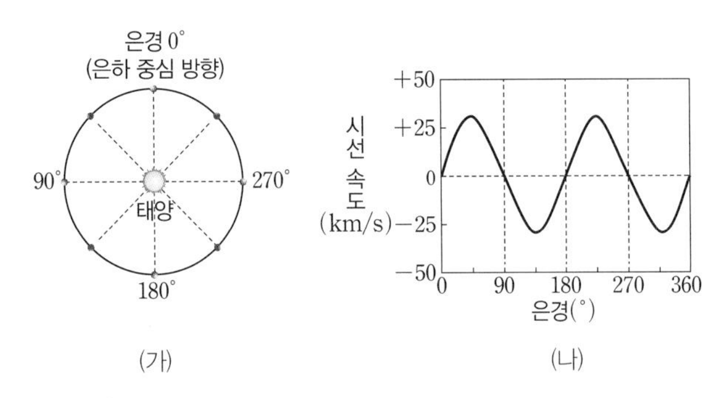

(가) (나)

태양 주변 별들에 대한 설명으로 옳은 것만을 〈보기〉에서 있는 대로 고른 것은?

보기

ㄱ. 은하 중심으로 갈수록 회전 속도는 느려진다.
ㄴ. 은경 200°~250° 범위의 별은 멀어지는 것으로 관측된다.
ㄷ. 시선 속도의 크기는 270°의 별이 230°의 별보다 작다.

① ㄱ ② ㄷ ③ ㄱ, ㄴ
④ ㄴ, ㄷ ⑤ ㄱ, ㄴ, ㄷ

15

▸24073-0223

그림은 우리은하의 회전 곡선을 나타낸 것이다. A, B, C 중 한 지점 주변은 강체 회전을 한다.

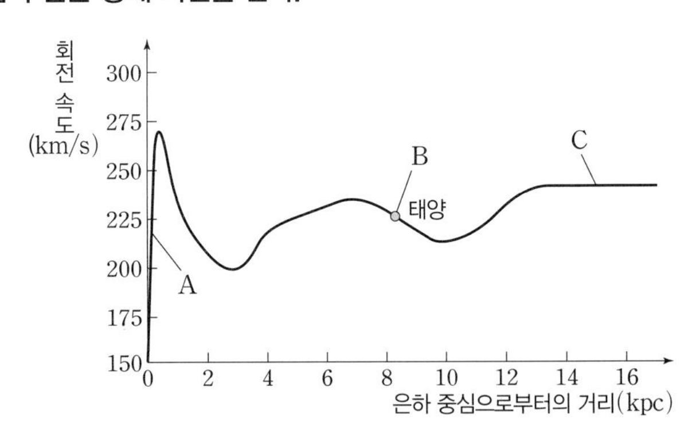

A, B, C 주변의 회전 속도 분포에 대한 설명으로 옳은 것만을 〈보기〉에서 있는 대로 고른 것은?

보기

ㄱ. 강체 회전하는 곳은 A 주변이다.
ㄴ. B 주변은 은하 중심으로부터 멀리 있는 별일수록 공전 주기가 길어진다.
ㄷ. C를 통해 우리은하의 질량이 중심부에 집중되어 있음을 알 수 있다.

① ㄱ ② ㄷ ③ ㄱ, ㄴ
④ ㄴ, ㄷ ⑤ ㄱ, ㄴ, ㄷ

16

▸24073-0224

다음은 암흑 물질에 대해 학생 A, B, C가 제시한 의견이다.

학생 A: 암흑 물질은 빛을 내지 않아서 전자기파를 통해 직접 관측할 수 없어.

학생 B: 중력 렌즈 현상으로 암흑 물질의 존재를 확인할 수 있어.

학생 C: 액시온(AXION), 윔프(WIMP)는 암흑 물질의 후보에 포함돼.

제시한 의견이 옳은 학생만을 있는 대로 고른 것은?

① A ② B ③ A, C
④ B, C ⑤ A, B, C

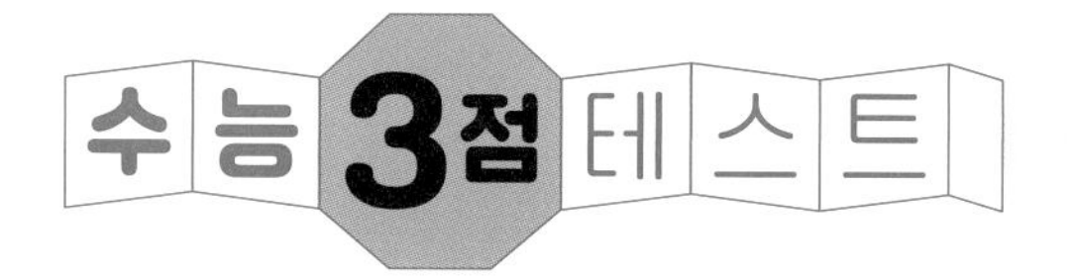

01

▸24073-0225

표는 섀플리가 생각한 우리은하와 실제 우리은하의 특징을 나타낸 것이다. A와 B는 각각 섀플리가 생각한 우리은하와 실제 우리은하 중 하나이다.

구분	크기	태양 위치
A	약 100 kpc	(　　)
B	약 30 kpc	은하 중심이 아님.

이에 대한 설명으로 옳은 것만을 <보기>에서 있는 대로 고른 것은?

보기

ㄱ. 성간 소광은 A와 B에서 우리은하 크기가 다르게 계산된 주된 요인에 해당한다.
ㄴ. A에서 태양은 은하 중심에 위치한다.
ㄷ. B는 실제 우리은하이다.

① ㄱ　② ㄴ　③ ㄱ, ㄷ　④ ㄴ, ㄷ　⑤ ㄱ, ㄴ, ㄷ

02

▸24073-0226

그림은 관측으로 알아낸 성간 티끌로 발생하는 성간 소광량(A_v)과 색초과($E(B-V)$)의 관계를, 표는 색지수($B-V$)가 0으로 관측되는 어느 별까지의 거리를 계산할 때 성간 소광 효과 보정 전과 후에 계산한 거리를 A와 B로 순서 없이 나타낸 것이다.

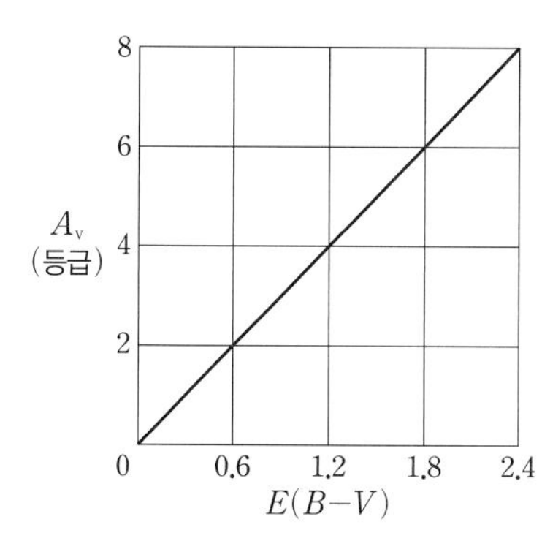

구분	계산한 거리
A	1000 pc
B	10000 pc

이에 대한 설명으로 옳은 것만을 <보기>에서 있는 대로 고른 것은?

보기

ㄱ. 성간 소광 효과 보정 후에 계산한 거리는 A이다.
ㄴ. 성간 소광이 없었다면 지구에서 관측되는 이 별의 밝기는 현재보다 10배 밝아진다.
ㄷ. 이 별의 고유한 색지수는 −1.5이다.

① ㄱ　② ㄴ　③ ㄱ, ㄷ　④ ㄴ, ㄷ　⑤ ㄱ, ㄴ, ㄷ

03

▸24073-0227

그림은 별 S의 빛이 성간 티끌에 의해 산란되는 모습을, 표는 X와 Y 지점에서 별 S의 빛이 소광되거나 산란된 것을 관측했을 때 띠는 색을 나타낸 것이다. X와 Y는 각각 A 또는 B 방향에 위치하며, 티끌은 별 S의 빛에 영향을 줄 정도로 충분히 많다.

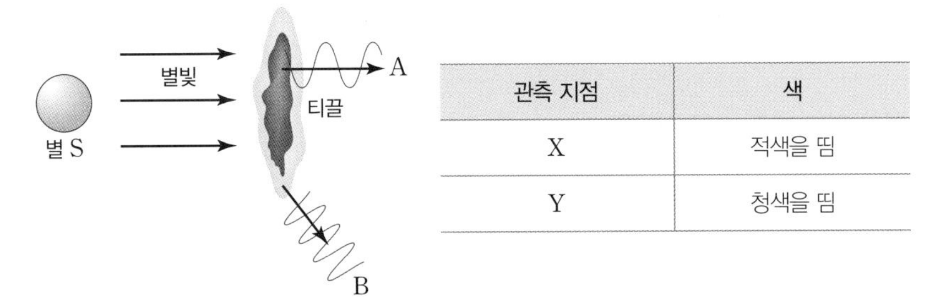

관측 지점	색
X	적색을 띰
Y	청색을 띰

이에 대한 설명으로 옳은 것만을 〈보기〉에서 있는 대로 고른 것은? (단, 별빛이 각 관측 지점까지 도달하는 데 주어진 티끌 외의 영향은 받지 않는다.)

보기

ㄱ. X는 B 방향에 위치한다.
ㄴ. 티끌이 없다면 별 S는 스펙트럼상의 청색과 적색 사이 색을 띤다.
ㄷ. B 방향의 위치에서 관측한 것은 반사 성운의 원리를 설명하는 데 활용될 수 있다.

① ㄱ ② ㄷ ③ ㄱ, ㄴ ④ ㄴ, ㄷ ⑤ ㄱ, ㄴ, ㄷ

04

▸24073-0228

그림 (가)는 x축과 y축이 각각 붉은색 파장대와 푸른색 파장대에서의 밝기인 그래프 위에 서로 다른 종류의 성운 Ⅰ, Ⅱ, Ⅲ의 위치를, (나)는 Ⅰ, Ⅱ, Ⅲ 중 한 개의 모습을 나타낸 것이다. Ⅰ, Ⅱ, Ⅲ은 각각 암흑 성운, 반사 성운, 방출 성운 중 하나이다.

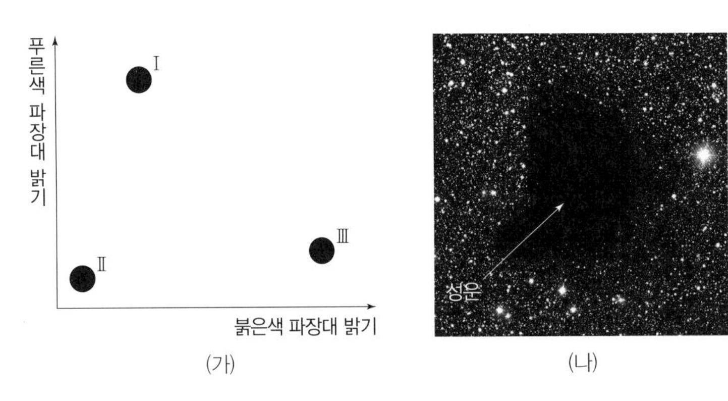

(가) (나)

이에 대한 설명으로 옳은 것만을 〈보기〉에서 있는 대로 고른 것은?

보기

ㄱ. (나)는 Ⅱ이다.
ㄴ. Ⅰ의 빛은 대부분 성운에서 직접 방출되는 빛이다.
ㄷ. 전리된 수소의 비율이 가장 높은 것은 Ⅲ이다.

① ㄱ ② ㄴ ③ ㄱ, ㄷ ④ ㄴ, ㄷ ⑤ ㄱ, ㄴ, ㄷ

05

▶24073-0229

표는 같은 시선 방향에 위치한 별 A와 B의 고유 운동, 연주 시차, 어느 흡수선의 관측 파장을 나타낸 것이다. 이 흡수선의 기준 파장은 1000 nm이며, 빛의 속도는 3×10^5 km/s이다.

구분	A	B
고유 운동(″/년)	2	4
연주 시차(″)	0.2	0.1
관측 파장(nm)	1001	998

이에 대한 설명으로 옳은 것만을 〈보기〉에서 있는 대로 고른 것은?

보기
ㄱ. 접선 속도는 B가 A의 2배이다.
ㄴ. B에서 측정한 A의 시선 속도는 −900 km/s이다.
ㄷ. 별의 운동 방향과 시선 방향이 이루는 각 중 작은 각의 크기는 A가 B보다 작다.

① ㄱ ② ㄷ ③ ㄱ, ㄴ ④ ㄴ, ㄷ ⑤ ㄱ, ㄴ, ㄷ

06

▶24073-0230

그림 (가)는 가상의 은하 A, B, C의 중심으로부터의 거리에 따른 회전 속도 분포를, (나)는 A, B, C 중 하나에 포함된 별에서 관측한 주변 별들의 상대적인 운동 방향을 나타낸 것이다. (나)에서 별은 은경 90° 방향으로 은하 중심을 회전한다.

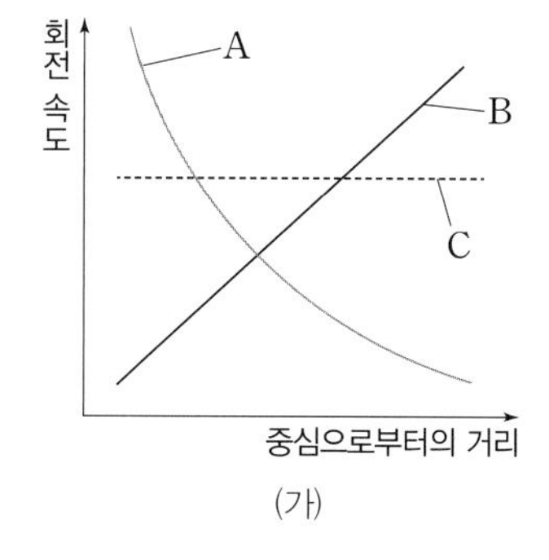

(가)

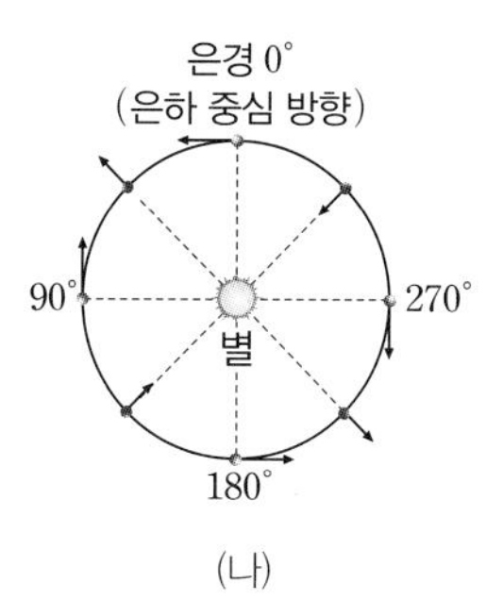

(나)

A, B, C에 대한 설명으로 옳은 것만을 〈보기〉에서 있는 대로 고른 것은?

보기
ㄱ. 태양 주변의 은하 회전 곡선은 A와 가장 유사하다.
ㄴ. (나)는 B에 포함된 별에서 관측한 자료이다.
ㄷ. C는 질량 대부분이 은하 중심에 집중되어 있다.

① ㄱ ② ㄷ ③ ㄱ, ㄴ ④ ㄴ, ㄷ ⑤ ㄱ, ㄴ, ㄷ

07

▸24073-0231

그림은 우리은하의 회전 속도 곡선을 나타낸 것이다. A와 B는 태양 바깥쪽의 회전 곡선으로 각각 빛을 내는 물질로 추정한 것과 실제 관측된 것 중 하나이다.

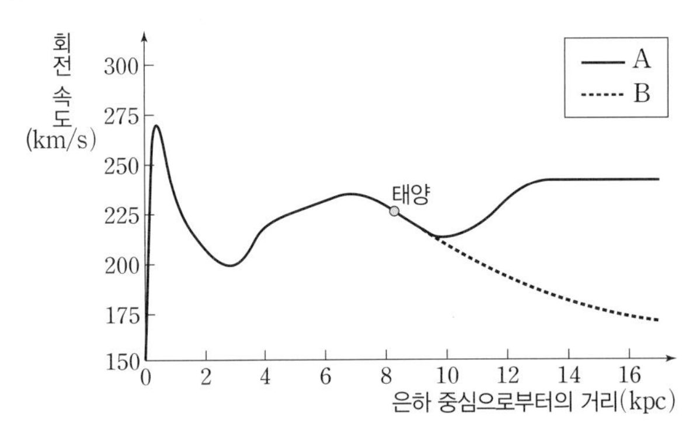

이에 대한 설명으로 옳은 것만을 〈보기〉에서 있는 대로 고른 것은?

보기

ㄱ. 실제 관측된 우리은하는 A와 같이 회전한다.
ㄴ. A는 암흑 물질의 존재를 뒷받침한다.
ㄷ. 은하 전체에 대한 태양 안쪽의 질량 비율은 A가 B보다 높다.

① ㄱ ② ㄷ ③ ㄱ, ㄴ ④ ㄴ, ㄷ ⑤ ㄱ, ㄴ, ㄷ

08

▸24073-0232

그림은 은하 A와 중력 렌즈 현상에 의해 원형으로 관측되는 은하 B의 모습을 나타낸 것이다.

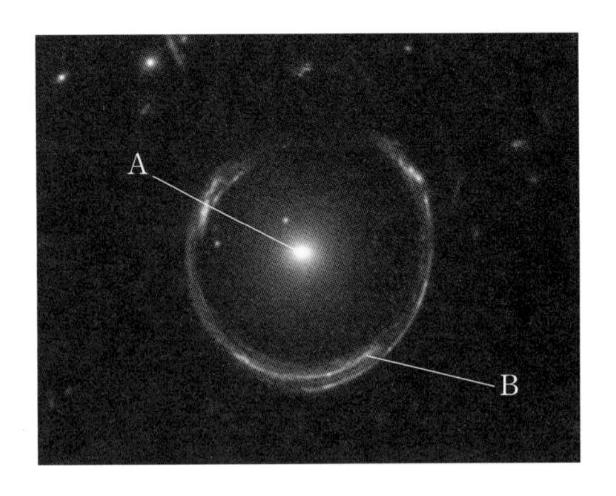

이에 대한 설명으로 옳은 것만을 〈보기〉에서 있는 대로 고른 것은?

보기

ㄱ. 관측자와의 거리는 A가 B보다 가깝다.
ㄴ. B의 빛이 관측자에게 도달하기까지 진행한 총 거리는 B와 관측자 사이의 직선거리와 같다.
ㄷ. 이와 같은 방법으로 B에 포함된 암흑 물질의 존재를 확인할 수 있다.

① ㄱ ② ㄷ ③ ㄱ, ㄴ ④ ㄴ, ㄷ ⑤ ㄱ, ㄴ, ㄷ

15 우주의 구조

1 은하들의 집단

은하들은 독립적으로 존재하는 것이 아니라 다양한 규모의 집단을 이루고 있다.

은하 → 은하군, 은하단 → 초은하단 → 우주 거대 구조

(1) **은하군**: 은하의 무리를 이루는 가장 작은 단위로 수십 개의 은하들이 서로의 중력에 속박되어 구성된 집단이다.
- 국부 은하군: 우리은하가 속해 있는 은하군이다. 국부 은하군의 무게 중심은 은하군 내에서 질량이 큰 우리은하와 안드로메다은하 사이에 있다.

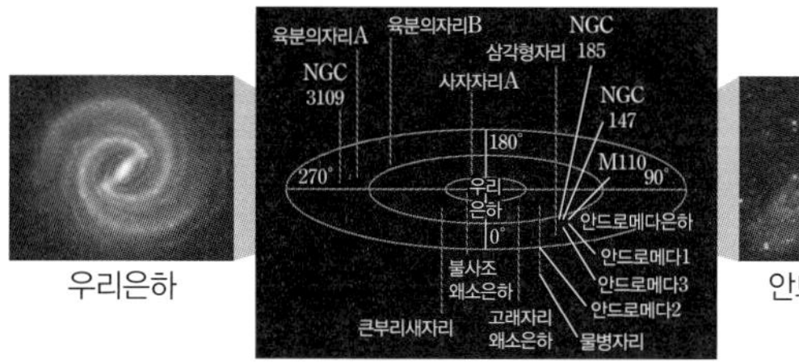

국부 은하군

(2) **은하단**: 수백~수천 개의 은하로 구성되어 은하군보다 규모가 큰 집단으로, 우주에서 서로의 중력에 묶여 있는 천체들 중 규모가 가장 크다. ➡ 우리은하에서 가장 가까운 은하단인 처녀자리 은하단은 매우 강력한 중력을 가지고 있어서 국부 은하군은 처녀자리 은하단 방향으로 서서히 움직이고 있다.

(3) **초은하단**: 은하군과 은하단으로 이루어진 대규모 은하의 집단으로, 은하들의 집단으로서는 가장 큰 단위이다. 초은하단을 이루는 각 은하단들은 서로 중력적으로 묶여 있지 않아 우주가 팽창함에 따라 흩어지고 있다. ➡ 처녀자리 초은하단은 처녀자리 은하단과 국부 은하군을 포함하여 약 100여 개의 은하군과 은하단으로 구성되어 있다.

2 우주 거대 구조

은하들은 우주에 고르게 분포하는 것이 아니라 일부 지역에 모여 집중적으로 분포한다.

(1) **필라멘트(filament) 구조**: 대부분의 은하들이 그물망과 비슷한 필라멘트(거대 가락) 구조를 따라 존재한다. 필라멘트가 만나는 부분에는 은하들의 밀도가 높아 초은하단이 존재한다.

(2) **은하 장성(Great Wall)**: 초은하단보다 더 거대한 규모의 구조로, 우주에서 볼 수 있는 구조 중 규모가 가장 크다. 은하 장성은 크기가 10억 광년 이상이다.

(3) **거대 공동(void)**: 우주에서 은하가 거의 없는 공간이다.

① 거대 공동의 밀도는 우주 평균 밀도의 $\frac{1}{10}$보다 작으며, 지름은 대략 11 Mpc ~ 150 Mpc에 이른다.

② 우주 거대 구조는 거대 가락이 거대 공동을 둘러싼 거품처럼 생긴 구조이다.

(4) **우주 거대 구조의 형성**

① 우주는 큰 구조 안에 작은 구조가 순차적으로 포함된 계층적 구조를 이루고 있으며, 우주 거대 구조는 암흑 물질에 의해 형성된 것으로 여겨진다. ➡ 그물 모양으로 우주에 분포하는 암흑 물질이 물질 분포에 영향을 주어 우주 거대 구조가 형성되었다.

② 초기 우주에 미세한 물질 분포의 차이가 있었고, 물질은 중력의 영향으로 밀도가 큰 곳으로 모여들어 별과 은하를 만들었으며, 시간이 흘러 현재와 같은 은하 분포와 우주 거대 구조를 만들게 되었다.

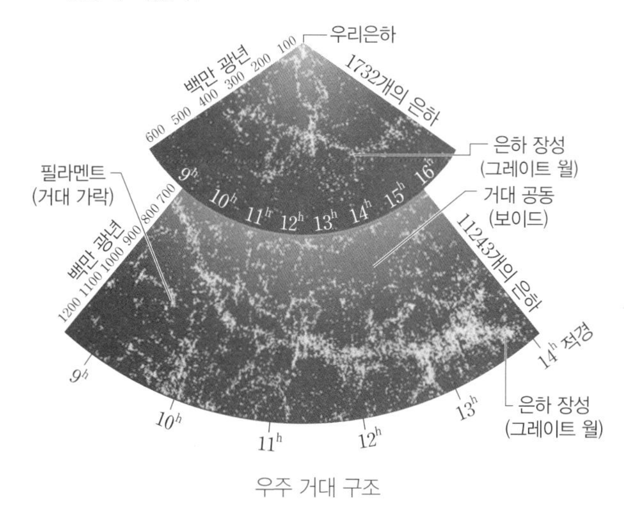

우주 거대 구조

더 알기 우주 거대 구조의 형성

- 현대 우주론에 따르면 초기 우주에는 미세한 물질 분포의 차이가 있었고, 시간이 지날수록 그 차이가 점점 커지면서 우주 거대 구조가 만들어졌다.
- 물질은 중력의 영향으로 밀도가 큰 곳으로 모여들어 별과 은하를 만들었고, 이 과정에서 밀도가 평균보다 큰 곳에서는 은하들이 계속 성장하여 은하군, 은하단, 초은하단을 이루었으며, 밀도가 작은 곳은 점점 더 비어 있는 공간으로 남게 되었다.

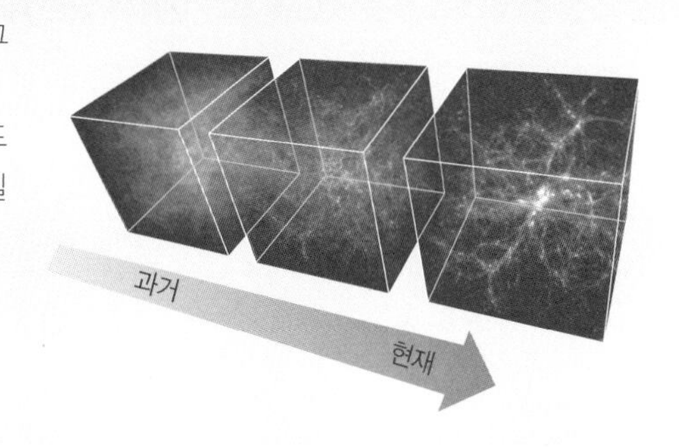

테마 대표 문제

| 2024학년도 수능 |

그림 (가)는 우주 거대 구조를, (나)는 (가)의 일부 영역을 모식적으로 나타낸 것이다. (나)의 ㉠, ㉡, ㉢은 거대 공동, 은하, 은하단을 순서 없이 나타낸 것이다.

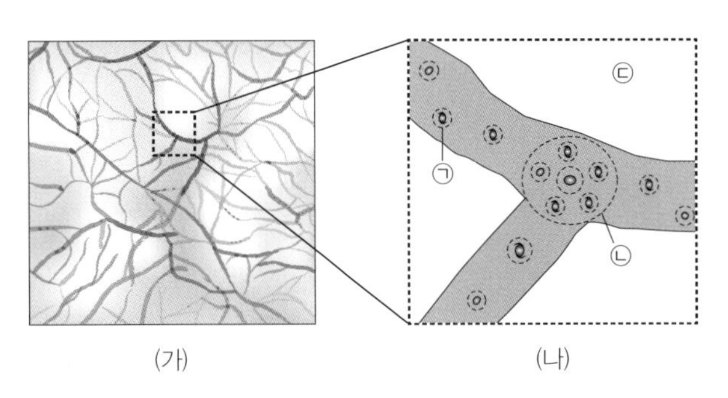

(가) (나)

이 자료에 대한 설명으로 옳은 것만을 <보기>에서 있는 대로 고른 것은?

보기

ㄱ. $\frac{\text{㉠의 보통 물질 평균 밀도}}{\text{우주 전체의 보통 물질 평균 밀도}} < 1$이다.
ㄴ. ㉡은 은하단이다.
ㄷ. 우주에서 차지하는 부피는 거대 공동이 은하단보다 크다.

① ㄱ ② ㄷ ③ ㄱ, ㄴ ④ ㄴ, ㄷ ⑤ ㄱ, ㄴ, ㄷ

접근 전략

은하들이 모여 필라멘트 구조(회색 음영)를 형성하며, 그 외에 빈 공간은 거대 공동으로 밀도가 매우 작다는 것을 알아야 한다.

간략 풀이

㉠은 은하, ㉡은 은하단, ㉢은 거대 공동이다.

ㄱ. 은하는 우주 전체의 보통 물질 밀도보다 큰 보통 물질 밀도로 구성된 천체이다.

ㄴ. ㉡은 ㉠(은하) 여러 개가 중력에 묶여 있는 은하단이다.

ㄷ. (가)에서 상대적으로 밝은 거대 공동의 부피는 은하단을 포함하고 있는 어두운색의 필라멘트 구조보다 더 큰 부피를 차지한다.

정답 | ④

닮은 꼴 문제로 유형 익히기

정답과 해설 39쪽

▸24073-0233

그림 (가)는 우주 거대 구조를, (나)는 (가)의 일부 영역을 모식적으로 나타낸 것이다. A와 B는 각각 필라멘트와 거대 공동 중 하나이다.

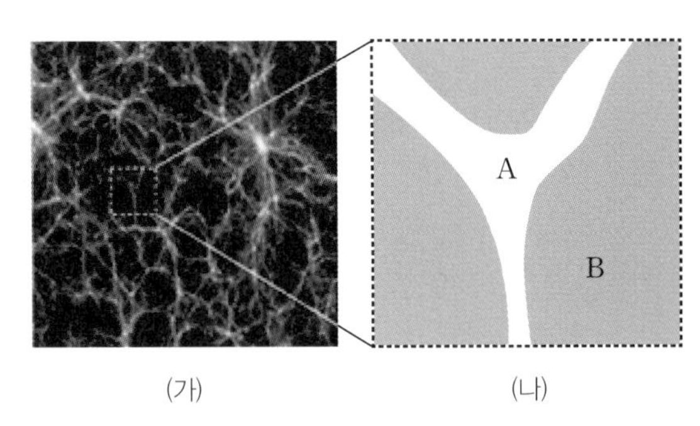

(가) (나)

이에 대한 설명으로 옳은 것만을 <보기>에서 있는 대로 고른 것은?

보기

ㄱ. B는 거대 공동이다.
ㄴ. 은하는 주로 A에 분포한다.
ㄷ. 물질의 평균 밀도는 A가 B보다 크다.

① ㄱ ② ㄷ ③ ㄱ, ㄴ ④ ㄴ, ㄷ ⑤ ㄱ, ㄴ, ㄷ

유사점과 차이점

우주의 거대 구조 중 필라멘트와 거대 공동을 나타낸 점은 대표 문제와 유사하지만, 두 영역을 구분하는 것을 묻는 점에서 대표 문제와 다르다.

배경 지식

- 거대 공동은 천체가 거의 없는 빈 공간이다.
- 은하들은 대부분 필라멘트에 존재한다.

정답과 해설 39쪽

01

▸24073-0234

다음은 은하들의 집단에 대한 학생 A, B, C의 대화를 나타낸 것이다.

제시한 내용이 옳은 학생만을 있는 대로 고른 것은?

① A ② C ③ A, B
④ B, C ⑤ A, B, C

02

▸24073-0235

그림은 국부 은하군을 구성하는 은하들의 위치를 나타낸 것이다.

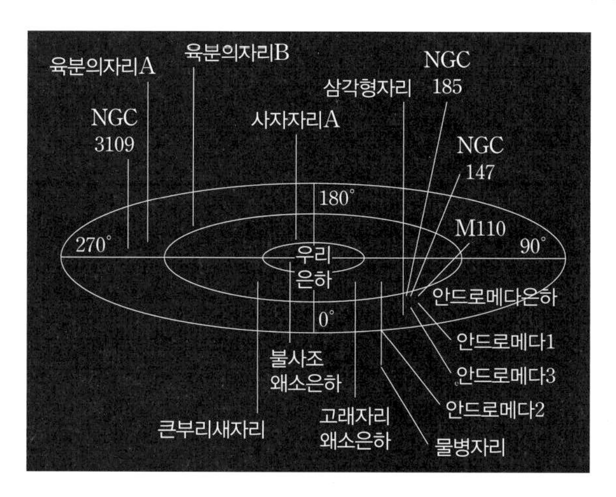

이에 대한 설명으로 옳은 것만을 〈보기〉에서 있는 대로 고른 것은?

〈보기〉
ㄱ. 구성 은하들은 서로 중력으로 묶여 있다.
ㄴ. 우리은하는 국부 은하군의 질량 중심에 위치한다.
ㄷ. 우주 팽창의 영향으로 우리은하와 안드로메다은하는 서로 멀어진다.

① ㄱ ② ㄷ ③ ㄱ, ㄴ
④ ㄴ, ㄷ ⑤ ㄱ, ㄴ, ㄷ

03

▸24073-0236

그림 (가), (나), (다)는 은하, 은하단, 우주 거대 구조를 순서 없이 나타낸 것이다.

(가)

(나)

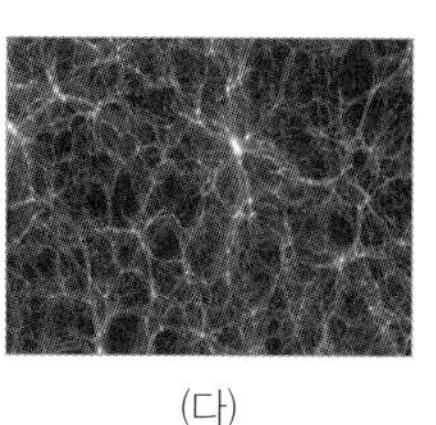
(다)

이에 대한 설명으로 옳은 것만을 〈보기〉에서 있는 대로 고른 것은?

〈보기〉
ㄱ. 공간 규모는 (다) > (가) > (나)이다.
ㄴ. (가)는 구성 요소 간에 중력으로 묶여 있다.
ㄷ. (가), (나), (다)는 모두 우주 팽창에 의해 크기가 커진다.

① ㄱ ② ㄷ ③ ㄱ, ㄴ
④ ㄴ, ㄷ ⑤ ㄱ, ㄴ, ㄷ

04

▸24073-0237

그림 (가)와 (나)는 과거와 현재의 우주 거대 구조를 순서 없이 나타낸 것이다.

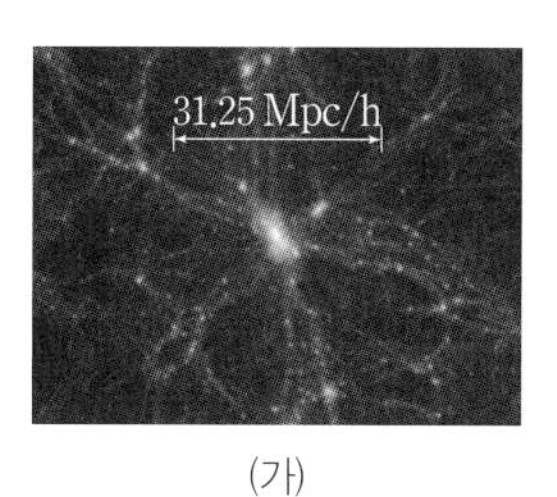

(가)

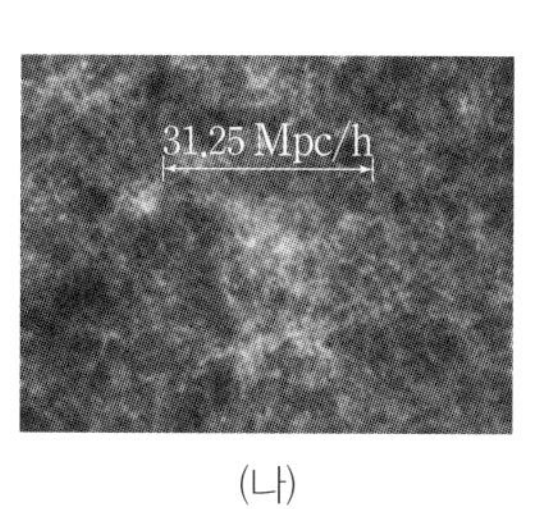

(나)

(가)와 (나)에 대한 설명으로 옳은 것만을 〈보기〉에서 있는 대로 고른 것은? (단, Mpc/h는 길이를 나타내는 단위이다.)

〈보기〉
ㄱ. (가)는 현재의 우주 거대 구조이다.
ㄴ. 필라멘트 구조는 (가)가 (나)보다 뚜렷하다.
ㄷ. (가)와 (나)의 차이를 유발하는 요인 중에 우주 팽창 효과가 포함된다.

① ㄱ ② ㄷ ③ ㄱ, ㄴ
④ ㄴ, ㄷ ⑤ ㄱ, ㄴ, ㄷ

01

▸24073-0238

그림은 우주 거대 구조를 나타낸 것이다. A, B, C는 각각 은하 장성, 필라멘트 구조, 거대 공동 중 하나이다.

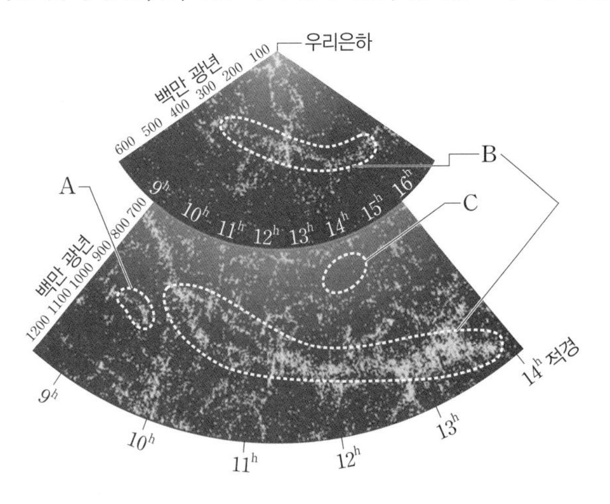

이에 대한 설명으로 옳은 것만을 〈보기〉에서 있는 대로 고른 것은?

보기

ㄱ. A는 필라멘트 구조를 나타낸다.

ㄴ. A, B, C 중 공간 규모가 가장 큰 것은 A이다.

ㄷ. C는 우주 질량의 대부분을 차지한다.

① ㄱ ② ㄴ ③ ㄷ ④ ㄱ, ㄴ ⑤ ㄱ, ㄷ

02

▸24073-0239

그림 (가)는 우주 거대 구조를, (나)는 현재의 우주 배경 복사를 나타낸 것이다. A와 B는 각각 필라멘트 구조, 거대 공동 중 하나이다.

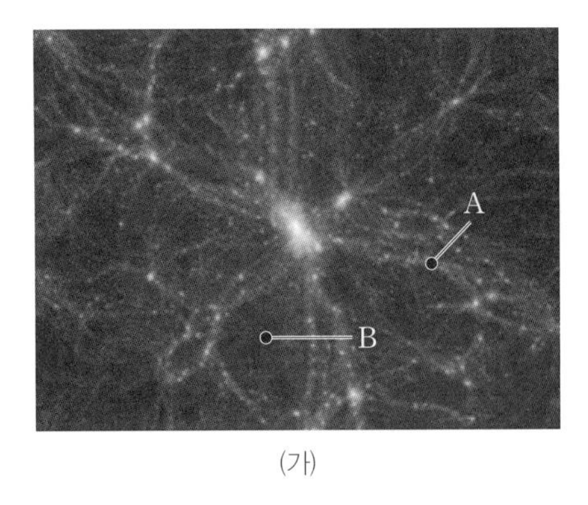

(가)

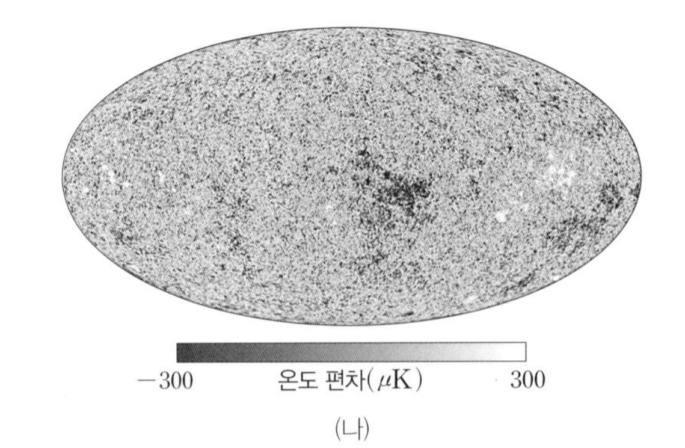

(나)

이에 대한 설명으로 옳은 것만을 〈보기〉에서 있는 대로 고른 것은?

보기

ㄱ. (나)의 온도 편차는 A와 B로 분리되는 원인에 대한 여러 가설 중 하나이다.

ㄴ. 암흑 물질은 A에서가 B에서보다 많다.

ㄷ. 시간이 지날수록 A와 B의 구분이 뚜렷해진다.

① ㄱ ② ㄷ ③ ㄱ, ㄴ ④ ㄴ, ㄷ ⑤ ㄱ, ㄴ, ㄷ

과학탐구영역 **지구과학Ⅱ**

실전 모의고사

실전 모의고사 1회

제한시간 30분 | 배점 50점 | 정답과 해설 40쪽

문항에 따라 배점이 다릅니다. 3점 문항에는 점수가 표시되어 있습니다. 점수 표시가 없는 문항은 모두 2점입니다.

01

▸24073-0240

그림은 지구 대기 중 시간에 따른 산소와 이산화 탄소의 분압 변화를 A와 B로 순서 없이 나타낸 것이다.

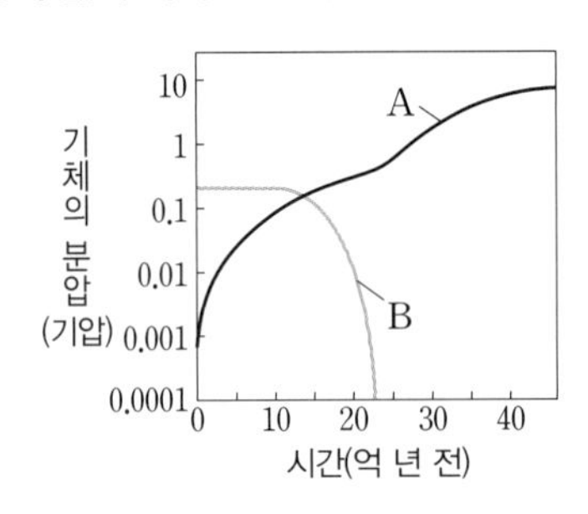

이에 대한 설명으로 옳은 것만을 〈보기〉에서 있는 대로 고른 것은?

> 보기
> ㄱ. 산소는 A이다.
> ㄴ. 시간에 따른 기체의 분압 변화 폭은 A가 B보다 크다.
> ㄷ. 대기 중 오존층의 형성에 대한 기여도는 A가 B보다 크다.

① ㄱ ② ㄴ ③ ㄱ, ㄷ ④ ㄴ, ㄷ ⑤ ㄱ, ㄴ, ㄷ

02

▸24073-0241

그림은 어느 지진의 주시 곡선을, 표는 이 지진에 대해 서로 다른 두 관측소에서 관측한 PS시를 나타낸 것이다. A와 B는 각각 P파와 S파 중 하나이고, P파와 S파의 속도는 각각 일정하다.

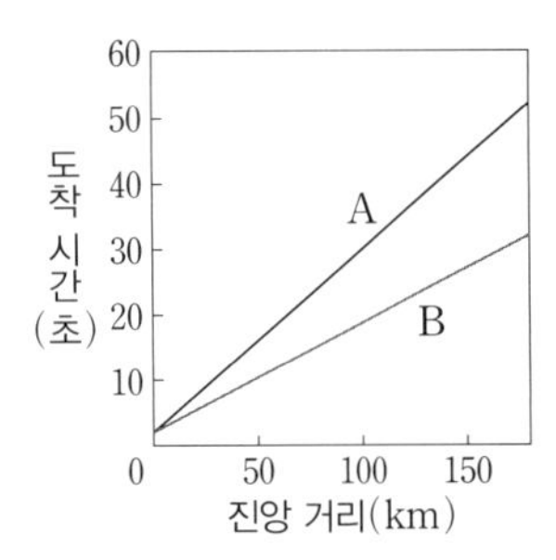

관측소	PS시(초)
㉠	7
㉡	15

이에 대한 설명으로 옳은 것만을 〈보기〉에서 있는 대로 고른 것은? [3점]

> 보기
> ㄱ. 전파 속도는 A가 B보다 빠르다.
> ㄴ. 지진파의 진행 방향과 매질의 진동 방향이 이루는 각은 A가 B보다 크다.
> ㄷ. 관측소 ㉡에서의 진원 거리는 관측소 ㉠에서의 진원 거리의 2배보다 크다.

① ㄱ ② ㄴ ③ ㄱ, ㄷ ④ ㄴ, ㄷ ⑤ ㄱ, ㄴ, ㄷ

03

▸24073-0242

그림 (가)는 지구 자기장의 방향을, (나)는 어느 지역에서 측정한 전 자기력을 나타낸 것이다. ㉠과 ㉡은 서로 수직인 두 방향으로 측정한 지구 자기장의 세기이다.

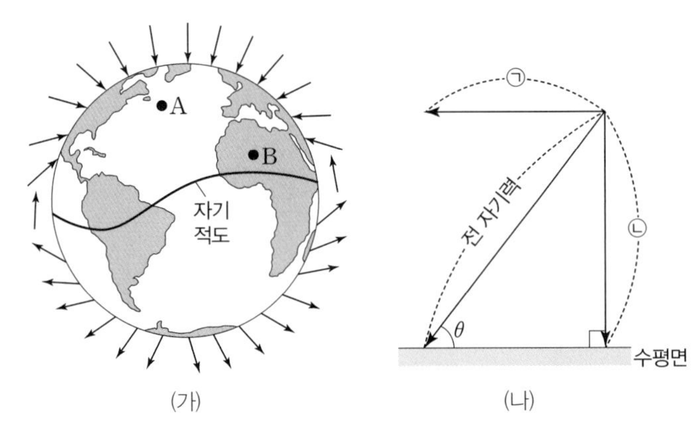

(가) (나)

이에 대한 설명으로 옳은 것만을 〈보기〉에서 있는 대로 고른 것은? [3점]

> 보기
> ㄱ. A 지점에서 복각은 (+)로 표시한다.
> ㄴ. 자기 적도에 가까울수록 θ는 감소한다.
> ㄷ. $\frac{㉡}{㉠}$은 A 지점이 B 지점보다 크다.

① ㄱ ② ㄷ ③ ㄱ, ㄴ ④ ㄴ, ㄷ ⑤ ㄱ, ㄴ, ㄷ

04

▸24073-0243

그림 (가)와 (나)는 어느 암석 박편을 동일한 배율로 개방 니콜과 직교 니콜에서 관찰한 모습을 스케치하여 순서 없이 나타낸 것이다. A와 B는 각각 석영과 흑운모 중 하나이다.

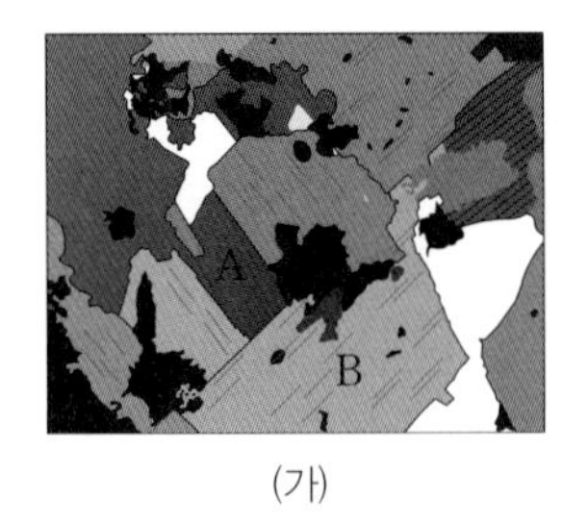

(가)

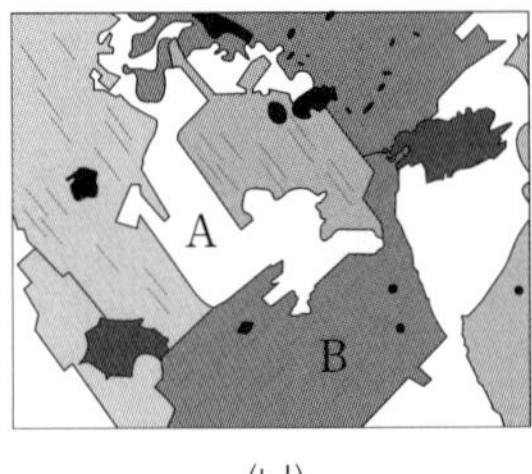

(나)

이에 대한 설명으로 옳은 것만을 〈보기〉에서 있는 대로 고른 것은?

> 보기
> ㄱ. 석영은 A이다.
> ㄴ. 직교 니콜에서 관찰한 모습은 (나)이다.
> ㄷ. B는 광물 내에서 방향에 관계없이 빛의 통과 속도가 일정한 광물이다.

① ㄱ ② ㄷ ③ ㄱ, ㄴ ④ ㄴ, ㄷ ⑤ ㄱ, ㄴ, ㄷ

05

▸24073-0244

그림 (가)와 (나)는 서로 다른 두 화성암의 조직을 편광 현미경으로 관찰한 모습을 스케치하여 순서 없이 나타낸 것이다. (가)와 (나)는 각각 세립질 조직과 조립질 조직 중 하나이다.

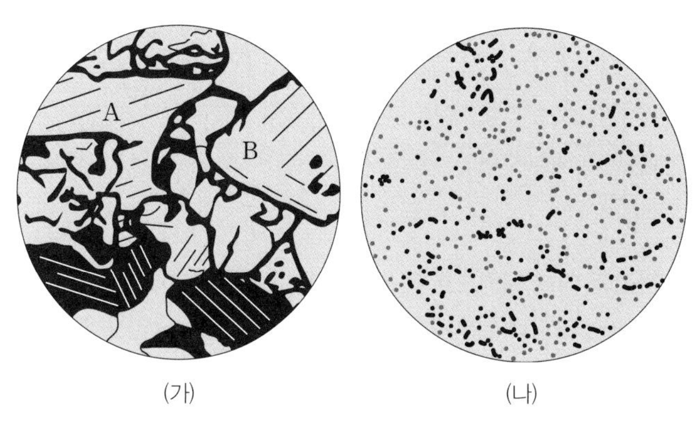

이에 대한 설명으로 옳은 것만을 <보기>에서 있는 대로 고른 것은?

보기
ㄱ. (가)에서 광물의 정출 순서는 A가 B보다 먼저이다.
ㄴ. 암석의 평균 생성 깊이는 (가)보다 (나)가 깊다.
ㄷ. 마그마로부터 암석이 생성되는 속도는 (가)보다 (나)가 빠르다.

① ㄱ ② ㄴ ③ ㄷ
④ ㄱ, ㄷ ⑤ ㄴ, ㄷ

06

▸24073-0245

그림 (가)와 (나)는 서로 다른 두 광물 자원을 나타낸 것이다.

(가) 적철석

(나) 고령토

이에 대한 설명으로 옳은 것만을 <보기>에서 있는 대로 고른 것은?

보기
ㄱ. 제련 과정을 거쳐야 하는 광물 자원은 (가)이다.
ㄴ. (나)는 보크사이트로부터 생성된다.
ㄷ. (가)와 (나)는 모두 풍화 잔류 광상에서 산출될 수 있다.

① ㄱ ② ㄴ ③ ㄱ, ㄷ
④ ㄴ, ㄷ ⑤ ㄱ, ㄴ, ㄷ

07

▸24073-0246

그림은 어느 지역의 지질도이다.

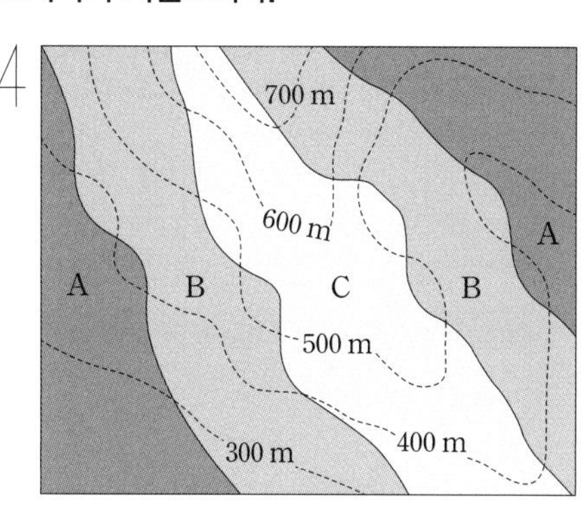

이에 대한 설명으로 옳은 것만을 <보기>에서 있는 대로 고른 것은? [3점]

보기
ㄱ. 향사 구조가 나타난다.
ㄴ. B층의 경사 방향은 남동쪽이다.
ㄷ. 가장 오래된 지층은 C이다.

① ㄱ ② ㄷ ③ ㄱ, ㄴ
④ ㄴ, ㄷ ⑤ ㄱ, ㄴ, ㄷ

08

▸24073-0247

그림은 바람이 일정한 방향으로 지속적으로 부는 어느 해역의 에크만 나선을 나타낸 것이다.

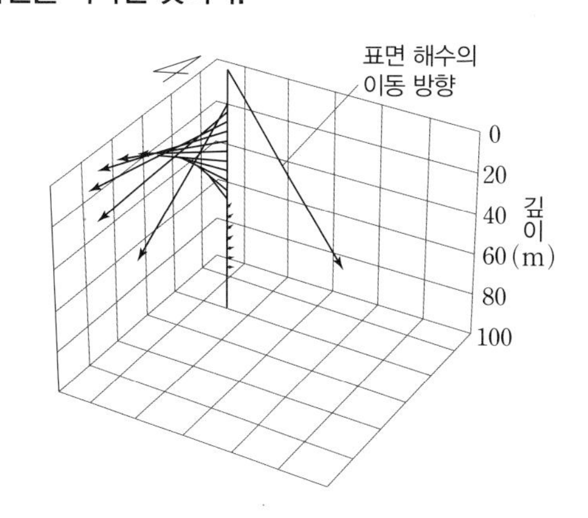

이에 대한 설명으로 옳은 것만을 <보기>에서 있는 대로 고른 것은? [3점]

보기
ㄱ. 해수면 위의 바람 방향은 서 → 동이다.
ㄴ. 에크만 수송은 남쪽에서 북쪽으로 나타난다.
ㄷ. 풍속이 같을 때 마찰 저항 심도는 전향력이 약할수록 깊어진다.

① ㄱ ② ㄴ ③ ㄱ, ㄷ
④ ㄴ, ㄷ ⑤ ㄱ, ㄴ, ㄷ

09

▸24073-0248

그림 (가)와 (나)는 지형류 평형 상태인 위도가 서로 다른 두 해역의 모습을 나타낸 것이다. 두 해역에서 중력 가속도와 해수의 밀도는 동일하다.

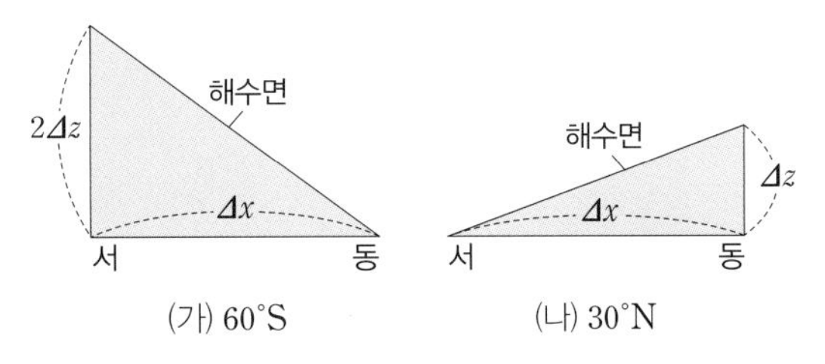

이에 대한 설명으로 옳은 것만을 〈보기〉에서 있는 대로 고른 것은? [3점]

보기

ㄱ. 수평 수압 경도력은 (가)가 (나)의 2배이다.

ㄴ. 지형류에 작용하는 전향력은 (가)보다 (나)에서 크다.

ㄷ. $\frac{\text{(가)에서의 지형류 유속}}{\text{(나)에서의 지형류 유속}}$은 $\frac{\sqrt{3}}{2}$이다.

① ㄱ ② ㄴ ③ ㄱ, ㄷ ④ ㄴ, ㄷ ⑤ ㄱ, ㄴ, ㄷ

10

▸24073-0249

그림은 해파의 파장에 따른 속력을 나타낸 것이다. 해파 A, B, C가 나타나는 지역의 중력 가속도는 같다.

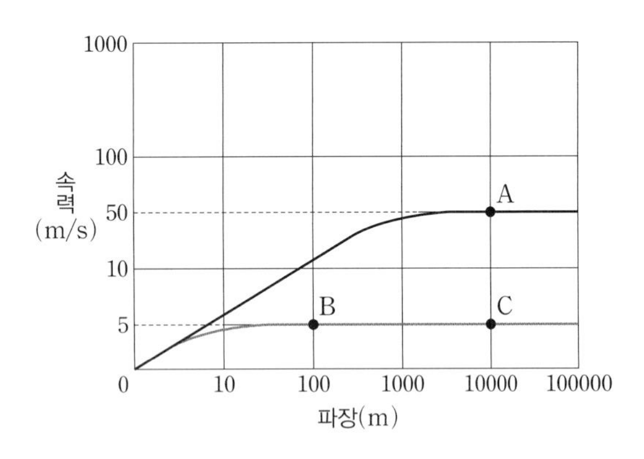

해파 A, B, C에 대한 설명으로 옳은 것만을 〈보기〉에서 있는 대로 고른 것은? [3점]

보기

ㄱ. 해파의 수심은 A가 C의 10배이다.

ㄴ. 해파의 주기가 가장 긴 해파는 B이다.

ㄷ. C는 수심이 깊어질수록 물 입자 운동 궤도의 $\frac{\text{긴반지름}}{\text{짧은반지름}}$은 커진다.

① ㄱ ② ㄷ ③ ㄱ, ㄴ ④ ㄴ, ㄷ ⑤ ㄱ, ㄴ, ㄷ

11

▸24073-0250

그림 (가)와 (나)는 서로 다른 두 지역에서 관측한 시간에 따른 해수면의 높이 변화를 나타낸 것이다.

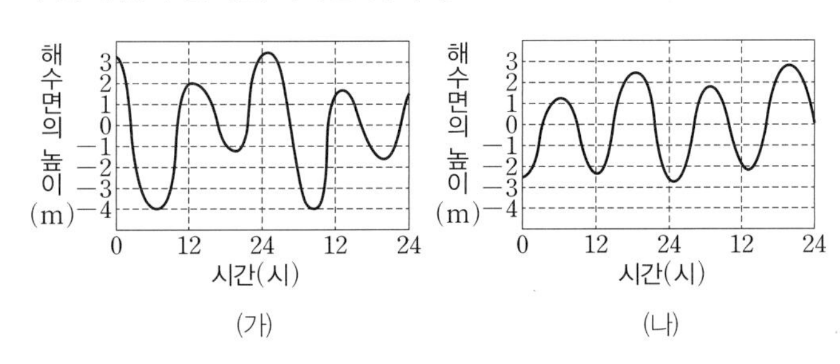

이 자료에 대한 설명으로 옳은 것만을 〈보기〉에서 있는 대로 고른 것은? (단, 태양과 달의 기조력 이외의 조석 변동 요인은 고려하지 않는다.)

보기

ㄱ. 위도는 (가)보다 (나)가 낮다.

ㄴ. 조석 주기는 (가)와 (나)가 거의 같다.

ㄷ. 조차의 변화 폭은 (가)보다 (나)가 작다.

① ㄱ ② ㄷ ③ ㄱ, ㄴ ④ ㄴ, ㄷ ⑤ ㄱ, ㄴ, ㄷ

12

▸24073-0251

표는 어느 공기 덩어리가 A 지점에서 출발하여 산 정상인 D 지점을 넘어 반대편인 F 지점까지 이동할 때의 기온과 이슬점을 나타낸 것이다. 이 공기 덩어리가 산을 오르는 과정에서 구름이 생성되어 비가 내렸다.

지점	높이(m)	기온(℃)	이슬점(℃)
A	0	24	12
B	800	16	㉢
C	㉠	7	7
D	2500	4	4
E	㉡	11	㉣
F	0	29	9

이에 대한 설명으로 옳은 것만을 〈보기〉에서 있는 대로 고른 것은? (단, 건조 단열 감률은 10 ℃/km, 습윤 단열 감률은 5 ℃/km, 이슬점 감률은 2 ℃/km이다.) [3점]

보기

ㄱ. ㉠<㉡이다.

ㄴ. ㉢은 ㉣의 2배보다 작다.

ㄷ. $\frac{\text{A∼D 구간에서의 상대 습도 변화 폭}}{\text{D∼F 구간에서의 상대 습도 변화 폭}}$은 1보다 작다.

① ㄱ ② ㄴ ③ ㄷ ④ ㄱ, ㄴ ⑤ ㄴ, ㄷ

13

▸24073-0252

그림은 동일한 위도에서 부는 서로 다른 세 종류의 바람 (가), (나), (다) 특징을 순서 없이 나타낸 것이다.

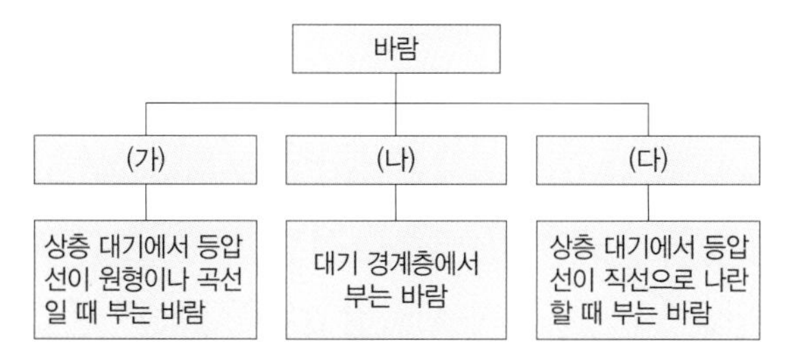

바람 (가), (나), (다)에 대한 설명으로 옳은 것만을 〈보기〉에서 있는 대로 고른 것은?

보기

ㄱ. 기압 경도력이 같을 때 중심부가 저기압인 (가)는 (다)보다 풍속이 느리다.
ㄴ. (나)는 바람과 등압선이 이루는 각이 커질수록 풍속이 빠르다.
ㄷ. 바람에 작용하는 힘의 종류는 (나)가 (다)보다 많다.

① ㄱ ② ㄴ ③ ㄱ, ㄷ
④ ㄴ, ㄷ ⑤ ㄱ, ㄴ, ㄷ

14

▸24073-0253

그림 (가)와 (나)는 해륙풍이 부는 어느 해안 지역에서 하루 중 서로 다른 두 시간대에 관측한 지표 부근의 바람 분포를 나타낸 것이다. A와 B는 각각 육지와 바다 중 하나이다.

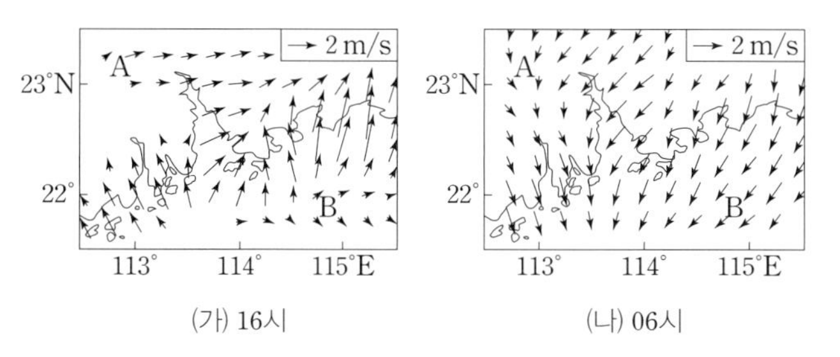

(가) 16시 (나) 06시

A가 B보다 큰 값을 갖는 것만을 〈보기〉에서 있는 대로 고른 것은? [3점]

보기

ㄱ. (가)의 대기 순환에서 높이에 따른 기압 변화(폭)
ㄴ. (나)에서 지표 부근의 평균 기온
ㄷ. 지표 부근에서 기온의 일교차

① ㄱ ② ㄷ ③ ㄱ, ㄴ
④ ㄴ, ㄷ ⑤ ㄱ, ㄴ, ㄷ

15

▸24073-0254

그림은 춘분날 자정에 위도 30°N인 지역에서 관측한 별 A, B, C를 지평 좌표계에 나타낸 것이다. 방위각은 북점을 기준으로 측정한다.

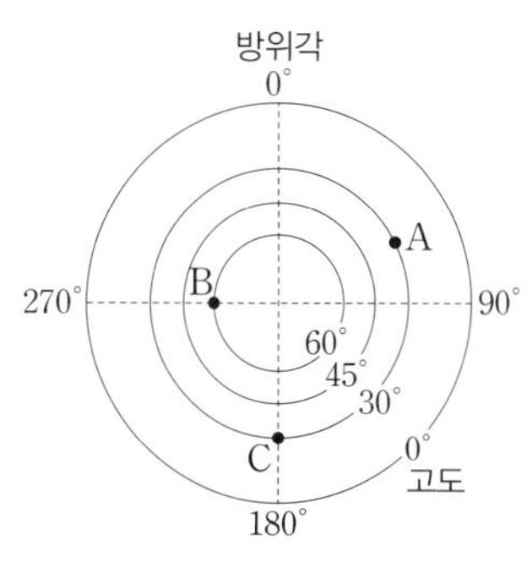

이에 대한 설명으로 옳은 것만을 〈보기〉에서 있는 대로 고른 것은?

보기

ㄱ. 적경은 A가 B보다 크다.
ㄴ. C는 천구의 적도에 위치한다.
ㄷ. 천구의 북극의 고도는 30°이다.

① ㄱ ② ㄴ ③ ㄱ, ㄷ
④ ㄴ, ㄷ ⑤ ㄱ, ㄴ, ㄷ

16

▸24073-0255

그림은 어느 해 우리나라에서 관측한 서로 다른 두 행성 A와 B의 뜨는 시각을 순서 없이 나타낸 것이다. A와 B는 각각 내행성과 외행성 중 하나이다.

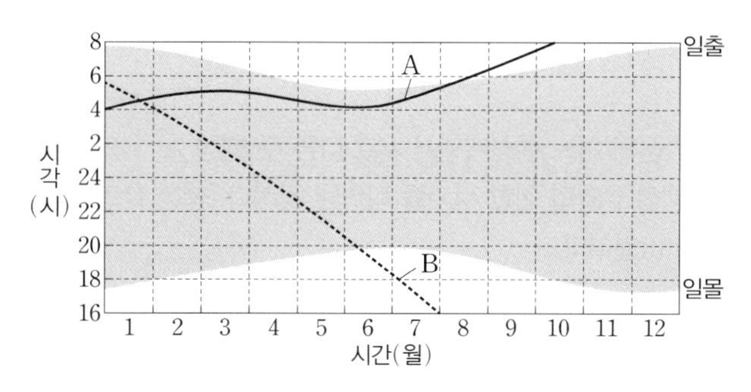

이 자료에 대한 설명으로 옳은 것만을 〈보기〉에서 있는 대로 고른 것은? [3점]

보기

ㄱ. 8월에 A는 내합에 위치한다.
ㄴ. B를 관측할 수 있는 시간은 3월이 6월보다 길다.
ㄷ. 4월에 A와 B는 모두 새벽에 동쪽 하늘에서 관측할 수 있는 시기가 있다.

① ㄱ ② ㄷ ③ ㄱ, ㄴ
④ ㄴ, ㄷ ⑤ ㄱ, ㄴ, ㄷ

정답과 해설 40쪽

17

▸24073-0256

그림 (가)와 (나)는 서로 다른 두 우주관에서 태양, 지구, 금성의 위치를 순서 없이 나타낸 것이다.

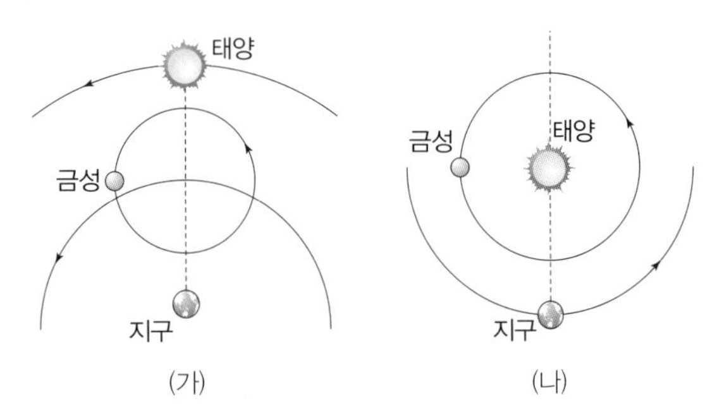

이에 대한 설명으로 옳은 것만을 〈보기〉에서 있는 대로 고른 것은?

보기
ㄱ. 우주관의 출현 순서는 (가)보다 (나)가 먼저이다.
ㄴ. 금성의 시지름 변화 폭은 (가)보다 (나)가 크다.
ㄷ. (가)와 (나)는 모두 행성의 적경이 감소하는 시기가 나타난다.

① ㄱ ② ㄷ ③ ㄱ, ㄴ
④ ㄴ, ㄷ ⑤ ㄱ, ㄴ, ㄷ

18

▸24073-0257

표는 가상의 어느 행성계에서 서로 다른 두 행성 A, B의 공전 주기와 행성 P와의 회합 주기를 나타낸 것이다. 행성 P의 공전 주기는 300일이다.

행성	공전 주기(일)	회합 주기(일)
A	100	㉠
B	㉡	900

이에 대한 설명으로 옳은 것만을 〈보기〉에서 있는 대로 고른 것은?

보기
ㄱ. ㉠은 150이다.
ㄴ. $\frac{\text{내행성일 때 ㉡}}{\text{외행성일 때 ㉡}} > 1$이다.
ㄷ. 행성의 공전 각속도 차가 클수록 회합 주기는 길어진다.

① ㄱ ② ㄷ ③ ㄱ, ㄴ
④ ㄴ, ㄷ ⑤ ㄱ, ㄴ, ㄷ

19

▸24073-0258

그림 (가)는 종족 Ⅰ 세페이드 변광성의 주기 – 광도 관계를, (나)는 서로 다른 두 종족 Ⅰ 세페이드 변광성 A와 B의 시간에 따른 겉보기 등급 변화를 나타낸 것이다.

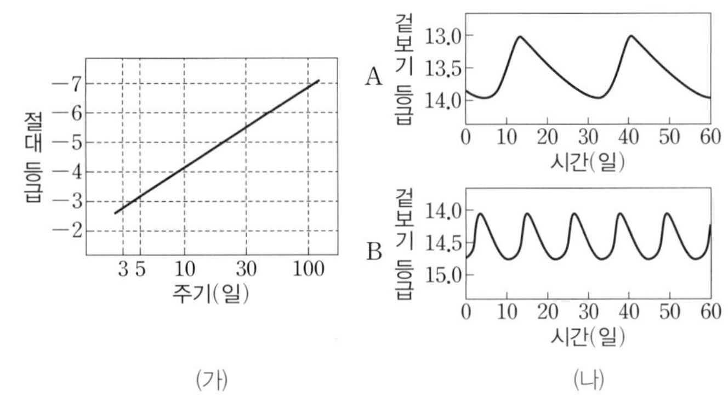

A가 B보다 큰 값을 갖는 것만을 〈보기〉에서 있는 대로 고른 것은? [3점]

보기
ㄱ. 변광 주기
ㄴ. 절대 등급
ㄷ. 지구로부터의 거리

① ㄱ ② ㄴ ③ ㄱ, ㄷ
④ ㄴ, ㄷ ⑤ ㄱ, ㄴ, ㄷ

20

▸24073-0259

그림 (가)와 (나)는 각각 처녀자리 은하단과 처녀자리 초은하단의 모습을 나타낸 것이다.

(가)

(나)

이에 대한 설명으로 옳은 것만을 〈보기〉에서 있는 대로 고른 것은?

보기
ㄱ. (가)는 (나)에 속해 있다.
ㄴ. (가)와 (나)에는 모두 암흑 물질이 존재한다.
ㄷ. 구성 천체들이 중력적으로 묶여 있는 집단은 (가)이다.

① ㄱ ② ㄷ ③ ㄱ, ㄴ
④ ㄴ, ㄷ ⑤ ㄱ, ㄴ, ㄷ

실전 모의고사 2회

제한시간 30분 | 배점 50점 | 정답과 해설 44쪽

문항에 따라 배점이 다릅니다. 3점 문항에는 점수가 표시되어 있습니다. 점수 표시가 없는 문항은 모두 2점입니다.

01

▸24073-0260

그림 (가)는 어느 지진에 의해 발생한 지진파의 전파 경로와 관측소 A, B, C의 위치를, (나)는 A, B, C 중 어느 한 곳에서 관측된 지진 기록을 나타낸 것이다.

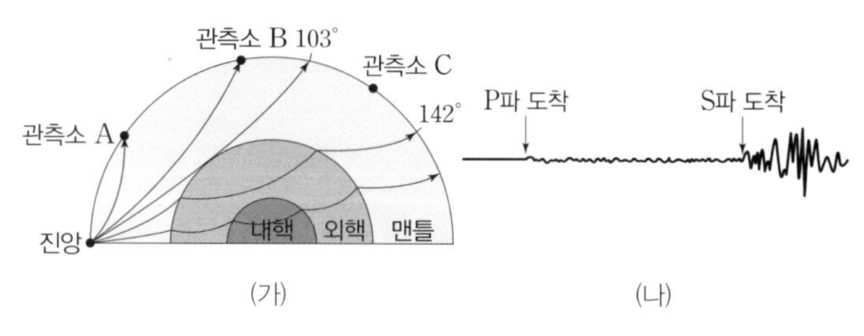

(가) (나)

이에 대한 설명으로 옳은 것만을 〈보기〉에서 있는 대로 고른 것은?

보기

ㄱ. (나)는 C의 자료이다.
ㄴ. P파는 A보다 B에서 먼저 기록되었다.
ㄷ. 외핵과 내핵의 경계에서는 지진파의 속도가 불연속적으로 변한다.

① ㄱ ② ㄷ ③ ㄱ, ㄴ
④ ㄴ, ㄷ ⑤ ㄱ, ㄴ, ㄷ

02

▸24073-0261

그림은 어느 지역에서 측정한 지하 물질에 의한 중력 이상 분포를 나타낸 것이다.

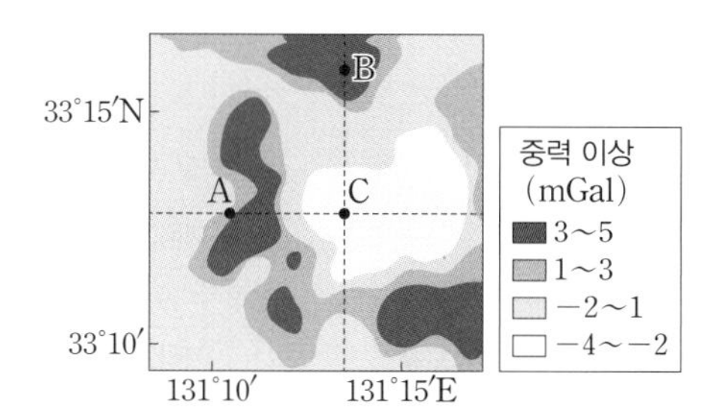

이에 대한 설명으로 옳은 것만을 〈보기〉에서 있는 대로 고른 것은? (단, 이 지역의 해발 고도는 동일하다.) [3점]

보기

ㄱ. 표준 중력은 A가 B보다 크다.
ㄴ. 동일한 단진자의 진동 주기는 A가 C보다 짧다.
ㄷ. 지하 물질의 평균 밀도는 A가 C보다 크다.

① ㄱ ② ㄴ ③ ㄱ, ㄷ
④ ㄴ, ㄷ ⑤ ㄱ, ㄴ, ㄷ

03

▸24073-0262

그림 (가)는 지구 자기장의 모습을, (나)는 A와 B 지역 중 어느 한 지역에서의 자기력선을 나타낸 것이다.

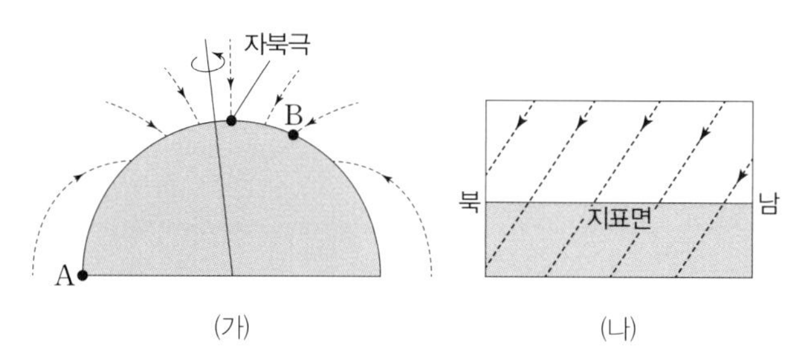

(가) (나)

이에 대한 설명으로 옳은 것만을 〈보기〉에서 있는 대로 고른 것은?

보기

ㄱ. (나)는 A의 자료이다.
ㄴ. 복각은 A가 B보다 작다.
ㄷ. 연직 자기력은 A가 B보다 크다.

① ㄱ ② ㄴ ③ ㄱ, ㄷ
④ ㄴ, ㄷ ⑤ ㄱ, ㄴ, ㄷ

04

▸24073-0263

그림은 어느 지각 평형설을 설명하는 모형을 나타낸 것이다. 지각 평형설은 에어리의 지각 평형설과 프래트의 지각 평형설 중 하나이다.

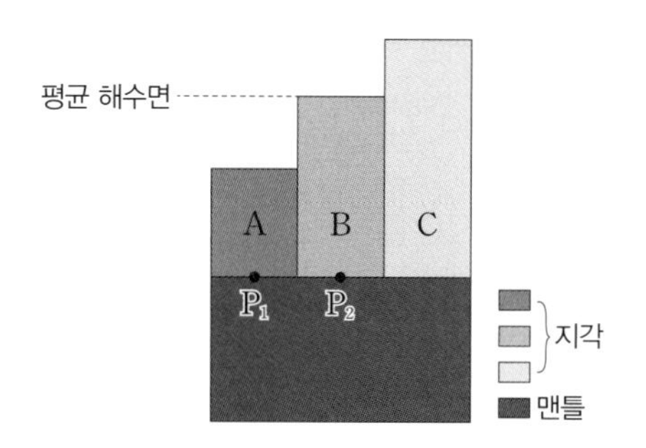

이에 대한 설명으로 옳은 것만을 〈보기〉에서 있는 대로 고른 것은?

보기

ㄱ. 밀도는 A, B, C 중에서 A가 가장 작다.
ㄴ. P_1과 P_2 지점에서의 압력은 같다.
ㄷ. 프래트의 지각 평형설에 해당한다.

① ㄱ ② ㄷ ③ ㄱ, ㄴ
④ ㄴ, ㄷ ⑤ ㄱ, ㄴ, ㄷ

05

▸24073-0264

다음은 편광 현미경을 이용하여 흑운모와 석영을 관찰하는 실험이다.

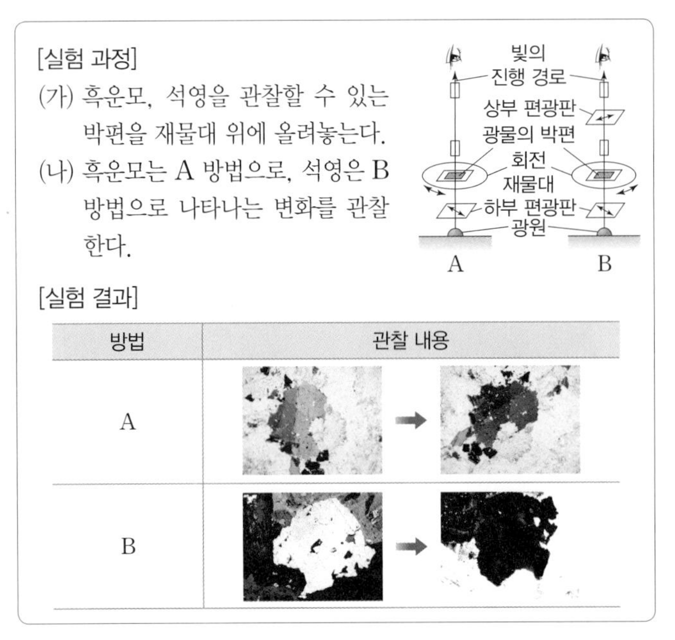

이에 대한 설명으로 옳은 것만을 〈보기〉에서 있는 대로 고른 것은? [3점]

보기
ㄱ. 흑운모에서 다색성을 확인할 수 있다.
ㄴ. B 방법으로 소광 현상을 확인할 수 있다.
ㄷ. 석영은 광학적 이방체 광물이다.

① ㄱ ② ㄴ ③ ㄱ, ㄷ ④ ㄴ, ㄷ ⑤ ㄱ, ㄴ, ㄷ

06

▸24073-0265

그림 (가)는 해양 에너지 자원을 이용한 발전 방식을, (나)는 (가)의 A와 B를 이용하기 유리한 지역을 각각 ㉠과 ㉡으로 순서 없이 나타낸 것이다. A와 B는 조력 발전과 조류 발전 방식 중 하나이다.

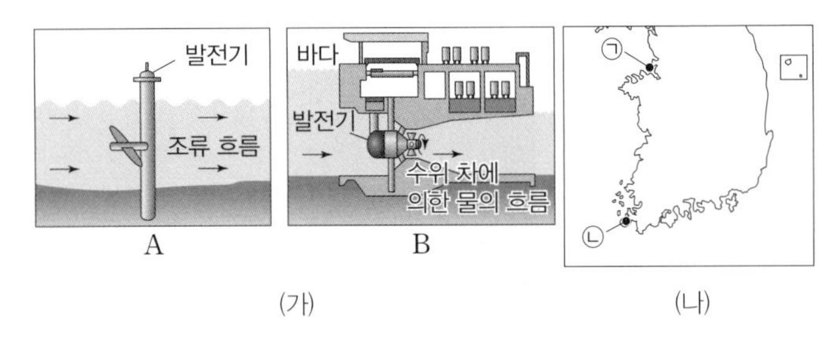

(가) (나)

이에 대한 설명으로 옳은 것만을 〈보기〉에서 있는 대로 고른 것은?

보기
ㄱ. A는 ㉠에서 유리하다.
ㄴ. B는 해수의 위치 에너지를 이용한다.
ㄷ. A와 B는 재생 가능한 에너지를 이용한다.

① ㄱ ② ㄷ ③ ㄱ, ㄴ ④ ㄴ, ㄷ ⑤ ㄱ, ㄴ, ㄷ

07

▸24073-0266

다음은 어느 지역을 조사한 보고서이다. 그림 (가)와 (나)는 각각 A와 B 지역에서 발견되는 암석의 박편 사진과 특징을 순서 없이 나타낸 것이다.

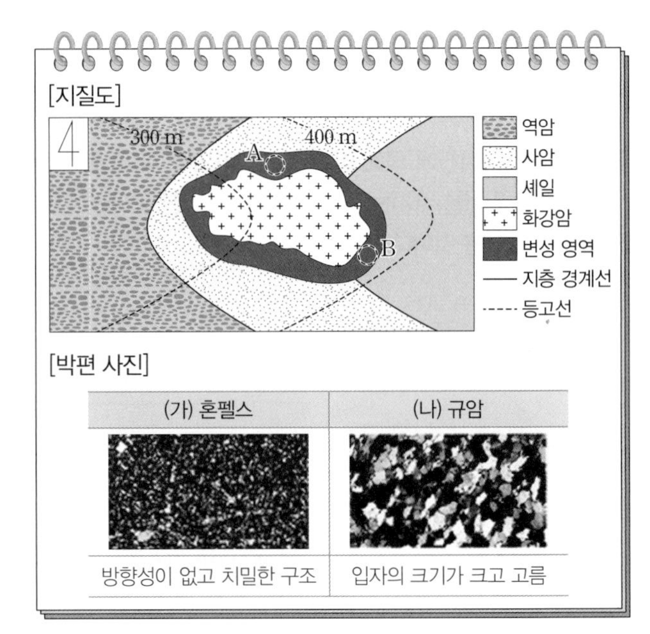

이에 대한 설명으로 옳은 것만을 〈보기〉에서 있는 대로 고른 것은? [3점]

보기
ㄱ. 사암층의 주향은 EW이다.
ㄴ. B 지역은 접촉 변성 작용을 받았다.
ㄷ. A 지역에서는 (나)를 관찰할 수 있다.

① ㄱ ② ㄴ ③ ㄱ, ㄷ ④ ㄴ, ㄷ ⑤ ㄱ, ㄴ, ㄷ

08

▸24073-0267

그림은 우리나라에서 생성 시기가 다른 화성암 A와 B의 분포를, 표는 지질 시대에 한반도에서 일어난 지각 변동의 시기를 나타낸 것이다.

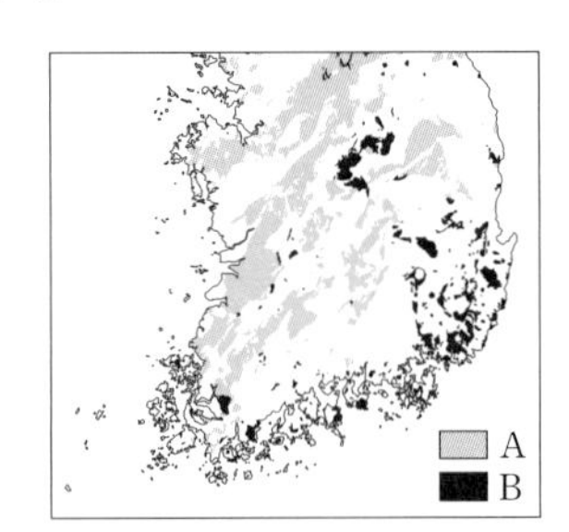

지질 시대	지각 변동
페름기	송림 변동
트라이아스기	
쥐라기	㉠
백악기	㉡
팔레오기	

이에 대한 설명으로 옳은 것만을 〈보기〉에서 있는 대로 고른 것은? [3점]

보기
ㄱ. A는 B보다 먼저 생성되었다.
ㄴ. ㉠은 대보 조산 운동이다.
ㄷ. B는 ㉡에 의해 생성되었다.

① ㄱ ② ㄷ ③ ㄱ, ㄴ ④ ㄴ, ㄷ ⑤ ㄱ, ㄴ, ㄷ

09

▸24073-0268

그림 (가)는 어느 시기에 지형류가 흐르는 해역의 해수면 높이와 관측 구간을, (나)는 A와 B 구간에서 측정한 수온의 연직 분포를 나타낸 것이다.

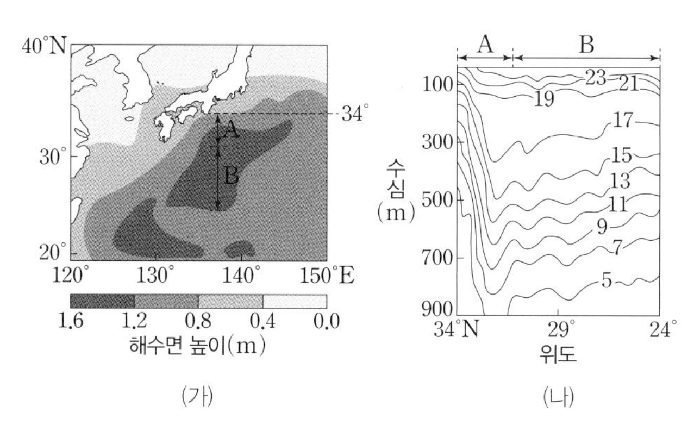

이에 대한 설명으로 옳은 것만을 〈보기〉에서 있는 대로 고른 것은?

보기

ㄱ. 평균 수평 수압 경도력은 A가 B보다 크다.
ㄴ. 0~500 m 구간에서 평균 수온 변화율은 34°N이 29°N 보다 작다.
ㄷ. A에 흐르는 지형류에 작용하는 전향력의 방향은 북쪽이다.

① ㄱ ② ㄷ ③ ㄱ, ㄴ ④ ㄴ, ㄷ ⑤ ㄱ, ㄴ, ㄷ

10

▸24073-0269

표는 서로 다른 종류의 해파 (가)와 (나)가 진행할 때, 각 해파의 수심과 파장을 나타낸 것이다. (가)와 (나)는 각각 천해파와 심해파 중 하나이다.

해파	파장	수심
(가)	1000 m	600 m
(나)	500 m	20 m

이에 대한 설명으로 옳은 것만을 〈보기〉에서 있는 대로 고른 것은? (단, 중력 가속도는 일정하다.) [3점]

보기

ㄱ. (가)는 심해파이다.
ㄴ. (나)는 해수 표층에서 물 입자가 원운동을 한다.
ㄷ. $\frac{\text{(나)의 속도}}{\text{(가)의 속도}}$는 1보다 크다.

① ㄱ ② ㄴ ③ ㄱ, ㄷ ④ ㄴ, ㄷ ⑤ ㄱ, ㄴ, ㄷ

11

▸24073-0270

그림 (가)는 위도가 다른 A와 B 지점에서 어느 날 어느 시각에 달의 기조력에 의해 해수면이 부푼 상대적인 모습을, (나)는 (가)의 A와 B 지점에서 관측한 조석 곡선을 ㉠과 ㉡으로 순서 없이 나타낸 것이다.

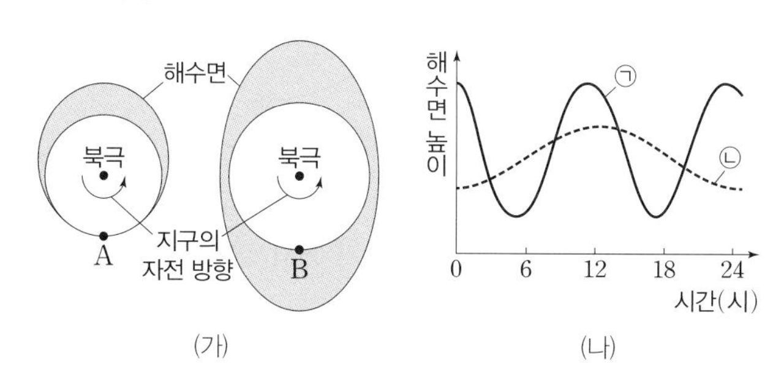

이에 대한 설명으로 옳은 것만을 〈보기〉에서 있는 대로 고른 것은? [3점]

보기

ㄱ. ㉠은 A에서 관측한 것이다.
ㄴ. 조차는 ㉠이 ㉡보다 크다.
ㄷ. B에서는 하루에 만조와 간조가 한 번씩 나타난다.

① ㄱ ② ㄴ ③ ㄱ, ㄷ ④ ㄴ, ㄷ ⑤ ㄱ, ㄴ, ㄷ

12

▸24073-0271

그림은 공기 덩어리 A, B, C가 산을 넘을 때의 이동 경로를, 표는 각각의 공기 덩어리가 ㉠ 지점에 위치할 때의 상승 응결 고도와 ㉠ 지점에서의 기온을 나타낸 것이다.

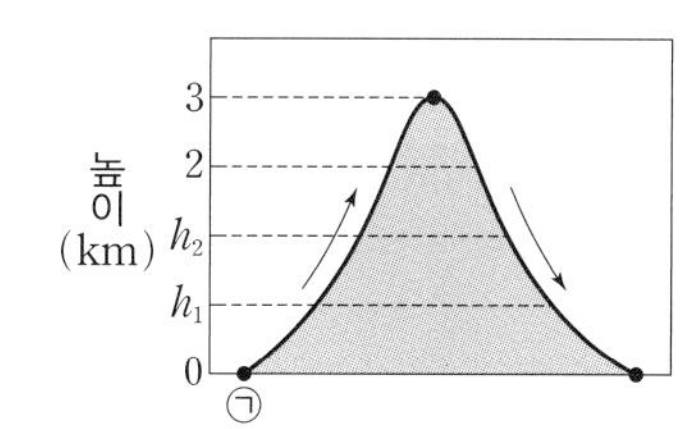

구분	상승 응결 고도	기온
A	h_1	30 ℃
B	h_2	30 ℃
C	2 km	30 ℃

이에 대한 설명으로 옳은 것만을 〈보기〉에서 있는 대로 고른 것은? (단, 건조 단열 감률은 10 ℃/km, 습윤 단열 감률은 5 ℃/km, 이슬점 감률은 2 ℃/km이며, 공기 덩어리가 산을 넘는 동안 응결한 수증기는 모두 비로 내렸다.) [3점]

보기

ㄱ. ㉠ 지점에서 이슬점은 A, B, C 중 A가 가장 높다.
ㄴ. h_1~h_2 구간에서 단열 감률은 A가 B보다 작다.
ㄷ. 높이 3 km에서 C의 기온은 0 ℃이다.

① ㄱ ② ㄷ ③ ㄱ, ㄴ ④ ㄴ, ㄷ ⑤ ㄱ, ㄴ, ㄷ

13

▸24073-0272

그림은 북반구 중위도 지역의 500 hPa 등압면의 등고선 일부를 나타낸 것이다. 지점 A, B는 500 hPa 등압면상에 위치한다.

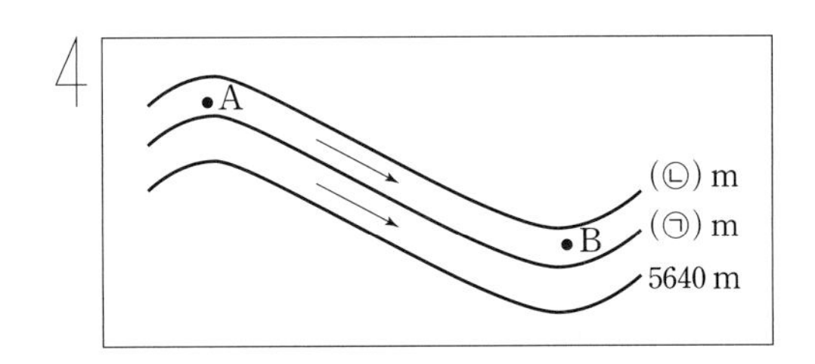

이에 대한 설명으로 옳은 것만을 〈보기〉에서 있는 대로 고른 것은?

보기

ㄱ. ㉠은 ㉡보다 크다.
ㄴ. A에서는 고기압성 경도풍이 분다.
ㄷ. 기압 경도력이 같은 경우, 풍속은 A가 B보다 빠르다.

① ㄱ ② ㄴ ③ ㄱ, ㄷ
④ ㄴ, ㄷ ⑤ ㄱ, ㄴ, ㄷ

14

▸24073-0273

그림은 북반구의 겨울철에 대기 대순환의 연직 단면과 동서 방향의 평균 풍속을 나타낸 것이다. (+)는 서풍, (−)는 동풍이다.

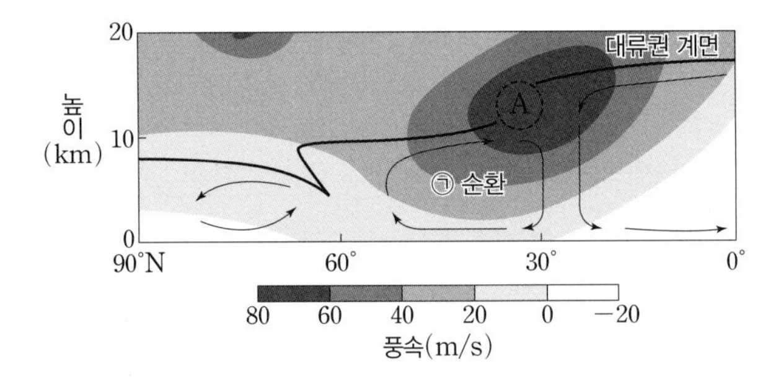

이에 대한 설명으로 옳은 것만을 〈보기〉에서 있는 대로 고른 것은?

보기

ㄱ. ㉠ 순환은 페렐 순환이다.
ㄴ. A에서는 제트류가 나타난다.
ㄷ. 대기 대순환은 지구 규모 순환에 해당한다.

① ㄱ ② ㄷ ③ ㄱ, ㄴ
④ ㄴ, ㄷ ⑤ ㄱ, ㄴ, ㄷ

15

▸24073-0274

그림 (가)의 A와 B는 프톨레마이오스 우주관과 코페르니쿠스 우주관을 순서 없이 나타낸 것이고, (나)는 갈릴레이가 금성을 관측하여 그린 그림의 일부를 나타낸 것이다.

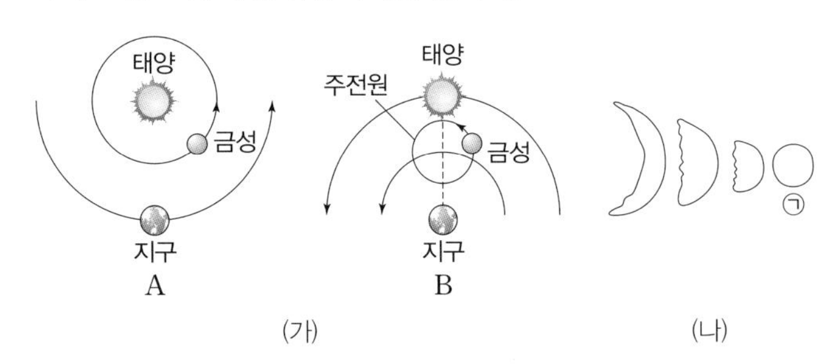

(가) (나)

이에 대한 설명으로 옳은 것만을 〈보기〉에서 있는 대로 고른 것은?

보기

ㄱ. A는 프톨레마이오스 우주관이다.
ㄴ. B는 행성의 역행을 설명할 수 있다.
ㄷ. ㉠과 같은 위상으로 관측되는 금성은 B의 우주관으로 설명할 수 있다.

① ㄱ ② ㄴ ③ ㄱ, ㄷ
④ ㄴ, ㄷ ⑤ ㄱ, ㄴ, ㄷ

16

▸24073-0275

그림 (가)와 (나)는 우리나라의 위도가 다른 두 지역 ㉠과 ㉡에서 동짓날과 하짓날에 측정한 태양 고도의 변화를 순서 없이 나타낸 것이다.

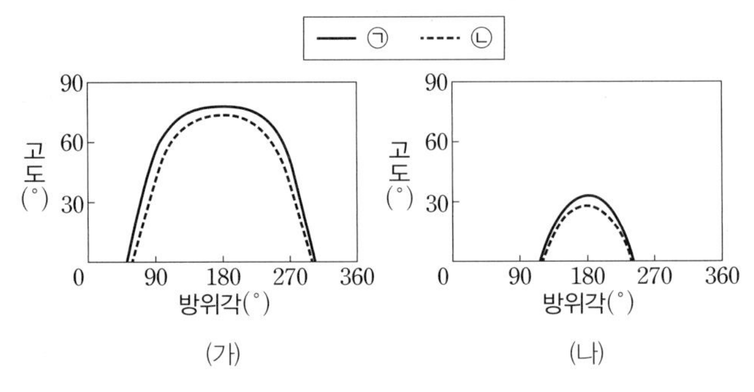

(가) (나)

이에 대한 설명으로 옳은 것만을 〈보기〉에서 있는 대로 고른 것은? (단, 방위각은 북점을 기준으로 측정한다.) [3점]

보기

ㄱ. (가)는 하짓날이다.
ㄴ. 위도는 ㉠이 ㉡보다 낮다.
ㄷ. (나)에서 태양은 남동쪽에서 뜬다.

① ㄱ ② ㄴ ③ ㄱ, ㄷ
④ ㄴ, ㄷ ⑤ ㄱ, ㄴ, ㄷ

17

▸24073-0276

그림은 가상의 태양계 행성 A와 B의 공전 궤도를 나타낸 것이고, 표는 행성 A와 B의 각각의 근일점 거리와 P_1에서 P_2까지, P_3에서 P_4까지 공전하는 데 걸린 시간을 나타낸 것이다.

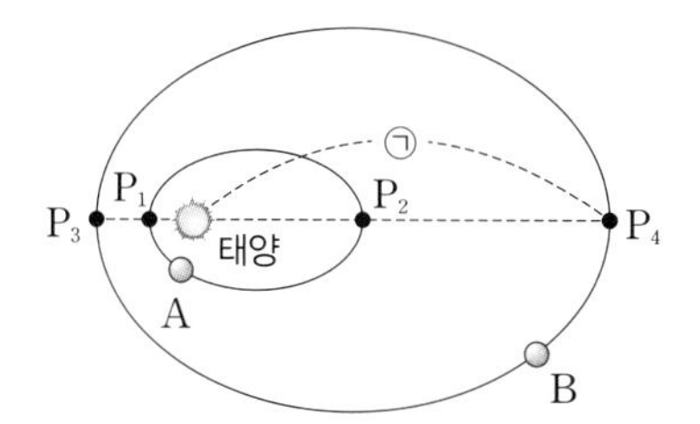

구분	거리 (AU)	시간 (년)
A	1	4
B	3	13.5

이에 대한 설명으로 옳은 것만을 〈보기〉에서 있는 대로 고른 것은? [3점]

보기

ㄱ. ㉠은 15 AU이다.
ㄴ. 행성 A의 공전 속도는 P_2보다 P_1에서 빠르다.
ㄷ. $\frac{\text{A의 공전 궤도 이심률}}{\text{B의 공전 궤도 이심률}}$은 1보다 작다.

① ㄱ ② ㄷ ③ ㄱ, ㄴ
④ ㄴ, ㄷ ⑤ ㄱ, ㄴ, ㄷ

18

▸24073-0277

표는 성간 기체를 온도와 수소의 주요 상태에 따라 구분한 것이다. (가)와 (나)는 각각 H Ⅱ 영역과 분자운 중 하나이다.

구분	온도(K)	수소의 상태
(가)	㉠	분자
H Ⅰ 영역	약 100	㉢
(나)	㉡	이온

제시한 내용이 옳은 학생만을 있는 대로 고른 것은?

① A ② B ③ A, C
④ B, C ⑤ A, B, C

19

▸24073-0278

그림 (가)와 (나)는 어느 산개 성단과 구상 성단의 색등급도를 순서 없이 나타낸 것이고, (다)는 표준 주계열성의 색등급도를 나타낸 것이다.

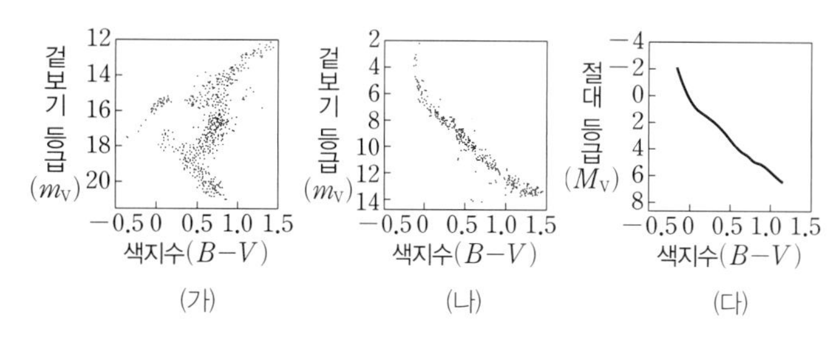

이에 대한 설명으로 옳은 것만을 〈보기〉에서 있는 대로 고른 것은? [3점]

보기

ㄱ. (가)는 구상 성단의 색등급도이다.
ㄴ. 지구에서부터 성단까지의 거리는 (가)의 성단이 (나)의 성단보다 멀다.
ㄷ. 전향점의 절대 등급은 (나)가 (가)보다 작다.

① ㄱ ② ㄴ ③ ㄱ, ㄷ
④ ㄴ, ㄷ ⑤ ㄱ, ㄴ, ㄷ

20

▸24073-0279

그림은 빛을 내는 물질을 관측하여 예측한 우리은하의 회전 속도 곡선과 우리은하의 실제 회전 속도 곡선을 ㉠과 ㉡으로 순서 없이 나타낸 것이다.

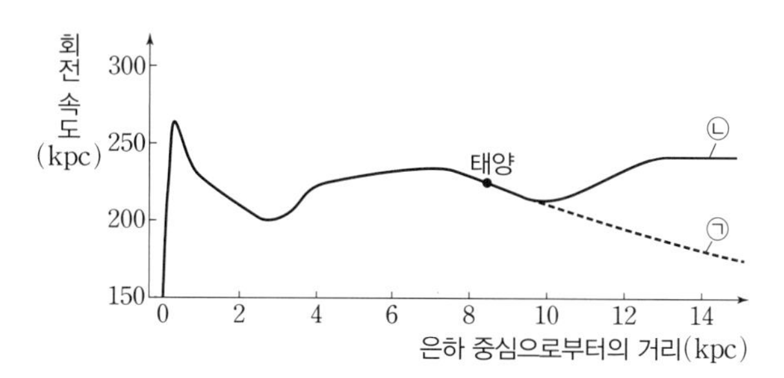

이에 대한 설명으로 옳은 것만을 〈보기〉에서 있는 대로 고른 것은?

보기

ㄱ. ㉠은 우리은하의 실제 회전 곡선이다.
ㄴ. ㉡의 1~2 kpc 구간에서는 강체와 같은 회전을 한다.
ㄷ. ㉡이 ㉠과 차이가 나는 이유는 암흑 물질 때문이다.

① ㄱ ② ㄷ ③ ㄱ, ㄴ
④ ㄴ, ㄷ ⑤ ㄱ, ㄴ, ㄷ

실전 모의고사 3회

(제한시간 30분) (배점 50점) 정답과 해설 47쪽

문항에 따라 배점이 다릅니다. 3점 문항에는 점수가 표시되어 있습니다. 점수 표시가 없는 문항은 모두 2점입니다.

01

▸24073-0280

그림은 해양에서 얻을 수 있는 자원 (가), (나), (다)에 대해 학생 A, B, C가 대화하는 모습을 나타낸 것이다. (가), (나), (다)는 해양 수산 자원, 해양 광물 자원, 해양 에너지 자원 중 하나이다.

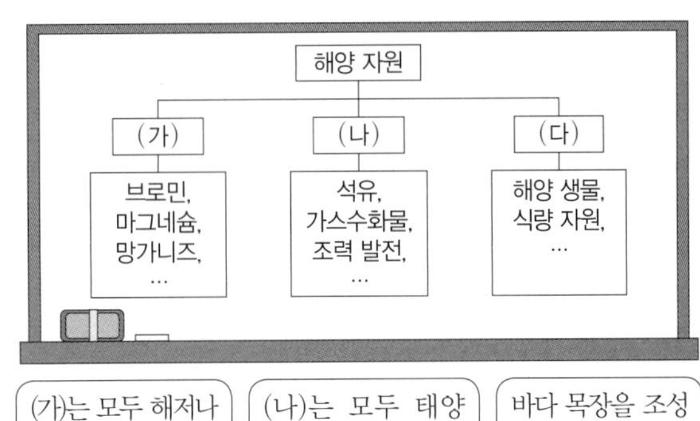

제시한 내용이 옳은 학생만을 있는 대로 고른 것은?

① A ② C ③ A, B ④ B, C ⑤ A, B, C

02

▸24073-0281

그림은 어느 지역의 지하 물질 분포와 중력 이상을 나타낸 것이다. A, B, C 지점은 동일 위도상에 위치한다.

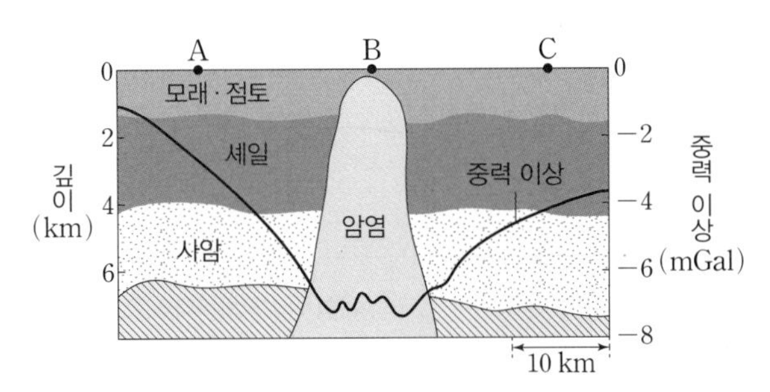

이에 대한 설명으로 옳은 것만을 〈보기〉에서 있는 대로 고른 것은?

보기

ㄱ. A와 B에서 표준 중력은 같다.

ㄴ. 암석의 밀도는 암염이 셰일보다 작다.

ㄷ. 동일한 단진자의 주기는 B보다 C에서 짧다.

① ㄱ ② ㄷ ③ ㄱ, ㄴ ④ ㄴ, ㄷ ⑤ ㄱ, ㄴ, ㄷ

03

▸24073-0282

표는 규산염 광물 A, B, C를 성질에 따라 구분하여 나타낸 것이다. A, B, C는 각각 석영, 각섬석, 흑운모 중 하나이다.

광물	A	B	C
SiO_4 사면체 결합 구조	(㉠)	망상형	( )
결합 구조의 $\frac{\text{Si 원자 수}}{\text{O 원자 수}}$	( )	(㉡)	$\frac{4}{11}$
쪼개짐	한 방향	없음	( )

이에 대한 설명으로 옳은 것만을 〈보기〉에서 있는 대로 고른 것은?

보기

ㄱ. 판상형은 ㉠에 해당한다.

ㄴ. ㉡ $< \frac{4}{11}$이다.

ㄷ. C는 세 방향의 쪼개짐이 나타난다.

① ㄱ ② ㄷ ③ ㄱ, ㄴ
④ ㄴ, ㄷ ⑤ ㄱ, ㄴ, ㄷ

04

▸24073-0283

그림 (가)와 (나)는 동일한 암석 박편을 각각 개방 니콜과 직교 니콜에서 관찰한 모습을 순서 없이 나타낸 것이다.

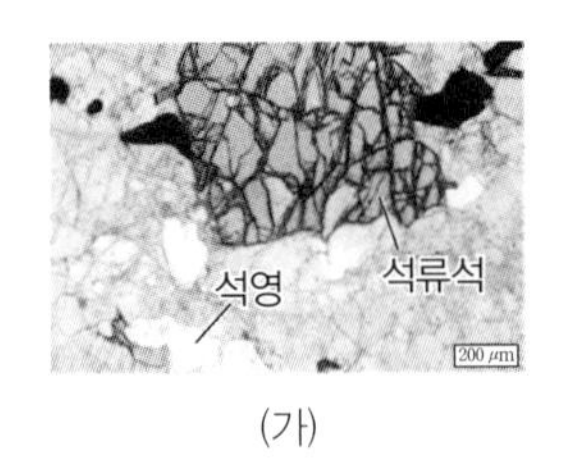

(가)

(나)

이에 대한 설명으로 옳은 것만을 〈보기〉에서 있는 대로 고른 것은?

보기

ㄱ. (가)는 개방 니콜에서 관찰한 것이다.

ㄴ. (나)에서 석류석의 간섭색을 볼 수 있다.

ㄷ. (가)와 (나)에서 보이는 석영의 색은 같은 색이다.

① ㄱ ② ㄷ ③ ㄱ, ㄴ
④ ㄴ, ㄷ ⑤ ㄱ, ㄴ, ㄷ

05

▸24073-0284

그림 (가)는 지진파의 주시 곡선을, (나)는 지구 내부에서 지진파의 전파 경로를 나타낸 것이다. A와 B는 각각 P파와 S파 중 하나이다.

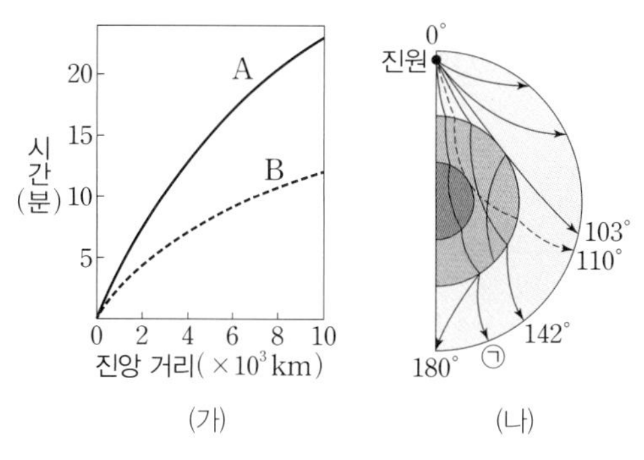

이에 대한 설명으로 옳은 것만을 〈보기〉에서 있는 대로 고른 것은?

보기
ㄱ. 지구 내부에서 전파 속도는 A가 B보다 빠르다.
ㄴ. 지진파가 맨틀에서 외핵으로 전파될 때 속도가 빨라진다.
ㄷ. ㉠에서는 B만 관측된다.

① ㄱ ② ㄷ ③ ㄱ, ㄴ
④ ㄴ, ㄷ ⑤ ㄱ, ㄴ, ㄷ

06

▸24073-0285

그림은 어느 지역의 지질도를 나타낸 것이다.

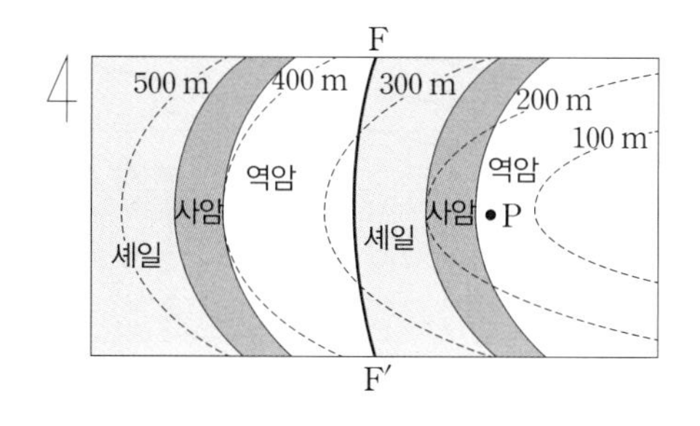

이에 대한 설명으로 옳은 것만을 〈보기〉에서 있는 대로 고른 것은? [3점]

보기
ㄱ. 사암층의 경사 방향은 동쪽이다.
ㄴ. 가장 먼저 퇴적된 지층은 역암층이다.
ㄷ. 단층 F−F′은 정단층이다.

① ㄱ ② ㄴ ③ ㄱ, ㄷ
④ ㄴ, ㄷ ⑤ ㄱ, ㄴ, ㄷ

07

▸24073-0286

그림은 우리나라의 지질 계통 중 일부를 나타낸 것이다. A, B, C는 각각 평안 누층군, 대동 누층군, 경상 누층군 중 하나이다.

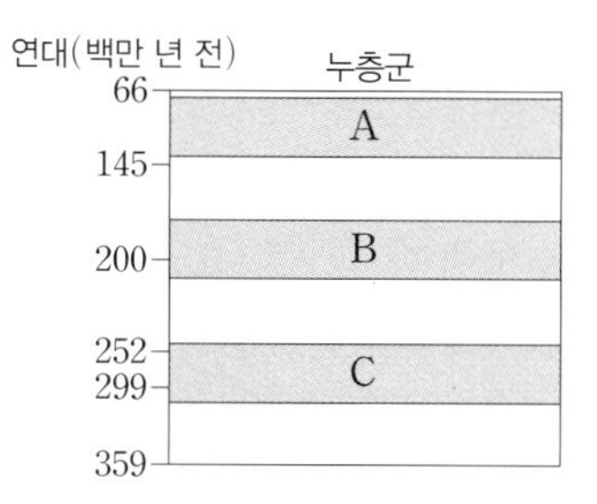

이에 대한 설명으로 옳은 것만을 〈보기〉에서 있는 대로 고른 것은?

보기
ㄱ. A는 대보 조산 운동의 영향을 받지 않았다.
ㄴ. 석탄층은 B와 C에서 나타난다.
ㄷ. C에서는 방추충 화석이 발견된다.

① ㄱ ② ㄷ ③ ㄱ, ㄴ
④ ㄴ, ㄷ ⑤ ㄱ, ㄴ, ㄷ

08

▸24073-0287

그림 (가)와 (나)는 각각 위도 30°N과 45°S인 해역에서 지형류 평형이 이루어진 해수층의 단면을 모식도로 나타낸 것이다. 두 해역에서 해수의 밀도와 중력 가속도는 같다.

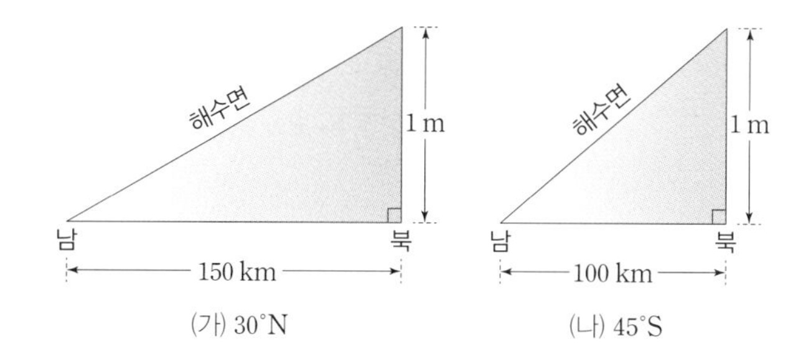

이에 대한 설명으로 옳은 것만을 〈보기〉에서 있는 대로 고른 것은? [3점]

보기
ㄱ. (가)에서 지형류는 동쪽으로 흐른다.
ㄴ. 수압 경도력의 크기는 (나)가 (가)의 1.5배이다.
ㄷ. 지형류의 속력은 (가)가 (나)보다 빠르다.

① ㄱ ② ㄴ ③ ㄷ
④ ㄱ, ㄴ ⑤ ㄴ, ㄷ

09

▸24073-0288

그림은 어느 해역을 전파하는 지진 해일의 모습을 나타낸 것이다. A와 B에서 중력 가속도는 같다.

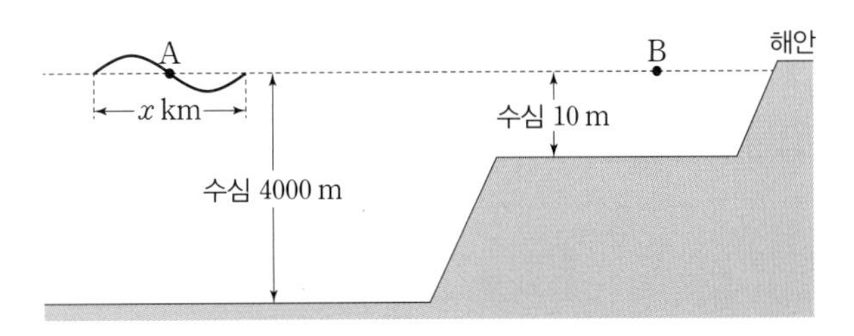

이에 대한 설명으로 옳은 것만을 〈보기〉에서 있는 대로 고른 것은?

보기
ㄱ. x는 80보다 크다.
ㄴ. A 지점의 물 입자는 원운동을 한다.
ㄷ. B 지점을 지날 때 지진 해일의 속력은 A 지점에서의 $\frac{1}{20}$ 이다.

① ㄱ ② ㄴ ③ ㄱ, ㄷ
④ ㄴ, ㄷ ⑤ ㄱ, ㄴ, ㄷ

10

▸24073-0289

그림은 어느 시각에 만조인 A, B 지점의 위치와 기조력에 의해 부푼 해수면의 모습을 나타낸 것이다.

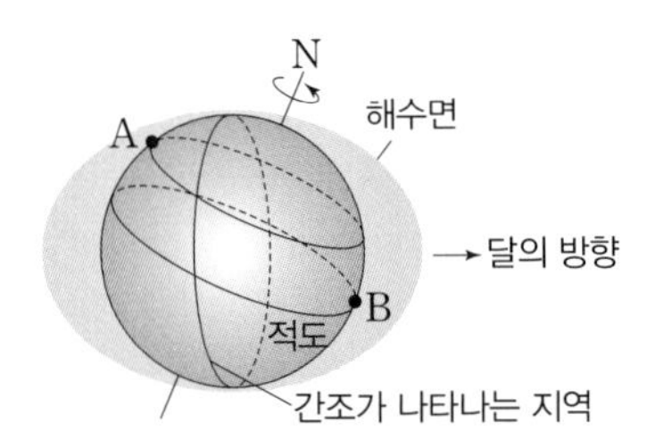

이에 대한 설명으로 옳은 것만을 〈보기〉에서 있는 대로 고른 것은? (단, 달에 의한 기조력 이외의 조석 변동 요인은 고려하지 않는다.) [3점]

보기
ㄱ. 다음 만조 수위는 A가 B보다 낮다.
ㄴ. 다음 간조 때까지 걸리는 시간은 A가 B보다 짧다.
ㄷ. A와 B에서 지구와 달의 공통 질량 중심에 대한 원심력의 크기는 같다.

① ㄱ ② ㄴ ③ ㄱ, ㄷ
④ ㄴ, ㄷ ⑤ ㄱ, ㄴ, ㄷ

11

▸24073-0290

표는 지표면에 있는 공기 덩어리 A와 B의 기온과 이슬점을, 그림은 A와 B가 ㉠ 지점을 출발하여 고도 H km인 산을 넘어 ㉡ 지점까지 이동하는 경로를 나타낸 것이다. h_A, h_B는 각각 A와 B의 상승 응결 고도이고, 산을 넘어갈 때 응결된 수증기는 모두 비가 되어 내렸다.

구분	A	B
기온	30 ℃	30 ℃
이슬점	22 ℃	18 ℃

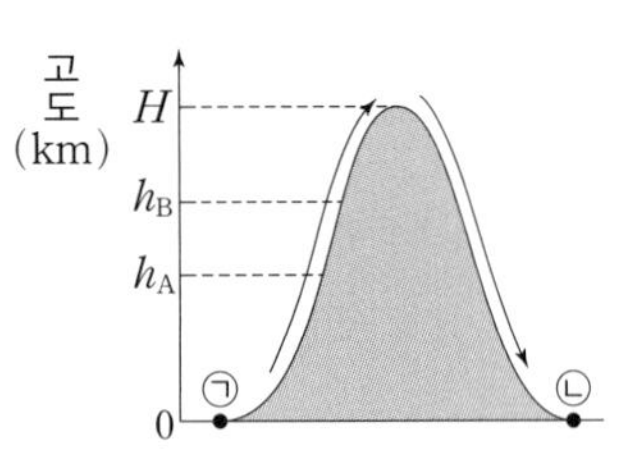

이에 대한 설명으로 옳은 것만을 〈보기〉에서 있는 대로 고른 것은? (단, 건조 단열 감률은 10 ℃/km, 습윤 단열 감률은 5 ℃/km, 이슬점 감률은 2 ℃/km이다.) [3점]

보기
ㄱ. ㉡에서 기온은 A가 B보다 2.5 ℃ 높다.
ㄴ. B의 이슬점이 h_B와 ㉡에서 같았다면 H는 2.5이다.
ㄷ. B의 (기온−이슬점)은 h_A에서가 h_B에서보다 2 ℃ 높다.

① ㄱ ② ㄷ ③ ㄱ, ㄴ
④ ㄴ, ㄷ ⑤ ㄱ, ㄴ, ㄷ

12

▸24073-0291

그림은 지균풍이 불고 있는 중위도 지역 상공의 연직 등압면 분포를 나타낸 것이다. 이 지역에서 등압면의 동서 방향 경사는 없으며, A와 C 사이에서 공기의 밀도는 일정하다. A, B, C 지점은 30°N에 위치한다.

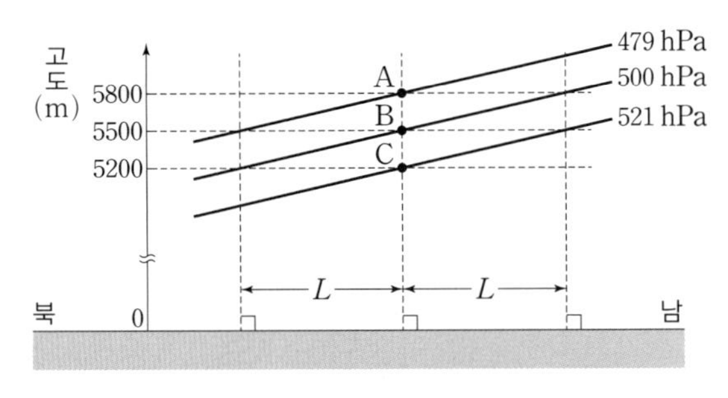

이에 대한 설명으로 옳은 것만을 〈보기〉에서 있는 대로 고른 것은? (단, 대기는 정역학 평형 상태에 있으며, 중력 가속도는 10 m/s^2, 지구 자전 각속도는 7.5×10^{-5}/s이다.) [3점]

보기
ㄱ. B에서 지균풍은 서쪽으로 분다.
ㄴ. A와 C 사이에 있는 공기의 밀도는 0.7 kg/m^{3}이다.
ㄷ. L=2000 km이면 B에서 지균풍의 속력은 20 m/s이다.

① ㄱ ② ㄴ ③ ㄷ
④ ㄱ, ㄴ ⑤ ㄴ, ㄷ

13

▸24073-0292

그림은 (가)와 (나) 지역에서 등압선의 분포와 바람의 방향을 나타낸 것이다. 두 지역에서 공기의 밀도와 등압선 사이의 거리는 같다.

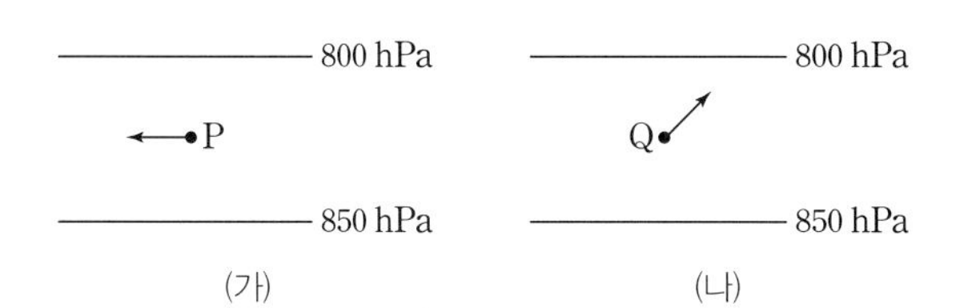

이에 대한 설명으로 옳은 것만을 〈보기〉에서 있는 대로 고른 것은?

보기

ㄱ. P 지점은 북반구에 위치한다.
ㄴ. 바람에 작용하는 전향력의 크기는 P 지점이 Q 지점보다 크다.
ㄷ. Q 지점에서 고도가 높아지면 바람과 등압선이 이루는 각(경각)은 감소한다.

① ㄱ ② ㄷ ③ ㄱ, ㄴ
④ ㄴ, ㄷ ⑤ ㄱ, ㄴ, ㄷ

14

▸24073-0293

그림은 어느 날 우리나라 상공의 500 hPa 등압면의 등고도선을 나타낸 것이다. A ~ D는 500 hPa 등압면상의 지점이다.

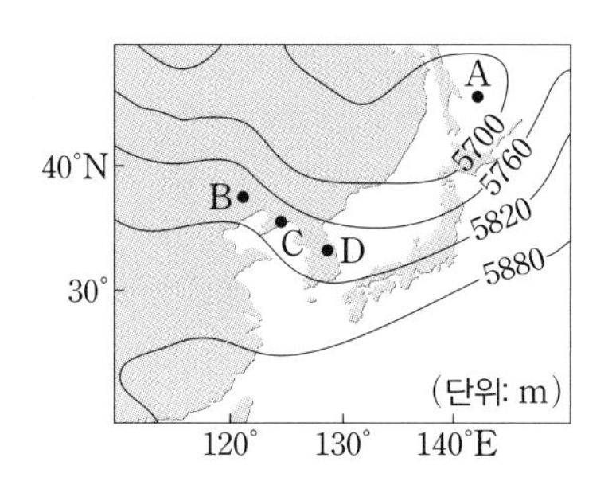

이에 대한 설명으로 옳은 것만을 〈보기〉에서 있는 대로 고른 것은?

보기

ㄱ. A에는 고기압이 위치한다.
ㄴ. B와 D에서 기압 경도력이 같을 때 바람에 작용하는 전향력은 B가 D보다 크다.
ㄷ. C의 지상에는 온대 저기압이 발달한다.

① ㄱ ② ㄴ ③ ㄷ
④ ㄱ, ㄴ ⑤ ㄴ, ㄷ

15

▸24073-0294

그림은 하짓날 21시에 127°E, 37.5°N인 지역에서 올려다본 하늘에서의 별 A와 B의 위치를 방위각과 고도로 나타낸 것이다.

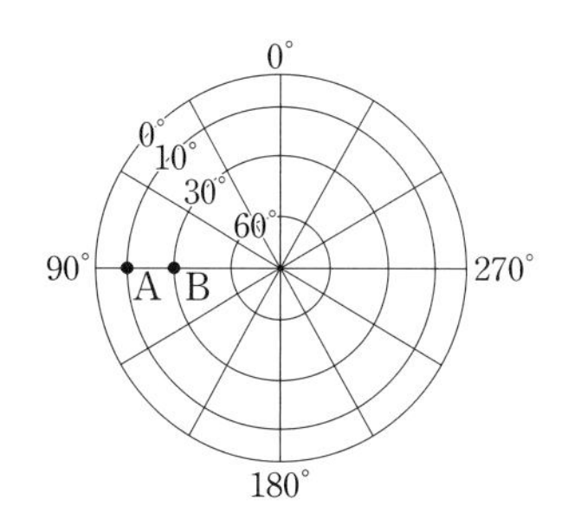

이에 대한 설명으로 옳은 것만을 〈보기〉에서 있는 대로 고른 것은? (단, 방위각은 북점을 기준으로 측정한다.) [3점]

보기

ㄱ. 별의 적경은 A가 B보다 크다.
ㄴ. A와 B의 적위 차는 고도 차보다 작다.
ㄷ. 같은 시각에 127°E, 30°N에서 관측하면 방위각은 A가 B보다 작다.

① ㄱ ② ㄷ ③ ㄱ, ㄴ
④ ㄴ, ㄷ ⑤ ㄱ, ㄴ, ㄷ

16

▸24073-0295

표는 어느 해 태양계 행성 A와 B의 위치 관계와 겉보기 운동을 나타낸 것이다.

월 일	A	B
㉠1월 9일		내합
1월 29일		유
2월 5일	합	
3월 20일		서방 최대 이각
6월 5일	유	
8월 15일	충	
㉡10월 23일	유	외합

이에 대한 설명으로 옳은 것만을 〈보기〉에서 있는 대로 고른 것은? [3점]

보기

ㄱ. 공전 주기는 A가 B보다 길다.
ㄴ. 8월에 A와 B는 모두 역행한다.
ㄷ. ㉠에서 ㉡까지 행성이 공전한 각도는 지구가 B보다 크다.

① ㄱ ② ㄷ ③ ㄱ, ㄴ
④ ㄴ, ㄷ ⑤ ㄱ, ㄴ, ㄷ

17

▸24073-0296

그림은 어느 날 지구에서 관측한 태양계 가상의 행성 A, B의 위치와 공전 궤도를 나타낸 것이다. 지구에서 관측한 A의 회합 주기는 2년이다.

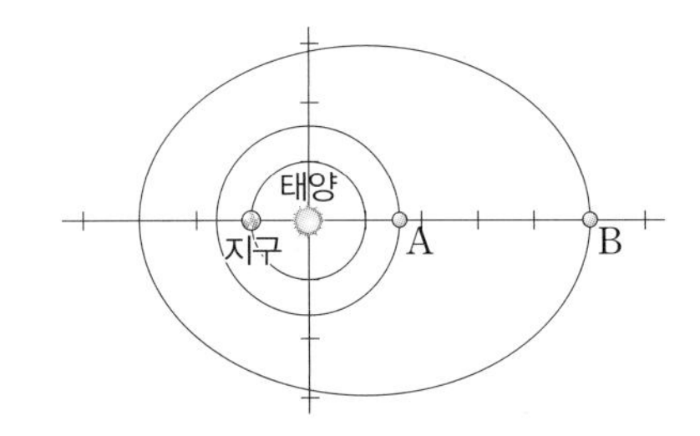

이에 대한 설명으로 옳은 것만을 〈보기〉에서 있는 대로 고른 것은? (단, 지구와 A의 공전 궤도는 원이다.) [3점]

보기
ㄱ. A의 공전 주기는 2년이다.
ㄴ. B의 공전 궤도 이심률은 0.25이다.
ㄷ. 지구, A, B는 8년마다 현재 위치에서 만난다.

① ㄱ ② ㄷ ③ ㄱ, ㄴ
④ ㄴ, ㄷ ⑤ ㄱ, ㄴ, ㄷ

18

▸24073-0297

그림 (가)는 어느 세페이드 변광성의 시간에 따른 밝기 변화를 관측한 자료이고, (나)는 이 별이 속하는 세페이드 변광성의 주기와 광도 관계를 나타낸 것이다.

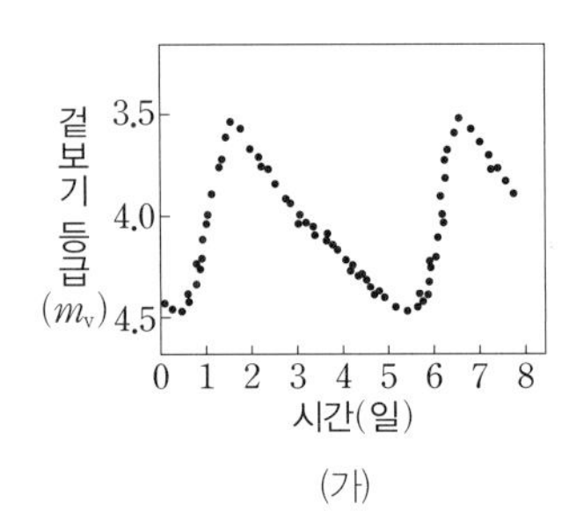

(가)

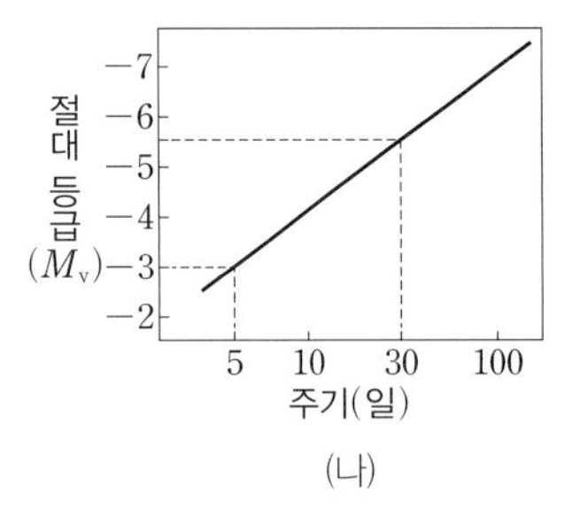

(나)

이에 대한 설명으로 옳은 것만을 〈보기〉에서 있는 대로 고른 것은? [3점]

보기
ㄱ. (가)에서 평균 겉보기 등급은 약 4등급이다.
ㄴ. 별까지의 거리는 100 pc보다 멀다.
ㄷ. 성간 소광 효과가 보정된 거리 지수는 7보다 크다.

① ㄱ ② ㄷ ③ ㄱ, ㄴ
④ ㄴ, ㄷ ⑤ ㄱ, ㄴ, ㄷ

19

▸24073-0298

그림은 서로 다른 종류의 성운 (가)와 (나)의 특징을 벤다이어그램으로 나타낸 것이다. (가)와 (나)는 각각 암흑 성운과 방출 성운 중 하나이다.

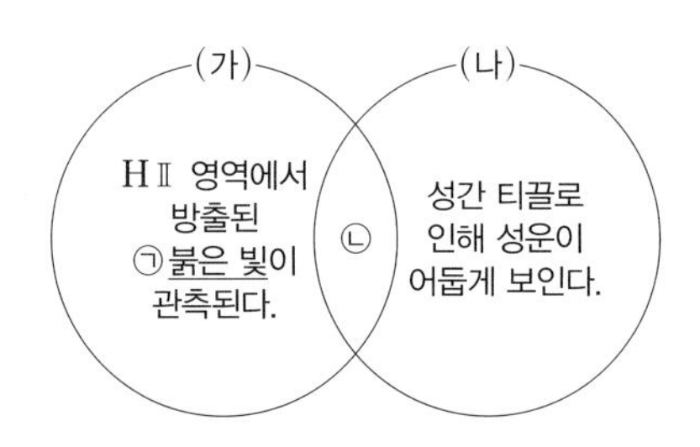

이에 대한 설명으로 옳은 것만을 〈보기〉에서 있는 대로 고른 것은?

보기
ㄱ. 성간 소광은 (가)가 (나)보다 작다.
ㄴ. (가)에서 ㉠은 수소가 전리될 때 방출된다.
ㄷ. '수소가 가장 많은 양을 차지한다.'는 ㉡에 해당한다.

① ㄱ ② ㄴ ③ ㄱ, ㄴ
④ ㄱ, ㄷ ⑤ ㄴ, ㄷ

20

▸24073-0299

그림은 가상의 나선 은하에서 별 P와 중성 수소 구름 A, B가 은하 중심 O에 대해 원 궤도로 공전하고 있는 모습을 나타낸 것이다. A, B에서 각각 방출된 파장이 21 cm인 수소선은 P에서 같은 파장으로 관측되었다.

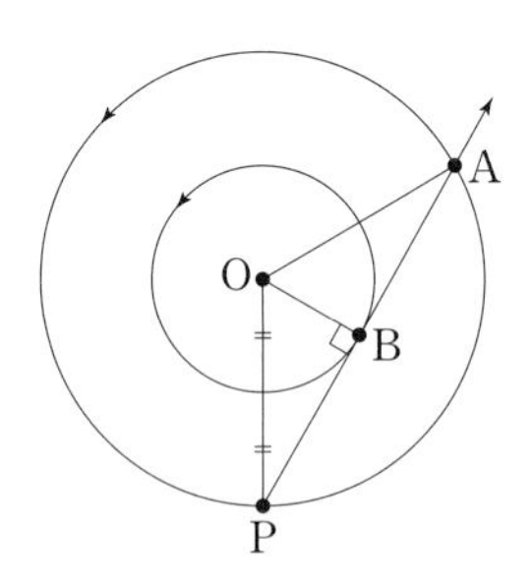

이에 대한 설명으로 옳은 것만을 〈보기〉에서 있는 대로 고른 것은? [3점]

보기
ㄱ. P에서 관측한 접선 속도는 A가 B의 2배이다.
ㄴ. 은하 중심에 대한 회전 속도는 A가 B의 2배이다.
ㄷ. A와 B는 케플러 회전을 한다.

① ㄱ ② ㄴ ③ ㄷ
④ ㄱ, ㄴ ⑤ ㄱ, ㄷ

실전 모의고사 4회

제한시간 30분 | 배점 50점 | 정답과 해설 51쪽

문항에 따라 배점이 다릅니다. 3점 문항에는 점수가 표시되어 있습니다. 점수 표시가 없는 문항은 모두 2점입니다.

01

▸24073-0300

그림은 북태평양 주변의 지각 열류량 분포를 나타낸 것이다.

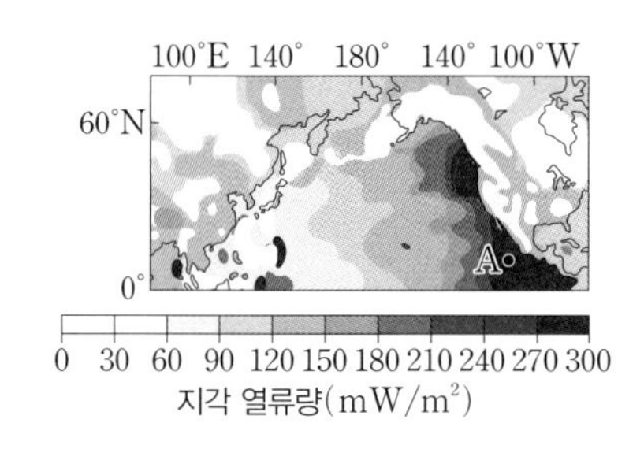

지각 열류량에 대한 설명으로 옳은 것만을 〈보기〉에서 있는 대로 고른 것은?

보기

ㄱ. 대륙이 해양보다 대체로 적다.
ㄴ. 수렴형 경계에서가 발산형 경계에서보다 대체로 많다.
ㄷ. A 주변의 지각 열류량이 높게 나타나는 주된 이유는 방사성 동위 원소 붕괴열이 주변보다 많기 때문이다.

① ㄱ ② ㄷ ③ ㄱ, ㄴ ④ ㄴ, ㄷ ⑤ ㄱ, ㄴ, ㄷ

02

▸24073-0301

그림 (가)는 지구 내부를 통과하는 지진파 A와 B의 속도 분포를, (나)는 A와 B 중 한 지진파의 전파 경로 중 일부를 나타낸 것이다. A와 B는 각각 P파와 S파 중 하나이다.

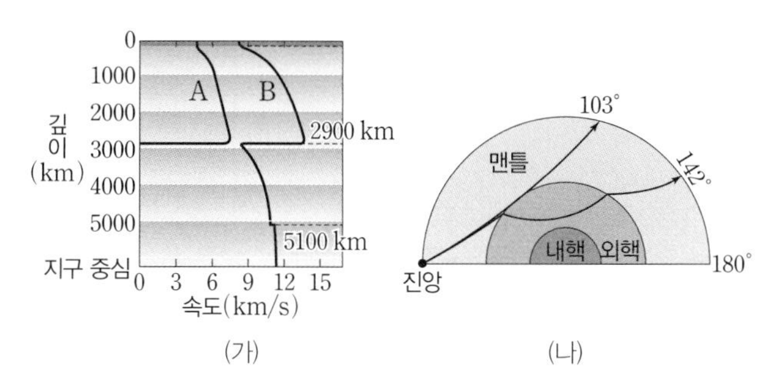

(가) (나)

이에 대한 설명으로 옳은 것만을 〈보기〉에서 있는 대로 고른 것은? [3점]

보기

ㄱ. (나)는 A의 전파 경로이다.
ㄴ. (나)의 103°~142° 사이에서 B가 관측될 수 있다.
ㄷ. B는 파의 진행 방향과 매질의 진동 방향이 나란하다.

① ㄱ ② ㄴ ③ ㄱ, ㄷ ④ ㄴ, ㄷ ⑤ ㄱ, ㄴ, ㄷ

03

▸24073-0302

그림은 쌍극자 모델을 가정한 지리상 북극과 지자기 북극의 위치를 나타낸 것이다. A와 B 중 한 지역에서의 편각은 약 14°E이다.

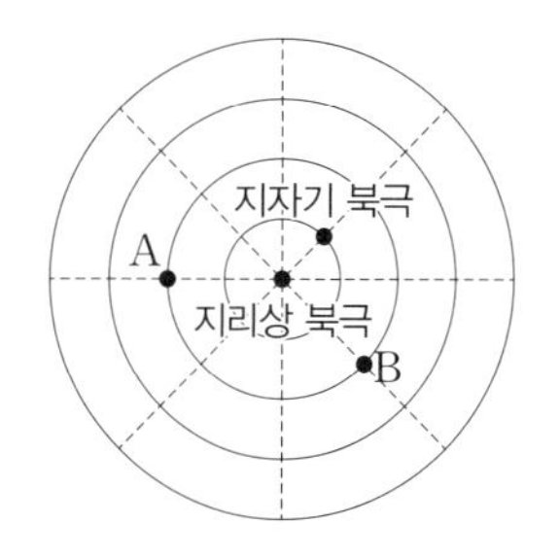

이에 대한 설명으로 옳은 것만을 〈보기〉에서 있는 대로 고른 것은?

보기

ㄱ. A의 편각은 약 14°E이다.
ㄴ. 복각은 A에서가 B에서보다 크다.
ㄷ. 연직 자기력은 A에서가 B에서보다 작다.

① ㄱ ② ㄷ ③ ㄱ, ㄴ
④ ㄴ, ㄷ ⑤ ㄱ, ㄴ, ㄷ

04

▸24073-0303

그림은 각섬석, 석영, 흑운모를 분류하는 과정을 나타낸 것이다.

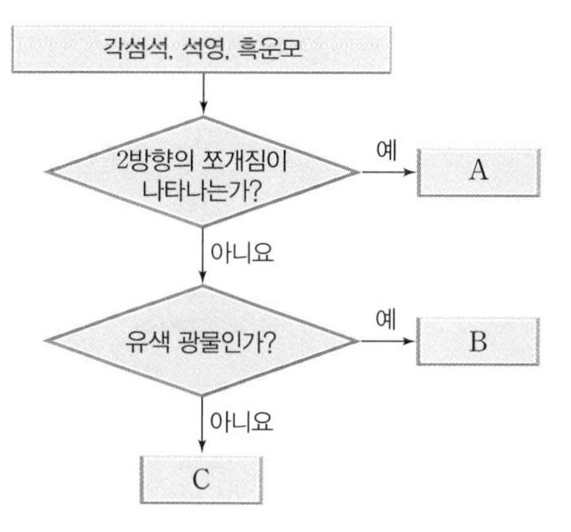

A, B, C에 대한 설명으로 옳은 것만을 〈보기〉에서 있는 대로 고른 것은?

보기

ㄱ. $\frac{\text{O 원자 수}}{\text{Si 원자 수}}$는 A가 가장 크다.
ㄴ. B는 독립상 구조를 나타낸다.
ㄷ. C는 깨짐이 나타난다.

① ㄱ ② ㄴ ③ ㄱ, ㄷ
④ ㄴ, ㄷ ⑤ ㄱ, ㄴ, ㄷ

05

▸24073-0304

그림은 해양 에너지 자원을 이용한 어느 발전 방식을, 표는 태평양의 서로 다른 지역 A와 B의 표층수와 심층수의 온도 분포를 나타낸 것이다.

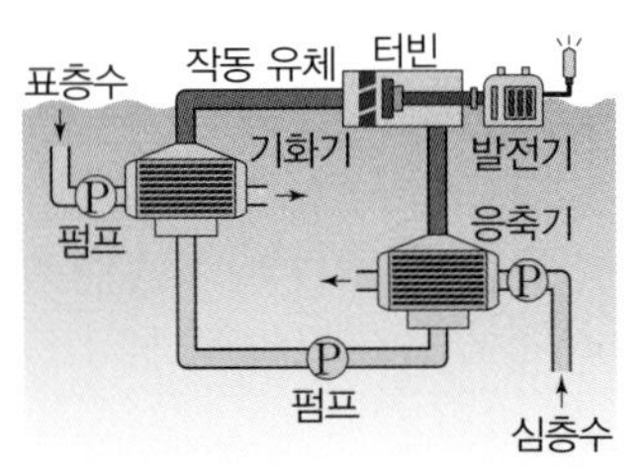

구분	표층수	심층수
A	20 ℃	4 ℃
B	7 ℃	5 ℃

이 발전 방식에 대한 설명으로 옳은 것만을 〈보기〉에서 있는 대로 고른 것은? [3점]

보기
ㄱ. 주요 에너지원은 조력 에너지이다.
ㄴ. A에서가 B에서보다 발전에 유리하다.
ㄷ. 낮에만 에너지 발전이 가능하다.

① ㄱ ② ㄴ ③ ㄱ, ㄷ
④ ㄴ, ㄷ ⑤ ㄱ, ㄴ, ㄷ

06

▸24073-0305

그림 (가)와 (나)는 한반도의 중생대와 고생대의 퇴적층 분포를 순서 없이 나타낸 것이다. A, B, C는 서로 다른 시기에 퇴적된 누층군이다.

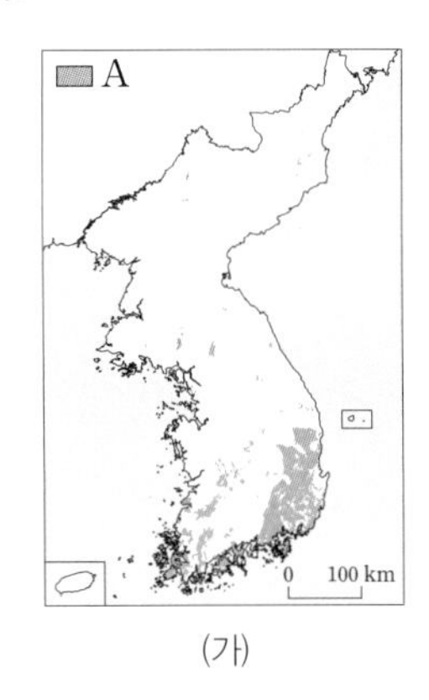

(가)

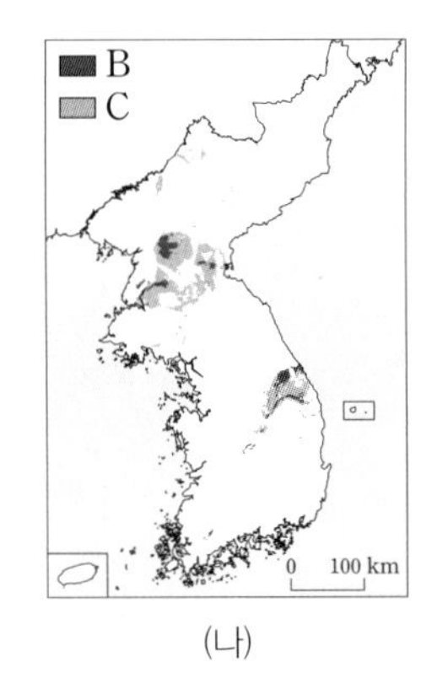

(나)

A, B, C에 대한 설명으로 옳은 것만을 〈보기〉에서 있는 대로 고른 것은? [3점]

보기
ㄱ. A에서 백악기 시대의 공룡 발자국 화석이 발견된다.
ㄴ. C는 호수 환경에서 퇴적되었다.
ㄷ. 지층의 나이는 B>C>A이다.

① ㄱ ② ㄴ ③ ㄱ, ㄷ
④ ㄴ, ㄷ ⑤ ㄱ, ㄴ, ㄷ

07

▸24073-0306

그림은 어느 퇴적암 지대의 지질도를 나타낸 것이다.

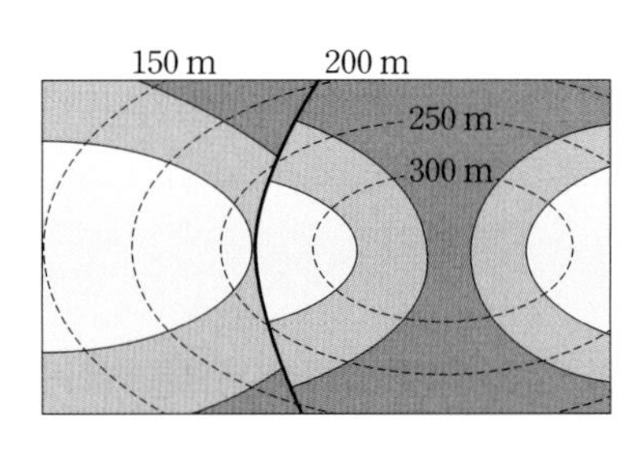

이에 대한 설명으로 옳은 것만을 〈보기〉에서 있는 대로 고른 것은?

보기
ㄱ. 정단층이 나타난다.
ㄴ. 향사 구조가 나타난다.
ㄷ. 습곡과 단층이 형성될 때 모두 횡압력이 작용했다.

① ㄱ ② ㄴ ③ ㄱ, ㄷ
④ ㄴ, ㄷ ⑤ ㄱ, ㄴ, ㄷ

08

▸24073-0307

그림 (가)와 (나)는 각각 밀도 2ρ와 ρ인 해수층의 해수면이 기울어진 모습을 나타낸 것이다. (가)와 (나)의 중력 가속도는 모두 g이며, 정역학 평형 상태이다.

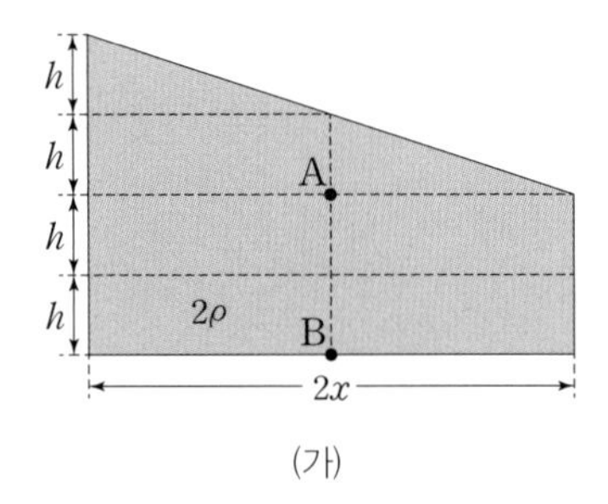

(가)

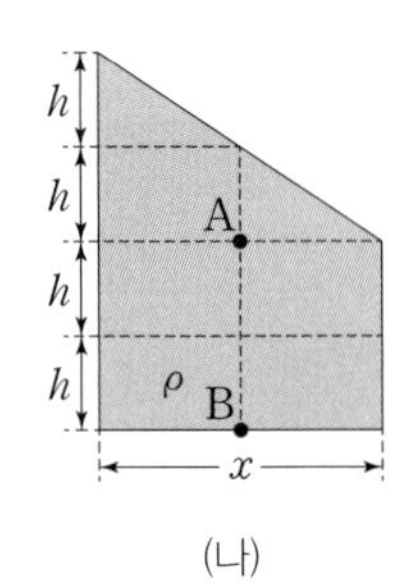

(나)

이에 대한 설명으로 옳은 것만을 〈보기〉에서 있는 대로 고른 것은? [3점]

보기
ㄱ. A에서의 수압은 (가)가 (나)의 2배이다.
ㄴ. A에서의 수평 수압 경도력은 (가)가 (나)의 0.5배이다.
ㄷ. B에서의 수평 수압 경도력은 (가)와 (나) 모두 0이다.

① ㄱ ② ㄷ ③ ㄱ, ㄴ
④ ㄴ, ㄷ ⑤ ㄱ, ㄴ, ㄷ

09

▸24073-0308

그림 (가)와 (나)는 서로 다른 지역에서 파장이 A인 해파가 지나갈 때 물 입자의 움직임을 나타낸 것이다. (가)와 (나)의 해파는 천해파와 심해파 중 하나이다.

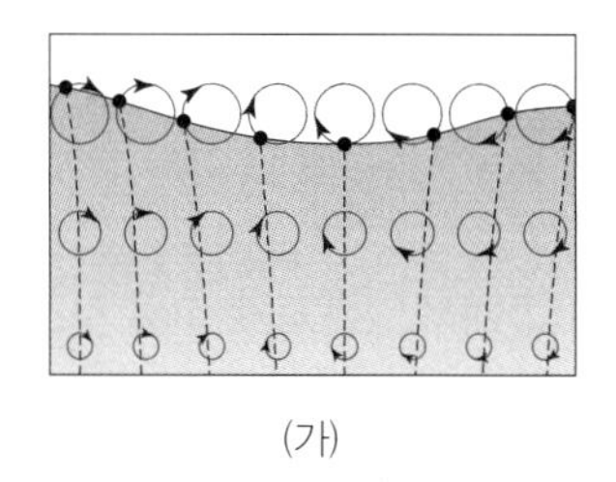

(가)

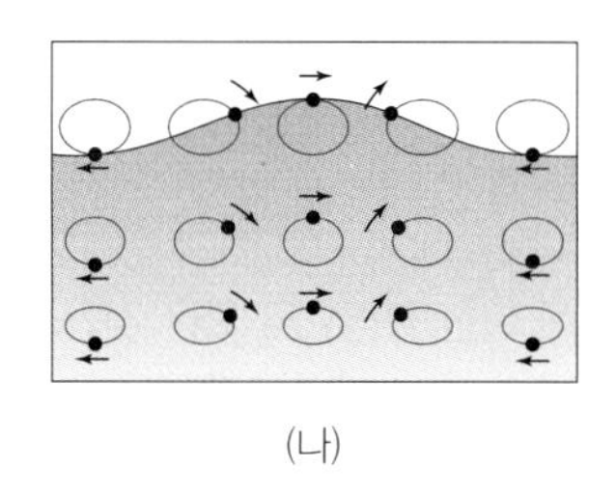

(나)

이에 대한 설명으로 옳은 것만을 〈보기〉에서 있는 대로 고른 것은?

보기

ㄱ. (가)와 같은 해파는 수심이 깊어질수록 파의 진행 속도가 빨라진다.

ㄴ. (나)의 수심은 $\frac{1}{20}$A보다 얕다.

ㄷ. (가)와 (나) 모두 파의 진행 속도는 중력 가속도가 클수록 빨라진다.

① ㄱ ② ㄷ ③ ㄱ, ㄴ ④ ㄴ, ㄷ ⑤ ㄱ, ㄴ, ㄷ

10

▸24073-0309

그림은 지구의 서로 다른 지점 A, B, C에서 달의 기조력을 구성하는 만유인력과 원심력을 X와 Y로 순서 없이 나타낸 것이다.

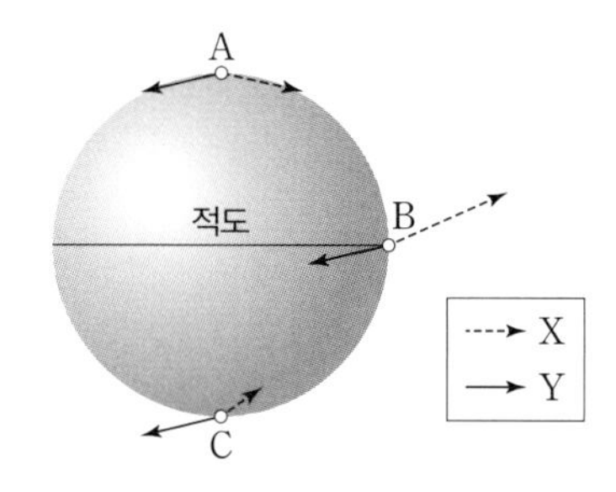

이에 대한 설명으로 옳은 것만을 〈보기〉에서 있는 대로 고른 것은? [3점]

보기

ㄱ. X는 만유인력이다.

ㄴ. 달은 A, B, C 중 B에 가장 가깝게 위치한다.

ㄷ. 기조력에 의한 해수면의 높이는 B에서가 C에서보다 높다.

① ㄱ ② ㄷ ③ ㄱ, ㄴ ④ ㄴ, ㄷ ⑤ ㄱ, ㄴ, ㄷ

11

▸24073-0310

그림은 어느 지역에서 단열 상승하는 공기 덩어리의 높이에 따른 기온과 이슬점 중 어느 하나의 변화를 나타낸 것이다.

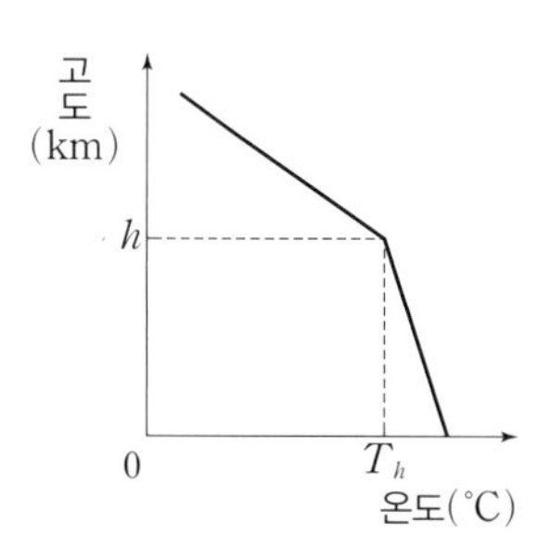

이에 대한 설명으로 옳은 것만을 〈보기〉에서 있는 대로 고른 것은? (단, 건조 단열 감률은 10 ℃/km, 습윤 단열 감률은 5 ℃/km, 이슬점 감률은 2 ℃/km이다.)

보기

ㄱ. 이슬점 변화를 나타낸 것이다.

ㄴ. 고도 h에서 수증기 응결이 시작된다.

ㄷ. 지상에서의 공기 덩어리 기온은 T_h+10h ℃이다.

① ㄱ ② ㄷ ③ ㄱ, ㄴ ④ ㄴ, ㄷ ⑤ ㄱ, ㄴ, ㄷ

12

▸24073-0311

그림 (가)와 (나)는 북반구 어느 지역의 고도 3 km의 한 지점 X 주변에서 서로 다른 시기의 기압 분포를 나타낸 것이다. (가)와 (나) 시기의 공기 밀도는 같다.

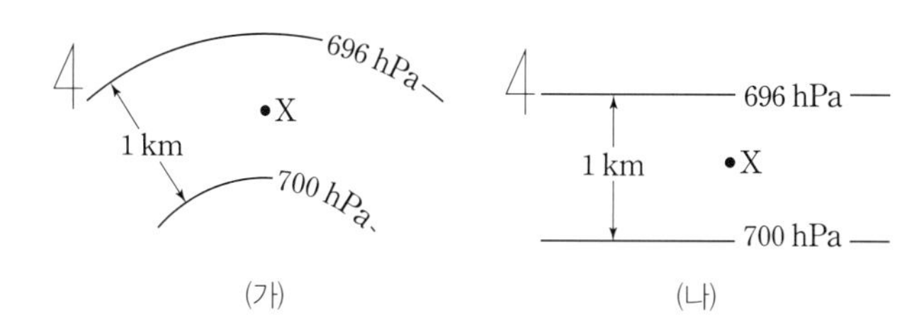

(가) (나)

X에서 부는 바람에 대한 설명으로 옳은 것만을 〈보기〉에서 있는 대로 고른 것은? [3점]

보기

ㄱ. (가)일 때 지균풍이 분다.

ㄴ. 풍속은 (가)일 때가 (나)일 때보다 빠르다.

ㄷ. (가)와 (나)의 기압 경도력의 크기와 방향은 같다.

① ㄱ ② ㄴ ③ ㄷ ④ ㄴ, ㄷ ⑤ ㄱ, ㄴ, ㄷ

13

▸24073-0312

그림은 북반구의 대기 대순환의 일부와 제트류 X, Y의 연직 단면도를 나타낸 것이다. A와 B는 각각 30°N과 60°N 중 하나이다.

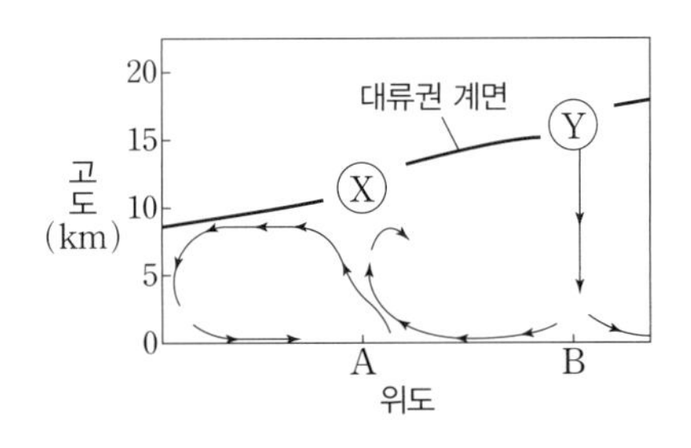

이에 대한 설명으로 옳은 것만을 〈보기〉에서 있는 대로 고른 것은?

보기

ㄱ. A는 30°N이다.
ㄴ. X는 한대 전선 제트류이다.
ㄷ. X와 Y의 풍속은 겨울철이 여름철보다 빠르다.

① ㄱ ② ㄷ ③ ㄱ, ㄴ
④ ㄴ, ㄷ ⑤ ㄱ, ㄴ, ㄷ

14

▸24073-0313

표는 별 A, B, C의 적도 좌표를 나타낸 것이다.

별	적경	적위
A	6^h	30°
B	12^h	0°
C	18^h	−30°

A, B, C에 대한 설명으로 옳은 것만을 〈보기〉에서 있는 대로 고른 것은? [3점]

보기

ㄱ. 천구상에서 B와 태양의 위치가 같은 시기가 있다.
ㄴ. 적도에서 하짓날 자정에 지표면 위의 자오선에 위치하는 별은 C이다.
ㄷ. 위도 40°N에서 A, B, C 모두 하루 중 한 번은 지평선 위에 위치한다.

① ㄱ ② ㄷ ③ ㄱ, ㄴ
④ ㄴ, ㄷ ⑤ ㄱ, ㄴ, ㄷ

15

▸24073-0314

그림은 금성의 겉보기 운동을 관측하여 천구상에 나타낸 것이다.

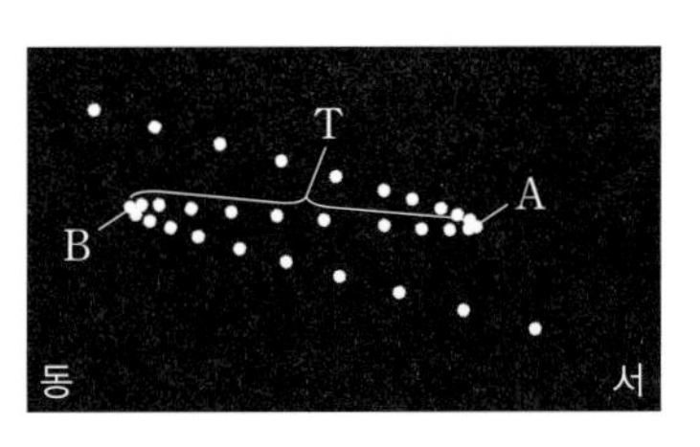

이에 대한 설명으로 옳은 것만을 〈보기〉에서 있는 대로 고른 것은?

보기

ㄱ. A일 때 새벽에 동쪽 하늘에서 관측할 수 있다.
ㄴ. T 기간 중 외합에 위치한 적이 있다.
ㄷ. B일 때 금성은 지구로부터 멀어지고 있다.

① ㄱ ② ㄷ ③ ㄱ, ㄴ
④ ㄴ, ㄷ ⑤ ㄱ, ㄴ, ㄷ

16

▸24073-0315

그림 (가)와 (나)는 태양계 내 가상의 행성 A, B와 태양을 잇는 선분이 각각 같은 시간 동안 쓸고 지나간 면적 S_A와 S_B를 나타낸 것이다. (가)와 (나)의 궤도 크기는 실제 크기와 상관없이 나타낸 것이다.

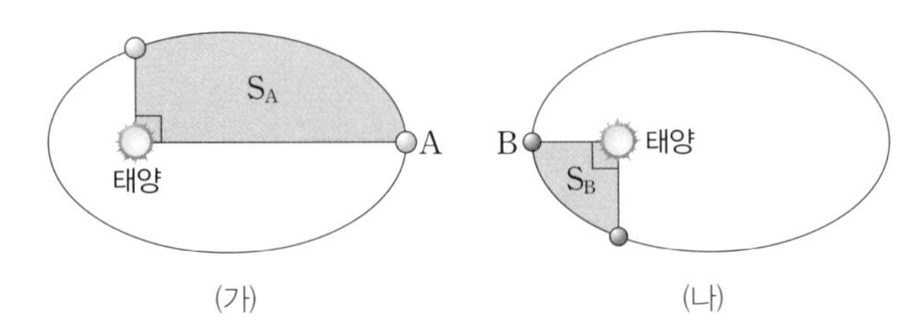

이에 대한 설명으로 옳은 것만을 〈보기〉에서 있는 대로 고른 것은? [3점]

보기

ㄱ. A와 태양을 잇는 선분이 S_A 면적을 쓸고 지나가는 동안 A의 평균 공전 속도는 공전 궤도 전체의 평균 공전 속도보다 느리다.
ㄴ. 공전 주기는 A가 B보다 길다.
ㄷ. 공전 궤도 긴반지름은 A가 B보다 길다.

① ㄱ ② ㄷ ③ ㄱ, ㄴ
④ ㄴ, ㄷ ⑤ ㄱ, ㄴ, ㄷ

17

▸24073-0316

그림은 표준 주계열성을 포함한 색등급도에 어느 두 성단 A와 B를 나타낸 것이다. A와 B는 각각 구상 성단과 산개 성단 중 하나이다.

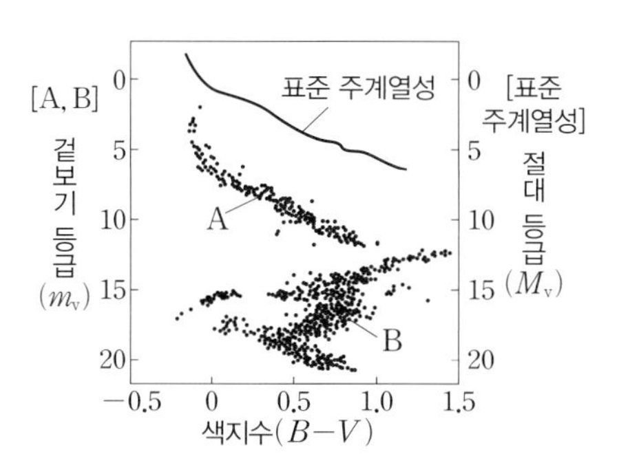

이에 대한 설명으로 옳은 것만을 <보기>에서 있는 대로 고른 것은? [3점]

보기
ㄱ. 거리는 A가 B보다 가깝다.
ㄴ. 은하면에는 A와 같은 성단이 B와 같은 성단보다 많다.
ㄷ. 성단을 구성하는 청색을 띠는 별의 비율은 A가 B보다 낮다.

① ㄱ ② ㄷ ③ ㄱ, ㄴ ④ ㄴ, ㄷ ⑤ ㄱ, ㄴ, ㄷ

18

▸24073-0317

그림은 은하면에서 태양 부근 별들의 상대 운동 방향을 나타낸 것이다. 은하 중심 방향은 A와 B 중 하나이다.

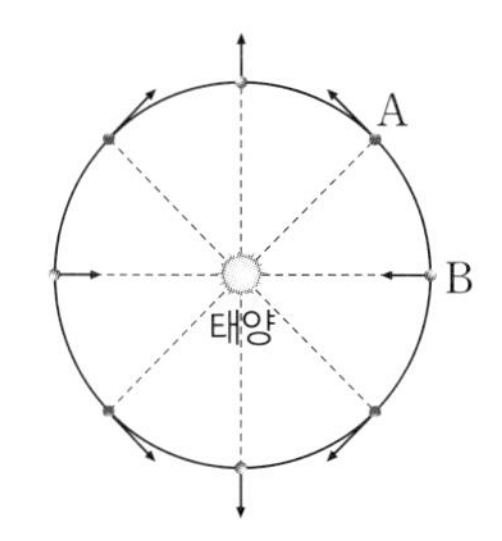

이에 대한 설명으로 옳은 것만을 <보기>에서 있는 대로 고른 것은?

보기
ㄱ. 은하 중심 방향은 A이다.
ㄴ. 은하 중심을 기준으로 공전 속도는 B가 태양보다 빠르다.
ㄷ. 태양 주변 별들은 은하 중심을 기준으로 강체처럼 회전하고 있다.

① ㄱ ② ㄷ ③ ㄱ, ㄴ ④ ㄴ, ㄷ ⑤ ㄱ, ㄴ, ㄷ

19

▸24073-0318

표는 별 X를 B 필터와 V 필터로 관측했을 때, 성간 소광 보정 전과 후의 겉보기 등급을 나타낸 것이다.

구분	B 필터	V 필터
성간 소광 보정 전	3.0	1.5
성간 소광 보정 후	2.0	1.0

이에 대한 설명으로 옳은 것만을 <보기>에서 있는 대로 고른 것은?

보기
ㄱ. 색초과 값은 0.5이다.
ㄴ. 성간 소광은 파장이 짧을수록 크게 나타난다.
ㄷ. 성간 소광 보정을 하지 않으면 별까지의 거리는 실제보다 더 멀게 계산된다.

① ㄱ ② ㄷ ③ ㄱ, ㄴ ④ ㄴ, ㄷ ⑤ ㄱ, ㄴ, ㄷ

20

▸24073-0319

그림 (가), (나), (다)는 서로 다른 적색 편이로 나타나는 우주 거대 구조를 시뮬레이션으로 표현한 것이다.

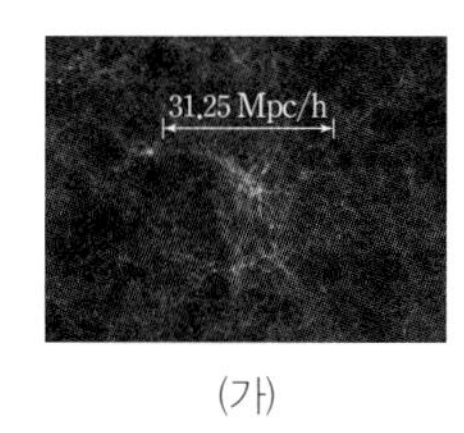

(가)

(나)

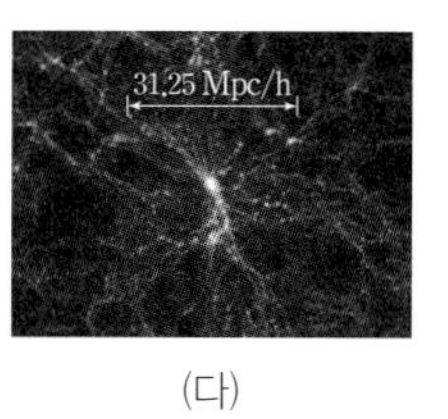

(다)

이에 대한 설명으로 옳은 것만을 <보기>에서 있는 대로 고른 것은? (단, Mpc/h는 길이를 나타내는 단위이다.) [3점]

보기
ㄱ. 우주의 나이는 (다)>(가)>(나)이다.
ㄴ. 우주 초기 밀도 분포가 매우 균질했음을 보여준다.
ㄷ. (가), (나), (다)에서 암흑 물질은 어두운 곳보다 밝은 곳에 많이 분포한다.

① ㄱ ② ㄴ ③ ㄱ, ㄷ ④ ㄴ, ㄷ ⑤ ㄱ, ㄴ, ㄷ

실전 모의고사 5회

제한시간 30분 | 배점 50점 | 정답과 해설 53쪽

문항에 따라 배점이 다릅니다. 3점 문항에는 점수가 표시되어 있습니다. 점수 표시가 없는 문항은 모두 2점입니다.

01

▸24073-0320

그림은 지구의 진화 과정의 일부를 순서 없이 나타낸 것이다.

맨틀과 핵의 분리	원시 바다의 형성	오존층의 형성
A	B	C

이에 대한 설명으로 옳은 것만을 〈보기〉에서 있는 대로 고른 것은?

보기
ㄱ. 마그마 바다는 A와 B 사이에 형성되었다.
ㄴ. 원시 지각은 B 이후에 형성되었다.
ㄷ. 지구는 A → B → C 순으로 진화하였다.

① ㄴ ② ㄷ ③ ㄱ, ㄴ ④ ㄱ, ㄷ ⑤ ㄱ, ㄴ, ㄷ

02

▸24073-0321

그림은 밀도가 균일한 지구 타원체에서 위도에 따른 만유인력과 지구 자전에 의한 원심력의 크기를 순서 없이 ㉠과 ㉡으로 나타낸 것이다.

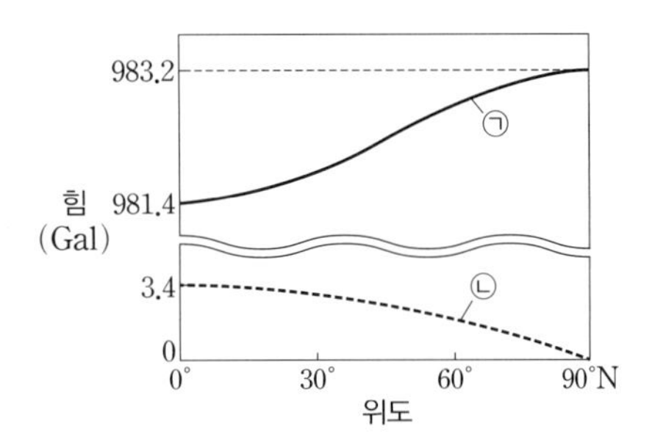

이에 대한 설명으로 옳은 것만을 〈보기〉에서 있는 대로 고른 것은?

보기
ㄱ. ㉠은 만유인력이다.
ㄴ. 적도에서는 ㉠과 ㉡의 방향이 같다.
ㄷ. 적도에서 표준 중력의 크기는 978.0 Gal이다.

① ㄴ ② ㄷ ③ ㄱ, ㄴ ④ ㄱ, ㄷ ⑤ ㄱ, ㄴ, ㄷ

03

▸24073-0322

그림 (가)와 (나)는 지각과 핵을 구성하는 성분의 질량비(%)를 순서 없이 나타낸 것이다.

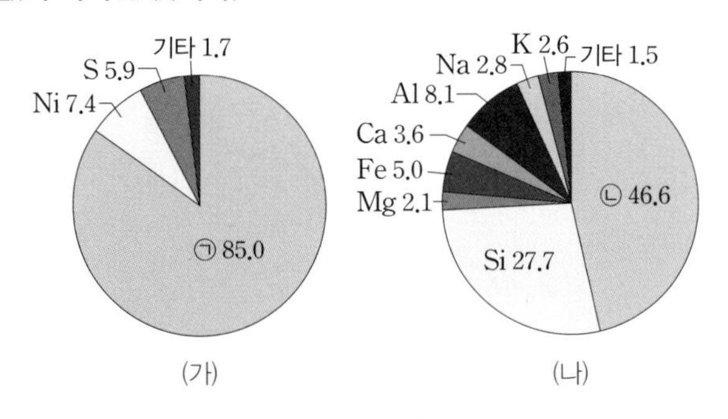

이에 대한 설명으로 옳은 것만을 〈보기〉에서 있는 대로 고른 것은?

보기
ㄱ. ㉠은 ㉡보다 원자량이 크다.
ㄴ. P파의 평균 전파 속도는 (가)보다 (나)의 질량비가 나타나는 지구 내부 영역에서 느리다.
ㄷ. (가)와 (나) 모두 가장 많은 질량비를 차지하는 원소는 금속 원소이다.

① ㄱ ② ㄷ ③ ㄱ, ㄴ ④ ㄴ, ㄷ ⑤ ㄱ, ㄴ, ㄷ

04

▸24073-0323

그림 (가)와 (나)는 편각과 복각의 분포를 순서 없이 나타낸 것이다.

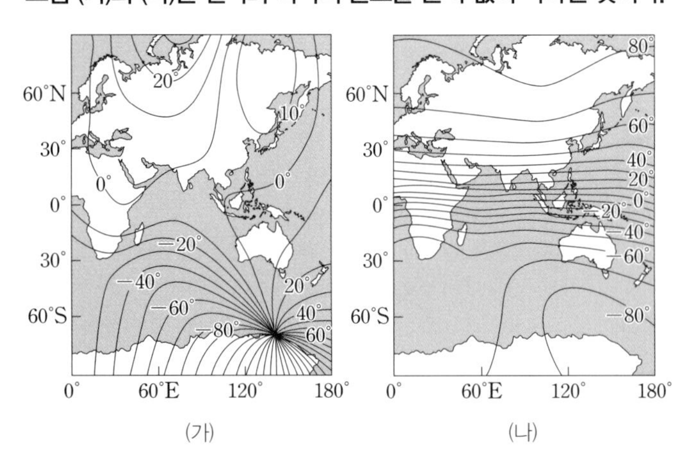

이에 대한 설명으로 옳은 것만을 〈보기〉에서 있는 대로 고른 것은? [3점]

보기
ㄱ. 우리나라에서는 자침의 N극이 수평면 아래로 향한다.
ㄴ. 북태평양에는 진북 방향과 지구 자기장의 수평 방향 성분이 나란한 곳이 있다.
ㄷ. $\frac{연직\ 자기력}{수평\ 자기력}$ 은 자극에 가까울수록 작아진다.

① ㄱ ② ㄷ ③ ㄱ, ㄴ ④ ㄴ, ㄷ ⑤ ㄱ, ㄴ, ㄷ

05

▸24073-0324

표는 지진 관측소 A와 B에서 측정한 어떤 지진의 PS시를, 그림은 이 지진의 주시 곡선을 나타낸 것이다.

관측소	PS시
A	10초
B	13초

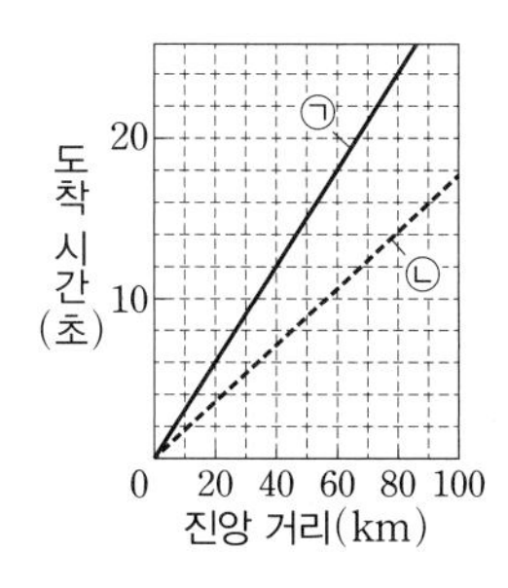

이에 대한 설명으로 옳은 것만을 〈보기〉에서 있는 대로 고른 것은?

보기

ㄱ. 진앙 거리는 A보다 B가 멀다.
ㄴ. ㉠은 P파의 주시 곡선이다.
ㄷ. B에서 진앙 거리는 80 km보다 멀다.

① ㄱ ② ㄴ ③ ㄱ, ㄷ
④ ㄴ, ㄷ ⑤ ㄱ, ㄴ, ㄷ

06

▸24073-0325

다음은 지각 평형설의 원리를 알아보기 위한 실험 과정이다.

[실험 과정]

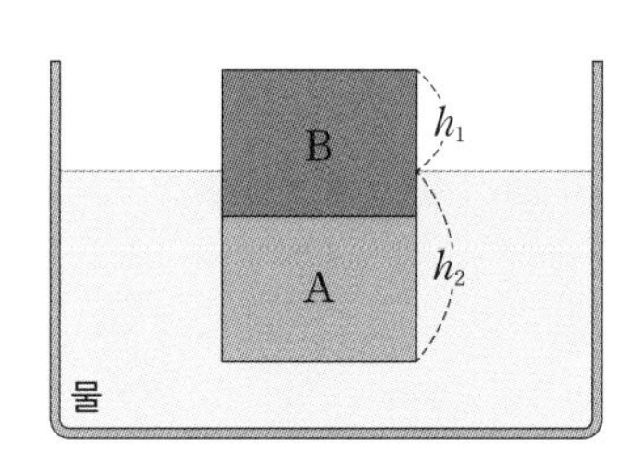

(가) 수조에 담긴 물(밀도: $1.0\ g/cm^3$) 위에 나무토막 A(밀도: $0.7\ g/cm^3$)를 놓는다.
(나) 나무토막 A와 크기와 모양이 같은 나무토막 B(밀도: $0.5\ g/cm^3$)를 A 위에 겹쳐 놓고 수면 윗부분의 두께(h_1)와 수면 아랫부분의 두께(h_2)를 측정한다.

이에 대한 설명으로 옳은 것만을 〈보기〉에서 있는 대로 고른 것은? [3점]

보기

ㄱ. 이 실험으로 습곡 산맥의 형성 원리를 설명할 수 있다.
ㄴ. $\frac{h_1}{h_2}$은 0.6보다 크다.
ㄷ. B의 밀도가 $0.7\ g/cm^3$라면 A와 B의 경계면은 수면과 일치한다.

① ㄱ ② ㄴ ③ ㄱ, ㄷ
④ ㄴ, ㄷ ⑤ ㄱ, ㄴ, ㄷ

07

▸24073-0326

표는 몇 가지 규산염 광물의 결합 구조를 나타낸 것이다.

광물	A	B	C
결합 구조			

• 규소(Si) ○ 산소(O)

이에 대한 설명으로 옳은 것만을 〈보기〉에서 있는 대로 고른 것은?

보기

ㄱ. A, B, C 모두 1방향의 쪼개짐이 나타난다.
ㄴ. C는 A보다 화학적 풍화에 대한 안정도가 크다.
ㄷ. 저온에서 정출된 광물일수록 $\frac{\text{Si 원자 수}}{\text{O 원자 수}}$가 크다.

① ㄱ ② ㄴ ③ ㄱ, ㄷ
④ ㄴ, ㄷ ⑤ ㄱ, ㄴ, ㄷ

08

▸24073-0327

표는 서로 다른 두 화성암의 특징을 나타낸 것이다.

암석	A	B
박편 모습		
조직	조립질	세립질
SiO_2 함량	63 % 이상	52 % 이하

이에 대한 설명으로 옳은 것만을 〈보기〉에서 있는 대로 고른 것은?

보기

ㄱ. A는 유문암이다.
ㄴ. 마그마의 냉각 속도는 A보다 B가 빠르다.
ㄷ. Fe, Mg이 함유된 광물의 함량비는 A보다 B가 크다.

① ㄱ ② ㄷ ③ ㄱ, ㄴ
④ ㄴ, ㄷ ⑤ ㄱ, ㄴ, ㄷ

09

▸24073-0328

다음은 몇 가지 해양 에너지 자원을 이용한 발전 방식을 분류하는 과정을 나타낸 것이다.

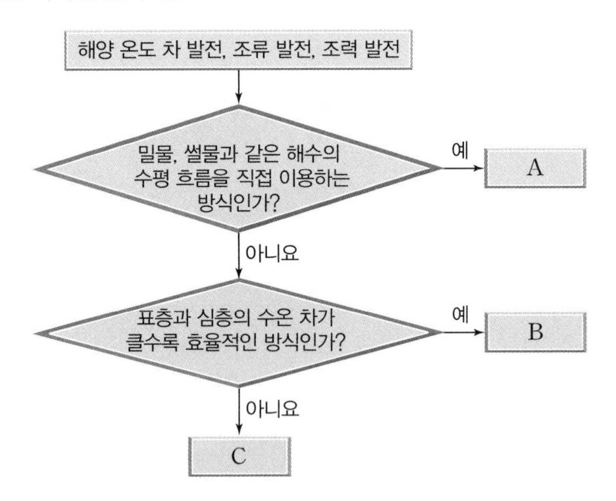

이에 대한 설명으로 옳은 것만을 〈보기〉에서 있는 대로 고른 것은?

보기
ㄱ. A는 C보다 생태계에 미치는 부정적인 영향이 적다.
ㄴ. 우리나라의 서해안에는 B를 이용한 발전소가 운영되고 있다.
ㄷ. A, B, C 모두 밤낮 구분 없이 전력 생산이 가능하다.

① ㄴ ② ㄷ ③ ㄱ, ㄴ
④ ㄱ, ㄷ ⑤ ㄱ, ㄴ, ㄷ

10

▸24073-0329

그림은 지형류가 흐르는 어느 해역의 해수면을 나타낸 것이다. A에서 지형류는 남쪽으로 흐르고, 해수의 밀도는 일정하다.

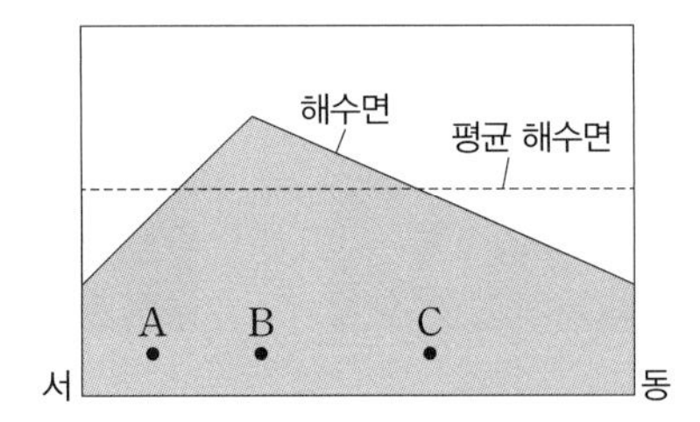

이에 대한 설명으로 옳은 것만을 〈보기〉에서 있는 대로 고른 것은? [3점]

보기
ㄱ. 이 해역은 남반구에 위치한다.
ㄴ. B의 수압이 가장 높다.
ㄷ. A에서는 서쪽으로, C에서는 동쪽으로 전향력이 작용한다.

① ㄱ ② ㄷ ③ ㄱ, ㄴ
④ ㄴ, ㄷ ⑤ ㄱ, ㄴ, ㄷ

11

▸24073-0330

그림 (가)와 (나)는 파장이 다른 두 해파가 진행하는 모습을 나타낸 것이다.

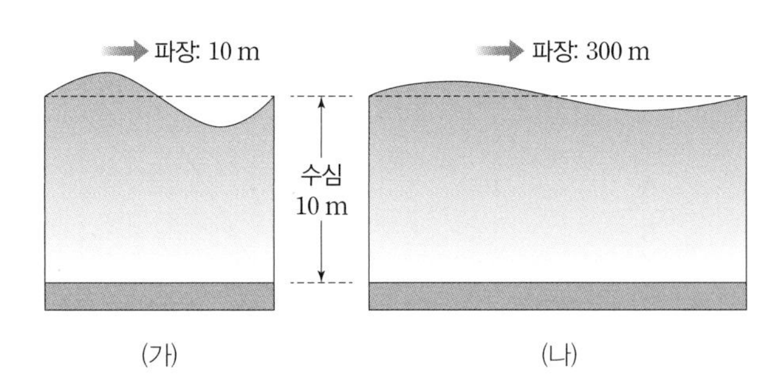

이에 대한 설명으로 옳은 것만을 〈보기〉에서 있는 대로 고른 것은?

보기
ㄱ. (가)는 천해파, (나)는 심해파이다.
ㄴ. 해파의 속도는 (가)와 (나)에서 같다.
ㄷ. (가)에서 물 입자는 원운동을 한다.

① ㄱ ② ㄷ ③ ㄱ, ㄴ
④ ㄴ, ㄷ ⑤ ㄱ, ㄴ, ㄷ

12

▸24073-0331

그림은 지상에서의 기온이 10 ℃인 공기가 풍선에 담겨 상승하는 모습을 나타낸 것이다. 두 공기는 각각 포화 공기와 불포화 공기 중 하나이고, 불포화 공기의 이슬점 감률은 0.2 ℃/100 m이다.

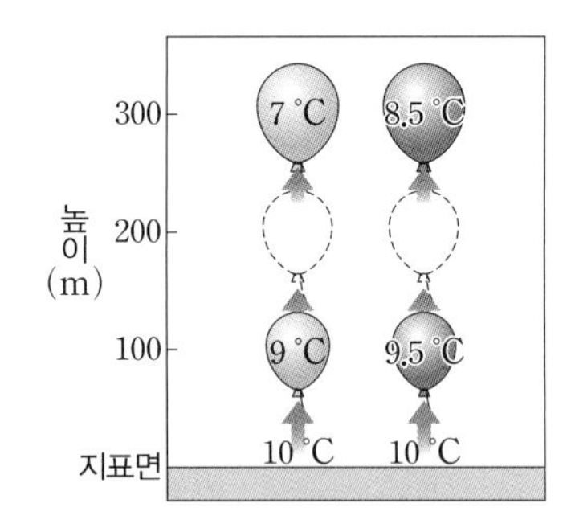

이에 대한 설명으로 옳은 것만을 〈보기〉에서 있는 대로 고른 것은? [3점]

보기
ㄱ. $\frac{\text{건조 단열 감률}}{\text{습윤 단열 감률}}$ 은 0.5이다.
ㄴ. 풍선이 상승하는 동안 풍선 내부 불포화 공기의 상대 습도는 높아진다.
ㄷ. 풍선이 상승하는 동안 풍선 내부 공기의 절대 습도는 높아진다.

① ㄱ ② ㄴ ③ ㄱ, ㄷ
④ ㄴ, ㄷ ⑤ ㄱ, ㄴ, ㄷ

13

▸24073-0332

표는 어느 지역에서 기온의 연직 분포(T_0)와 지상에서 불포화 공기 덩어리를 상승시킬 때 공기 덩어리의 온도 분포(T)를 나타낸 것이다.

높이(m)	T_0(℃)	T(℃)	T_0-T(℃)
0	30	32	−2
1000	17	22	−5
2000	4	12	−8
3000	−9	2	−11

이에 대한 설명으로 옳은 것만을 〈보기〉에서 있는 대로 고른 것은? [3점]

보기

ㄱ. 기온 감률이 단열 감률보다 크다.
ㄴ. 이 지역의 기층에서는 공기의 연직 운동이 활발하게 일어난다.
ㄷ. 상승시킨 공기 덩어리는 1000 m 높이에서 구름이 생성되기 시작한다.

① ㄱ ② ㄷ ③ ㄱ, ㄴ
④ ㄴ, ㄷ ⑤ ㄱ, ㄴ, ㄷ

14

▸24073-0333

그림은 지균풍이 불고 있는 45°N 지역 2 km 상공에서의 기압 분포를 나타낸 것이다. 공기의 밀도는 $1\ kg/m^3$, $2\Omega \sin 45° = 10^{-4}/s$, $1\ Pa = 1\ N/m^2 = 1\ kg/m\cdot s^2$이다.

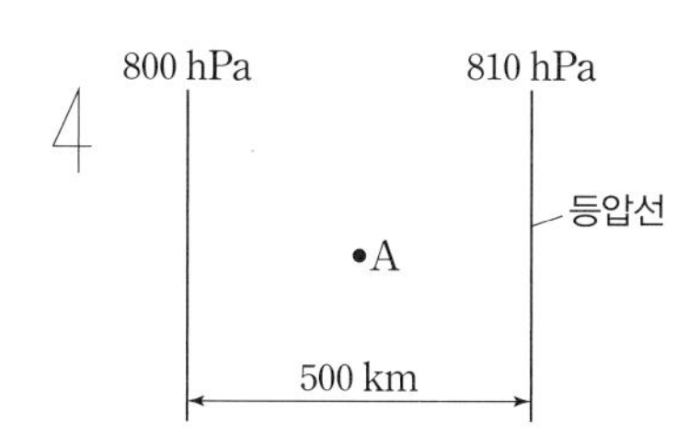

A 지점에 대한 설명으로 옳은 것만을 〈보기〉에서 있는 대로 고른 것은? [3점]

보기

ㄱ. 남풍이 불고 있다.
ㄴ. 풍속은 10 m/s이다.
ㄷ. 단위 질량의 공기에 작용하는 기압 경도력은 10^{-3} N이다.

① ㄱ ② ㄷ ③ ㄱ, ㄴ
④ ㄴ, ㄷ ⑤ ㄱ, ㄴ, ㄷ

15

▸24073-0334

그림은 어느 해 1월부터 12월까지 태양과 행성들의 상대적인 위치를 나타낸 것이다.

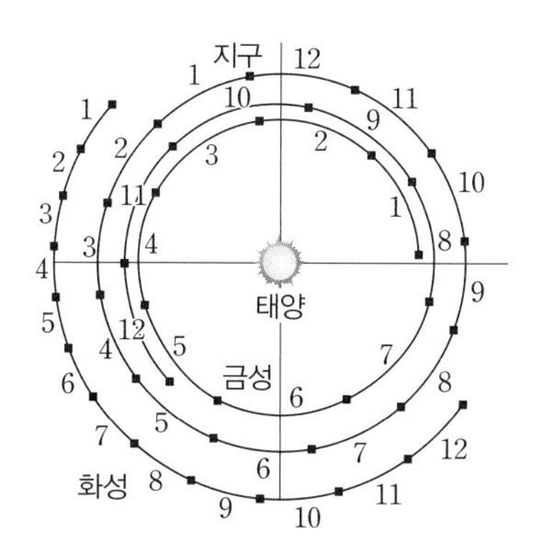

이에 대한 설명으로 옳은 것만을 〈보기〉에서 있는 대로 고른 것은? [3점]

보기

ㄱ. 2월에 지구와 화성 사이의 거리는 점점 가까워진다.
ㄴ. 7월 말~8월 초에 금성은 서방 최대 이각의 위치를 지났다.
ㄷ. 11월에는 새벽에 금성과 화성을 모두 관측할 수 있다.

① ㄱ ② ㄷ ③ ㄱ, ㄴ
④ ㄴ, ㄷ ⑤ ㄱ, ㄴ, ㄷ

16

▸24073-0335

표는 태양계 가상의 행성 X와 Y의 공전 궤도 긴반지름과 지구와의 회합 주기를 나타낸 것이다. Y의 공전 주기는 1년보다 길다.

행성	X	Y
공전 궤도 긴반지름(AU)	4	(㉠)
회합 주기(년)	(㉡)	$\frac{27}{26}$

이에 대한 설명으로 옳은 것만을 〈보기〉에서 있는 대로 고른 것은?

보기

ㄱ. ㉠은 8이다.
ㄴ. ㉡은 2보다 크다.
ㄷ. X와 Y는 모두 외행성이다.

① ㄱ ② ㄷ ③ ㄱ, ㄴ
④ ㄴ, ㄷ ⑤ ㄱ, ㄴ, ㄷ

17

▶24073-0336

표는 화성과 목성 사이에 존재하는 어떤 소행성 X의 공전 주기와 궤도 이심률, 원일점 거리와 근일점 거리를 나타낸 것이다.

구분	공전 주기(년)	궤도 이심률	원일점 거리 (AU)	근일점 거리 (AU)
소행성 X	8	0.14	(㉠)	(㉡)

이에 대한 설명으로 옳은 것만을 〈보기〉에서 있는 대로 고른 것은? [3점]

〈보기〉
ㄱ. 공전 궤도 긴반지름은 6 AU이다.
ㄴ. 소행성 X의 공전 궤도에서 두 초점 사이의 거리는 1 AU보다 크다.
ㄷ. $\frac{㉠}{㉡}$은 $\frac{57}{43}$이다.

① ㄱ ② ㄷ ③ ㄱ, ㄴ ④ ㄴ, ㄷ ⑤ ㄱ, ㄴ, ㄷ

18

▶24073-0337

그림은 겉보기 등급(m), 절대 등급(M), 분광형(S)으로 된 3차원 좌표에 별 ㉠, ㉡, ㉢을 나타낸 것이다.

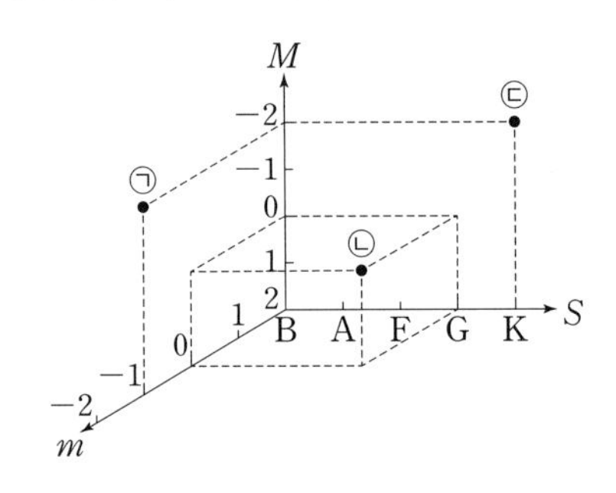

이에 대한 설명으로 옳은 것만을 〈보기〉에서 있는 대로 고른 것은?

〈보기〉
ㄱ. 광도는 ㉠이 ㉡보다 크다.
ㄴ. 반지름은 ㉠이 ㉢보다 크다.
ㄷ. 지구로부터의 거리는 ㉢>㉠>㉡이다.

① ㄱ ② ㄴ ③ ㄱ, ㄷ ④ ㄴ, ㄷ ⑤ ㄱ, ㄴ, ㄷ

19

▶24073-0338

그림은 어느 쌍성계의 두 별 A, B의 시선 속도 변화를 나타낸 것이다.

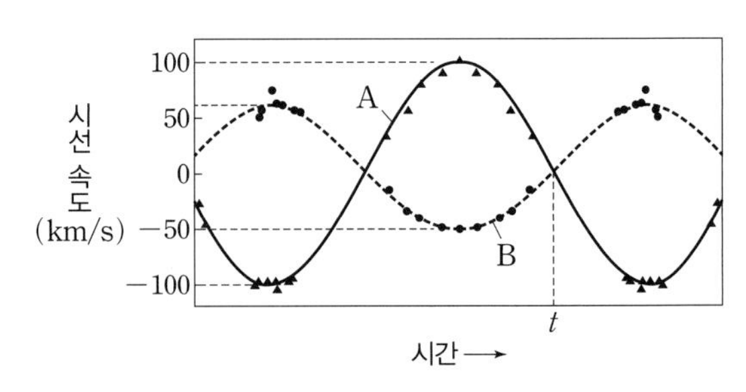

이에 대한 설명으로 옳은 것만을 〈보기〉에서 있는 대로 고른 것은? [3점]

〈보기〉
ㄱ. 질량은 A가 B보다 크다.
ㄴ. 공전 속도는 A가 B보다 빠르다.
ㄷ. t일 때 지구로부터의 거리는 A가 B보다 멀다.

① ㄱ ② ㄷ ③ ㄱ, ㄴ ④ ㄴ, ㄷ ⑤ ㄱ, ㄴ, ㄷ

20

▶24073-0339

그림 (가)는 우리은하 원반에서 케플러 회전을 하는 중성 수소 구름 A, B, C의 위치를, (나)는 21 cm 전파를 이용하여 측정한 A, B, C 영역의 시선 속도와 상대 복사 세기를 나타낸 것이다.

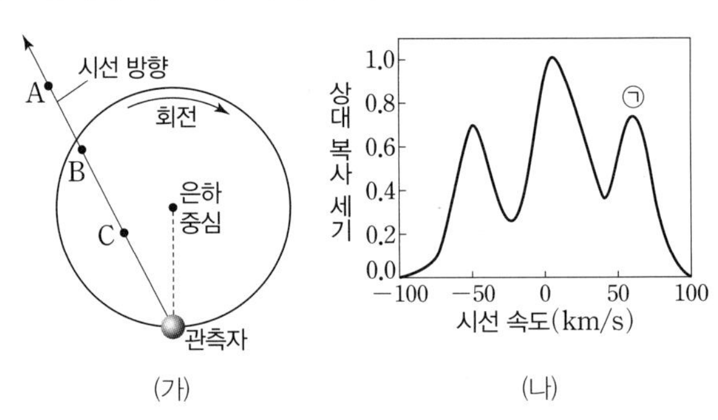

(가) (나)

이에 대한 설명으로 옳은 것만을 〈보기〉에서 있는 대로 고른 것은? [3점]

〈보기〉
ㄱ. A는 관측자에 가까워지고 있다.
ㄴ. ㉠은 B에 위치한 구름에서 나온 것이다.
ㄷ. C는 관측자보다 은하 중심에 대한 회전 속도가 빠르다.

① ㄱ ② ㄴ ③ ㄱ, ㄷ ④ ㄴ, ㄷ ⑤ ㄱ, ㄴ, ㄷ

made by U,

KNUT

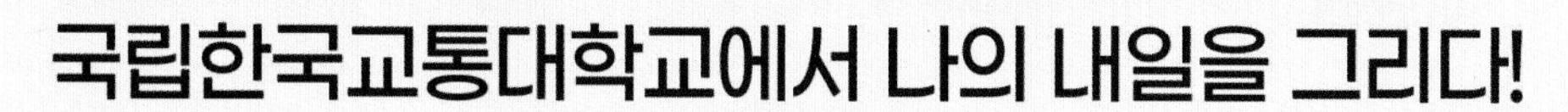

대전·충청 국립 일반대
취업률 종합순위
(2023년 정보공시 기준)

2위

대전·충청 국립 일반대
재학생 1인당 장학금
(2023년 정보공시 기준)

글로컬대학30

글로컬대학30사업 선정
5년간 1,000억원 정부 지원
(2023년, 교육부)

수시모집 원서접수

24.9.9.(월) ~ 9.13.(금)

입학상담 043.841.5015~6/841.5717~8

충청북도 충주시 대학로 50

증평캠퍼스
충청북도 증평군 대학로 61

의왕캠퍼스
경기도 의왕시 철도박물관로 157

EBS

한국교육과정평가원
감수
본 교재는 2025학년도 수능 연계교재로서 한국교육과정 평가원이 감수하였습니다.

2025학년도

수능 연계교재

수능완성

한 권에 수능 에너지 가득
YOU MADE IT!

5회분 실전 모의고사 수록

테마편 + 실전편

과학탐구영역

정답과 해설

지구과학 Ⅱ

본 교재는 대학수학능력시험을 준비하는 데 도움을 드리고자 과학과 교육과정을 토대로 제작된 교재입니다.
학교에서 선생님과 함께 교과서의 기본 개념을 충분히 익힌 후 활용하시면 더 큰 학습 효과를 얻을 수 있습니다.

문제를 사진 찍고
해설 강의 보기
Google Play | App Store

EBSi 사이트
무료 강의 제공

2025학년도

수능 연계교재

수능완성

과학탐구영역

지구과학 Ⅱ

정답과 해설

테마 01 지구의 탄생과 지구 내부 구조

닮은 꼴 문제로 유형 익히기 본문 6쪽

정답 ⑤

㉠. 관측소 A, B, C에서 각각의 진원 거리를 반지름으로 하는 원을 그렸을 때 생긴 각 원의 교점을 연결하면 3개의 현이 교차하는 하나의 점이 나타나는데, 이곳이 진앙의 위치이다. 진앙은 각 원 안에 위치하므로, 진앙은 ㉠에 위치한다.

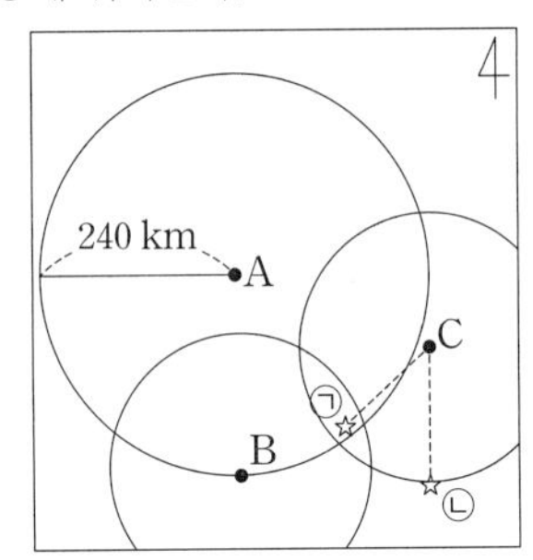

㉡. 관측소 A의 진원 거리가 240 km이므로,

진원 거리(240 km)$=\frac{V_p(8\text{ km/s})\times V_s}{V_p(8\text{ km/s})-V_s}\times$PS시(30초)를 이용하여 S파의 속도를 구하면, S파의 속도는 4 km/s이다.

㉢. B에서의 PS시가 20초이므로,

진원 거리$=\frac{8\text{ km/s}\times 4\text{ km/s}}{8\text{ km/s}-4\text{ km/s}}\times$PS시(20초)를 이용하면 진원 거리가 160 km임을 알 수 있다. 진원 거리$=\sqrt{(\text{진앙 거리})^2+(\text{진원 깊이})^2}$이므로, 진원 깊이가 10 km일 때 진앙 거리는 160 km보다 작다.

수능 2점 테스트 본문 7~9쪽

01 ③	02 ①	03 ⑤	04 ③	05 ③
06 ①	07 ③	08 ④	09 ④	10 ⑤
11 ⑤	12 ①			

01 태양계의 형성 과정

태양계의 형성 과정은 A. 태양계 성운의 형성 → B. 태양계 성운의 수축과 회전 → C. 원시 태양의 형성 → 원시 행성의 형성이다.

㉠. A에서는 수소와 헬륨, 그 밖에 미량의 무거운 원소가 포함된 태양계 성운이 존재하였다.

㉡. B에서는 대부분의 물질들이 태양계 성운의 중심으로 모이면서 납작한 원반 모양을 이루었다.

㉢(X). 성운 질량의 대부분이 중심부로 모여 원시 태양이 형성되었으므로 중심부의 밀도는 A에서가 C에서보다 작다.

02 지구의 탄생과 진화

원시 지구는 약 46억 년 전 수많은 미행성체의 충돌로 형성되었고 이 과정에서 크기가 성장하였다.

㉠. 미행성체가 충돌할 때 발생한 열과 원시 지구 내부 방사성 원소의 붕괴로 발생한 열에 의하여 마그마 바다가 형성되었으므로 지구의 표면 온도는 (가)가 (다)보다 높다.

㉡(X). 마그마 바다 상태에서 중력의 작용으로 밀도가 큰 핵과 밀도가 작은 맨틀로 분리되었으므로 중심부의 밀도는 (나)가 (가)보다 크다.

㉢(X). 미행성체들의 충돌이 감소하여 지표가 식으면서 단단한 원시 지각이 형성되었으므로 미행성체의 충돌은 (가)가 (다)보다 많았다.

03 지구의 환경 변화

초기 원시 지구에는 자외선, 우주선, 태양풍의 고에너지 입자가 지표면에 도달하였으므로 생명체가 살기에 적합하지 않았으나, 지구 자기장과 오존층이 형성되면서 지구상에 생명체가 생존할 수 있는 환경이 조성되었다.

㉠. A는 자기권, B는 오존층이다.

㉡. 오존층이 형성되어 지표로 도달하는 유해한 자외선을 차단하였으므로 육상 생물이 출현하였다.

㉢. 원시 바다에서 광합성을 하는 원시 생명체에 의해 생성된 산소가 대기 중에 축적되어 오존층이 형성되었으므로 ㉠ 시기에 지구에는 원시 바다가 존재하였다.

04 지구 대기의 변화

㉠은 질소, ㉡은 이산화 탄소, ㉢은 산소이다.

㉠. ㉠은 지구 형성으로부터 현재까지 거의 일정한 기체의 분압을 유지하고 있으므로 질소이다.

㉡. 광합성을 하는 남세균이 등장하여 바다에 산소를 공급하기 시작하였고, 이후에는 대기에도 산소가 축적되었다.

㉢(X). 현재 대기 중의 분압은 ㉠>㉢>㉡이다.

05 방사성 동위 원소의 방출 열량

방사성 동위 원소는 주로 규산염 광물로 이루어진 지각에 포함되어 있으며, 대륙 지각을 구성하고 있는 화강암에 가장 많이 포함되어 있고, 해양 지각을 구성하는 현무암에도 포함되어 있다.

㉠. A는 화강암, B는 현무암이다.

㉡. 해양 지각을 구성하는 암석은 주로 현무암이다.

㉢(X). 방사성 동위 원소의 방출 열량의 합을 비교해 보았을 때, 암석 1 kg당 방사성 동위 원소의 방출 열량은 A가 B보다 많다.

06 판의 경계와 지각 열류량

해령, 호상 열도 부근에서는 지각 열류량이 많고, 해구, 순상지 부근에서는 지각 열류량이 적다.

㉠. A 지점에서는 지각 열류량이 40~60 mW/m^2이고, C 지점에서는 지각 열류량이 0~40 mW/m^2이므로 지각 열류량은 A 지점이 C 지점보다 크다.

㉡(X). B 지점은 판의 발산형 경계인 해령에 위치한다.

㉢(X). 해양 지각의 나이가 많아질수록 지각 열류량은 감소한다.

07 지진파의 특성

지진파는 성질이 다른 매질의 경계면에서 반사 또는 굴절하며, 같은 종류의 지진파라도 매질의 밀도와 상태에 따라 전파 속도가 달라진다.

Ⓐ. ㉠은 P파로 매질의 진동 방향이 파의 진행 방향과 나란한 종파이다. ㉡은 S파로 매질의 진동 방향이 파의 진행 방향과 수직한 횡파이다.

Ⓑ. 지진파의 속도는 P파가 S파보다 빠르다.

Ⓧ. P파는 고체, 액체, 기체 상태의 매질을 모두 통과하며, S파는 고체 상태인 매질만 통과한다.

08 진앙 거리와 지진파

지진파의 종류에는 P파, S파, 표면파가 있다.

X. 표면파는 지표면을 따라 전파되는 파로 지표면에 위치한 관측소 A에 도착한다.

㉡. 진앙으로부터의 각거리 103°~180° 사이는 S파의 암영대로 관측소 B에서는 S파가 관측되지 않는다.

㉢. 지진파는 지구 내부의 불연속면에서 크게 변하므로 외핵과 맨틀의 경계면인 불연속면에서는 지진파의 속도가 급격히 변한다.

09 주시 곡선과 진앙 거리

관측한 지진 기록을 해석하여 PS시를 구한 후 주시 곡선에서 PS시에 해당하는 가로축의 거리 값을 읽으면 진앙까지의 거리를 알아낼 수 있다.

㉠. 주시 곡선에서 지진파의 속도가 ㉠보다 ㉡이 더 빠르므로 ㉠은 S파이고, ㉡은 P파이다. S파는 파의 진행 방향과 매질의 진동 방향이 수직한 지진파이다.

X. (나)에서 진폭의 평균 크기는 P파가 S파보다 작다. 따라서 지진파의 진폭은 P파가 S파보다 작다.

㉢. P파와 S파의 최초 도착 시간 차이를 PS시라고 한다. 관측소 A의 PS시가 4분이므로 A의 진앙 거리는 약 3000 km이다.

10 지구 내부 구조

지구 내부를 통과하는 지진파를 분석하여 지구 내부가 지각, 맨틀, 외핵, 내핵의 층상 구조를 이루고 있음을 알아내었다.

㉠. A 영역에는 지진파 저속도층이 있으므로 연약권을 확인할 수 있다. 연약권은 지구 내부 온도가 구성 물질의 용융 온도에 근접하여 부분 용융이 일어난 층이다.

㉡. (나)는 외핵으로 액체 상태의 철 합금으로 구성되어 있다.

㉢. 깊이에 따른 P파의 속도 변화는 (나)보다 (가)에서 크므로 평균 속도 변화율은 (나)보다 (가)에서 크다.

11 지구 내부 구조

지구 내부를 탐사하는 방법에는 시추, 포획암 분석 등의 직접적인 탐사 방법과 지진파 탐사, 지각 열류량 측정 등의 간접적인 탐사 방법이 있다.

㉠. A는 시추로 지구 내부를 직접 탐사하는 방법이다.

㉡. B는 화산 분출물 연구인 포획암 분석으로 맨틀 포획암을 분석하여 상부 맨틀 물질을 알 수 있다.

㉢. ㉠에는 지진파의 지진 기록을 분석하는 내용이 들어가며, 지구 내부 불연속면의 깊이 및 지구 내부를 구성하는 물질의 물리적 성질을 알 수 있다.

12 지구 내부의 물리량

지구 내부의 온도와 구성 물질의 용융 온도를 통해 지구 내부 물질의 상태를 알 수 있다. 밀도는 지구 내부의 불연속면에서 급격히 증가하는 계단 모양의 분포를 이룬다.

㉠. ㉠은 지구 내부의 온도 곡선, ㉡은 구성 물질의 용융 온도 곡선이다.

X. (가)는 맨틀과 외핵의 경계이고, (나)는 외핵과 내핵의 경계로 경계면에서의 밀도 변화는 (나)가 (가)보다 작다.

X. 외핵에서는 지구 내부의 온도가 구성 물질의 용융 온도보다 높으므로 액체 상태로 존재한다.

수능 3점 테스트

본문 10~13쪽

01 ③	02 ③	03 ②	04 ②	05 ④
06 ③	07 ⑤	08 ②		

01 태양계의 형성 과정

성운설은 우리은하에 있던 거대한 성운이 뭉쳐져 지구를 포함한 태양계 천체들이 만들어졌다는 설이다. 빅뱅으로부터 수소와 헬륨이 만들어지고, 이보다 무거운 원소는 별 내부의 핵융합과 초신성의 폭발 과정에서 만들어졌다. 이들 원소가 모인 성운이 태양계 성운이다. 태양계 성운의 주성분은 수소와 헬륨이고, 그 밖에 미량의 무거운 원소가 포함되었다.

㉠. A → B 과정에서 물질들이 태양계 성운의 중심으로 모이면서 회전 속도가 점점 빨라져 납작한 원반 모양이 되었다.

X. B → C 과정에서 태양계 성운의 중심부는 중력 수축에 의해 온도와 압력이 높아졌다.

㉢. 회전하는 태양계 성운은 원반을 형성하게 되며, 이 원반에서 생성된 행성의 공전 방향은 모두 같다.

02 지구의 탄생과 진화

지구의 형성 과정은 마그마 바다 형성 → 맨틀과 핵의 분리 → 원시 지각과 원시 바다의 형성 순이다.

㉠. 마그마 바다 형성은 ㉠에 해당하고, 맨틀과 핵의 분리는 ㉡에 해당한다.

X. 맨틀과 핵의 분리 과정에서는 중력의 작용으로 철과 니켈 등 밀도가 큰 금속 성분들이 지구 중심부로 가라앉아 핵을 형성하였으므로, 중심부의 밀도는 A가 B보다 작다.

㉢. 지구의 반지름은 지구 형성 과정의 초기에서부터 원시 지각이 형성되기까지 증가하므로, ㉢에서는 A<B<C이므로 C가 A보다 크다.

03 판의 경계와 지각 열류량

지구 내부 에너지가 지표로 방출되는 열량을 지각 열류량이라고 한다.
ㄱ(X). 해령은 발산형 경계로 맨틀 대류의 상승부에 위치한다.
ㄴ(O). 지각 열류량의 변화량은 해령으로부터 0~200 km 구간에서는 평균 약 120 mW/m^2이며, 200~400 km 구간에서는 평균 약 40 mW/m^2이므로 지각 열류량의 평균 변화율은 해령으로부터 0~200 km 구간이 200~400 km 구간보다 크다.
ㄷ(X). 해령에서 멀어질수록 해양 지각의 나이는 많아지고 지각 열류량은 적어진다.

04 지구 대기의 변화

지구 대기는 주로 질소, 산소, 이산화 탄소로 구성되어 있다.
ㄱ(X). 지구 형성으로부터 현재까지 거의 일정한 기체의 분압을 유지하고 있으므로 (가)는 질소의 분압 변화이다.
ㄴ(X). (나)는 이산화 탄소, (다)는 산소의 분압 변화로, 10억 년 전부터 현재까지 기체 분압의 변화율은 (나)가 (다)보다 크다.
ㄷ(O). 광합성을 하는 남세균이 등장하여 바다에 산소를 공급하기 시작하였고, 이후 대기에도 산소가 축적되어 증가하면서 오존층이 형성되었다. 오존층이 지표에 도달하는 자외선을 차단하면서 육지에 생명체가 출현하였다.

05 지진 기록 분석

P파의 속도를 V_P, S파의 속도를 V_S, PS시를 t라고 하면, 진원에서 관측소까지의 거리(d)는 $d=\frac{V_P \times V_S}{V_P - V_S} \times t$이다.
ㄱ(X). PS시가 길수록 진원 거리는 멀어지므로, 진원 거리는 A가 C보다 가깝다.
ㄴ(O). (나)에서 P파 도착 시각과 S파 도착 시각의 차인 PS시가 3초인 것으로 보아 (나)의 자료는 관측소 C의 관측 기록이다.
ㄷ(O). C에 S파가 도달하는 데 6초 걸렸고, P파가 도달하는 데 3초 걸렸으므로 P파의 속도가 S파의 속도보다 2배 빠르다. 따라서 S파의 속도가 3 km/s이므로, P파의 속도는 6 km/s이다.

06 진원의 깊이

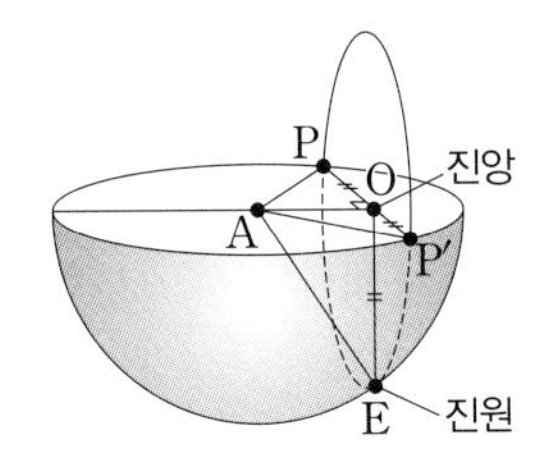

관측소 A의 위치인 점 A와 진앙의 위치인 점 O를 연결하여 직선 AO를 긋고, 점 O에서 직선 AO에 직교하는 현 PP′을 그으면 현 PP′의 절반인 선분 OP 또는 선분 OP′의 길이를 구할 수 있는데, 이 길이가 진원의 깊이에 해당한다.
ㄱ(O). $\overline{PP'}$과 $\overline{QQ'}$은 진원 깊이의 2배에 해당하는 길이로, 동일한 지진에서 진원의 깊이는 같으므로 $\overline{PP'}$과 $\overline{QQ'}$의 길이는 같다.
ㄴ(X). $\overline{OA}$와 $\overline{O'B}$는 진앙 거리로, 진원의 깊이가 같고 진원 거리가 멀수록 진앙 거리는 멀어진다. 따라서 $\frac{\overline{OA}\text{의 길이}}{\overline{O'B}\text{의 길이}}$는 1보다 작다.
ㄷ(O). A는 B보다 진원 거리가 가까우므로 P파는 B보다 A에 먼저 도착하였다.

07 관측 기록과 암영대

지진파의 암영대를 이용하여 지구 내부 구조를 알아내었다.
ㄱ(O). 진앙 거리는 진앙에서 관측소의 위치가 멀어질수록 커지므로, 진앙 거리는 A가 C보다 가깝다.
ㄴ(O). P파의 암영대는 진앙으로부터의 각거리가 약 103°~142°인 지역, S파의 암영대는 진앙으로부터의 각거리가 약 103°~180°인 지역으로 B는 S파의 암영대에 위치한다.
ㄷ(O). C에서 관측되는 지진파는 P파이며, P파는 종파이기 때문에 매질의 진동 방향과 파의 진행 방향이 나란하다.

08 지구 내부의 물리량

지구 내부 온도와 구성 물질의 용융 온도를 통해 지구 내부 물질의 상태를 알 수 있다.
ㄱ(X). ㉠은 지구 내부의 온도 곡선이고, ㉡은 구성 물질의 용융 온도 곡선이다.
ㄴ(X). A 구간에서 깊이에 따른 평균 온도 변화량은 ㉠이 ㉡보다 크다.
ㄷ(O). B 구간에서는 ㉠이 ㉡보다 크므로 B 구간을 구성하는 물질은 액체 상태이다.

테마 02 지구의 역장

닮은 꼴 문제로 유형 익히기

본문 16쪽

정답 ⑤

ㄱ. A에서 지구 자기장은 남쪽에서 북쪽으로 향하고, 기울어져 있는 각도가 60°이므로 북반구이다.

ㄴ. (나)의 복각계에서 자침의 N극 방향이 위로 향하였으며 각도가 30°이므로 복각은 −30°이다. 지구 자기장은 남쪽에서 북쪽으로 향하고 기울어져 있는 각도가 30°이므로, (나)는 B에서 측정한 모습이다.

ㄷ. $\frac{\text{연직 자기력}}{\text{수평 자기력}}=\tan(\text{복각})$이므로, $\frac{\text{연직 자기력}}{\text{수평 자기력}}$은 복각의 크기가 큰 A가 B보다 크다.

수능 2점 테스트

본문 17~18쪽

01 ② 02 ⑤ 03 ① 04 ① 05 ③ 06 ③ 07 ② 08 ⑤

01 지각 평형설

맨틀 위에 지각이 분포하는 모습을 에어리는 해수면 아래의 지각 깊이 차로 설명하였고, 프래트는 지각의 밀도 차로 설명하였다.

ㄱ. (가)는 에어리의 지각 평형설을 설명하는 모형이다.

ㄴ. 프래트의 지각 평형설을 설명하는 모형인 (나)에서 지각의 밀도가 클수록 지각의 두께가 얇다. 지각의 밀도는 A, B, C 중에서 A가 가장 크다.

ㄷ. 해수면을 기준으로 한 실제 모호면의 깊이는 에어리의 지각 평형설로 설명할 수 있다.

02 조륙 운동

지각이 침식되거나 빙하가 녹으면 지각 하부에 작용하는 압력이 낮아지면서 지각은 새로운 평형을 맞추기 위해 융기한다.

ㄱ. 1만 년 동안 융기한 높이는 A 지점이 250 m, B 지점이 50 m이므로, 1만 년 동안 빙하 두께의 변화는 A 지점이 B 지점보다 크다.

ㄴ. A 지점의 빙하가 녹으면서 지각 하부에 작용하는 압력이 낮아지므로 새로운 평형을 맞추기 위해 모호면의 깊이는 얕아졌다.

ㄷ. 이 지역은 빙하가 녹으면서 지각의 융기에 따른 조륙 운동이 일어났다.

03 표준 중력

지구상의 물체에 작용하는 만유인력과 지구 자전에 의한 원심력의 합력을 표준 중력이라고 한다.

ㄱ. ㉠은 원심력, ㉡은 만유인력이다.

ㄴ. 만유인력은 저위도에서 고위도로 갈수록 커지므로 A가 B보다 크다.

ㄷ. 표준 중력의 방향은 만유인력과 원심력의 합력 방향을 향하므로 적도와 극이 아닌 지역에서는 지구 중심 방향을 향하지 않는다.

04 중력 이상

중력 이상은 실측 중력과 표준 중력의 차이이며, 지하에 주변보다 밀도가 큰 물질이 분포하면 (+) 값, 주변보다 밀도가 작은 물질이 분포하면 (−) 값으로 나타난다.

ㄱ. 동일한 위도에서 표준 중력은 같으므로, 표준 중력은 A와 B에서 같다.

ㄴ. C에서는 중력 이상 값이 (−)로 실측 중력이 표준 중력보다 작다.

ㄷ. ㉠이 지하에 있는 A에서는 중력 이상 값이 (+)이고 ㉡이 지하에 있는 C에서는 중력 이상 값이 (−)이므로, ㉠은 ㉡에 비해 밀도가 크다.

05 중력의 측정

A는 만유인력, B는 원심력이다.

ㄱ. 표준 중력은 저위도보다 고위도에서 크므로 ㉠이 ㉢보다 크다.

ㄴ. 동일한 단진자의 진동 주기는 중력에 반비례하므로 고위도인 ㉠이 저위도인 ㉡보다 짧다.

ㄷ. ㉢에서는 만유인력인 A가 작용하는 방향은 지구 중심 방향이고, 원심력인 B가 작용하는 방향은 지구 자전축에 수직인 지구 바깥 방향이므로 작용하는 방향은 다르다.

06 지구 자기 요소

지구 자기 요소로는 편각, 복각, 전 지기력, 수평 지기력, 연직 지기력이 있다.

ㄱ. ㉠은 편각, ㉡은 복각이다.

ㄴ. 지구 자기장의 연직 성분 세기를 연직 자기력이라고 하며, 연직 자기력은 자극에서 최대이고 자극에서 멀어질수록 작아지며 자기 적도에서 0이 된다. 따라서 연직 자기력은 A가 B보다 크다.

ㄷ. 복각은 자기 적도에서 0°이고, 자북극에서 +90°, 자남극에서 −90°이다. 따라서 복각은 자북극에 가까울수록 커지므로 A가 B보다 크다.

07 지구의 자기장

지구 자기장의 방향이 수평면에 대하여 기울어진 각을 복각이라고 한다.

ㄱ. (가)에서 지구 자기장의 자기력선 방향은 남쪽에서 북쪽을 향하는 수평 방향이므로 (가)는 자기 적도 부근의 자기력선이다.

ㄴ. 지구 자기장의 방향이 수평면에 대하여 기울어진 각이 60°이고, (나)의 지역은 자기력선이 남쪽에서 북쪽으로 기울어진 북반구이므로 복각은 +60°이다.

ㄷ. 수평 자기력은 자기 적도에 가까울수록 커진다. (가)는 (나)보다 저위도에 위치하므로 $\frac{\text{수평 자기력}}{\text{전 자기력}}$은 (가)가 (나)보다 크다.

08 자기권

자기권은 지구 자기장의 영향이 미치는 기권 밖의 영역을 말한다.

Ⓐ. ㉠은 외대로 주로 전자로 이루어져 있고, ㉡은 내대로 주로 양성자로 이루어져 있다.

Ⓑ 자기 폭풍은 태양의 흑점 주변에서 플레어가 활발할 때 방출되는 많은 양의 대전 입자가 지구 전리층을 교란해 수 일 동안에 지구 자기장이 불규칙하고 급격하게 변하는 현상이다.

Ⓒ 태양에서 오는 대전 입자가 지구 자기장에 붙잡혀 고위도 지방에 오로라가 발생한다. 자기 폭풍이 발생할 때 델린저 현상이나 오로라가 자주 나타난다.

수능 3점 테스트

본문 19~21쪽

01 ⑤ 02 ④ 03 ① 04 ⑤ 05 ① 06 ③

01 지각 평형의 원리

밀도가 같은 나무토막들은 각각의 전체 길이에 대하여 수면 아래로 잠긴 부분의 비율이 일정하며, 밀도가 서로 다른 나무토막들은 수면 위로 드러난 부분과 수면 아래로 잠긴 부분의 비율이 다르다.

ㄱ. 밀도가 같은 나무토막들은 전체 길이에 대하여 수면 아래에 잠긴 부분의 비율이 일정하므로, $\frac{㉠\ \text{cm}}{3\ \text{cm}}=\frac{4\ \text{cm}}{6\ \text{cm}}$ 이다. 따라서 ㉠은 2이다.

ㄴ. 나무토막의 밀도가 작을수록 수면 위로 드러나는 부분의 길이 비가 크므로 (나)에서 나무토막의 밀도는 A가 C보다 크다.

ㄷ. (가)는 에어리의 지각 평형설, (나)는 프래트의 지각 평형설의 원리를 알아보기 위한 과정이다.

02 조륙 운동

지각이 침식되거나 빙하가 녹으면 지각 하부에 작용하는 압력이 낮아지면서 지각은 새로운 평형을 맞추기 위해 융기한다.

ㄱ. 밀도는 해양 지각이 대륙 지각보다 크다.

ㄴ. 지각 평형 깊이에서 A와 B에서의 압력은 같다.

ㄷ. 이 지역은 빙하가 녹으면서 대륙 지각이 융기하였다.

03 표준 중력

표준 중력은 만유인력과 원심력의 합력이다. 만유인력은 지구 중심을 향하며, 지구와 물체 사이 거리의 제곱에 반비례한다. 원심력은 지구 자전 때문에 생긴 힘으로 자전축에 수직이고, 지구의 바깥쪽으로 작용한다.

ㄱ. 동일한 단진자의 주기는 중력에 반비례하므로 고위도인 A가 저위도인 B보다 짧다.

ㄴ. 지구 자전에 의한 원심력의 크기는 고위도에서 저위도로 갈수록 커지므로 A가 B보다 작다.

ㄷ. 중력의 방향은 만유인력과 원심력의 합력의 방향을 향하므로 적도와 극이 아닌 지역에서는 지구 중심 방향을 향하지 않는다.

04 중력 이상

문제에 제시된 그림은 해발 고도와 지형의 기복 등의 영향을 보정한 중력 이상으로 지하 물질의 밀도와 분포를 알 수 있다.

ㄱ. 표준 중력은 위도가 높을수록 커지므로 A, B, C 중에서 A가 가장 크다.

ㄴ. B에서는 중력 이상의 값이 +20 mGal로 실측 중력이 표준 중력보다 크다.

ㄷ. 측정 지점 아래를 구성하는 암석의 밀도 차이에 따른 중력 이상을 분석하여 지하 물질의 분포 상태를 해석하면 지하자원과 지하 구조를 파악할 수 있다. 중력 이상 값이 (+)인 지역은 지하에 밀도가 큰 물질이 존재하고, 중력 이상 값이 (−)인 지역은 지하에 밀도가 작은 물질이 존재한다.

05 지구 자기 요소

지구 자기 요소로는 편각, 복각, 전 자기력, 수평 자기력, 연직 자기력이 있다. 편각은 어느 지점에서 진북 방향과 지구 자기장의 수평 성분 방향이 이루는 각이고, 복각은 어느 지점에서 지구 자기장의 방향이 수평면에 대하여 기울어진 각이며, 지구 자기장의 수평 성분 세기를 수평 자기력이라고 한다.

ㄱ. (다)는 서편각이므로, A 지점에서 나침반 자침이 배열된 모습이다.

ㄴ. 지구 자기장의 방향이 수평면과 기울어진 각을 복각이라고 하며, 복각의 크기는 A가 B보다 크다.

ㄷ. B에서 A로 이동할 때, 나침반의 자침이 가리키는 방향은 동쪽에서 서쪽 방향으로 변하므로 나침반의 자침은 시계 반대 방향으로 움직인다.

06 자기권과 자기 폭풍

태양에서 오는 대전 입자가 지구 자기장에 붙잡혀 밀집되어 있는 도넛 모양의 방사선대를 밴앨런대라고 한다.

ㄱ. 밴앨런대는 내대와 외대로 구성되며, ㉠인 내대는 주로 양성자로 이루어져 있고, 외대는 주로 전자로 이루어져 있다.

ㄴ. A 기간 동안에는 자기 폭풍이 발생하였으므로 A 기간 이전보다 태양풍의 세기가 강해졌다.

ㄷ. 다이너모 이론에서 지구 자기장은 외핵에서 형성된 유도 전류 때문에 만들어진다.

테마 03 광물

닮은 꼴 문제로 유형 익히기 본문 23쪽

정답 ②

A는 각섬석, B는 흑운모, C는 감람석이다.

ㄱ. SiO_4 사면체 결합 구조가 복사슬 구조인 A는 각섬석이다.

ㄴ. SiO_4 사면체 결합 구조가 판상 구조인 B는 쪼개짐이 1방향으로 나타나며, 광물에 충격을 가했을 때 결합력이 약한 부분을 따라 규칙성을 가지고 판상 모양으로 떨어져 나간다.

ㄷ. SiO_4 사면체 결합 구조에서 $\frac{\text{Si 원자 수}}{\text{O 원자 수}}$는 A는 $\frac{4}{11}$, C는 $\frac{1}{4}$이므로 A가 C보다 크다.

수능 2점 테스트 본문 24~25쪽

01 ③ 02 ⑤ 03 ① 04 ③ 05 ④ 06 ① 07 ④ 08 ③

01 광물의 결정 형태

광물의 외부 형태를 결정형이라 하고, 결정면의 배열에 따라 나타나는 광물의 여러 가지 모양을 결정 형태라고 한다.

ㄱ. A는 자형, B는 반자형, C는 타형이다.

ㄴ. 자형은 고유한 결정면을 가진 형태로 고온에서 정출되므로 자형은 반자형보다 고온에서 정출되었다.

ㄷ. 타형은 먼저 생긴 광물의 결정들 사이에서 성장하여 고유한 결정면을 갖추지 못한다.

02 광물의 성질

광물을 서로 긁어보면 상대적인 굳기를 비교할 수 있다. 광물에 충격을 가했을 때 결합력이 가장 약한 면을 따라 특정한 방향으로 갈라지는 것으로 쪼개짐이 나타남을 알 수 있고, 불규칙하게 방향성 없을 때는 깨짐이 나타남을 알 수 있다. 묽은 염산과의 반응을 통해 광물의 화학적 성질을 알 수 있다.

ㄱ. 석영은 깨짐이 나타나며, 충격을 가했을 때 불규칙하게 부서진다.

ㄴ. 방해석과 같은 탄산염 광물은 묽은 염산과 반응하여 이산화 탄소 기포가 발생한다.

ㄷ. 모스 굳기가 클수록 상대적으로 굳기가 크므로 석영으로 방해석을 긁으면 방해석이 긁힌다.

03 규산염 광물

규산염 광물은 1개의 규소와 4개의 산소가 결합된 SiO_4 사면체를 기본 단위로 하며, SiO_4 사면체가 다른 SiO_4 사면체 또는 이온과 결합하여 이루어진 광물이다.

ㄱ. (가)는 감람석, (나)는 휘석, (다)는 각섬석이다.

ㄴ. (가)의 결합 구조는 독립형 구조, (나)의 결합 구조는 단사슬 구조, (다)의 결합 구조는 복사슬 구조이다.

ㄷ. SiO_4 사면체 결합 구조에서 $\frac{\text{O 원자 수}}{\text{Si 원자 수}}$는 (가)>(나)>(다)이다.

구분 (광물)	독립형 구조 (감람석)	단사슬 구조 (휘석)	복사슬 구조 (각섬석)
Si : O	1 : 4	1 : 3	4 : 11

04 광물의 광학적 성질

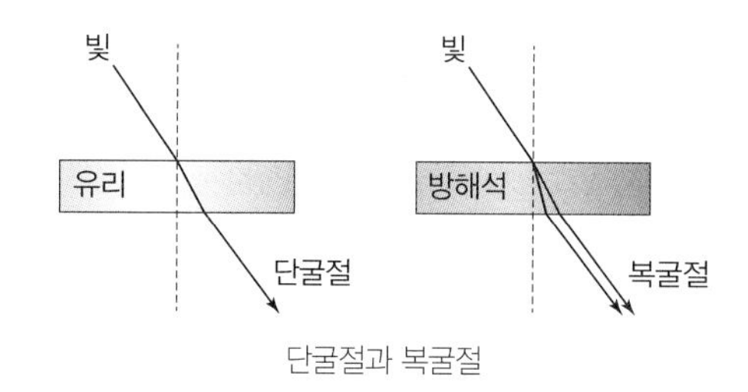

단굴절과 복굴절

ㄱ. (가)에서 종이에 점선이 두 줄로 보이는 것으로 보아 복굴절이 일어났다. 방해석은 복굴절이 일어나는 광학적 이방체 광물이다.

ㄴ. 편광판을 올리고 회전시키면서 관찰하면 한 방향으로 진동하는 빛이 통과하므로 인쇄된 종이에 점선이 한 줄로 보이는 경우가 있다. (나)는 편광판을 광물 위에 올리고 관찰한 모습이다.

ㄷ. 유리는 복굴절이 일어나지 않는다.

05 편광 현미경의 원리

편광 현미경에서 상부 편광판을 뺀 상태를 개방 니콜이라 하고, 상부 편광판을 넣은 상태를 직교 니콜이라고 한다.

ㄱ. 간섭색은 직교 니콜에서 확인할 수 있다.

ㄴ. 직교 니콜에서 암석 박편을 회전시킬 때 소광 현상을 확인할 수 있다.

ㄷ. 광학적 이방체 광물은 광물 내에서 방향에 따라 빛의 통과 속도가 달라져서 굴절률에 차이가 생기며, 복굴절을 일으킨다. 따라서 개방 니콜과 직교 니콜에서 광학적 이방체 광물의 광학적 특징을 관찰할 수 있다.

06 화성암의 조직

화성암의 조직은 입자의 크기에 따라 조립질 조직과 세립질 조직으로 분류된다.

ㄱ. (가)는 화강암, (나)는 현무암이다.

ㄴ. 현무암에서는 세립질 조직을 관찰할 수 있다.

ㄷ. 화강암은 심성암이고 현무암은 화산암으로, 심성암은 화산암보다 깊은 곳에서 생성된다.

07 퇴적암의 조직

퇴적암은 조직에 따라 쇄설성 퇴적암, 화학적 퇴적암, 유기적 퇴적암으로 분류된다.

ㄱ. ㉠은 화학적 퇴적암으로 석고 등이 해당한다. 이암은 쇄설성 퇴적암이다.
ㄴ. 쇄설성 퇴적암을 구성하는 입자 사이에는 방해석, 점토 광물, 불투명 광물 등의 교결 물질이 채워져 있다.
ㄷ. 석회암을 관찰하면 크고 작은 탄산칼슘의 입자들 사이에 생물의 골격이나 껍데기의 파편이 관찰되는 경우가 많다.

08 변성암의 조직

접촉 변성암에서는 치밀하고 단단한 혼펠스 조직을 볼 수 있고, 입자의 크기가 비슷하고 조립질로 구성된 입상 변정질 조직을 볼 수 있다. 광역 변성암에서는 흑운모나 백운모 같은 광물이 압력에 수직인 방향으로 나란하게 배열된 엽리(편리, 편마 구조)를 볼 수 있다.
ㄱ. 규암 박편에서는 입자의 크기가 비슷하고 조립질로 구성된 입상 변정질 조직을 관찰할 수 있다.
ㄴ. 편마암은 열과 압력에 의한 광역 변성 작용을 받았다.
ㄷ. 편마암은 편암보다 입자의 크기가 크므로 입자의 크기는 (나)가 (다)보다 크다.

수능 3점 테스트

본문 26~27쪽

01 ⑤ 02 ③ 03 ② 04 ⑤

01 광물의 성질

색, 조흔색, 쪼개짐과 깨짐, 굳기, 광택 등으로 광물의 물리적 성질을 알 수 있고, 묽은 염산과의 반응을 통해 광물의 화학적 성질을 알 수 있다. A는 흑운모, B는 석영, C는 방해석이다.
ㄱ. 흑운모의 색은 흑색이며, 흑운모는 쪼개짐이 나타난다.
ㄴ. 석영은 깨짐이 나타나며, 충격을 가했을 때 불규칙하게 부서진다.
ㄷ. 쇠못에 긁히는 방해석은 쇠못에 긁히지 않는 석영에 비해 굳기가 작으므로, 굳기는 B가 C보다 크다.

02 규산염 광물

(가)는 감람석, (나)는 휘석, (다)는 석영이다.
ㄱ. (가)의 결합 구조는 독립형 구조, (나)의 결합 구조는 단사슬 구조, (다)의 결합 구조는 망상 구조이다.
ㄴ. Fe, Mg이 많이 함유된 광물은 색이 어둡고 밀도가 크며, Si, Na, K이 많이 함유된 광물은 색이 밝고 밀도가 작다. 따라서 밀도는 (나)가 (다)보다 크다.
ㄷ. SiO_4 사면체 결합 구조에서 $\frac{\text{O 원자 수}}{\text{Si 원자 수}}$는 (가)는 4, (나)는 3이므로 ㉠은 ㉡보다 크다.

03 편광 현미경을 이용한 광물 관찰

이방체 광물은 개방 니콜에서는 다색성을 관찰할 수 있고, 직교 니콜에서는 간섭색, 소광 현상을 관찰할 수 있다.
ㄱ. A는 흑운모, B는 사장석이다. 사장석은 개방 니콜에서 다색성을 관찰할 수 없고, 직교 니콜에서 소광 현상과 간섭색을 관찰할 수 있다.
ㄴ. 흑운모는 개방 니콜에서 색과 밝기가 변하므로 다색성을 관찰할 수 있다.
ㄷ. 사장석은 재물대를 회전시킬 때 90° 간격으로 소광 현상을 관찰할 수 있으므로 재물대의 회전각이 90°일 때, 회전각 0°와 주로 같은 밝기를 관찰할 수 있다.

04 암석의 조직

(가)는 화성암, (나)는 퇴적암, (다)는 변성암이다.
ㄱ. 현무암은 화산암으로 입자는 세립질이다.
ㄴ. 사암은 쇄설성 퇴적암으로 지표에 노출된 암석이 풍화 작용을 받아 생긴 쇄설물들이 운반되고 퇴적되어 형성되므로 편광 현미경을 통해 입자의 모서리가 마모된 것을 관찰할 수 있다.
ㄷ. 사암이 접촉 변성 작용이나 광역 변성 작용을 받으면 규암이 된다.

테마 04 지구의 자원

닮은 꼴 문제로 유형 익히기

본문 29쪽

정답 ⑤

(가)는 금속 광물 자원, (나)는 비금속 광물 자원의 생산량을 나타낸 것이다. A는 석회석, B는 고령토이다.

㉠. A는 B보다 생산량이 많으므로 A는 석회석, B는 고령토이다.

㉡. (가)의 철과 아연은 금속 광물 자원이므로 (나)는 비금속 광물 자원의 생산량이다.

㉢. 화성 광상에서는 주로 금속 광물 자원이 비금속 광물 자원보다 많이 산출된다.

수능 2점 테스트

본문 30~31쪽

01 ⑤ 02 ③ 03 ① 04 ⑤ 05 ③
06 ⑤ 07 ① 08 ③

01 광상의 종류

A는 변성 광상, B는 퇴적 광상이다.

㉠. 화성 광상은 마그마가 냉각되면서 마그마 및 그 주변에서 생성된다.

㉡. 변성 광상에는 접촉 교대 광상, 광역 변성 광상 등이 있다.

㉢. 석회석은 주로 해양 환경에서 퇴적되어 형성되는 퇴적 광상에서 산출된다.

02 화성 광상

A는 정마그마 광상, B는 페그마타이트 광상이다. 정마그마 광상은 마그마 냉각 초기에, 페그마타이트 광상은 마그마 냉각 말기에 주로 생성된다.

㉠. A는 정마그마 광상으로 마그마가 냉각되는 초기에 형성된다.

ㄴ̸. 석영은 마그마 냉각 초기보다 말기에 주로 정출된다. 이러한 환경은 정마그마 광상보다 페그마타이트 광상의 형성 조건에 가깝다.

㉢. 마그마 냉각 초기에는 철과 마그네슘 등의 밀도가 큰 금속 광물이 정출되므로 산출되는 광물의 평균 밀도는 A가 B보다 크다.

03 우리나라 비금속 광물 매장량

그림은 우리나라 비금속 광물의 매장량 비율을 나타낸 것이다.

㉠. 석회석은 우리나라 비금속 광물 매장량 중 가장 많은 부분을 차지한다.

ㄴ̸. 우리나라에서 비금속 광물의 대부분은 퇴적 광상에서 주로 산출된다.

ㄷ̸. 규석, 운모, 고령토 등이 포함되므로 비금속 광물의 매장량 비율을 나타낸 것이다.

04 비금속 광물 자원

고령토와 금강석은 퇴적 광상에서 발견할 수 있는 비금속 광물이다.

㉠. 고령토는 분쇄 과정을 거쳐 도자기, 종이 등에 활용된다.

㉡. 금강석은 탄소(C)로 이루어진 비금속 광물이다.

㉢. 고령토와 금강석 모두 퇴적 광상에서 산출될 수 있다.

05 광물 자원 활용의 예

(가)는 철근, (나)는 도자기로 각각 철과 고령토를 활용한 예이다.

㉠. (가)에 사용된 광물 자원은 철이며, 화성 광상과 퇴적 광상에서 자철석, 적철석 등의 형태로 산출된다.

ㄴ̸. 제련 과정이 필요한 것은 주로 금속 광물이며, (나)는 비금속 광물의 활용 예이다.

㉢. (나)를 만드는 주재료인 고령토는 대표적인 비금속 광물 자원이다.

06 암석의 이용

A에는 건축 자재, B에는 석회암이 들어갈 수 있다.

㉠. 화강암은 주로 건축 자재로 이용된다.

㉡. 석회암은 비료, 시멘트, 화학 공업 원료 등에 주로 활용된다.

㉢. 화강암과 현무암은 화성 광상의 자원들과 함께 산출되고, 석회암(B)은 퇴적 광상의 자원들과 함께 산출된다.

07 조력 발전소

조력 발전은 달과 태양의 인력에 의해 발생하는 밀물과 썰물에 의한 해수면의 높이 차를 활용한 에너지 발전 방식이다. 조력 발전은 종류에 따라 만조와 간조 중 한 시기에만 발전하거나 두 시기 모두 발전하는 것으로 구분된다.

㉠. 제시된 조력 발전은 바다에서 해안으로 해수가 몰려오는 밀물 기간 동안에만 발전하므로, 발전하는 동안 수면의 높이는 바다인 A가 호수인 B보다 높다.

ㄴ̸. 조석 간만의 차는 지역별로 일정한 주기를 가지고 나타나므로 발전량 예측이 상대적으로 용이하다.

ㄷ̸. 조력 발전소의 제방은 해수의 흐름을 차단하여 갯벌은 사라지고, 염분 농도가 변하며, 해양 생태계에 악영향을 끼칠 우려가 있다.

08 해양 에너지 발전

(가)는 파력 발전, (나)는 조류 발전 방식을 나타낸 것이다.

㉠. (가)는 파도에 의해 공기실의 압력이 변하고, 이 압력 변화를 이용하여 터빈을 작동하는 파력 발전이다.

ㄴ̸. (나)는 해수의 흐름에 큰 영향을 미치지 않으므로 해수 염분 변화와 같은 문제를 일으키지 않는다.

㉢. 조류는 달과 태양의 기조력에 의해 비교적 일정한 주기를 갖고 있지만, 파도는 그 지역의 날씨나 계절의 영향을 더 크게 받는다.

수능 3점 테스트

본문 32~33쪽

01 ④　02 ③　03 ③　04 ⑤

01 우리나라의 금속 광물과 비금속 광물

우리나라에서는 금속 광물의 생산량이 부족하여 자급률이 매우 낮다. 따라서 대부분의 금속 광물은 수입에 의존하고 있다. 반면 비금속 광물은 금속 광물과 비교했을 때, 자급률이 상대적으로 높은 편이다. 따라서 (가)는 금속 광물, (나)는 비금속 광물을 나타낸다.

ㄱ. 자급률이 매우 낮은 (가)는 금속 광물 자료이다.

ㄴ. 2016년~2019년 동안 (나)의 수입에 따른 거래 금액은 매년 지속적으로 증가하고 있다.

ㄷ. (가)는 (나)보다 자급률이 낮으므로 수입 의존도가 더 높다.

02 퇴적 광상

퇴적 광상은 암석 및 광물이 침식, 운반, 퇴적의 과정을 거쳐 생성된 광상이다. 퇴적 광상의 종류로는 표사 광상, 풍화 잔류 광상, 침전 광상이 있다.

ㄱ. 사금은 표사 광상에서 산출되는 광물 자원 중 하나이다.

ㄴ. 보크사이트는 알루미늄의 주요 원료이다. 알루미늄은 우주 산업부터 알루미늄 캔에 이르기까지 다방면에 사용되지만 화석 연료로는 이용되지 않는다.

ㄷ. 사금과 보크사이트는 각각 표사 광상과 풍화 잔류 광상에서 산출되며, 모두 퇴적 광상이나 그 주변에서 발견된다.

03 파력 발전소

(가)는 부표나 원통형 실린더를 띄워 놓고 파도에 의해 흔들릴 때마다 전기 에너지가 생산되는 부유식 파력 발전소이다.

ㄱ. 부유식 파력 발전소는 고정식 파력 발전소와 함께 파도의 에너지를 이용한 전기 에너지 발전이다.

ㄴ. 평균 파고는 A에서가 B에서보다 높다. 따라서 파력 발전은 A에서가 B에서보다 유리하다.

ㄷ. 파도는 지상에 가까운 바람의 영향을 많이 받게 되며, 풍속 및 풍향은 일정하지 않고 지속적으로 변한다. 따라서 하루 동안 시간에 따른 발전량은 일정하지 않다.

04 조력 발전소

조력 발전은 태양과 달의 기조력에 의해 해수면의 높이가 변하는 특성을 이용한 에너지 발전 방식이다.

ㄱ. 조력 발전의 효율은 만조와 간조 때의 조차(해수면 높이 차)가 클수록 좋다.

ㄴ. 조력 발전은 제방에 의해 해양 생물체의 이동이 차단되고, 해수의 특성을 변화시켜 생태계 파괴의 우려가 있다.

ㄷ. 해수의 위치 에너지가 터빈을 회전시켜 전기 에너지로 전환된다.

테마 05 한반도의 지질

닮은 꼴 문제로 유형 익히기

본문 36쪽

정답 ⑤

A는 대동 누층군이고, B는 경상 누층군이다.

ㄱ. 우리나라의 중생대에 형성된 누층군 중 대동 누층군에서는 역암, 셰일, 석탄층 등이 발견되고, 경상 누층군에서는 역암, 사암, 응회암 등이 발견된다. 따라서 형성 시기는 A가 B보다 먼저이다.

ㄴ. 우리나라의 중생대에 형성된 퇴적층인 대동 누층군과 경상 누층군은 모두 육성 기원의 퇴적층이다.

ㄷ. 중생대 쥐라기에는 화성 활동을 수반한 대보 조산 운동에 의해 이전에 형성되었던 고생대 지층과 대동 누층군의 지층이 크게 변형되었다. 경상 누층군은 대보 조산 운동이 일어난 이후에 형성된 누층군이다.

수능 2점 테스트

본문 37~39쪽

01 ①　02 ④　03 ②　04 ③　05 ②
06 ⑤　07 ③　08 ③　09 ⑤　10 ②
11 ①　12 ⑤

01 지질 조사

어떤 지역에 분포하는 암석의 종류와 생성 순서, 지질 구조 등을 조사하여 암석의 생성 원인과 생성 환경 및 역사를 밝히는 활동을 지질 조사라고 한다. 따라서 지질 조사에서 가장 기본적인 활동은 지층의 분포와 지질 구조 등을 파악하는 일이다.

ㄱ. 지질 조사를 하여 알게 된 암석이나 지층의 정보를 지형도에 표시하여 나타낸 것이 지질도이다. 따라서 지질도를 해석하면 지질 구조를 알 수 있다.

ㄴ. 주향은 지층면이 수평면과 만나서 이루는 교선의 방향으로, 진북을 기준으로 측정한다.

ㄷ. 경사는 경사각과 경사 방향으로 표시한다. 경사 방향은 항상 주향에 대하여 직각인 방향이다.

02 주향과 경사 측정

지층면과 수평면의 교선을 주향선이라 하고, 진북(N)을 기준으로 한 주향선의 방향을 주향이라고 한다. 주향선에 대해 직각이 되는 지층면의 경사진 방향은 경사 방향이다. 지층의 주향과 경사 표시 기호에서 긴 직선의 방향은 주향이고, 짧은 선의 방향은 경사 방향을 나타낸다.

ㄱ. 주향은 진북을 기준으로 하여 주향선이 동쪽 또는 서쪽으로 몇 도(°) 돌아가 있는지를 나타낸다. 그림에서 주향선이 진북에 대하여 60° 서쪽으로 향하고 있으므로 주향은 N60°W이다.

ㄴ. 경사각은 주향과 경사 표시 기호에서 짧은 선의 끝에 표시한다.

따라서 이 지층의 경사각은 60°이다.

ⓒ. 지층에 물을 흘렸을 때 물은 경사 방향으로 흘러간다. 따라서 연직 방향에서 흘린 물은 이 지층의 층리면에서 경사 방향인 북동쪽으로 흘러간다.

03 지질도 해석

주향은 지층 경계선과 고도가 같은 등고선의 두 교점을 이은 직선의 방향이다. 경사 방향은 주향선과 직각 방향으로 나타나며 높은 고도의 주향선에서 낮은 고도의 주향선 방향으로 정한다.

X. 지층 경계선이 고도가 같은 등고선과 만나는 두 점을 연결한 방향이 주향 방향이므로 B 지층의 주향은 북동쪽이다.

ⓛ. 이 지역에는 지층 경계선과 등고선이 서로 교차하므로, A 지층과 B 지층이 서로 경사져 있는 경사층이 나타난다.

X. 지층의 경사 방향이 NW 방향이므로 지층의 생성 순서는 A 지층이 B 지층보다 나중이다.

04 지질도 해석

중앙을 기준으로 양쪽의 지층이 대칭적으로 반대 방향으로 경사져 있으면 배사 구조가 나타나고, 중앙을 기준으로 양쪽의 지층이 서로 마주 보고 경사져 있으면 향사 구조가 나타난다.

ⓖ. 지층의 주향과 경사 표시 기호에서 긴 직선의 방향은 주향이고, 짧은 선의 방향은 경사 방향이다. 따라서 이 지역의 주향은 모두 NS이다.

X. 경사 방향이 D 지층을 기준으로 서로 마주 보고 경사져 있으므로 이 지역의 지층에는 향사 구조가 나타난다.

ⓒ. 향사 구조에서는 습곡축에 가까운 지층이 나중에 생성된 것이다. 따라서 가장 나중에 생성된 지층은 D이다.

05 지체 구조

한반도의 지체 구조는 지형적으로나 구조적으로 특정한 방향성을 나타내지 않는 암석들이 모여 있는 지역인 육괴와 주로 고생대나 중생대에 바다나 호수에 퇴적층이 쌓여 형성된 지역인 퇴적 분지로 구성되어 있다. 또한, 암석이 습곡이나 단층에 의해 복잡하게 변형된 지역인 습곡대도 나타난다.

X. 습곡대는 암석이 습곡이나 단층에 의해 복잡하게 변형된 지역이다. 한반도에서는 북동-남서 방향으로 길게 분포하는 옥천 습곡대와 임진강대가 습곡 작용을 받은 지역이다. 따라서 한반도에서 분포 면적은 습곡대가 퇴적 분지나 육괴에 비해 좁다.

ⓛ. 한반도에서 퇴적 분지는 주로 고생대 이후에 바다나 호수에 퇴적층이 쌓여 형성된 곳이고, 육괴는 주로 선캄브리아 시대의 암석으로 이루어져 있다. 따라서 구성 암석의 평균 연령은 퇴적 분지보다 육괴가 많다.

X. 육괴는 지형적으로나 구조적으로 특정한 방향성을 나타내지 않는 암석들이 모여 있는 지역이다.

06 한반도의 암석 분포

한반도의 지체 구조는 암석의 종류와 연령, 지각 변동에 의한 특징적인 지질 구조 등에 따라 여러 지역으로 나누어져 있다. A는 변성암, B는 퇴적암, C는 화성암이고, ㉠은 신생대, ㉡은 중생대, ㉢은 선캄브리아 시대이다.

ⓖ. A는 변성암이다. 한반도의 암석은 지질 시대별로는 선캄브리아 시대의 암석이 가장 많고, 종류별로는 변성암이 가장 많다.

ⓛ. 선캄브리아 시대(㉢)의 퇴적암층은 심하게 변형되고, 지질 구조가 복잡하여 화석이 거의 산출되지 않는다. 이에 반해 신생대(㉠)의 퇴적암층에서는 연체동물, 규화목 등의 화석이 산출된다.

ⓒ. 한반도에 분포하는 화성암(C)은 대부분 대규모 화강암류가 관입한 중생대(㉡)에 생성되었다.

07 고생대의 암석 분포

고생대에 형성된 조선 누층군은 시멘트의 원료가 되는 석회암층이 두껍게 발달해 있고, 평안 누층군은 하부에 사암, 석회암 등의 해성층이, 상부에 셰일, 무연탄층 등의 육성층이 형성되어 있다. A는 평안 누층군이고, B는 조선 누층군이다.

ⓖ. 평안 누층군과 조선 누층군은 모두 고생대에 형성되었다.

ⓛ. 누층군은 암석의 층서 단위에서 가장 큰 규모로 2개 이상의 층군을 묶은 것이다. 평안 누층군은 상부와 하부에 모두 셰일층이 존재하고, 해성층인 조선 누층군에도 두꺼운 셰일층이 존재한다.

X. 평안 누층군은 고생대 석탄기부터 중생대 트라이아스기 전기에 걸쳐 형성되었고, 조선 누층군은 고생대 캄브리아기부터 오르도비스기 중기에 걸쳐 형성되었다. 따라서 고생대 후기에 형성된 평안 누층군(A)이 고생대 전기에 형성된 조선 누층군(B)보다 분포하는 암석의 평균 연령은 적다.

08 중생대의 퇴적층

대동 누층군은 중생대 트라이아스기 후기에서 쥐라기 중기까지 형성된 육성층으로 대부분 사암, 셰일, 역암으로 이루어져 있고, 지역에 따라 석탄층이 포함되어 있다. 경상 누층군은 중생대 백악기에 주로 호수에서 형성된 육성층이다.

ⓖ. A는 경상 누층군이다. 경상 누층군은 상부로 갈수록 응회암과 같은 화산 쇄설성 퇴적암이 많이 나타난다.

ⓛ. B는 대동 누층군이다. 중생대 트라이아스기 후기부터 쥐라기 중기에 걸쳐 형성된 대동 누층군은 쥐라기에 화성 활동을 수반한 대보 조산 운동의 영향으로 지층이 크게 변형되었다.

X. 한반도에서 중생대는 조산 운동과 화성 활동이 가장 활발한 시기였으며, 지층은 모두 육성 기원의 퇴적층이다.

09 우리나라의 지질 계통

조선 누층군은 시멘트의 원료가 되는 석회암층이 두껍게 발달해 있고, 평안 누층군은 하부에 사암, 석회암 등의 해성층이, 상부에 셰일, 무연탄층 등의 육성층이 형성되어 있다. 대동 누층군은 대보 조산 운동에 의해 심한 변형을 받았고, 대보 조산 운동 이후에 형성된 경상 누층군은 공룡의 뼈와 발자국 화석 등이 산출된다.

ⓖ. A는 강원도 정선 부근에서 실루리아기의 코노돈트 화석이 발견된 회동리층이다.

ⓛ. B는 평안 누층군이다. 평안 누층군은 주로 사암과 셰일로 이루

어져 있으며, 석탄층(무연탄)을 포함하고 있다.
ㄷ. C는 연일층군이다. 평안 누층군과 연일층군은 퇴적층이 존재하므로 모두 동물 화석이 발견된다.

10 한반도의 형성 과정

한중 지괴와 남중 지괴는 북상하다가 중생대 무렵에 부딪히고 봉합되면서 북상하여 현재의 한반도를 형성하였다.
ㄱ. 한반도를 구성하는 지괴들은 곤드와나 대륙의 일부였다. 이후 고생대 후기에 들어 곤드와나 대륙이 분리되기 시작하면서, 약 2억 6천만 년 전 곤드와나 대륙 북쪽 가장자리에서 한중 지괴와 남중 지괴들이 떨어져 나가 북쪽으로 이동하다가 중생대에 서로 충돌하여 합쳐지면서 지각 변동이 활발하게 일어났다. 따라서 이 지질 시대는 중생대이다.
ㄴ. (가)는 중생대 쥐라기에 한반도를 구성하는 지괴들의 모습이고, (나)는 중생대 백악기에 한반도를 구성하는 지괴들의 모습이다. 따라서 시간 순서는 (가)보다 (나)가 나중이다.
ㄷ. 주로 한반도 남부 지역을 중심으로 화성 활동이 발생한 시기는 백악기에 일어난 불국사 변동 때이다. 따라서 (나) 시기에 주로 한반도 남부 지역을 중심으로 화성 활동이 활발히 일어났다.

11 접촉 변성 작용

접촉 변성 작용은 마그마가 관입할 때 방출된 열에 의해 마그마의 접촉부를 따라 일어나는 변성 작용이다. 접촉 변성 작용으로 혼펠스 조직이나 입상 변정질 조직이 발달할 수 있다.
ㄱ. A는 접촉 변성 작용을 받아서 혼펠스가 되므로 원래의 암석은 셰일이다.
ㄴ. B는 사암이 접촉 변성 작용을 받아서 형성된 변성암이므로 규암이다. 규암은 원암의 구성 광물들이 재결정되어 크기가 커진 조직인 입상 변정질 조직이 잘 관찰된다.
ㄷ. 원암이 마그마와의 접촉부를 따라 접촉 변성 작용을 받으면 혼펠스 조직이나 입상 변정질 조직이 잘 발달한다. 엽리는 원암이 광역 변성 작용을 받을 때 주로 나타난다.

12 변성 환경

접촉 변성 작용은 고온 · 저압 환경에서 우세하게 일어나고, 광역 변성 작용은 고온 · 고압 환경에서 우세하게 일어난다. A는 접촉 변성 작용이, B는 광역 변성 작용이 일어나는 변성 환경이다.
ㄱ. 편암은 셰일이 광역 변성 작용을 받아서 주로 생성된다. 따라서 편암은 A보다 B에서 주로 생성된다.
ㄴ. A는 주로 관입한 마그마 주변부에서 압력의 증가보다는 온도의 증가로 인해 변성 작용이 일어나는 영역이다. 따라서 A에서는 고온·저압형의 변성 작용이 우세하게 일어난다.
ㄷ. 수렴형 경계 부근에서는 온도와 압력이 동시에 상승하면서 넓은 지역에 걸쳐 변성 작용이 일어나므로, A보다 B에서 일어나는 변성 작용이 우세하게 일어난다.

수능 3점 테스트 본문 40~43쪽

01 ② 02 ④ 03 ③ 04 ① 05 ⑤
06 ② 07 ③ 08 ④

01 주향과 경사 측정

지표에 노출된 지층의 공간적인 분포는 주향과 경사로 표시한다. 경사는 지층면이 수평면에 대해 기울어진 정도이다.
ㄱ. 주향은 지층면이 수평면과 만나서 이루는 교선의 방향이고, 지층면과 수평면이 만나서 이루는 각은 경사각이다. 따라서 지층면과 수평면이 이루는 각이 클수록 경사각이 커진다.
ㄴ. 클리노미터를 이용하여 경사각을 측정할 때 중력 방향으로 회전하는 경사추를 이용하여 경사각을 측정한다. 따라서 경사추는 중력 방향을 가리킨다.
ㄷ. (가)에서 지층의 주향이 Nx°E이므로, 경사 방향은 SE가 된다. 따라서 (나)에서 경사각이 30°이므로 지층의 경사는 30°SE이다.

02 지질도 해석

지질도에서 수평층은 지층 경계선이 등고선과 나란하고, 경사층은 지층 경계선과 등고선이 서로 교차한다.
ㄱ. 지층 경계선이 등고선과 나란할 때 수평층이 나타날 수 있다. A의 지층 경계선이 등고선과 나란하지 않으므로 A는 경사층이다.
ㄴ. 지층 경계선과 등고선의 휜 방향이 같으나 지층 경계선이 더 완만하게 휘었으면 지층면의 경사 방향은 지표면의 경사 방향과 반대이다. B의 지층 경계선이 등고선보다 더 완만하게 휘어져 있으므로 경사 방향은 서쪽 계열이다.
ㄷ. 지층 A~D의 경사 방향이 모두 남서쪽이므로 지층의 생성 순서는 D → C → B → A이다. 따라서 가장 먼저 퇴적된 층은 D이다.

03 지질도 해석

부정합은 지층이 연속적으로 나타나지 않은 경우에 나타난다. 주향은 지층 경계선과 고도가 같은 등고선의 두 교점을 이은 직선의 방향이다. 경사 방향은 주향선과 직각 방향으로 나타나며 높은 고도의 주향선에서 낮은 고도의 주향선 방향으로 정한다.
ㄱ. 지층 경계선이 고도가 같은 등고선과 만나는 두 점을 연결한 직선(주향선)의 방향이 주향이므로 B층의 주향은 거의 NS이다.
ㄴ. 경사 방향은 하나의 지층 경계선이 만드는 주향선 중 고도가 높은 주향선에서 고도가 낮은 주향선 쪽으로 수직이 되도록 그은 화살표의 방향이다. 경사층인 지층 A~D의 경사 방향은 동쪽이고, 지층 E와 F는 거의 수평층이므로 가장 나중에 형성된 층은 수평층이면서 고도가 높은 지층 F이다.
ㄷ. 이 지역에는 경사 부정합이 나타난다. 경사 부정합에서 부정합면에 인접한 두 지층 사이의 시간 간격은 매우 크다. 따라서 퇴적될 때의 시간 간격은 경사층인 지층 A와 B 사이가 부정합면 사이에 위치한 지층 D와 E 사이보다 작다.

04 우리나라의 화성암 분포

한반도의 화강암은 중생대 쥐라기에 관입한 대보 화강암과 백악기에 관입한 불국사 화강암으로 크게 구분하고, 한반도의 화산암은 신생대의 연일층군과 제4기층으로 구분한다. A는 대보 화강암, B는 신생대 화산암, C는 불국사 화강암이다.
ⓞ. 우리나라에 화성암이 생성된 순서는 대보 화강암(A) → 불국사 화강암(C) → 신생대 화산암(B)이다. 따라서 가장 먼저 생성된 화성암은 A이다.
✗. 마그마의 관입으로 생성된 화성암은 화강암류인 A와 C이다. B는 소규모 화산 분출에 의해 생성된 화산암이다.
✗. 우리나라에 대보 화강암(A)이 관입된 이후, 불국사 화강암(C)이 관입되는 사이에 형성된 퇴적층은 경상 누층군이다. 경상 누층군은 육성층으로 공룡의 뼈와 알, 발자국 화석 등이 발견되고, 새 발자국 화석도 발견되고 있다. 따라서 A와 C 사이에 해성층이 퇴적된 적이 없다.

05 조선 누층군과 평안 누층군

한반도의 고생대 지질 계통은 크게 해성층인 전기 고생대의 조선 누층군과 해성층과 육성층이 모두 존재하는 후기 고생대의 평안 누층군으로 구분한다.
ⓞ. 지층이 대부분 태백 분지와 옥천 분지에 걸쳐서 분포하므로 A는 평안 누층군이고, B는 조선 누층군이다. 조선 누층군은 캄브리아기에서 오르도비스기 중기 사이에 형성된 퇴적층이고, 평안 누층군은 석탄기에서 중생대 트라이아스기에 걸쳐 형성된 퇴적층으로 평안 누층군이 조선 누층군을 부정합으로 덮고 있다. 따라서 A와 B 사이에는 부정합면이 있다.
ⓛ. 코노돈트 화석은 고생대 캄브리아기 중기(약 5억 2천만 년 전)부터 중생대 트라이아스기 말(약 2억 년 전)까지의 해양 퇴적층에서 전 세계적으로 산출되는 화석이다. 따라서 (나)는 해성층에서 발견된다.
ⓒ. 조선 누층군과 평안 누층군의 하부는 모두 해성층이다. 따라서 A와 B에서는 모두 코노돈트 화석이 발견될 수 있다.

06 우리나라의 지질 계통

우리나라의 지질 계통은 한반도에 분포하고 있는 암석과 지층을 생성 시대 순으로 배열하여 상호 관계를 나타낸 것이다. (가)는 경상 누층군, (나)는 대동 누층군, (다)는 조선 누층군이다.
✗. 고생대 이후의 지질 계통 중 아직 밝혀지지 않은 지층인 결층이 총 5회 나타난다. 따라서 부정합면이 최소 5개 이상 존재하고, 현재 지층이 육지로 드러나 있으므로 지층은 최소 6회 이상 융기하였다.
ⓛ. (가)는 불국사 변동에 의해 화강암류가 관입되었으며, (나)는 대보 조산 운동에 의해 화강암류가 관입되었다. 따라서 (가)와 (나)는 모두 화강암류의 관입이 있었다.
✗. 민물 조개 화석은 육성 기원의 퇴적층에서 발견된다. (나)는 육성층이고, (다)는 해성층이므로 민물 조개 화석은 (다)보다 (나)에서 주로 발견된다.

07 동해의 형성 과정

동해는 약 2천 5백만 년 전에 태평양판이 일본 아래로 섭입하면서 확장되어 형성되기 시작하였다.
ⓞ. 해저가 확장되면서 동해가 확장되었으므로 과거에 동해에는 발산형 경계가 존재하였다.
ⓛ. 약 2천 5백만 년 전에 태평양판이 일본 아래로 섭입하면서 동해가 확장되었으므로 시간 순서는 (가)보다 (나)가 먼저이다.
✗. (가)의 A는 해저 화산 활동에 의한 것이 아니라 일본이 아시아 대륙에서 분리되어 동해가 확장되면서 유라시아판에서 쪼개져 나온 대륙 지각이다.

08 변성 작용과 변성암

판의 수렴형 경계 부근에서는 횡압력이 작용하여 심한 습곡과 단층 운동 등에 따라 대륙의 암석권이 두꺼워져 온도 상승과 함께 암석의 조직과 광물 조성이 바뀔 수 있다. 셰일이 광역 변성 작용을 받으면 변성 정도에 따라 점판암 → 천매암 → 편암 → 편마암 순으로 변한다. (가)는 편마암이고, (나)는 천매암이다.
ⓞ. (가)는 변성 정도가 높아서 주로 엽리의 일종인 편마 구조가 관찰되고, (나)는 변성 정도가 낮아서 쪼개짐이 주로 관찰된다. 따라서 쪼개짐은 (가)보다 (나)에서 주로 관찰된다.
✗. 셰일이 광역 변성 작용을 받으면 암석의 조직과 광물의 조성이 바뀌어 변성 정도가 높을수록 구성 광물의 입자가 대체로 커진다. 따라서 구성 광물의 평균 입자 크기는 (가)보다 (나)가 작다.
ⓒ. 수렴형(섭입형) 경계 부근에서는 횡압력이 작용하므로 대체로 수렴형(섭입형) 경계로부터의 거리가 멀수록 변성 정도가 큰 변성암이 생성된다. 따라서 수렴형 경계로부터의 평균 거리는 (가)가 형성된 지역이 (나)가 형성된 지역보다 멀다.

테마

06 해류

닮은 꼴 문제로 유형 익히기

본문 46쪽

정답 ⑤

정역학 평형은 해수의 깊이에 따른 수압 차 때문에 생기는 힘(연직 수압 경도력)이 해수에 작용하는 중력과 평형을 이루고 있는 상태이다. 또한 지형류는 해수면의 경사로 인해 발생한 수평 수압 경도력과 수평 수압 경도력의 반대 방향으로 작용하는 전향력이 평형을 이루며 흐르는 해류이다.

ㄱ. 수압의 크기는 ρgz(ρ: 해수의 밀도, g: 중력 가속도, z: 해수면에서부터의 깊이)이다. 따라서 해수면으로부터의 깊이가 깊은 P 지점이 깊이가 얕은 Q 지점보다 수압이 크게 작용한다.

ㄴ. 정역학 평형 상태에서 단위 질량의 해수에 작용하는 연직 수압 경도력은 $-\frac{1}{\rho}\cdot\frac{\Delta P}{\Delta z}$ (ρ: 해수의 밀도, ΔP: 수압 차, Δz: 깊이 차)이고, 아래쪽 방향으로 작용하는 중력과 크기가 서로 같다. 또한 지형류 평형 상태에서 단위 질량의 해수에 작용하는 수평 수압 경도력의 크기는 $g\frac{\Delta z}{\Delta x}$ (g: 중력 가속도, Δz: 깊이 차, Δx: 수평 거리)이고, 반대 방향으로 작용하는 전향력과 크기가 서로 같으며, 해수면의 경사가 클수록 단위 질량의 해수에 작용하는 수평 수압 경도력의 크기는 크다. (가)와 (나) 해역에서 중력 가속도가 서로 같으므로 P 지점과 Q 지점에서 단위 질량의 해수에 작용하는 연직 수압 경도력의 크기는 서로 같고, P 지점에서의 해수면 경사$\left(\frac{2\Delta z}{\Delta x}\right)$는 Q 지점에서의 해수면 경사$\left(\frac{\Delta z}{2\Delta x}\right)$보다 4배 크므로 전향력의 크기도 P 지점이 Q 지점보다 4배 크다. 따라서 $\frac{\text{전향력의 크기}}{\text{연직 수압 경도력의 크기}}$는 P 지점이 Q 지점보다 크다.

ㄷ. 지형류의 유속(v)은 $\frac{1}{2\Omega\sin\varphi}\cdot g\frac{\Delta z}{\Delta x}$ 이다. 두 해역의 중력 가속도(g)와 위도(φ)가 같을 때, 지형류의 유속은 수평 거리(Δx)와 해수면의 높이 차(Δz)에 따라 달라진다. 단위 질량의 해수에 작용하는 수평 수압 경도력의 크기는 P 지점이 Q 지점의 4배이므로 P 지점에서 지형류의 유속은 $\frac{1}{2\Omega\sin\varphi}\cdot g\frac{2\Delta z}{\Delta x}$이고, Q 지점에서 지형류의 유속은 $\frac{1}{2\Omega\sin\varphi}\cdot g\frac{\Delta z}{2\Delta x}$이다. 따라서 P 지점에서의 지형류가 Q 지점에서의 지형류보다 4배 더 빠르다.

수능 2점 테스트

본문 47~48쪽

01 ① 02 ⑤ 03 ④ 04 ② 05 ③
06 ⑤ 07 ② 08 ③

01 정역학 평형

정역학 평형은 해수의 깊이에 따른 수압 차 때문에 생기는 힘(연직 수압 경도력)이 해수에 작용하는 중력과 평형을 이루고 있는 상태이다. A는 연직 수압 경도력이고, B는 중력이다.

ㄱ. 정역학 평형 상태에서 연직 수압 경도력과 중력은 힘의 크기가 서로 같고, 작용 방향은 서로 반대 방향이다.

ㄴ. 수압은 물속의 한 지점에서 받는 압력의 세기로 크기는 ρgz(ρ: 해수의 밀도, g: 중력 가속도, z: 해수면에서부터의 깊이)이다. 따라서 해수면으로부터의 깊이가 얕은 ㉠ 지점이 깊이가 깊은 ㉡ 지점보다 수압이 작다.

ㄷ. 연직 수압 경도력은 해수의 깊이에 따른 수압 차 때문에 생기는 힘으로, 단위 질량의 해수에 작용하는 연직 수압 경도력의 크기는 일정하다. 따라서 연직 수압 경도력의 크기는 ㉠ 지점과 ㉡ 지점이 서로 같다.

02 해수에 작용하는 힘

해수면의 높이가 다른 해수는 수평 방향으로 수압이 달라져서 수평 수압 경도력이 발생한다. (가)는 전향력이고, (나)는 수평 수압 경도력이다.

ㄱ. 전향력의 세기는 $2v\Omega\sin\varphi$(v: 해수의 속력, Ω: 지구 자전 각속도, φ: 위도)이므로 해수의 속력이 빠를수록, 위도가 높을수록 크게 작용한다. 따라서 해수의 속력이 일정할 때 전향력은 저위도보다 고위도에서 크다.

ㄴ. 수평 수압 경도력은 $g\frac{\Delta z}{\Delta x}$($g$: 중력 가속도, Δz: 해수면의 높이 차, Δx: 수평 거리)이다. 따라서 수평 수압 경도력은 해수면의 경사$\left(\frac{\Delta z}{\Delta x}\right)$가 클수록 커진다.

ㄷ. 지형류는 전향력이 수평 수압 경도력과 평형을 이룰 때 형성된다.

03 에크만 나선

해수면 위에서 바람이 일정한 방향으로 계속 불면 북반구에서 표면 해수는 전향력의 영향으로 바람 방향의 오른쪽으로 약 45° 편향되어 흐른다. 또한 수심이 깊어짐에 따라 해수의 흐름은 오른쪽으로 더 편향되고 유속이 느려져 해수의 이동 형태가 나선형을 이루는데, 이를 에크만 나선이라고 한다.

ㄱ. 표면 해수의 이동 방향은 북서쪽이고, 수심이 깊어질수록 해수가 시계 반대 방향으로 편향되면서 유속이 느려지므로 이 해역은 남반구에 위치한다.

ㄴ. 해수의 평균적인 이동 방향은 에크만 수송의 방향이다. 마찰층 내에서 해수의 평균적인 이동은 북반구에서는 바람이 불어가는 방향의 오른쪽 90° 방향으로 나타나고, 남반구에서는 바람이 불어가는 방향의 왼쪽 90° 방향으로 나타난다. 이 해역은 남반구에 위치하므로 에크만층(마찰층) 내에서 해수의 평균적인 이동 방향은 동 → 서이다.

ㄷ. B 지점은 해수의 이동 방향이 표면 해수의 이동 방향과 정반대가 되는 깊이인 마찰 저항 심도이므로, A 지점에서 B 지점까지가 에크만층(마찰층)에 해당한다. 에크만층의 두께는 전향력이 약할수록 두꺼워진다. 따라서 전향력이 약할수록 A 지점과 B 지점 사이의 거

리는 증가한다.

04 지형류의 형성 과정

수압 경도력에 의해 해수의 속력이 빨라지고, 이로 인한 전향력의 크기 증가로 남반구에서 해수는 진행 방향의 왼쪽으로 편향된다. 이 과정에서 전향력이 수압 경도력과 평형을 이룰 때 지형류가 형성된다.

ㄱ. 등수압선에 직각 방향으로 작용하는 ㉠이 수평 수압 경도력이고, ㉡이 전향력이다.

ㄴ. 수평 수압 경도력은 수평 방향으로 수압이 높은 곳에서 수압이 낮은 곳으로 작용하므로 수압의 크기는 A<B이다.

ㄷ. 해류의 왼쪽 직각 방향으로 전향력이 작용하므로 이 해역은 남반구에 위치한다.

05 지형류 평형

수압 경도력은 해수면의 경사에 비례하고, 지형류의 유속은 위도가 낮을수록, 해수면의 경사가 급할수록 빨라진다.

ㄱ. 수평 수압 경도력은 수압이 높은 곳에서 수압이 낮은 곳으로 작용하므로, 해수면의 높이가 높은 곳에서 낮은 곳으로 작용한다. 따라서 수평 수압 경도력은 북쪽에서 남쪽으로 작용한다.

ㄴ. 지형류는 북반구에서는 수압 경도력의 오른쪽 90° 방향으로, 남반구에서는 수압 경도력의 왼쪽 90° 방향으로 등수압선과 나란하게 흐른다. 따라서 이 해역의 위도가 30°N이므로 지형류는 동쪽에서 서쪽으로 흐른다.

ㄷ. 지형류의 유속(v)은 $\frac{1}{2\Omega\sin\varphi}\cdot g\frac{\Delta z}{\Delta x}$($\Omega$: 지구 자전 각속도, φ: 위도, g: 중력 가속도, Δz: 해수면의 높이 차, Δx: 수평 거리)이므로, 이 해역에 흐르는 지형류의 유속은

$\frac{10\ \mathrm{m/s^2}}{2\times7\times10^{-5}/\mathrm{s}\times\sin30^\circ}\cdot\frac{7\ \mathrm{cm}}{10\ \mathrm{km}}=1\ \mathrm{m/s}$이다.

06 적도 부근 해역에서의 지형류

북반구에서는 수압 경도력의 오른쪽 직각 방향으로 해수가 흐르며, 남반구에서는 수압 경도력의 왼쪽 직각 방향으로 해수가 흐른다. 적도 반류는 적도 무풍대를 따라 서쪽에서 동쪽으로 흐르는 해류이다. A는 북적도 해류, B는 적도 반류, C는 남적도 해류이다.

ㄱ. 무역풍이 강할수록 에크만 수송량이 많아져서 해수면의 경사가 더 급해지므로 지형류인 A의 유속은 빨라진다.

ㄴ. 적도 반류는 적도 수렴대 근처에서 무역풍의 풍속 변화에 의해 위도 5°N~10°N에서 해수면의 경사로 인해 발생한 지형류이다.

ㄷ. A에서 전향력은 남쪽(저위도)에서 북쪽(고위도)으로 작용하고, C에서 전향력은 북쪽(저위도)에서 남쪽(고위도)으로 작용한다. 따라서 A와 C에 작용하는 전향력의 방향은 모두 저위도 → 고위도이다.

07 서안 경계류와 동안 경계류

대양의 서쪽 연안을 따라 좁고 빠르게 흐르는 해류는 서안 경계류(A)이고, 대양의 동쪽 연안을 따라 비교적 넓고 느리게 흐르는 해류는 동안 경계류(B)이다.

ㄱ. 표층 해류의 유속은 서안 경계류인 A보다 동안 경계류인 B가 느리다.

ㄴ. A는 평균 수온이 높은 저위도에서 고위도로 흐르는 해류이므로 난류이고, B는 평균 수온이 낮은 고위도에서 저위도로 흐르는 해류이므로 한류이다. 따라서 평균 수온은 A보다 B가 낮다.

ㄷ. A는 대양의 서쪽 연안을 따라 저위도에서 고위도로 흐르는 폭이 좁고 깊이가 깊은 해류이고, B는 대양의 동쪽 연안을 따라 고위도에서 저위도로 흐르는 비교적 폭이 넓고 깊이가 얕은 해류이다. 따라서 $\frac{\text{해류의 폭}}{\text{해류의 깊이}}$은 A보다 B에서 크다.

08 아열대 해양의 표층 순환

아열대 순환에서 작용하는 전향력의 크기는 저위도에서 고위도로 갈수록 커지므로 서안 강화 현상은 해수면이 높은 순환의 중심이 서쪽으로 치우치는 것이다.

ㄱ. (가)와 (나)에서 아열대 순환이 시계 방향으로 나타나므로 이 대양은 북반구에 위치한다.

ㄴ. 지구가 자전을 한다면 고위도로 갈수록 전향력이 커지므로 적도 부근에서 서쪽으로 흐르는 물이 극 쪽으로 편향되는 것보다 고위도 부근에서 동쪽으로 흐르는 물이 적도 쪽으로 편향되는 것이 쉽다. 이로 인해 대양의 동쪽 경계에서는 해류가 퍼지며 느려지고, 대양의 서쪽 경계에서는 해류가 집중되어 빨라진다. 따라서 지구 자전 효과인 전향력을 고려한 아열대 순환의 모습은 (가)이다.

ㄷ. 아열대 순환에서 나타나는 해류는 대체로 지형류와 같다. 지형류의 유속은 위도의 sin 값에 반비례하고, 해수면의 경사에 비례하여 나타난다. 따라서 위도가 높은 A 해역과 위도가 낮은 B 해역에서 해류의 유속이 같으므로 해수면의 경사는 A 해역이 B 해역보다 급하다.

수능 3점 테스트

본문 49~51쪽

01 ⑤ 02 ③ 03 ⑤ 04 ④ 05 ⑤ 06 ④

01 지형류

지형류의 유속은 해수면 경사가 급할수록, 위도가 낮을수록 빠르다.

ㄱ. (가)에서 지형류가 흐르는 방향이 수압 경도력의 왼쪽 직각 방향이므로, (가)의 위도는 60°S이다.

ㄴ. (나)는 지형류가 흐르는 지형류 평형 상태이므로 지형류에 작용하는 수평 수압 경도력과 전향력의 크기는 서로 같다. 따라서 (나)에서 지형류에 작용하는 $\frac{\text{전향력의 크기}}{\text{수평 수압 경도력의 크기}}$는 1이다.

ㄷ. 지형류의 유속(v)은 $\frac{1}{2\Omega\sin\varphi}\cdot g\frac{\Delta z}{\Delta x}$ (Ω: 지구 자전 각속도, φ: 위도, g: 중력 가속도, Δz: 해수면의 높이 차, Δx: 수평 거리)이다. (가)와 (나)에서 중력 가속도(g)와 수평 거리(L)가 같으므로, 지형류의 유속은 위도(φ)와 해수면의 높이 차(Δz)에 따라 달라진다. B

가 A의 $\sqrt{2}$배일 때, (가)에서 지형류의 유속은 $v=\frac{1}{2\Omega\sin60^\circ}\cdot g\frac{A}{L}=\frac{1}{\sqrt{3}\Omega}\cdot g\frac{A}{L}$이고, (나)에서 지형류의 유속은 $v=\frac{1}{2\Omega\sin45^\circ}\cdot g\frac{\sqrt{2}A}{L}=\frac{1}{\Omega}\cdot g\frac{A}{L}$이다. 따라서 B가 A의 $\sqrt{2}$배일 때, 지형류의 유속은 (가)보다 (나)에서 빠르다.

02 해수면 경사와 지형류

수압 경도력은 수압이 높은 곳에서 낮은 곳으로 작용하며, 크기는 수압 차에 비례하고 거리에 반비례한다.

ㄱ. 이 해역의 위도가 45°S이므로 해수면이 동쪽에서 서쪽으로 경사져 있을 때 지형류는 북쪽에서 남쪽으로 흐르게 된다.

ㄴ. 지형류의 유속(v)은 $\frac{1}{2\Omega\sin\varphi}\cdot g\frac{\varDelta z}{\varDelta x}$ (Ω: 지구 자전 각속도, φ: 위도, g: 중력 가속도, $\varDelta z$: 해수면의 높이 차, $\varDelta x$: 수평 거리)이므로, $\varDelta h_1$이 2 m일 때 A 지점에 흐르는 지형류의 유속은 $\frac{9.8\ \mathrm{m/s^2}}{2\times7\times10^{-5}/\mathrm{s}\times\sin45^\circ}\cdot\frac{2\ \mathrm{m}}{140\ \mathrm{km}}=\sqrt{2}\ \mathrm{m/s}$이다. 따라서 $\varDelta h_1$이 2 m일 때 A 지점에 흐르는 지형류의 유속은 1.5 m/s보다 작다.

ㄷ. 최하층에서 동−서 방향의 수평 수압 차가 없으므로 $\rho_2 g\times2\ \mathrm{m}=\rho_1 g\varDelta h_1+\rho_1 g\times2\ \mathrm{m}$의 관계가 성립한다. 이를 정리하면 $\varDelta h_1:2\ \mathrm{m}=(\rho_2-\rho_1):\rho_1$이 되고, 이는 $\frac{\varDelta h_1}{2\ \mathrm{m}}=\frac{(\rho_2-\rho_1)}{\rho_1}$로 나타낼 수 있다. 따라서 ρ_2가 $2\rho_1$일 때 $\varDelta h_1=2\ \mathrm{m}$이다.

03 수온의 연직 분포와 지형류

해역에서 깊이에 따라 수온 변화가 나타나면 수온이 높은 곳에서는 수온이 낮은 곳에 비해 수온이 높아서 해수가 열팽창되어 해수면의 높이가 높게 나타난다.

ㄱ. 해수면의 높이는 수온이 높은(밀도가 작은) A 해역보다 수온이 낮은(밀도가 큰) B 해역에서 낮다.

ㄴ. 남반구에 위치하는 A 해역은 남쪽이 북쪽보다 해수면의 높이가 높으므로 수압 경도력이 남쪽에서 북쪽으로 작용하여 지형류는 수압 경도력의 왼쪽 90° 방향인 동쪽에서 서쪽으로 흐르고, 북반구에 위치한 C 해역도 남쪽이 북쪽보다 해수면의 높이가 높으므로 수압 경도력은 남쪽에서 북쪽으로 작용하여 지형류는 수압 경도력의 오른쪽 90° 방향인 서쪽에서 동쪽으로 흐르게 된다. 따라서 A와 C 해역에서 지형류의 방향은 서로 반대 방향이다.

ㄷ. 수온의 연직 변화 폭은 B 해역이 약 11.5~27 ℃이고, C 해역이 약 9.5~27.5 ℃이다. 따라서 0~300 m까지 수온의 평균 연직 변화 폭은 B 해역이 C 해역보다 작다.

04 에크만 수송과 지형류

북반구에서 에크만 수송은 바람 방향에 대해 오른쪽 직각 방향으로 나타난다.

ㄱ. A 해역과 C 해역에서는 앞쪽의 에크만 수송의 세기가 뒤쪽의 에크만 수송의 세기보다 강하므로 해수의 발산이 일어나고, B 해역에서는 앞쪽의 에크만 수송의 세기가 뒤쪽의 에크만 수송의 세기보다 약하므로 해수의 수렴이 일어난다. 따라서 해수가 수렴하는 해역은 B이다.

ㄴ. C 해역에서는 저위도에서 고위도 쪽으로 에크만 수송이 일어나고, B 해역에서는 고위도에서 저위도 쪽으로 에크만 수송이 일어나서 위도 30°N 부근에서 해수는 수렴한다. 이로 인해 C 해역에서 해수면의 경사는 북쪽이 남쪽보다 높으므로 북쪽에서 남쪽으로 수평 수압 경도력이 작용하고, 남쪽에서 북쪽으로 전향력이 작용한다. 따라서 C 해역에서 지형류가 흐르는 방향은 수평 수압 경도력의 오른쪽 직각 방향인 동 → 서이다.

ㄷ. 에크만 수송은 지속적으로 부는 표층 바람의 속력이 강할수록 강하게 나타난다. 따라서 해양의 표층 위에서 지속적으로 부는 바람의 속력이 강할수록 에크만 수송량은 증가한다.

05 서안 강화 현상

고위도로 갈수록 전향력이 커지기 때문에 순환의 중심이 서쪽으로 치우치면서 대양의 서쪽 연안을 따라 흐르는 해류의 흐름이 강해진다.

ㄱ. 해수면 높이는 A 해역에서 약 1.4~1.6 m이고, B 해역에서 약 0.6~0.8 m이며, C 해역에서 약 1.0~1.4 m이다. 따라서 해수면 높이는 A 해역에서 가장 높다.

ㄴ. 단위 시간에 단위 면적을 통과하는 해수의 양은 해수의 수송량을 의미한다. B 해역에서는 동안 경계류가 흐르고, C 해역에서는 서안 경계류가 흐른다. 아열대 순환에서 서안 경계류가 동안 경계류보다 해수의 수송량이 많으므로 해수의 수송량은 B 해역보다 C 해역에서 많다.

ㄷ. A와 C 해역에는 지형류가 흐른다. 서안 경계류가 흐르는 A와 C 해역에서 해수면의 높이가 서쪽에서 동쪽으로 갈수록 높아지므로 해류에 작용하는 수평 수압 경도력의 방향은 동쪽에서 서쪽으로 작용한다. 따라서 해역을 통과하는 해류에 작용하는 수평 수압 경도력의 방향은 A와 C에서 모두 서쪽 계열이다.

06 아열대 해양의 표층 순환

서안 경계류는 동안 경계류보다 해류의 폭이 좁고, 깊은 곳까지 분포한다. 또한 유속이 빠르고 유량이 많다. 아열대 순환에서 서안 경계류는 난류의 형태로, 동안 경계류는 한류의 형태로 나타난다.

ㄱ. A 해역에 흐르는 표층 해류는 서안 경계류이고, B 해역에 흐르는 표층 해류는 동안 경계류이다. 서안 경계류는 고온·고염분의 해류이므로 염분은 A보다 B에서 낮다.

ㄴ. 서안 강화 현상에 의해서 순환의 중심이 서쪽으로 치우치게 되면 해수면의 높이는 서쪽이 높고 동쪽은 낮게 된다. 따라서 해수면의 높이는 대양의 서쪽 연안(서안)에 위치한 A 해역이 가장 높다.

ㄷ. 표층 순환을 형성하는 해류는 대부분 지형류이다. 지형류의 유속은 위도의 sin 값에 반비례하고, 해수면의 경사에 비례하여 나타난다. 따라서 해역을 통과하는 해류의 평균 유속은 상대적으로 위도가 높고 해수면 경사가 완만한 B보다 상대적으로 위도가 낮고 해수면 경사가 급한 C에서 빠르다.

해파와 조석

닮은 꼴 문제로 유형 익히기

본문 54쪽

정답 ④

조차는 해수면의 높이가 가장 높을 때와 가장 낮을 때의 차이이다.

ㄱ. 2일에 해수면의 높이가 가장 낮을 때와 가장 높을 때의 차이인 조차는 약 1.7~2.3 m로 1 m보다 크다.

ㄴ. 이 지역에서 최대 만조 수위가 3 m를 넘는 날은 16일과 17일이다. 따라서 최대 만조 수위는 17일경에 가장 높다.

ㄷ. 15일경은 조차가 최대인 사리이다. 사리는 달의 위상이 삭이나 망일 때 나타난다. 보름달이 관측된 날부터 관측을 시작하였으므로 15일경에 달의 위상은 삭이다.

수능 2점 테스트

본문 55~57쪽

01 ⑤	02 ③	03 ③	04 ①	05 ④
06 ②	07 ④	08 ①	09 ②	10 ③
11 ②	12 ④			

01 해파의 분류

(가)는 너울, (나)는 연안 쇄파, (다)는 풍랑이다.

ㄱ. 연안 쇄파는 해파가 수심이 얕은 해안으로 접근할 때 발생하며, 해저와의 마찰로 해파의 속력이 느려지면서 파장이 짧아지고 파고가 높아져 발생한다. 따라서 해파가 전달될 때 수심은 (가)가 (나)보다 깊다.

ㄴ. 바람이 부는 곳에서 바람에 의해 직접 발생하는 해파는 풍랑이며, 풍랑이 발생지를 벗어나 마루가 둥글게 규칙적으로 변한 해파가 너울이고, 너울이 해안으로 접근하면서 연안 쇄파가 된다. 따라서 가장 나중에 나타나는 형태는 (나)이다.

ㄷ. 너울은 풍랑보다 주기와 파장이 길다. 따라서 해파의 파장은 (가)가 (다)보다 길다.

02 천해파의 성질

천해파는 수심에 따라 속력이 달라진다.

ㄱ. 천해파의 속력은 수심이 얕을수록 느리다. A에 도달하는 해파는 B에 도달하는 해파보다 수심이 낮은 구간을 길게 지나므로 속력이 느려져 늦게 도달한다. 따라서 해파는 A보다 B에 먼저 도달한다.

ㄴ. 천해파의 속력은 수심에 따라 달라지므로 해파 발생판을 빠르게 움직이더라도 A 부근에서 해파의 속력은 달라지지 않는다.

ㄷ. 경사면의 기울기를 크게 하면 A와 B의 수심 차이는 더 커지므로 A와 B에서 해파의 속력 차이는 더 커진다.

03 심해파의 성질

심해파는 표면의 물 입자가 원운동을 한다.

ㄱ. 그림의 해파는 물 입자가 원운동을 하므로 심해파이다. 심해파는 수심이 파장의 $\frac{1}{2}$보다 깊은 곳에서 전달되는 해파이다. 해파의 파장이 100 m이므로 수심은 50 m보다 깊다.

ㄴ. 이 해역의 수심은 50 m보다 깊으므로 파장이 50 m인 해파는 이 해역에서 심해파에 해당한다. 심해파의 속력은 파장의 제곱근에 비례하므로 이 해역에서 파장이 100 m인 해파의 속력은 파장이 50 m인 해파의 속력의 $\sqrt{2}$배이다.

ㄷ. 심해파가 전달될 때 물 입자는 원운동을 하며, 마루에 있는 물 입자는 파의 진행 방향과 같은 방향으로 움직이고, 골에 있는 물 입자는 파의 진행 방향과 반대 방향으로 움직인다. 따라서 A 지점의 물 입자는 파의 진행 방향과 반대 방향으로 움직인다.

04 천해파와 심해파

천해파는 수심이 파장의 $\frac{1}{20}$보다 얕은 곳에서 진행하는 해파이고, 심해파는 수심이 파장의 $\frac{1}{2}$보다 깊은 곳에서 진행하는 해파이다.

ㄱ. 해파 A와 B는 수심이 파장의 $\frac{1}{20}$보다 얕으므로 천해파이다. 천해파의 속력은 수심의 제곱근에 비례한다. 수심은 B가 A의 $\frac{1}{2}$이므로 속력은 B가 A의 $\frac{1}{\sqrt{2}}$배이다. 따라서 $b=\frac{1}{\sqrt{2}}a$이다.

ㄴ. 해파 C와 D는 수심이 파장의 $\frac{1}{2}$보다 깊으므로 심해파이다. 심해파의 속력은 파장의 제곱근에 비례한다. 파장은 D가 C의 2배이므로 속력은 D가 C의 $\sqrt{2}$배이다. 따라서 $d=\sqrt{2}c$이다.

ㄷ. 천해파의 속력은 $v=\sqrt{gh}$(g: 중력 가속도, h: 수심)이므로 A의 속력은 $\sqrt{10\ \mathrm{m/s^2}\times 2\ \mathrm{m}}=2\sqrt{5}\ \mathrm{m/s}$이다. 심해파의 속력은 $v=\sqrt{\frac{gL}{2\pi}}$ (L: 파장)이므로 C의 속력은 $\sqrt{\frac{10\ \mathrm{m/s^2}\times 100\ \mathrm{m}}{2\pi}}=\sqrt{\frac{10}{2\pi}}\times 10\ \mathrm{m/s}$이다. 따라서 a는 c보다 작다.

05 해파의 굴절

해파가 집중되는 곳에서는 침식 작용이 퇴적 작용보다 우세하다.

ㄱ. A와 B를 지나는 해파는 모두 천해파이다. A와 B 사이에서 해파의 진행 방향은 B 쪽으로 휘어지므로 해파의 속력은 B보다 A에서 빠르다. 천해파는 수심이 깊은 곳일수록 속력이 빠르므로 수심은 B보다 A에서 깊다.

ㄴ. 천해파는 수심이 얕아지면 속력이 느려지면서 파장이 짧아지고 파고가 높아진다. 해파의 속력은 A보다 B에서 느리므로 파고는 A보다 B에서 높다.

ㄷ. C는 해파가 집중되는 곳이다. 해파의 에너지가 집중되는 곳에서는 퇴적 작용보다 침식 작용이 활발하다.

06 해파의 속력

심해파의 속력은 파장에 따라 달라지고, 천해파의 속력은 수심에 따라 달라진다.

ㄱ(×). 해파가 진행할 때 해수면의 물 입자는 마루에서의 높이가 1 m이고, 골에서의 높이가 -1 m이므로 파고는 2 m이다.

ㄴ(○). 해파에서 주기$=\frac{\text{파장}}{\text{속력}}$의 관계가 성립한다. 해파의 속력이 10 m/s이고, 파장이 400 m이므로 해파의 주기는 40초이다.

ㄷ(×). 해파가 심해파라면 파장이 400 m인 해파의 속력은 20 m/s보다 빨라야 한다. 해파의 속력이 10 m/s이므로 이 해파는 심해파가 아니다. 따라서 해수면의 물 입자는 원운동을 하지 않는다.

07 지진 해일의 전파

지진 해일은 천해파이므로 수심에 따라 전파 속력이 달라진다.

ㄱ(○). A 해역보다 B 해역에서 지진 해일의 전파 속력이 느리다. 천해파는 수심이 얕을수록 속력이 느리므로 수심은 A 해역이 B 해역보다 깊다.

ㄴ(×). 천해파는 수심이 얕은 곳으로 진행할 때 속력이 느려지면서 파장이 짧아진다. 따라서 지진 해일의 파장은 A 해역이 B 해역보다 길다.

ㄷ(○). 지진 해일은 천해파이므로 지진 해일이 A 해역을 지날 때 해수 표면의 물 입자는 타원 운동을 한다.

08 천해파

천해파는 수심이 파장의 $\frac{1}{20}$보다 얕은 곳에서 진행하는 해파이다.

ㄱ(○). 파장이 500 m인 해파는 수심이 파장의 $\frac{1}{2}$보다 얕은 250 m 지점에서부터 해파가 해저의 영향을 받기 시작한다. 수심이 250 m로 낮아지는 지점은 B 해역이므로 해파가 해저의 영향을 받기 시작하는 지점은 B 해역에 있다.

ㄴ(×). 천해파는 수심이 파장의 $\frac{1}{20}$보다 얕은 곳에서 진행하는 해파이다. C 해역의 수심은 파장의 $\frac{1}{2}$보다는 얕고 $\frac{1}{20}$보다는 깊으므로 C 해역에서 해파는 천이파이다. 따라서 C 해역을 지날 때 해파는 천해파가 아니다.

ㄷ(×). 해파가 해저의 영향을 받기 시작하면 해파의 속력이 느려지므로 해파의 파장이 짧아진다. 따라서 A와 D 해역에서 해파의 파장은 같지 않다.

09 기조력

기조력은 달의 만유인력과 지구가 달과의 공통 질량 중심 주위를 회전할 때 생기는 원심력의 합력이다.

ㄱ(×). 달 쪽으로 작용하는 힘이면서 b보다 큰 a는 달의 만유인력이다.

ㄴ(×). b는 a와 c의 합력인 기조력이다. 지구에서 달을 향한 쪽인 P와 달의 반대편인 Q에서 기조력의 크기는 같다. 따라서 b의 크기는 P와 Q에서 같다.

ㄷ(○). c는 달의 반대 방향으로 향하는 힘이므로 지구가 달과의 공통 질량 중심 주위를 회전할 때 생기는 원심력이다. 원심력의 크기는 지구 표면 어디에서나 같으므로 c의 크기는 P와 Q에서 같다.

10 조석 자료의 해석

조차는 만조 수위와 간조 수위의 차이이다.

ㄱ(○). 만조 수위와 간조 수위의 차이는 1일이 3일보다 작으므로 조차는 1일이 3일보다 작다.

ㄴ(○). 2일 21시 31분에 간조이고 3일 3시 23분에 만조이므로 3일 0시에는 간조에서 만조로 바뀌는 시기이다. 이때는 해수면이 높아지므로 밀물이 나타난다.

ㄷ(×). 이 지역에서 만조에서 다음 만조까지의 시간은 1일에는 12시간 29분이었다가 5일에는 12시간 16분으로 변하고 있다. 따라서 이 지역은 조석 주기가 일정하지 않다.

11 사리와 조금

삭이나 망일 때는 사리이며, 상현이나 하현일 때는 조금이다.

ㄱ(×). A일 때 지구에서 달을 향한 지역과 달의 반대편에 있는 지역은 만조가 나타나고, 태양을 향한 지역과 태양 반대편에 있는 지역은 간조가 나타난다. 따라서 A일 때 자정에 간조가 나타난다.

ㄴ(○). 만조 시 수위는 달의 기조력과 태양의 기조력이 같은 방향에 놓일 때 최대가 된다. 따라서 최대 만조 수위는 A보다 B에서 높다.

ㄷ(×). A일 때 달의 위상은 하현이므로 조금이고, B일 때 달의 위상은 삭이므로 사리이다.

12 조석 주기

달의 공전 궤도면과 지구의 적도면이 일치하지 않으므로 조석 주기는 위도에 따라 다르다.

ㄱ(○). A는 만조와 간조가 하루에 약 1회 나타나는 지역이며, C는 만조와 간조가 하루에 약 2회 나타나는 지역이다. 따라서 조석 주기는 A가 C보다 길다.

ㄴ(×). 달의 기조력은 달의 인력과 지구가 달과의 공통 질량 중심 주위를 회전할 때 생기는 원심력의 합력이다. A, B, C 세 지점에서 원심력의 크기는 같지만 달의 인력은 달에서 가장 가까운 B에서 가장 크다. 따라서 A, B, C에서 기조력의 크기는 같지 않다.

ㄷ(○). C에서는 만조에서 다음 만조까지 걸리는 시간이 거의 일정한 반일주조가 나타난다.

수능 3점 테스트

본문 58~61쪽

01 ③	02 ⑤	03 ⑤	04 ②	05 ④
06 ②	07 ①	08 ②		

01 심해파와 천해파

심해파는 수심이 파장의 $\frac{1}{2}$보다 깊은 곳에서 진행하는 해파이며, 파장이 L인 심해파의 속력은 $\sqrt{\frac{gL}{2\pi}}$(g: 중력 가속도)이다. 천해파는 수심이 파장의 $\frac{1}{20}$보다 얕은 곳에서 진행하는 해파이며, 수심이 h일 때 천해파의 속력은 $\sqrt{gh}$이다.

ㄱ. 해수면의 높이 편차가 0.83 m에서 −0.83 m까지 최소 1.66 m이므로 파고는 1.5 m보다 높다.

ㄴ. 해수면의 높이가 높아졌다가 다시 낮아진 후 다시 원래의 위치로 되돌아오는 시간은 30초이므로 해파의 주기는 30초이다. 해파의 속력 $=\frac{\text{파장}}{\text{주기}}$이므로 $\frac{300\text{ m}}{30\text{초}}=10\text{ m/s}$이다. 이 해역의 수심이 15 m보다 낮다면, 파장이 300 m인 해파는 천해파의 성질을 나타내고, 천해파의 속력은 $v=\sqrt{gh}$(g: 중력 가속도, h: 수심)이므로 $10\text{ m/s}=\sqrt{10\text{ m/s}^2\times h}$에서 $h=10$ m이다. 이 해역의 수심이 15 m보다 깊으면 파장이 300 m인 해파는 천해파가 아니며, 이때 해파의 속력은 천해파일 때보다 커야 하므로 해파의 속력이 10 m/s가 될 수 없다. 따라서 이 해역의 수심은 15 m보다 얕으며, 파장이 300 m인 해파는 이 해역에서 천해파이고, 이 해역의 수심은 10 m이다.

ㄷ. 파장이 300 m인 해파는 이 해역에서 심해파가 아니므로 해수면의 물 입자는 원운동을 하지 않는다.

02 심해파

심해파는 수심이 파장의 $\frac{1}{2}$보다 깊은 곳에서 진행하는 해파이며, 해수면의 물 입자는 원운동을 한다.

ㄱ. 현재 물 입자가 있는 곳은 해수면의 높이가 가장 낮은 골에 해당한다. 골에 위치한 물 입자의 운동 방향은 해파의 진행 방향의 반대 방향이다. 따라서 해파의 진행 방향은 ㉡이다.

ㄴ. 해파가 진행할 때 물 입자는 이동하지 않고 제자리에서 원운동을 한다. 이때 물 입자의 높이가 가장 높을 때는 마루가 지날 때이고, 물 입자의 높이가 가장 낮을 때는 골이 지날 때이다. 파고는 골에서 마루까지의 높이이고, 그림에서 물 입자가 운동할 때 물 입자의 높이가 가장 높을 때와 가장 낮을 때의 차이가 2 m이므로 해파의 파고는 1 m보다 높다.

ㄷ. 해수면의 물 입자가 원운동을 하므로 이 해역을 지나는 해파는 심해파이다. 심해파는 수심이 파장의 $\frac{1}{2}$보다 깊은 곳에서 진행하는 해파이다. 해파의 파장은 200 m이므로 이 해역의 수심은 100 m보다 깊다.

03 천해파

천해파의 속력은 수심이 얕을수록 느려지므로 천해파의 진행 방향은 수심이 얕은 쪽으로 휘어진다.

ㄱ. 파장이 100 m인 해파는 수심이 파장의 $\frac{1}{20}$인 5 m보다 얕은 곳에서는 천해파의 성질을 나타낸다. 천해파는 수심이 얕을수록 속력이 느려지며, 속력이 느려지면 파장이 짧아진다. 파장이 100 m인 해파는 A와 B에서 천해파의 성질을 나타내며, 해파의 속력은 A보다 B에서 빠르므로 해파의 파장은 A보다 B에서 길다.

ㄴ. 수심이 h일 때 천해파의 속력은 $v=\sqrt{gh}$(g: 중력 가속도)이므로 A 지점에서 해파의 속력은 $\sqrt{10\text{ m/s}^2\times 2\text{ m}}$ 이므로 4 m/s보다 크다.

ㄷ. 해파의 속력은 수심이 얕은 A보다 수심이 깊은 B에서 빠르므로 시간이 지나면 해파의 진행 방향은 현재보다 해안선에 수직인 방향에 가까워진다. 따라서 해파가 해안에 접근할수록 파의 마루를 연결한 선인 ㉠과 등수심선이 이루는 각은 더 작아진다.

04 해파의 속력

심해파는 수심이 파장의 $\frac{1}{2}$보다 깊은 곳에서 진행하는 해파이며, 심해파의 속력은 $v=\sqrt{\frac{gL}{2\pi}}$(L: 파장, g: 중력 가속도)이다. 수심이 h일 때 천해파의 속력은 $v=\sqrt{gh}$(g: 중력 가속도)이다.

ㄱ. 심해파는 수심이 파장의 $\frac{1}{2}$보다 깊은 곳에서 진행하는 해파이다. ㉠은 수심이 200 m 이상인 곳에서 심해파의 성질을 나타내므로 파장이 400 m인 해파이다. ㉡은 수심이 100 m 이상인 곳에서 심해파의 성질을 나타내므로 파장이 200 m인 해파이다. 따라서 파장은 ㉠이 ㉡의 2배이다.

ㄴ. ㉠의 파장은 400 m이므로 수심 20 m인 곳에서는 거의 천해파의 성질을 갖는다. 수심이 h일 때 천해파의 속력은 $v=\sqrt{gh}$(g: 중력 가속도)이므로 수심 20 m인 곳에서 ㉠의 속력은 $\sqrt{10\text{ m/s}^2\times 20\text{ m}}=10\sqrt{2}\text{ m/s}$이다. 따라서 수심 20 m인 곳에서 ㉠의 속력은 20 m/s보다 작다.

ㄷ. 해파에서 주기$=\frac{\text{파장}}{\text{속력}}$의 관계가 성립한다. ㉠과 ㉡의 파장은 각각 400 m, 200 m이므로 수심 300 m인 곳에서 ㉠과 ㉡은 모두 심해파의 성질을 갖는다. 심해파의 속력은 $v=\sqrt{\frac{gL}{2\pi}}$(g: 중력 가속도, L: 파장)이므로 파장의 제곱근에 비례한다. 파장은 ㉠이 ㉡의 2배이므로 ㉡의 파장을 L, 속력을 v라 하면 ㉠의 파장은 $2L$, 속력은 $\sqrt{2}v$이다. ㉡의 주기가 $\frac{L}{v}$일 때 ㉠의 주기는 $\frac{2L}{\sqrt{2}v}=\sqrt{2}\frac{L}{v}$이다. 따라서 수심 300 m인 곳에서 해파의 주기는 ㉠이 ㉡의 $\sqrt{2}$배이다.

05 지진 해일

지진 해일은 천해파의 성질을 가지며, 수심에 따라 전파 속력이 달라진다. 또한 해파가 전달될 때 주기는 일정하므로 해파의 속력이 느려지면 파장이 짧아진다.

ㄱ. 지진 해일은 파장이 매우 긴 해파이므로 전 해양에서 천해파의 성질을 갖는다. 파장 200 km인 해파는 수심이 파장의 $\frac{1}{20}$인 10 km보다 얕은 곳에서는 천해파의 성질을 갖는다. 천해파에서 해수면의 물 입자는 타원 운동을 하므로 A 지점의 물 입자는 원운동을 하지 않는다.

ㄴ. 천해파의 속력은 수심의 제곱근에 비례한다. B 지점의 수심은 A 지점 수심의 $\frac{1}{4}$이므로 해파의 속력은 B 지점이 A 지점의 $\frac{1}{2}$이다. 해파가 전달될 때 주기는 일정하므로 A와 B에서 $\frac{\text{파장}}{\text{속력}}$의 값은 같다. B 지점에서 해파의 속력이 A 지점에서의 $\frac{1}{2}$이므로 B 지점에서의 파장도 A 지점에서의 $\frac{1}{2}$이다. 따라서 해파가 B 지점을 지날 때 파장은 100 km이다.

ㄷ. 천해파의 속력은 수심에 따라 달라지며 수심이 깊어지면 해파의 속력이 증가한다. C → D 구간에서는 수심이 깊어지므로 해파의 속력도 빨라진다.

06 조석

지구 주위를 공전하는 달의 공전 궤도면은 지구의 적도면에 대하여 기울어져 있으므로 지구에서 만조 수위가 가장 높은 지점은 적도상에 위치하지 않는다.

ㄱ. 지구에서 해수면의 모양은 달의 위치와 관련이 있다. B 지점은 지구가 자전할 때 현재 만조를 지나 해수면의 높이가 낮아지고 있으므로 현재 썰물이 나타나고 있는 지점이다.

ㄴ. 지구에서 해수면의 높이가 가장 높은 지점은 달과 가장 가까운 지점과 그 반대편 지점이다. C 지점은 적도에 위치한 지점이므로 달과 가장 가까운 지점이 아니다. 따라서 현재 북극에서 C로 갈 때 해수면의 높이는 북극에서 20°N까지는 점점 높아지다가 20°N을 지난 후에는 점점 낮아진다.

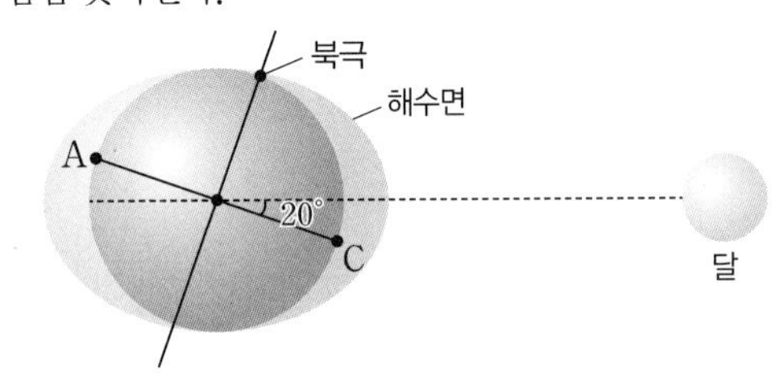

ㄷ. 지구에서 달과 가장 가까운 지점과 반대편의 지점은 동시에 만조가 나타난다. A와 C는 적도에 위치하고 있으며 지구에서 서로 반대편에 위치하고 있으므로 만조가 동시에 나타난다. 따라서 다음 번 만조는 A와 C에서 동시에 나타난다.

07 조석 자료의 해석

밀물은 간조가 지난 후 만조가 되기 전까지의 시간에 나타나며, 썰물은 만조가 지난 후 간조가 되기 전까지의 시간에 나타난다.

ㄱ. 23일부터 25일까지 만조와 간조의 조위 차이는 점점 작아지고 있다. 따라서 조차는 점점 작아지고 있다.

ㄴ. 24일 오전 06시 52분에 만조가 나타나고 13시 29분에 간조가 나타나므로 오전 9시에는 만조에서 간조로 바뀌는 시간대이다. 즉, 24일 오전 9시에는 해수면의 높이가 낮아지므로 썰물이 나타난다.

ㄷ. 23일의 만조 시각은 06시 21분과 18시 33분이며, 24일의 만조 시각은 06시 52분과 19시 11분이므로 만조 시각은 매일 조금씩 늦어진다.

08 조석 주기

지구 주위를 공전하는 달의 공전 궤도면이 지구의 적도면에 대해 기울어져 있으므로 지역에 따라 최대 만조 수위가 달라지며, 지역에 따라 조석 주기가 달라진다.

ㄱ. 기조력의 크기가 큰 곳일수록 만조일 때 해수면의 높이가 높게 나타난다. 해수면의 높이는 A보다 B에서 높게 나타나므로 현재 기조력의 크기는 A가 B보다 작다.

ㄴ. 이날 0시에는 A 지점의 만조 수위가 B 지점의 만조 수위보다 낮지만 약 12시간 25분 후에는 A 지점이 지구에서 만조 수위가 가장 높은 곳 부근에 위치한다. 따라서 이날 A 지점에서는 두 번의 만조 수위가 같지 않다.

ㄷ. 적도에 위치한 B에서는 조석 주기가 약 12시간 25분으로 일정하게 나타나므로 반일주조가 나타난다.

테마 08 대기의 운동

닮은 꼴 문제로 유형 익히기 본문 63쪽

정답 ③

상승 응결 고도는 상승하는 공기 덩어리의 기온과 이슬점이 같아지는 곳이다.

ㄱ. 고도 1.5~2.0 km 구간에서 기온 감률은 습윤 단열 감률보다 작다. 따라서 이 구간의 대기 안정도는 절대 안정이다.

ㄴ. 절대 습도는 이슬점이 가장 높은 지표에서 가장 높다.

ㄷ. 지표에서 25 ℃로 가열된 공기 덩어리의 상승 응결 고도는 약 1.25 km이며, 가열된 공기 덩어리는 고도 1.25 km까지 자발적으로 상승할 수 있으므로 이 공기 덩어리는 자발적으로 상승하여 구름을 생성한다.

수능 2점 테스트 본문 64~65쪽

01 ⑤ 02 ④ 03 ④ 04 ② 05 ⑤
06 ③ 07 ① 08 ②

01 단열 변화

상승하는 공기 덩어리의 기온은 응결이 일어나기 전에는 건조 단열 감률로 하강하며, 응결이 일어난 후에는 습윤 단열 감률로 하강한다.

ㄱ. 기온이 같은 공기 덩어리는 이슬점이 높을수록 상승 응결 고도가 낮다. 상승 응결 고도는 (가)가 (나)보다 낮으므로 지표면에서 이슬점은 (가)가 (나)보다 높다.

ㄴ. 공기 덩어리가 높이 2 km까지 상승하는 동안 (가)에서는 기온이 건조 단열 감률로 감소하다가 높이 1 km에서부터 습윤 단열 감률로 감소하지만, (나)에서는 기온이 높이 2 km까지 계속해서 건조 단열 감률로 감소하므로 기온의 감소량은 (가)가 (나)보다 작다. 따라서 높이 2 km에서 공기 덩어리의 기온은 (가)가 (나)보다 높다.

ㄷ. 기온이 같을 때 상대 습도는 이슬점이 높을수록 높다. 지표면과 높이 500 m에서 이슬점은 (가)가 (나)보다 높으므로 높이 500 m에서 상대 습도는 (가)가 (나)보다 높다.

02 안정도

기온 감률이 건조 단열 감률보다 크면 절대 불안정이다.

ㄱ. A는 높이에 따른 기온 감률이 건조 단열 감률보다 크므로 절대 불안정이며, B는 높이에 따른 기온 감률이 습윤 단열 감률보다 작으므로 절대 안정이다. 따라서 기층의 안정도는 A가 B보다 작다.

ㄴ. 절대 불안정인 기층에서는 공기의 연직 운동이 활발하므로 공기의 연직 운동은 A가 B보다 활발하다.

ㄷ. B 지역의 기층은 절대 안정이므로 불포화 공기와 포화 공기 모두에 대해 안정하다.

03 공기의 상승

상승하는 공기의 기온이 주변 공기의 기온보다 낮아지면 더 이상 상승하지 못한다.

ㄱ. 높이에 따른 기온 감률은 (가)에서 8 ℃/km이고, (나)에서 6 ℃/km이다. 따라서 높이에 따른 기온 감률은 (가)가 (나)보다 크다.

ㄴ. 상승하는 공기는 기온이 건조 단열 감률에 따라 감소한다. (가)의 상승 공기는 높이 2.5 km에서 10 ℃로 주변 공기와 기온이 같아지므로 공기 덩어리는 높이 2.5 km까지 상승한다. (나)의 상승 공기는 높이 1.5 km에서 20 ℃로 주변 공기와 기온이 같아지므로 공기 덩어리는 높이 1.5 km까지 상승한다. 따라서 공기 덩어리가 자발적으로 상승하는 높이는 (가)가 (나)보다 높다.

ㄷ. 지표면에 있는 공기의 기온이 35 ℃이고 이슬점이 15 ℃이므로 상승 응결 고도는 2.5 km이다. (나)의 공기 덩어리는 높이 2.5 km까지 상승하지 못하므로 자발적으로 상승하여 구름을 생성하지 못한다.

04 기층의 안정도

공기 덩어리의 기온이 주변 공기의 기온보다 높으면 공기 덩어리의 자발적 상승이 일어날 수 있다.

ㄱ. 높이 1 km 아래의 기층의 안정도는 (가)에서는 절대 불안정이고 (나)에서는 조건부 불안정이다. 따라서 높이 1 km 아래의 기층은 (가)가 (나)보다 불안정하다.

ㄴ. (가)에서는 모든 고도에서 공기 덩어리의 기온이 주변 기온보다 높으므로 공기의 자발적 상승이 일어난다.

ㄷ. 습윤 단열선은 포화된 공기의 기온 변화를 나타낸다. (가)에서는 상승하는 공기의 기온이 주변 기온보다 높으므로 공기 덩어리가 계속해서 상승한다. (나)에서는 습윤 단열선이 기온선보다 온도가 높은 구간이 1 km 위쪽으로 좁은 구간에만 나타나므로 공기 덩어리는 계속 상승하지 못한다. 따라서 공기 덩어리가 상승하여 생성된 구름의 두께는 (가)가 (나)보다 두껍다.

05 구름의 생성

구름은 상승하는 공기 덩어리의 기온이 습윤 단열 변화를 시작하는 높이에서 생성되기 시작하고, 주변 기온보다 낮아지면 더 이상 상승하지 못한다.

ㄱ. 상승하는 공기 덩어리의 기온이 건조 단열 변화를 하다가 습윤 단열 변화로 바뀌는 곳이 높이 2 km이므로 상승 응결 고도는 2 km이다. 상승하는 공기 덩어리의 기온은 지표면에서 30 ℃이므로 이슬점은 14 ℃이다.

ㄴ. 높이 1~2.5 km 구간은 기온 감률이 건조 단열 감률보다 작고 습윤 단열 감률보다 크므로 조건부 불안정이다.

ㄷ. 구름 밑면의 고도는 2 km이고 구름 꼭대기의 고도는 단열 변화선과 기온선이 만나는 3 km이므로 생성되는 구름의 두께는 1 km이다.

06 안정도와 대기 오염

안정한 기층에서는 대기 오염 물질의 확산이 어려워져 대기 오염이 심해진다.

ㄱ. (가) 시기는 연기가 퍼지는 모습으로 보아 절대 불안정 상태이다. 따라서 기온 감률이 건조 단열 감률보다 크다.

ㄴ. (나) 시기에 높이 h 구간의 기층은 연기가 퍼지지 않으므로 안정한 상태이다.

ㄷ. (나) 시기에는 높이 h 구간에 역전층이 형성되어 있으므로 위로 갈수록 기온이 높아진다. 따라서 높이 h 구간에서 높이에 따른 기온 감률은 (가) 시기가 (나) 시기보다 크다.

07 ①

공기 덩어리가 산을 넘으면 기온은 높아지고 이슬점은 낮아진다.

ㄱ. 기온이 T, 이슬점이 T_d인 공기의 상승 응결 고도(H)는 $H(\mathrm{m})=125(T-T_d)$이다. A 지점에서 기온이 30 ℃, 이슬점이 22 ℃이므로 상승 응결 고도인 B 지점의 높이는 1 km이다.

ㄴ. 공기 덩어리가 산을 넘어 D 지점에 도달하면 기온은 높아지고 이슬점은 낮아지므로 (기온−이슬점)은 D 지점이 A 지점보다 크다.

ㄷ. 이슬점은 A~B 구간에서는 이슬점 감률로 변하고, B~C 구간에서는 습윤 단열 감률로 변하며, C~D 구간에서는 이슬점 감률로 변하므로 높이에 따른 이슬점 변화율은 B~C 구간에서 가장 크다.

08 ②

공기 덩어리가 산을 넘는 과정에서 기온이 건조 단열 감률로 변하다가 습윤 단열 감률로 변하는 지점이 상승 응결 고도이다.

ㄱ. 그림에서 상승 응결 고도는 1 km이고, 산을 넘기 전 지표면의 기온은 15 ℃이다. 상승 응결 고도 1000 m=125(15 ℃−이슬점)이다. 따라서 산을 넘기 전 지표면에서 이슬점은 7 ℃이다.

ㄴ. 기온이 건조 단열 감률로 변하다가 습윤 단열 감률로 변하는 지점이 높이 1 km이므로 공기 덩어리의 상승 응결 고도는 1 km이다.

ㄷ. 공기 덩어리가 지표면에서 높이 1 km까지 상승하는 동안 공기가 팽창하여 단위 부피당 수증기량이 감소하므로 절대 습도는 계속 낮아진다.

수능 3점 테스트

본문 66~67쪽

01 ① 02 ③ 03 ② 04 ⑤

01 구름의 생성

상승하는 공기 덩어리가 구름을 생성하기 시작하는 높이는 건조 단열선에서 습윤 단열선으로 바뀌는 지점이며, 구름 꼭대기의 높이는 기온선이 습윤 단열선보다 온도가 높아지기 시작하는 지점이다.

ㄱ. 상승하던 공기 덩어리의 기온이 습윤 단열선을 따라 변하다가 주변 기온과 같아지는 높이가 2.2 km이므로 구름 꼭대기의 높이는 2.2 km이다.

ㄴ. 지표면 부근에서는 기온선의 기울기가 건조 단열선의 기울기보다 작은 부분이 존재한다. 즉, 기온 감률이 건조 단열 감률보다 크므로 지표면 부근에는 절대 불안정 상태인 기층이 존재한다.

✗. 지표면에서 25 ℃로 가열된 공기의 상승 응결 고도가 1.0 km이므로 지표면에 있는 공기의 이슬점은 17 ℃이다. 지표면 부근에서는 공기의 가열이 일어나 지표면 부근의 기온이 높아지면 공기 덩어리의 자발적 상승이 가능하다. 공기 덩어리가 상승하면 건조 단열 감률에 따라 기온이 감소하다가 기온이 이슬점과 같아질 때 응결이 일어난다. 지표면 부근에 있는 공기는 25 ℃까지 가열되지 않더라도 자발적으로 상승하여 구름을 생성할 수 있다.

02 공기의 상승과 구름의 생성

공기가 자발적으로 상승하기 위해서는 상승하는 공기의 기온이 주변 공기의 기온보다 높아야 한다. 상승하는 공기가 구름을 생성하기 위해서는 응결이 일어나는 곳까지 상승할 수 있어야 한다.

㉠. 지표면의 공기 덩어리를 강제 상승시키면 기온은 10 ℃에서 출발하여 건조 단열선을 따라 변하고 이슬점은 0 ℃에서 출발하여 이슬점 감률선을 따라 변한다. 기온과 이슬점이 같아지는 높이는 1 km보다 높으므로 상승 응결 고도는 1 km보다 높다.

㉡. 고도 1.5～3 km 구간에서는 기온 감률이 습윤 단열 감률보다 작으므로 대기 안정도는 절대 안정이다.

✗. 지표면의 공기 덩어리가 20 ℃로 가열되면 가열된 공기 덩어리는 주변 공기보다 기온이 높으므로 자발적으로 상승할 수 있다. 상승하는 공기 덩어리의 기온은 건조 단열선을 따라 변하다가 높이 2.5 km에서 이슬점과 같아질 수 있다. 하지만 높이 2.5 km에 도달하기 전에 주변 기온보다 공기 덩어리의 기온이 낮아지므로 높이 2.5 km까지 상승할 수 없다. 따라서 이 공기 덩어리는 구름을 생성할 수 없다.

03 푄 현상에서 이슬점과 상대 습도

공기 덩어리가 산을 넘을 때 A～B 구간에서는 기온은 건조 단열 감률에 따라 감소하고 이슬점은 이슬점 감률에 따라 감소한다. A～B 구간에서 공기가 상승함에 따라 (기온－이슬점)은 감소하므로 상대 습도는 높아진다. B～C 구간에서는 기온과 이슬점이 같으며, 높이에 따라 습윤 단열 감률로 감소하는 구간이므로 상대 습도는 100 %로 일정한 구간이다. C～D 구간에서는 기온은 건조 단열 감률로 증가하고 이슬점은 이슬점 감률로 증가하여 (기온－이슬점)이 다시 증가하며 상대 습도는 낮아진다.

✗. 공기가 A 지점을 출발하여 D 지점까지 이동하는 동안 이슬점은 C 지점까지 감소하다가 C 지점을 지난 후 다시 증가한다. 상대 습도는 이슬점이 이슬점 감률로 변하다가 습윤 단열 감률로 변하는 B 지점까지 증가하다가 B～C 구간에서 100 %로 일정하며, C 지점을 지나면 다시 낮아진다. 따라서 ㉠은 상대 습도이고, ㉡은 이슬점이다.

✗. A → B 구간에서는 이슬점이 낮아지고 상대 습도는 높아지며, B → C 구간에서는 이슬점이 낮아져도 상대 습도는 일정하다. 따라서 이슬점이 낮아질 때 상대 습도가 항상 높아지는 것은 아니다.

㉢. A에서 B까지 기온은 건조 단열 감률로 감소하고 이슬점은 이슬점 감률로 감소하므로 (기온－이슬점)은 점점 감소한다. B～C 구간에서는 기온과 이슬점이 같으므로 (기온－이슬점)의 변화가 없다. 따라서 높이에 따른 (기온－이슬점)의 변화는 A～B 구간이 B～C 구간보다 크다.

04 푄 현상에서 기온과 이슬점의 변화

A 지점의 공기 덩어리가 산을 넘어가면 기온은 높아지고 이슬점은 낮아진다. 산의 높이가 높아질수록 습윤 단열 감률로 기온과 이슬점이 변하는 구간이 길어지므로 산을 넘은 후의 기온은 더 높아지고 이슬점은 더 낮아진다.

㉠. 공기 덩어리가 산을 넘으면 기온은 높아지므로 $T<T'$이고, 이슬점은 낮아지므로 $t>t'$이다. 따라서 $(T-t)<(T'-t')$이다.

㉡. 산을 넘은 후의 기온은 $T'=T-10h-5(H-h)+10H$이므로, $T'-T=5(H-h)$이다. 산을 넘은 후의 이슬점은 $t'=t-2h-5(H-h)+2H$이므로 $t-t'=3(H-h)$이다. $5(H-h)>3(H-h)$이므로 $|T-T'|>|t-t'|$이다.

㉢. 산의 높이 H가 높을수록 산을 넘은 후 기온은 더 높아지므로 T'은 T보다 더 높아진다. 따라서 H가 높을수록 $(T'-t)$는 커진다.

09 바람의 종류

닮은 꼴 문제로 유형 익히기

본문 69쪽

정답 ②

등압면의 고도가 높은 지점일수록 같은 고도에서 주위보다 기압이 높다.

ㄱ. A를 지나는 위도선을 따라 동서 방향으로 이동할 때 A에서 동쪽으로 이동하면 등압면의 고도는 점점 낮아지다가 C를 지나면서 다시 높아진다. 따라서 A를 지나는 위도선을 따라 이동할 때, A, B, C 중 500 hPa 등압면의 고도는 C에서 가장 낮다.

ㄴ. B 주위에서 등압면의 고도가 가장 높은 곳은 남서쪽이며, 가장 낮은 곳은 북동쪽이다. 기압 경도력은 기압이 높은 곳에서 기압이 낮은 곳으로 작용하므로, B에서 기압 경도력의 방향은 북동쪽이다.

ㄷ. A에서는 고기압성 경도풍이 불고 있으므로 A에서 전향력의 크기는 기압 경도력보다 크다. C에서는 저기압성 경도풍이 불고 있으므로 C에서 전향력의 크기는 기압 경도력보다 작다. 따라서 바람에 작용하는 전향력의 크기는 A가 C보다 크다.

수능 2점 테스트

본문 70~71쪽

01 ② 02 ④ 03 ① 04 ① 05 ②
06 ② 07 ③ 08 ⑤

01 대기의 정역학 평형

정역학 평형을 이루고 있는 공기는 연직 방향의 압력 차이에 의한 힘이 공기 기둥의 무게와 같다.

ㄱ. 공기의 밀도가 ρ, 두께가 h인 단위 면적의 공기 기둥의 질량은 ρh이다. ρgh는 공기 기둥의 무게이다.

ㄴ. 대기는 정역학 평형을 이루고 있으므로 공기 기둥 윗면과 아랫면에 작용하는 압력 차에 의한 힘은 공기 기둥에 작용하는 중력과 크기는 같고 방향은 반대이다.

ㄷ. $\rho gh = 120$ hPa에서 1 hPa $= 100$ N/m^{2}이므로 $\rho = 1.2$ kg/m^3, $g = 10$ m/s^{2}일 때, 1.2 kg/m$^3 \times 10$ m/s$^2 \times h = 120 \times 100$ N/m$^2 = 12000$ kg·m/s^2/m^{2}이다. 따라서 $h = 1$ km이다.

02 수평 기압 경도력

수평 기압 경도력은 기압이 높은 고기압에서 기압이 낮은 저기압으로 작용하며, 거리 L만큼 떨어진 두 지점에서의 기압 차를 ΔP, 공기의 밀도를 ρ라고 하면 $\frac{1}{\rho} \cdot \frac{\Delta P}{L}$이다.

ㄱ. 공기의 밀도를 ρ, 단면적을 S, 공기 기둥의 길이를 L이라고 하면 공기 덩어리의 질량은 공기 덩어리의 '밀도×부피'이므로 ρSL이다. 즉, 공기 덩어리의 질량은 ρL이 아니다.

ㄴ. 수평 기압 경도력은 기압이 높은 곳에서 기압이 낮은 곳으로 작용한다. $\Delta P > 0$이므로 기압 경도력은 ㉠ 방향으로 작용한다.

ㄷ. 공기 1 kg에 작용하는 수평 기압 경도력은 $\frac{1}{\rho} \cdot \frac{\Delta P}{L}$이므로 공기의 밀도 ρ에 반비례한다.

03 지상풍

A는 기압 경도력, B는 마찰력, C는 전향력이다.

ㄱ. 기압이 높은 곳에서 기압이 낮은 곳으로 향하는 힘 A는 기압 경도력이다. 바람이 기압 경도력의 오른쪽으로 비스듬히 불고 있으므로 이 지역은 북반구에 위치한다.

ㄴ. 마찰력인 B가 커지면 지상풍과 등압선이 이루는 각은 더 커진다. 따라서 지상풍과 등압선이 이루는 각은 B의 세기에 따라 달라진다.

ㄷ. B가 커지면 지상풍의 방향이 A에 가까워지고, 전향력인 C는 바람의 오른쪽 직각 방향으로 작용하므로 B가 커질수록 A와 C가 이루는 각 θ는 작아진다.

04 지상풍

남반구에서는 바람이 기압 경도력의 왼쪽으로 분다.

ㄱ. 기압 경도력은 기압이 높은 곳에서 기압이 낮은 곳으로 작용하므로 남쪽으로 작용한다. 바람은 기압 경도력의 왼쪽으로 비스듬히 불고 있으므로 남반구의 지상풍을 나타낸 것이다. 따라서 이 지역은 남반구이다.

ㄴ. 남반구에서 전향력은 바람의 왼쪽 직각 방향으로 작용한다. 따라서 X 지점의 공기에 작용하는 전향력의 방향은 바람의 왼쪽 직각 방향인 북동쪽이다.

ㄷ. 마찰층 내에서 고도가 높아지면 마찰력이 감소하므로 바람의 방향은 등압선과 나란해진다. 따라서 마찰층 내에서 X의 연직 위로 갈수록 풍향은 시계 반대 방향으로 변한다.

05 지상풍과 지균풍

지상풍에서는 기압 경도력, 마찰력, 전향력이 평형을 이루며, 지균풍에서는 기압 경도력과 전향력이 평형을 이룬다.

ㄱ. (가)는 마찰력이 있는 지상에서 부는 지상풍이며, (나)는 마찰력이 없는 상공에서 부는 지균풍이므로 고도는 (가)가 (나)보다 낮다.

ㄴ. (가)의 A와 (나)의 D는 모두 기압 경도력이다. 기압 경도력의 크기는 기압 차이에 비례하고 공기의 밀도와 거리에 반비례한다. (가)와 (나)에서 등압선 사이의 거리와 기압 차이는 같지만 공기의 밀도는 (가)가 (나)보다 크다. 따라서 기압 경도력은 A가 D보다 작다.

ㄷ. (가)에서는 B가 마찰력, C가 전향력이다. (나)에서는 E가 전향력이다. 따라서 C와 E는 모두 전향력으로 같은 종류의 힘이다.

06 지균풍의 속력

지균풍의 속력은 저위도로 갈수록 빨라진다.

ㄱ. A 지점의 공기에 작용하는 기압 경도력의 방향은 북쪽이고, A가 있는 곳은 북반구이다. 북반구에서는 지균풍이 기압 경도력의 오른쪽으로 분다. 따라서 A 지점의 공기는 동쪽으로 이동하고 있다.

ㄴ. 지균풍은 기압 경도력과 전향력이 평형을 이룬 상태에서 부는 바람이다. B에서 기압 경도력은 북쪽을 향하므로 전향력은 이와 반대

방향인 남쪽을 향한다.

X. 지균풍에서 기압 경도력과 전향력은 평형을 이룬다. 기압 차가 ΔP인 두 등압선 사이의 거리를 L, 공기의 밀도를 ρ라 할 때, 지균풍의 속력을 v, 지구의 자전 각속도를 Ω, 위도를 φ라 하면 전향력은 $2v\Omega\sin\varphi$이므로 $\frac{1}{\rho}\cdot\frac{\Delta P}{L}=2v\Omega\sin\varphi$에서 $v=\frac{1}{2\Omega\sin\varphi}\cdot\frac{1}{\rho}\cdot\frac{\Delta P}{L}$이다. 지균풍의 속력은 위도의 sin 값에 반비례하므로 고위도보다 저위도에서 빠르다. 따라서 바람의 속력은 A가 B보다 느리다.

07 경도풍

기압 경도력이 같을 때 고기압성 경도풍은 저기압성 경도풍보다 속력이 빠르다.

X. (가)와 (나)에서 바람은 기압 경도력의 왼쪽으로 분다. 따라서 (가)와 (나)는 남반구에 위치한다.

X. (가)는 중심부의 기압이 낮으므로 저기압성 경도풍이고, (나)는 중심부의 기압이 높으므로 고기압성 경도풍이다. 고기압성 경도풍은 저기압성 경도풍보다 속력이 빠르므로 바람의 속력은 (가)가 (나)보다 느리다.

㉢. (가)와 (나)에서 기압 경도력의 크기는 같다. 힘의 크기만을 고려할 때 (가)에서 전향력의 크기는 (기압 경도력−구심력)과 같으며, (나)에서 전향력의 크기는 (기압 경도력+구심력)과 같다. 따라서 바람에 작용하는 전향력의 크기는 (가)가 (나)보다 작다.

08 경도풍

경도풍에서 기압 경도력과 전향력은 서로 반대 방향으로 작용한다.

㉠. 경도풍은 등압선이 원형일 때 부는 바람으로 바람은 등압선과 나란하게 분다. 등압선이 원형을 이룬 상태에서 바람이 등압선과 나란하게 불기 위해서는 원의 중심 방향으로 향하는 힘인 ㉠이 원의 바깥쪽 방향으로 향하는 힘인 ㉡보다 커야 한다. 따라서 ㉠은 ㉡보다 크다.

㉡. ㉠이 기압 경도력이면 원의 중심부가 저기압이므로 기압 경도력은 원의 중심으로 향한다. 이때 바람은 기압 경도력의 왼쪽으로 불게 되므로 이 지역은 남반구에 위치한다.

㉢. 경도풍에서 전향력은 기압 경도력의 반대 방향으로 작용하므로 ㉡이 전향력이면 ㉠이 기압 경도력이다. 기압 경도력은 기압이 높은 곳에서 기압이 낮은 곳으로 향하므로 원의 중심부가 바깥쪽보다 기압이 낮다. 따라서 $\Delta P>0$이다.

수능 3점 테스트 본문 72~73쪽

01 ④ 02 ② 03 ⑤ 04 ③

01 정역학 평형

정역학 평형을 이루고 있는 공기는 연직 기압 경도력이 공기 기둥의 무게와 평형을 이룬다.

X. 남반구 상공에서는 남쪽으로 갈수록 기온이 낮아지므로 등압면은 남쪽으로 경사져 있다. 따라서 X는 남쪽, Y는 북쪽이다. A에서 기압 경도력은 남쪽을 향하고 남반구에서 지균풍은 기압 경도력의 왼쪽을 향하므로 A에서 지균풍은 동쪽으로 분다.

㉡. 대기는 정역학 평형을 이루고 있으므로 A와 B 사이에서 연직 기압 경도력은 공기 기둥의 무게와 같다. 즉, A와 B 사이의 공기의 평균 밀도를 ρ, A에서 B까지의 거리를 h, 중력 가속도를 g라고 할 때, A와 B 사이의 기압 차 $\Delta P=\rho gh$이다. $\Delta P=200$ hPa이고, $h=4$ km이므로 $200\times100\ \mathrm{N/m^2}=\rho\times10\ \mathrm{m/s^2}\times4000$ m이다. $\rho=0.5\ \mathrm{kg/m^3}$이므로 A와 B 사이에 있는 공기의 평균 밀도는 $0.5\ \mathrm{kg/m^3}$이다.

㉢. A와 C 사이의 공기 기둥의 무게는 A와 C 사이의 기압 차에 의한 힘과 같다. 공기 기둥의 단위 면적을 S, 공기 기둥의 질량을 m이라고 하면, $\Delta P\cdot S=mg$이다. $800\ \mathrm{hPa}=\frac{m}{S}\times10\ \mathrm{m/s^2}$이므로 $800\times100\ \mathrm{kg\cdot m/s^2/m^2}=\frac{m}{S}\times10\ \mathrm{m/s^2}$이다. $\frac{m}{S}=8000\ \mathrm{kg/m^2}$이므로 A와 C 사이의 단위 면적에 세워진 공기 기둥의 질량은 $8000\ \mathrm{kg/m^2}$이다.

02 지상풍

지상풍은 북반구에서는 기압 경도력의 오른쪽으로, 남반구에서는 기압 경도력의 왼쪽으로 비스듬히 분다. 전향력은 북반구에서는 바람의 오른쪽 직각 방향으로, 남반구에서는 바람의 왼쪽 직각 방향으로 작용한다.

X. $\Delta P>0$인 경우 A에서 기압 경도력의 방향은 남쪽이다. 이때 A 지점이 북반구에 있다면 A 지점에서 지상풍의 방향은 남서쪽이며, 전향력은 바람의 오른쪽 직각 방향인 북서쪽이다. A 지점이 남반구에 있다면 지상풍의 방향은 기압 경도력의 왼쪽 방향인 남동쪽이며, 전향력은 바람의 왼쪽 직각 방향인 북동쪽이다. 그림에서 A 지점에서 작용하는 전향력은 남서쪽을 향하므로 A 지점이 북반구와 남반구 중 어디에 있더라도 조건에 맞지 않는다. 따라서 $\Delta P>0$일 수 없다.

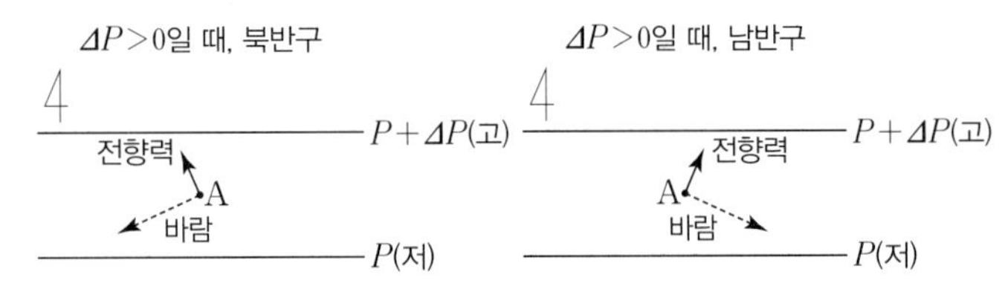

㉡. $\Delta P<0$인 경우 기압 경도력은 북쪽으로 작용한다. 전향력이 남서쪽을 향하므로 A 지점은 남반구에 있으며, 지상풍의 방향은 북서쪽을 향하고 전향력의 방향은 남서쪽을 향한다. 따라서 A에는 남동풍이 분다.

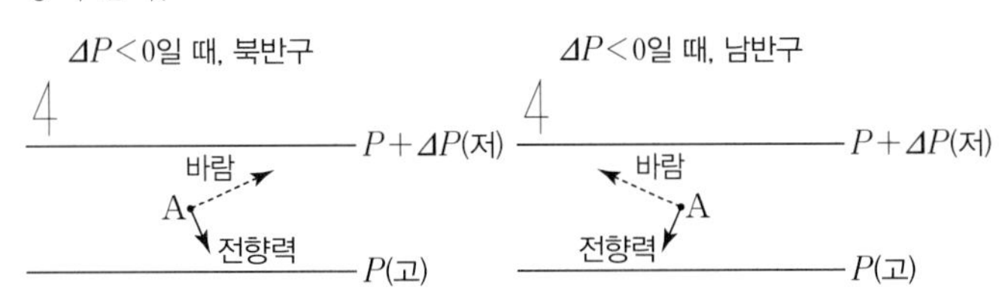

X. 마찰층 내에서 고도가 높아지면 마찰력이 감소하여 지상풍의 방향은 등압선과 나란하게 점차 서쪽을 향하게 되므로 전향력의 방향은 점차 남쪽을 향하게 된다. 따라서 마찰층 내에서 A의 연직 위로 갈수록 바람에 작용하는 전향력의 방향은 시계 반대 방향으로 변한다.

03 지균풍의 속력

지균풍은 기압 경도력과 전향력이 평형을 이룬 상태에서 부는 바람이므로 이를 수식으로 표현하여 지균풍의 속력을 구할 수 있다.

㉠. A 지점에서 기압 경도력은 동쪽으로 작용한다. 바람은 기압 경도력의 왼쪽 직각 방향으로 불고 있으므로 이 지역은 남반구이다.

㉡. 거리 L만큼 떨어진 두 지점 사이의 기압 차를 ΔP, 공기의 밀도를 ρ라 할 때 기압 경도력은 $\frac{1}{\rho}\cdot\frac{\Delta P}{L}$이고, 전향력은 $2v\Omega\sin\varphi$이므로 $\frac{1}{\rho}\cdot\frac{\Delta P}{L}=2v\Omega\sin\varphi$에서 지균풍의 속력 $v=\frac{1}{2\Omega\sin\varphi}\cdot\frac{1}{\rho}\cdot\frac{\Delta P}{L}$이다. $v=\frac{1}{10^{-4}/\text{s}}\cdot\frac{1}{1\ \text{kg/m}^3}\cdot\frac{10\ \text{hPa}}{500\ \text{km}}=20\ \text{m/s}$이다. 따라서 지균풍의 속력은 20 m/s이다.

㉢. A 지점은 남반구에 위치하므로 A 지점의 공기에 작용하는 전향력의 방향은 바람의 왼쪽 직각 방향인 서쪽이다.

04 경도풍의 속력

동일한 위도에서는 고기압성 경도풍이 저기압성 경도풍보다 속력이 빠르다.

㉠. (가)의 A에서 기압 경도력은 동쪽으로 작용하고 바람은 기압 경도력의 왼쪽으로 불고 있으므로 A는 남반구에 위치한다.

㉡. (나)의 B에서 기압 경도력은 서쪽으로 작용하고 바람은 기압 경도력의 왼쪽으로 불고 있으므로 B는 남반구에 위치한다. A에서는 저기압성 경도풍이 불고 B에서는 고기압성 경도풍이 분다. 두 지점에서 경도풍의 속력이 같으므로 저기압성 경도풍이 부는 A는 고기압성 경도풍이 부는 B보다 저위도에 위치한다. 남반구에서 A는 B보다 저위도에 위치하므로 A는 B보다 북쪽에 위치한다.

~~㉢~~. B에서 기압 경도력은 서쪽으로 작용하고, B는 남반구에 위치하므로 B에서 전향력은 바람의 왼쪽 직각 방향인 동쪽으로 작용한다.

테마 10 편서풍 파동과 대기 대순환

닮은 꼴 문제로 유형 익히기

본문 75쪽

정답 ⑤

대기 순환은 미규모, 중간 규모, 종관 규모, 지구 규모로 구분하고, 일반적으로 공간 규모가 클수록 시간 규모도 커진다. ㉠은 중간 규모이다.

㉠. 중간 규모의 시간 규모는 수 분~수 일이고, 수평 규모는 수 백 m~100 km이다. 산곡풍은 바람이 약한 맑은 날에 하루를 주기로 산풍과 곡풍이 교대로 나타나는 대기 현상이므로 중간 규모의 대표적인 예로 적절하다.

㉡. 대기 순환의 시·공간적 규모가 클수록 대체로 연직 규모에 비해 수평 규모가 훨씬 크다. 따라서 지구 규모 순환의 $\frac{\text{연직 규모}}{\text{수평 규모}}$는 1보다 작다.

㉢. 대기 순환의 수평 규모가 작을수록 전향력의 영향은 작아진다. 따라서 대기 운동에 작용하는 전향력의 크기는 수평 규모가 작은 ㉠이 수평 규모가 큰 ㉡보다 작다.

수능 2점 테스트

본문 76~77쪽

01 ① 02 ② 03 ④ 04 ③ 05 ⑤ 06 ② 07 ② 08 ④

01 500 hPa 등압면의 분포

북반구에서는 저위도와 고위도의 기온 차에 의해 기압 경도력이 저위도(남쪽)에서 고위도(북쪽)로 작용하여 상층에서는 서풍이 불게 된다.

㉠. A~B 구간에서 기압 경도력이 남쪽에서 북쪽으로 작용하므로 기압 경도력의 오른쪽 직각 방향으로 지균풍이 분다. 따라서 A~B 구간에는 서풍이 분다.

~~㉡~~. 500 hPa 등압면의 등고도선이 A 지점보다 D 지점에서 더 높다. 이는 A 지점의 지표면 부근의 평균 기온이 D 지점의 지표면 부근의 평균 기온보다 낮아서 고도가 높아질수록 기압이 급격히 낮아지기 때문이다.

~~㉢~~. 500 hPa 등압면에서는 바람이 지균풍의 형태로 분다. 지균풍은 위도의 sin 값에 반비례하고, 기압 차에 비례하여 나타난다. 따라서 B~C 구간이 C~D 구간에 비해 위도는 높고, 수평 거리는 더 길기 때문에 풍속은 B~C 구간이 C~D 구간보다 느리다.

02 편서풍 파동의 변동 단계

편서풍 파동은 저위도와 고위도의 기온 차와 전향력 때문에 발생하며 저위도의 과잉 에너지를 고위도로 수송하는 역할을 한다.

ㄱ(X). 편서풍 파동의 진폭이 커질수록 저위도의 에너지가 고위도로 쉽게 이동할 수 있으므로 남북 간의 열에너지 수송량이 많아진다.
ㄴ(X). 편서풍 파동에서 떨어져 나가 저위도로 이동하는 공기 덩어리는 저기압성 흐름을 보인다.
ⓒ. 편서풍 파동은 저위도의 과잉 에너지를 고위도로 수송하는 역할을 하여 전 지구적인 에너지 불균형을 해소하는 역할을 한다.

03 편서풍 파동과 지상의 날씨 변화

편서풍 파동은 편서풍대 상공에서 바람이 남북으로 굽이치면서 서쪽에서 동쪽 방향으로 불며, 이러한 파동은 지상의 기압 배치에도 영향을 준다. 편서풍 파동의 기압골 서쪽에서는 공기의 수렴이 일어나 공기가 하강하므로 지상에는 고기압이 발달하고, 기압골 동쪽에서는 공기의 발산이 일어나 지상으로부터 공기가 상승하므로 지상에는 저기압이 발달한다.
ㄱ(X). A 지점과 B 지점은 같은 위도에 위치하지만 A 지점은 기온이 −10 ℃~−5 ℃ 사이에 위치하고, B 지점은 기온이 −5 ℃~0 ℃ 사이에 위치한다. 따라서 기온은 A가 B보다 낮다.
ⓛ. A, B, C 지점에서 기압 경도력의 크기가 같으므로 풍속은 고기압성 경도풍>지균풍>저기압성 경도풍이다. B 지점에서는 지균풍이 불고 있고, C 지점은 저기압성 경도풍이 부는 지역에 위치한다. 따라서 다른 조건이 동일하다면, 풍속은 B가 C보다 빠르다.
ⓒ. A 지점에서는 공기의 수렴이 일어나서 하강 기류가 발달하므로 지상에는 고기압을 주로 형성하고, B 지점에서는 공기의 발산이 일어나서 상승 기류가 발달하므로 지상에는 온대 저기압을 주로 형성한다. 그리고 C 지점의 지상은 A와 B 지점에서 형성시킨 고기압과 온대 저기압의 사이에 위치하게 된다. 따라서 A, B, C 중 지상에 온대 저기압이 형성될 가능성이 가장 높은 지점은 B이다.

04 제트류

제트류는 남북 간의 기온 차가 가장 큰 대류권 계면 부근에서 형성된다. 제트류의 중심축은 겨울철에는 저위도로 이동하고, 여름철에는 고위도로 이동한다. 우리나라는 한대 (전선) 제트류의 영향을 주로 받는다.
�. 한대 (전선) 제트류의 위치는 겨울에는 저위도 쪽으로 이동하고, 여름에는 고위도 쪽으로 이동한다. 따라서 1월의 모습은 제트류가 나타나는 위도가 낮은 (가)이다.
ㄴ(X). 제트류는 기온 차가 큰 곳에서 형성되므로 대기 대순환에서 대류권 계면 부근에서 주로 발생하고, 한대 (전선) 제트류는 극순환과 페렐 순환의 경계에서 형성된다.
ⓒ. 제트류는 남북 간의 기온 차가 클 때 풍속이 강하게 나타난다. 따라서 1월(겨울철)이 7월(여름철)보다 남북 간의 기온 차가 크므로 제트류의 평균 풍속은 (가)보다 (나)가 느리다.

05 대기 순환 규모

대기 순환은 미규모, 중간 규모, 종관 규모, 지구 규모로 구분하며, 일반적으로 공간 규모가 클수록 시간 규모도 커진다.
ⓖ. 용오름은 지름이 수 m~수백 m의 강력한 저기압성 소용돌이로, 해상에서 토네이도와 같은 의미의 기상 현상이다. 따라서 용오름은 A에 해당한다.
ⓛ. 대기 순환 규모가 클수록 지구 자전 효과를 고려해야 하므로 지구 자전에 의한 가상의 힘인 전향력은 대기 순환 규모가 클수록 영향이 크게 작용한다. 따라서 대기 순환에 미치는 전향력의 영향은 상대적으로 규모가 작은 A보다 규모가 큰 B에서 더 크다.
ⓒ. 대기 순환의 지속 시간은 공간 규모와 비례하여 나타난다. 따라서 공간 규모가 클수록 대기 순환의 지속 시간은 길어진다.

06 위도별 에너지 분포

지구는 흡수하는 태양 복사 에너지의 양과 방출하는 지구 복사 에너지의 양이 같아서 전체적으로 복사 평형 상태를 유지하고 있다.
ㄱ(X). 위도 45°에서는 태양 복사 에너지의 입사량에 비해 지구 복사 에너지의 방출량이 더 많아서 순 복사 에너지양은 음(−)의 값을 나타낸다.
ⓛ. 저위도 지역에서는 지구로 들어오는 태양 복사 에너지가 지구에서 방출되는 지구 복사 에너지보다 많아서 에너지 과잉 상태이고, 고위도 지역에서는 태양 복사 에너지가 지구 복사 에너지보다 적어서 에너지 부족 상태가 나타난다. 이와 같은 위도별 에너지 불균형을 해소하기 위해 저위도에서 고위도로 대기 대순환에 의해 열에너지가 운반되어 전체적으로 지구는 복사 평형을 유지한다.
ㄷ(X). 지구의 복사 평형을 위해서는 종관 규모와 지구 규모로 대기 대순환이 일어나야 한다. 따라서 열에너지를 이동시키는 주된 대기 순환 규모는 종관 규모와 지구 규모이다.

07 대기 대순환 모델

지구가 자전을 하지 않을 때는 해들리 순환만이 형성되지만, 지구가 자전을 할 때는 전향력의 영향으로 해들리 순환, 페렐 순환, 극순환이 형성된다. ㉠은 위도 60°N에 위치하는 지표의 지점이고, ㉡은 위도 30°N에 위치하는 지표의 지점이다.
ㄱ(X). 대류권 계면의 연평균 높이는 위도가 높아질수록 대체로 낮아진다. 따라서 위도가 높은 ㉠ 지점이 위도가 낮은 ㉡ 지점보다 대류권 계면의 연평균 높이가 낮다.
ⓛ. ㉠은 상승 기류에 의해 지표에 저기압이 형성되므로 대체로 상대 습도가 높고, ㉡은 하강 기류에 의해 지표에 고기압이 형성되므로 대체로 상대 습도가 낮다. 따라서 연평균 상대 습도는 ㉠이 ㉡보다 높다.
ㄷ(X). 단위 면적당 입사하는 평균 태양 복사 에너지양은 저위도로 갈수록 증가한다. 따라서 단위 면적당 입사하는 연평균 태양 복사 에너지양은 고위도에 위치한 ㉠이 저위도에 위치한 ㉡보다 적다.

08 산곡풍

산악 지역에서는 바람이 약한 맑은 날에 산 사면의 고도가 다른 지형에 의한 효과로 인한 냉각과 가열의 차이로 하루를 주기로 하여 부는 산곡풍이 발생한다.
ㄱ(X). 낮에는 산 사면이 태양 복사로 가열되므로 산 사면과 접해 있는 공기는 같은 고도의 주변 공기보다 더 뜨겁게 가열되어 계곡에서 산 사면을 따라 위쪽으로 공기의 흐름이 나타난다. 따라서 낮에 관측한 모습은 (나)이다.
ⓛ. 산곡풍은 하루를 주기로 풍향이 변하는 중간 규모의 순환으로 낮

에는 곡풍이, 밤에는 산풍이 분다. (나)는 공기의 흐름이 산 사면을 타고 올라가고 있으므로 곡풍이 나타난다.
ⓒ. (가)의 P 지점에서는 밤에 산풍으로 인해 공기가 수렴하고 있고, (나)의 P 지점에서는 낮에 곡풍에 의해 공기가 발산하고 있으므로 P 지점의 평균 기온은 (가)보다 (나)가 높다.

01 500 hPa 등압면의 등고도선

상층 일기도의 일정한 고도에서 등압면의 고도가 높은 지점은 기압이 높고, 등압면의 고도가 낮은 지점은 기압이 낮다. 상층의 500 hPa 일기도의 경우에는 대류권의 중층인 지상 평균 높이 5580 m를 기준으로 60 m 간격으로 등고선을 표시한다.
ⓐ. 북반구의 겨울철에 해당하는 1월에는 적도 부근의 열대 저압대(수렴대)가 남반구에 위치하고, 여름철에 해당하는 7월에는 적도 부근의 열대 저압대(수렴대)가 북반구에 위치한다. 그리고 지표 부근이 저기압을 형성하면 상층 대기에서는 공기가 수렴하여 고기압을 형성한다. 따라서 적도 부근의 상층 대기에 고기압이 남반구에 위치하므로 이 시기는 1월이다.
✗. B 지점에서는 저기압성 경도풍이 불고 있고, C 지점에서는 지균풍이 불고 있다. 같은 위도에 위치하는 B 지점과 C 지점에서의 전향력은 서로 같으므로, 풍속은 저기압성 경도풍이 부는 B 지점이 지균풍이 부는 C 지점보다 느리다.
✗. A 지점은 고기압성 경도풍이 부는 지점이다. 고기압성 경도풍은 기압 경도력과 전향력의 차이만큼 구심력이 작용하여 나타나므로, A 지점에서 공기 덩어리에 작용하는 기압 경도력과 구심력의 방향은 서로 반대이다.

02 제트류

대류권 계면 부근에서 매우 빠른 속도로 서풍이 불고 있는데 이를 제트류라고 한다. 남북 간의 온도 차가 가장 크게 나타나는 곳은 중위도 지역이며 이 지역 상공의 대류권 계면에서 한대 (전선) 제트류가 형성된다. 위도 30° 부근의 대류권 계면에도 한대 (전선) 제트류에 비해 풍속이 약한 아열대 제트류가 형성된다.
ⓐ. 제트류의 중심축은 겨울철에는 저위도로 이동하고, 여름철에는 고위도로 이동한다. 북반구와 반대로 남반구에서는 4월~9월의 평균 기온이 10월~3월의 평균 기온보다 낮다. 따라서 (가)는 10월~3월의 자료이다.
ⓑ. 위도에 따른 평균 기온의 변화 폭은 평균 기온이 높은 (가)보다 평균이 낮은 (나)가 더 크다.
✗. 저위도 지역은 지표 부근의 기온이 높아 대류권 계면이 높게 형성되고, 고위도 지역으로 갈수록 지표 부근의 기온이 낮아 대류권 계면의 높이가 낮게 형성된다. 또한 중위도에서는 계절적인 영향에 의해서 기온이 높은 10월~3월이 기온이 낮은 4월~9월보다 대류권 계면이 나타나는 높이가 높게 형성된다. 따라서 위도 40°S에서 250 hPa 등압면의 평균 등고선의 높이는 (가)보다 (나)가 낮다.

03 대기 대순환과 지상의 기압 배치

자전하고 있는 지구에서는 지표면이 균일하지 않고 위도 간의 기온 차가 시간에 따라 달라지기 때문에 계절에 따라 기압과 바람 패턴이 다르게 나타난다.
✗. 열대 수렴대(저압대)가 (가)에서는 대체로 남반구에 위치하고, (나)에서는 북반구에 위치한다. 따라서 북반구의 여름철은 (나)이다.
ⓑ. A와 B는 모두 고기압이고, 적도 부근에서 상승하여 고위도 방향으로 이동한 후, 위도 30° 부근에서 하강하여 형성되는 중위도 고압대의 일부이다.
ⓒ. C는 저기압이다. 저기압의 대기 순환 규모는 종관 규모이고, 일기도에 나타난다.

04 해륙풍

해안 지역에서는 낮 동안 육지 쪽이 바다 쪽보다 빨리 가열되고, 밤 동안에는 육지 쪽이 바다 쪽보다 빨리 냉각된다. 따라서 낮에는 바다 쪽에서 육지 쪽으로 해풍이 불고, 밤에는 반대로 육지 쪽에서 바다 쪽으로 육풍이 분다.
ⓐ. 이 지역에서 평균 풍속은 오전(0시~12시)에는 약 1~3 m/s이고, 오후(12시~0시)에는 약 1~4.5 m/s이다. 따라서 평균 풍속은 오전이 오후보다 느리다.
ⓑ. (가)에서 12시를 경계로 이전에는 북풍 계열과 동풍 계열의 바람이 우세하게 불고, 이후에는 남풍 계열과 서풍 계열의 바람이 우세하게 분다. 따라서 육풍은 주로 북동풍 계열의 바람이 불고 해풍은 주로 남서풍 계열의 바람이 불고 있으므로, 육지는 관측 지점의 북동쪽에 위치하고 바다는 관측 지점의 남서쪽에 위치한다.
ⓒ. 육지에서 높이에 따른 기압 변화율은 기온이 낮을수록 더 크다. 따라서 육지에서 높이에 따른 기압 변화율은 해풍이 불 때(상대적으로 육지의 기온이 높을 때)가 육풍이 불 때(상대적으로 육지의 기온이 낮을 때)보다 작다.

좌표계와 태양계 모형

닮은 꼴 문제로 유형 익히기

본문 82쪽

정답 ④

내행성의 남중 시각은 태양에 비해 빨라지고 느려짐을 반복한다. 외행성의 남중 시각은 태양에 비해 항상 빨라진다. 따라서 A는 외행성, B는 내행성이다.

✗ㄱ. 7월 말에 A는 태양과 비슷한 시각에 남중하므로 합 부근에 위치한다. 외행성은 충 부근에 있을 때 역행하고, 공전하는 동안 대부분 순행한다. 따라서 7월 말에 천구상에서 A는 순행한다.

㉡. 2월에 B는 태양보다 늦게 남중하므로 동방 이각에 위치한다.

㉢. 북반구 중위도에서 관측할 때 적위가 비슷한 천체의 경우 일반적으로 적경이 작을수록 남중 시각이 빠르다. 따라서 9월에 A의 적경은 B보다 크다.

수능 2점 테스트

본문 83~85쪽

01 ②	02 ②	03 ②	04 ③	05 ②
06 ⑤	07 ④	08 ①	09 ②	10 ①
11 ①	12 ②			

01 위도와 경도

천체의 남중 고도는 천체의 적위(δ)와 관측자의 위도(φ)에 따라 달라진다. $\varphi > \delta$일 때 천체의 남중 고도(h)는 $h = 90° - \varphi + \delta$이다.

✗ㄱ. 40°N에 위치한 A에서 관측한 별 ㉠의 남중 고도는 70°이므로 $70° = 90° - 40° + \delta$에서 별 ㉠의 적위는 20°이다. B에서 별 ㉠의 남중 고도는 50°이므로 $50° = 90° - \varphi + 20°$에서 B의 위도는 60°N이다.

㉡. B에서 별 ㉠의 남중 시각은 A에서보다 3시간 빨랐으므로 B의 경도는 160°E이다. 따라서 B를 지나는 경선은 그리니치를 지나는 경선(0°)보다 160° 동쪽에 위치한다.

✗ㄷ. A의 경도는 115°E이고 B의 경도는 160°E이므로, 이날 별 ㉠은 A보다 B에서 먼저 떴다.

02 천체의 좌표계

A의 적경은 0^h, B의 적경은 6^h이고, A는 지평선상에 위치하므로 고도는 0°이다.

✗ㄱ. 이 지역에서는 천구의 북극과 천정이 일치하므로 관측 지역은 90°N(북극)이다.

✗ㄴ. 적경은 춘분점을 기준으로 천구의 적도를 따라 천체를 지나는 시간권까지 시계 반대 방향(서 → 동)으로 잰 각이다. A는 춘분점에 위치하므로 적경은 0^h이고, B의 적경은 6^h이다. 따라서 적경은 A가 B보다 작다.

㉢. 고도는 지평선에서 수직권을 따라 천정 방향으로 천체까지 측정한 각이다. A는 지평선상에 있으므로 고도는 0°이다. 따라서 고도는 A가 B보다 작다.

03 천구의 기준점과 기준선

지구상에 있는 관측점에서 연직선을 연장할 때 천구와 만나는 두 점은 천정과 천저이고, 지구의 자전축을 연장할 때 천구와 만나는 두 점은 천구의 북극과 천구의 남극이다.

✗ㄱ. 천구의 북극과 북점이 이루는 각도가 37.5°이므로 관측 지점의 위도는 37.5°N이다.

㉡. A는 현재 남동쪽에 위치하고 일주 운동을 하며 남쪽을 지나 서쪽 지평선으로 지게 된다. 따라서 A는 남중할 때까지 방위각이 커진다.

✗ㄷ. 시간권이면서 수직권인 대원은 자오선이다. B는 자오선에 위치하지 않는다.

04 방위와 시각

하루 중 태양이 정남쪽(북반구)에 있을 때의 시각을 12시로 정하며, 현재 전 세계는 그리니치 천문대를 기준으로 경도에 따른 표준시를 사용한다.

㉠. 태양의 적위를 δ, 관측자의 위도를 φ라고 할 때, 태양의 남중 고도(h)는 $h = 90° - \varphi + \delta$이다. 같은 날이면 태양의 적위($\delta$)는 일정하므로 태양의 남중 고도는 관측자의 위도(φ)가 작을수록 높다. 즉, 같은 날 태양의 남중 고도는 B>C>A이다.

㉡. 천구의 적도와 지평선이 이루는 각은 $(90° - \varphi)$이다. 따라서 천구의 적도와 지평선이 이루는 각은 B>C>A이다.

✗ㄷ. C는 135°E에 위치하므로 C의 표준시는 그리니치 천문대보다 9시간 빠르다.

05 태양의 일주권

태양은 황도를 따라 연주 운동을 하면서 적경과 적위가 달라지며, 태양의 적위 변화로 일주권이 달라진다.

✗ㄱ. 태양의 일주권을 보면, 동쪽에서 떠서 남중한 후 서쪽으로 지고 있으므로 이 지역은 북반구에 위치한다.

㉡. B에서 태양은 정동에서 떠서 정서로 지고 있으므로 이날은 춘분날 또는 추분날이고 태양의 적위는 0°이다.

✗ㄷ. 낮의 길이는 태양이 지평선 위에 떠 있는 시간이므로 C>B>A이다.

06 금성의 태양면 통과

금성식은 금성이 태양과 지구 사이를 지나갈 때 나타나는 현상으로 금성이 태양 앞을 지나가는 동안 금성은 검은색의 작은 점으로 보이고 태양 복사 에너지가 아주 조금 줄어들게 된다.

㉠. 금성은 태양 주위를 시계 반대 방향으로 공전하므로 금성은 태양면을 동쪽에서 서쪽으로 통과하였다.

㉡. 금성이 태양면을 지나갈 때에는 태양–금성–지구의 순으로 일직선상에 위치한다. 따라서 이날 금성은 내합의 위치를 통과하였다.

㉢. 이날은 음력 17일이므로 달이 망의 위상을 한 후 2일이 경과하였

다. 따라서 이날 태양과 금성은 아침에 떴고, 달은 해가 진 후 저녁에 떴다.

07 행성의 위치와 겉보기 운동

이날 내행성인 금성은 동방 최대 이각에 위치하고, 외행성인 화성은 동구와 충 사이에 위치한다.

㉠. 이날 금성은 동방 최대 이각에 위치하므로 초저녁에 서쪽 하늘에서 약 3시간 정도 관측할 수 있다. 이날 화성의 이각은 금성의 이각보다 크므로 금성보다 화성을 관측할 수 있는 시간이 길다.

㉡. 내행성의 공전 속도는 지구보다 빠르다. 따라서 다음 날 지구와 금성 사이의 거리는 더 가까워지므로 금성의 시지름은 커진다.

✗ㄷ. 이날 화성은 해가 진 후 동쪽 하늘에서 관측할 수 있다. 새벽에는 화성이 지평선 아래에 위치하므로 관측할 수 없다.

08 내행성의 관측

내행성의 위상은 외합 부근에서 보름달 모양, 동방 최대 이각에서 상현달 모양, 서방 최대 이각에서 하현달 모양이다.

㉠. B는 금성이 상현의 위상을 하므로 동방 최대 이각에 위치하는 때의 모습이다. 내행성은 최대 이각 부근에 있을 때 관측 시간이 가장 길다.

✗ㄴ. C는 금성이 보름달의 위상을 하므로 외합 부근에 위치하는 때이다. 이때 금성은 태양과 같이 정오 무렵에 남중한다.

✗ㄷ. 금성은 내합 → 서방 최대 이각 → 외합 → 동방 최대 이각의 순으로 관측된다. 따라서 금성의 모습은 C → B → A 순으로 관측된다.

09 태양의 연주 운동과 적도 좌표

태양은 춘분점 → 하지점 → 추분점 → 동지점 → 춘분점의 방향으로 연주 운동한다.

✗ㄱ. 태양은 서쪽에서 동쪽으로 연주 운동을 한다. 따라서 태양은 C → B → A로 이동한다.

㉡. 우리나라에서 태양이 A와 C에 위치할 때 태양의 적위 차는 47°이므로 남중 고도 차는 47°이다.

✗ㄷ. 남반구 중위도 지역에서 낮의 길이는 태양이 B에 위치할 때는 12시간이고, C에 위치할 때는 12시간보다 짧다. 따라서 낮의 길이는 태양이 B보다 C에 위치할 때 짧다.

10 황도와 적도 좌표계

별은 동쪽에서 서쪽으로 1시간에 약 15°씩 이동하며, 태양을 기준으로 하면 별자리는 동쪽에서 서쪽으로 하루에 약 1°씩 도는 겉보기 운동을 한다.

㉠. 동짓날 자정에 처녀자리는 동쪽 지평선 부근에 위치하므로 처녀자리의 적경은 약 12^h이다.

✗ㄴ. 약 2시간 후에는 천체가 일주 운동을 하면서 게자리가 남중한다.

✗ㄷ. 약 3개월 후 같은 시각에는 태양의 연주 운동에 따라 처녀자리가 정남쪽에 위치한다.

11 프톨레마이오스와 티코 브라헤의 우주관

(가)는 티코 브라헤의 지구 중심설이고, (나)는 프톨레마이오스의 지구 중심설이다.

㉠. 별의 연주 시차는 지구가 공전한다는 증거이다. 지구 중심설인 티코 브라헤의 우주관에서는 별의 연주 시차를 설명할 수 없다.

✗ㄴ. 프톨레마이오스의 지구 중심설에서는 수성과 금성이 태양으로부터 일정한 각도 안에서만 관측되어 새벽이나 초저녁에만 관측되는 현상을 설명할 수 있다.

✗ㄷ. 지구와 금성 사이의 거리 변화는 (가)보다 (나)에서 작으므로 금성의 시지름 변화는 (가)보다 (나)에서 작다.

12 우주관의 변천

갈릴레이는 직접 만든 망원경으로 밤하늘을 관측하여 지구 중심설로는 설명할 수 없는 다양한 사실을 발견하였고, 이는 태양 중심설을 지지하는 증거가 되었다.

✗ㄱ. 프톨레마이오스의 우주관에서는 행성들이 자기 궤도상에 중심을 두고 있는 작은 주전원을 돌며, 주전원의 중심이 지구 주위를 돈다고 설명하였다. 그러나 달과 태양에는 주전원을 도입하지 않았다.

㉡. 코페르니쿠스의 태양 중심설은 태양을 중심으로 수성, 금성, 지구, 화성, 목성, 토성이 원 궤도로 공전한다는 모형이다.

✗ㄷ. 목성 주위를 공전하는 위성이 있다는 것은 모든 천체가 지구를 중심으로 돈다고 설명한 지구 중심설로는 설명되지 않는다.

수능 3점 테스트

본문 86~89쪽

01 ②	02 ⑤	03 ③	04 ①	05 ⑤
06 ①	07 ⑤	08 ③		

01 적도 좌표계

적도 좌표계는 춘분점을 기준으로 하는 적경과 천구의 적도를 기준으로 하는 적위로 천체의 위치를 나타낸다.

✗ㄱ. A의 적경은 B보다 크다. 적도 부근의 별자리는 적경이 작은 별자리가 적경이 큰 별자리보다 먼저 뜬다. 따라서 A는 B보다 늦게 뜬다.

㉡. C보다 적위가 더 큰 A는 C가 뜨는 지점보다 더 북쪽에서 떠오른다.

✗ㄷ. 황도는 춘분점(0^h, 0°), 하지점(6^h, +23.5°), 추분점(12^h, 0°), 동지점(18^h, −23.5°)을 지난다. 따라서 B는 황도상에 위치하지 않는다.

02 천체의 좌표계

별의 천구상 위치를 표시할 때 지평 좌표계에서는 방위각과 고도로, 적도 좌표계에서는 적경과 적위로 나타낸다.

㉠. 방위각은 북점(또는 남점)으로부터 지평선을 따라 시계 방향으로 천체를 지나는 수직권까지 잰 각이다. 방위각을 북점으로부터 측정한다면 A의 방위각은 270°와 360° 사이의 값이고, B의 방위각은 180°와 270° 사이의 값이다. 따라서 A는 B보다 방위각이 크다.

ㄴ. B의 적위가 C의 적위보다 크므로 B는 C보다 지평선 위에 떠 있는 시간이 길다.
ㄷ. 이날이 춘분날이므로 춘분점은 북쪽 지평선 아래에 위치한다. 적경은 춘분점을 기준으로 천구의 적도를 따라 천체를 지나는 시간권까지 시계 반대 방향(서 → 동)으로 잰 각이므로 A의 적경은 6^h이고 C의 적경은 8^h이다. 따라서 C는 A보다 적경이 크다.

03 별의 일주 운동

별의 일주 운동은 지구의 자전 때문에 별들이 북극성을 중심으로 하루에 한 바퀴씩 회전하는 것처럼 보이는 현상이다.
ㄱ. 별의 적위는 천구의 북극에 가까울수록 크다. A가 B보다 천구의 북극에 더 가까우므로 별의 적위는 A가 B보다 크다.
ㄴ. (나)에서 북점을 기준으로 할 때 A의 방위각은 270°와 360° 사이의 값이고 B의 방위각은 0°와 90° 사이의 값이다. 따라서 (나)에서 방위각은 A가 B보다 크다.
~~ㄷ~~. (나)는 (가)와 비교하여 북두칠성의 위치가 북극성을 중심으로 시계 방향으로 45° 회전 이동한 모습이다. 따라서 (나)는 (가)보다 3시간 전인 17시의 모습이다.

04 금성의 이각 변화

내행성은 지구보다 공전 속도가 빠르므로 지구와 가장 가까운 위치인 내합을 전후하여 역행하며, 그 외 대부분의 공전 기간에는 순행한다.
ㄱ. 그림과 같이 금성이 상현의 위상을 하는 것은 동방 최대 이각 부근에 위치할 때이다. 따라서 관측 시기는 A이다.
~~ㄴ~~. A → B 시기 동안 금성은 동방 최대 이각 → 내합의 위치로 이동하며 이 기간 동안 지구와 금성 사이의 거리는 가까워지므로 금성의 시지름이 커진다.
~~ㄷ~~. C → D 시기 동안 금성은 서방 최대 이각 → 외합의 위치로 이동하며 이 기간 동안 금성은 순행한다.

05 행성의 겉보기 운동

태양계 행성들은 케플러 회전을 하기 때문에 태양에서 멀어질수록 공전 속도가 느려진다.
~~ㄱ~~. 이 기간 동안 금성은 내합의 위치를 지난다. 내행성인 금성은 내합 부근에서 역행이 일어나며 이때에는 적경이 감소한다.
ㄴ. 이 기간 동안 화성은 합에 가까워지고 있다. 동구에서 화성의 위상은 상현~망 사이이고 합에서 화성의 위상은 망이다. 따라서 이 기간 동안 화성의 위상은 점점 보름달 모양에 가까워졌다.
ㄷ. 이 기간 동안 태양은 하지점과 추분점 사이에 위치한다. 이 기간은 하짓날과 추분날 사이이므로 우리나라에서 낮의 길이는 점점 짧아졌다.

06 내행성의 겉보기 운동

시간이 지남에 따라 외행성이 뜨고 지는 시각은 그 전날에 비해 항상 빨라진다.
ㄱ. 내행성이 지는 시각은 빨라지기도 하고 느려지기도 하지만, 외행성이 지는 시각은 항상 빨라진다. A의 지는 시각은 빨라지기도 하고 느려지기도 하므로 A는 내행성이다.
~~ㄴ~~. 5월 초에 A는 태양보다 먼저 지므로 태양보다 서쪽에 위치한다.
~~ㄷ~~. 내행성은 내합 부근에 있을 때에만 역행하고 그 외 대부분의 공전 기간에는 순행한다. 9월 말에 A는 점점 외합의 위치에 가까워지므로 순행하고 적경은 증가한다.

07 티코 브라헤의 우주관

티코 브라헤의 우주관에서는 수성, 금성, 화성, 목성, 토성은 태양을 중심으로 공전하고, 달과 태양은 지구를 중심으로 공전한다.
ㄱ. 이 우주관에서는 태양을 중심으로 회전하는 행성들, 지구를 중심으로 회전하는 달과 태양이 있으므로 회전 중심이 두 개이다.
~~ㄴ~~. 별의 연주 시차는 태양 중심의 우주관에서만 설명할 수 있다.
ㄷ. 보름달 모양의 금성이 관측되기 위해서는 금성이 태양의 뒤쪽에 위치해야 하는데, 금성이 태양과 지구 사이의 주전원에서만 공전하는 프톨레마이오스의 지구 중심설로는 설명되지 않는다.

08 프톨레마이오스의 우주관

프톨레마이오스의 우주관은 우주의 중심인 지구 주위를 천체가 회전한다는 이론이다. 이 이론에 의하면 태양, 달, 별과 행성들이 모두 지구를 중심으로 회전한다.
③ 프톨레마이오스의 천동설에서는 우주의 중심에 위치한 지구를 중심으로 달, 수성, 금성, 태양, 화성 등이 공전하고 있다. 행성들의 역행 운동을 설명하기 위해 주전원을 도입했지만, 달과 태양은 역행하지 않으므로 주전원이 없다. 따라서 이 우주관에서는 금성이 태양보다 항상 지구로부터 가깝게 위치하며, 지구와 금성 사이의 거리는 시간에 따라 변하지만 지구와 태양 사이의 거리는 거의 일정하다.

테마 12 행성의 궤도 운동

닮은 꼴 문제로 유형 익히기

본문 91쪽

정답 ③

타원 궤도에서 태양에 가장 가까운 지점을 근일점, 가장 먼 지점을 원일점이라고 한다.

㉠. B의 공전 궤도 긴반지름은 $\frac{1.3+5.1}{2}=3.2$ AU이므로 초점 거리는 $3.2-1.3=1.9$ AU이다.

㉡. A의 근일점 거리와 원일점 거리는 각각 1.4 AU, 1.8 AU이고, B의 근일점 거리와 원일점 거리는 각각 1.3 AU, 5.1 AU이다. 근일점 거리와 원일점 거리의 차는 A가 0.4 AU이고 B가 3.8 AU이다. 따라서 근일점 거리와 원일점 거리의 차는 B가 A보다 9.5배 크다.

㉢. 케플러 제3법칙에 의해 행성의 공전 주기(P)의 제곱은 공전 궤도 긴반지름(a)의 세제곱에 비례한다. $\left(\frac{P_B}{P_A}\right)^2=\left(\frac{a_B}{a_A}\right)^3$, $\left(\frac{P_B}{P_A}\right)^2=\left(\frac{3.2}{1.6}\right)^3$에서 $\frac{P_B}{P_A}=2\sqrt{2}$이다.

수능 2점 테스트

본문 92~93쪽

01 ⑤ 02 ③ 03 ① 04 ③ 05 ②
06 ⑤ 07 ⑤ 08 ③

01 행성의 회합 주기

수성의 회합 주기는 1년보다 짧으며 수성을 제외한 행성들의 회합 주기는 1년보다 길다.

㉠. 외행성은 지구와의 회합 주기가 1년을 넘는다. C는 회합 주기가 0.32년이므로 내행성이고, A와 B는 외행성이다.

㉡. 외행성은 공전 주기가 길수록 회합 주기가 1년에 가까워진다. A의 공전 주기가 1.88년이므로 B의 공전 주기(㉠)는 1.88년보다 길다.

㉢. 지구와 외행성의 공전 각속도 차가 클수록 회합 주기는 짧아지고, 지구와 외행성의 공전 각속도 차가 작을수록 회합 주기는 길어진다.

02 행성의 회합 주기

태양 주위를 공전하는 천체에는 케플러 법칙이 적용된다.

㉠. 태양에서 멀리 떨어진 행성일수록 회합 주기는 관측하는 행성 A의 공전 주기에 수렴한다. 따라서 ㉠은 행성 A의 공전 주기이다.

㉡. 행성 A의 공전 궤도 긴반지름은 9 AU이다. ㉠은 행성 A의 공전 주기인데, 케플러 제3법칙에서 공전 주기를 P(년), 공전 궤도 긴반지름을 a(AU)라고 하면, $\frac{a^3}{P^2}=1$이 성립한다. 따라서 $\frac{a^3}{P^2}=1$에 $a=9$ AU를 대입하여 계산하면, 행성 A의 공전 주기는 27년이다. 따라서 A보다 태양에서 멀리 있는 외행성일수록 A에서 관측한 회합 주기는 27년에 가까워진다.

㉢. 그래프에서 A보다 태양에 가깝게 있는 내행성일수록 A에서 관측한 회합 주기가 짧게 나타난다.

03 회합 주기

내행성이 내합(또는 외합)에서 다음 내합(또는 외합)이 되는 데까지, 외행성이 충(또는 합)에서 다음 충(또는 합)이 되는 데까지 걸리는 시간을 회합 주기라고 한다.

㉠. 현재 위치에서 15년 후 초저녁에 공전 주기가 8년인 이 행성은 그림과 같이 관측자의 지평선 위에 있으므로 초저녁에 관측할 수 있다.

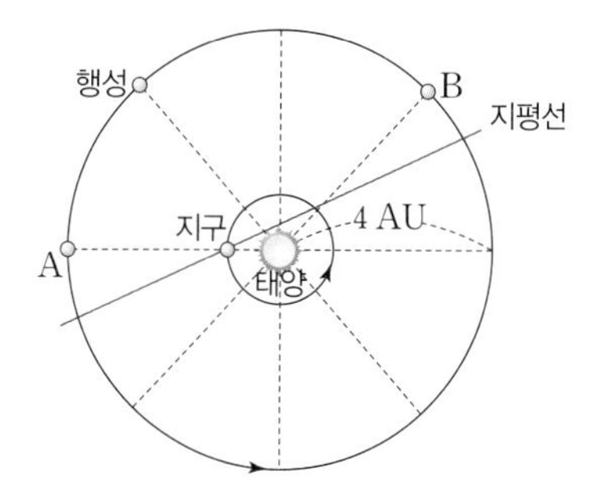

㉡. 공전 궤도 긴반지름이 4 AU인 행성의 공전 주기는 케플러 제3법칙을 이용하여 구할 수 있다. 행성의 공전 주기를 P(년), 공전 궤도 긴반지름을 a(AU)라고 할 때 $P^2=a^3$의 관계가 성립하므로 행성의 공전 주기는 8년이다. 행성의 회합 주기(S)는 지구와 행성의 공전 주기를 각각 E, P라고 할 때 $\frac{1}{S}=\frac{1}{E}-\frac{1}{P}$의 관계로 구해지며, 행성의 공전 주기가 8년이므로 회합 주기 S는 $\frac{8}{7}$년이다.

㉢. 공전 주기가 8년인 이 행성의 회합 주기는 $\frac{8}{7}$년$\left(=1\text{년}+\frac{1}{7}\text{년}\right)$이다. $\frac{8}{7}$년 동안 지구는 태양 둘레를 한 바퀴 공전하고 $\frac{1}{7}$년을 더 공전한 위치에서 다시 충이 된다. 다시 충의 위치가 되는 것은 행성이 B에 위치할 때가 아니다.

04 외행성의 회합 주기

지구와 외행성의 공전 주기를 각각 E, P라고 하면, 회합 주기(S)는 $\frac{1}{S}=\frac{1}{E}-\frac{1}{P}$의 관계로 구할 수 있다.

㉠. 외행성의 공전 주기를 P, 지구의 공전 주기를 E라고 할 때, 하루 동안 외행성이 공전한 각도(θ_2)는 $\frac{360°}{P}$이다.

㉡. 지구와 외행성이 충에서 동시에 공전을 시작했을 때 지구는 외행성보다 하루에 $(\theta_1-\theta_2)$만큼씩 앞서게 된다. 이 각도 차가 누적되어 360°가 되면 외행성은 다시 충에 위치하므로, 이 기간이 회합 주기가 된다.

㉢. 지구와 외행성이 하루 동안 공전한 각도의 차$(\theta_1-\theta_2)$가 클수록 회합 주기는 짧아진다.

05 케플러 법칙

행성의 공전 속도는 근일점에서 가장 빠르고, 원일점에서 가장 느리다.

✗. a는 행성이 근일점에 위치할 때 태양과 행성 사이의 거리, 즉 근일점 거리이다.

ㄴ. '㉠에서의 공전 속도 : ㉡에서의 공전 속도$=b:a$'의 관계가 성립하므로 ㉠에서의 공전 속도는 ㉡에서의 공전 속도의 $\frac{b}{a}$배이다.

✗. $(a+b)$는 공전 궤도 긴반지름의 2배이다. 케플러 제3법칙에 의해 $(a+b)$가 클수록 공전 주기가 길다.

06 쌍성계의 운동

쌍성계를 이루는 두 별은 공통 질량 중심의 주위를 같은 주기로 공전한다.

ㄱ. 이 쌍성계는 지구로부터 10 km/s의 속도로 멀어지고 있다.

ㄴ. $0.5T$일 때 A는 지구로부터 가장 빠르게 멀어지고, B는 지구에 가장 빠르게 접근한다. ㉠은 -110이다.

ㄷ. 질량이 각각 m_1, m_2인 두 천체가 공통 질량 중심으로부터 a_1, a_2만큼 떨어진 거리에서 각각 v_1, v_2의 속력으로 등속 원운동하고 있을 때, $m_1a_1=m_2a_2$, $m_1v_1=m_2v_2$의 관계가 성립한다. 따라서 질량은 A가 B보다 2배 크고, 공통 질량 중심으로부터의 거리는 B가 A보다 2배 크다.

07 케플러 법칙

공전 궤도 이심률을 e, 공전 궤도 긴반지름을 a라고 할 때, 근일점 거리는 $a(1-e)$이고 원일점 거리는 $a(1+e)$이다.

✗. 행성의 공전 주기를 P(년), 공전 궤도 긴반지름을 a(AU)라고 하면, 중심별의 질량이 태양과 같으므로 케플러 제3법칙에 의해 행성 X는 $\frac{a^3}{P^2}=\frac{a^3}{(2^3)^2}=1$에서 공전 궤도 긴반지름($a$)은 4(AU)이고, 행성 Y는 $\frac{a^3}{P^2}=\frac{a^3}{(3^3)^2}=1$에서 공전 궤도 긴반지름($a$)은 9(AU)이다. 따라서 $\frac{\text{Y의 공전 궤도 긴반지름}}{\text{X의 공전 궤도 긴반지름}}=\frac{9}{4}$이다.

ㄴ. 행성 X의 궤도 이심률을 e라고 하면, 근일점 거리(㉠)는 $a(1-e)=4(1-0.06)=3.76$ AU이다.

ㄷ. 행성 Y의 근일점 거리는 $a(1-e)=9(1-e)=8.1$에서 $e=0.1$이다. 행성 Y의 원일점 거리는 $a(1+e)=9(1+0.1)=9.9$ AU이다. 따라서 행성 Y의 원일점과 근일점의 거리 차는 1.8 AU이다.

08 케플러 법칙

같은 별 주위를 공전하는 행성들의 경우 궤도 긴반지름이 같으면 공전 주기가 같다.

ㄱ. 타원의 긴반지름을 a, 이심률을 e라고 할 때, A의 근일점 거리는 $a(1-e)=3$ AU이고, 원일점 거리는 $a(1+e)=5$ AU에서 $a=4$ AU, $e=\frac{1}{4}$이다.

✗. A와 B의 공전 궤도 긴반지름은 같으므로 케플러 제3법칙에 의해 두 행성의 공전 주기는 같다.

ㄷ. 행성의 평균 공전 속도는 공전 궤도 둘레의 길이를 공전 주기로 나눈 값이다. A와 B의 공전 주기는 같고 이심률은 A가 B보다 작으므로 공전 궤도 둘레의 길이는 A가 B보다 더 길기 때문에 평균 공전 속도는 A가 B보다 빠르다.

수능 3점 테스트

본문 94~95쪽

01 ③ 02 ③ 03 ② 04 ①

01 행성과 지구의 회합 주기

태양으로부터 멀어질수록 행성의 공전 주기는 길어진다. 내행성의 경우에는 태양으로부터 멀어질수록 회합 주기도 길어지므로 공전 주기가 길수록 회합 주기가 길다.

ㄱ. 외행성은 뜨는 시각이 계속 빨라지므로 ㉢은 목성이다. 내행성은 뜨는 시각이 빨라지고 느려지고를 반복하는데, 수성은 금성보다 공전 속도가 빠르므로 뜨는 시각의 변화 주기도 빠르다. 따라서 ㉠은 금성, ㉡은 수성이다.

ㄴ. 그래프를 보면 지구와의 회합 주기는 ㉡이 약 4개월이고 ㉠은 4개월보다 훨씬 길게 나타나므로, 지구와의 회합 주기는 ㉠이 ㉡보다 길다.

✗. ㉡은 수성, ㉢은 목성이다. 태양에서 멀리 떨어진 행성일수록 공전 주기가 길다. 따라서 공전 주기는 ㉡이 ㉢보다 짧다.

02 행성의 거리 측정

코페르니쿠스는 (가)와 (나)의 방법을 이용하여 태양으로부터 내행성과 외행성까지의 거리를 알아내었다.

ㄱ. 내행성이 최대 이각에 위치할 때 α를 측정하면 $\sin\alpha=r$이므로 태양으로부터 내행성까지의 거리를 알 수 있다.

✗. γ가 90°가 되었을 때 지구와 외행성의 공전 주기를 알고 있으므로, ∠ESE′과 ∠PSP′을 알 수 있고 ∠ESE′−∠PSP′$=\beta$이다. $\cos\beta=\frac{1}{r}$에서 태양으로부터 외행성까지의 거리를 알 수 있다. ㉡은 공전 주기이다.

ㄷ. β가 60°라면 $\cos\beta=\frac{1}{r}$에서 ㉢은 2이다.

03 케플러 제3법칙

두 별 사이의 거리와 공전 주기를 알면 케플러 제3법칙으로부터 쌍성계의 질량을 구할 수 있고, 공통 질량 중심으로부터 별까지의 거리 비를 알면 별 각각의 질량도 구할 수 있다.

✗. 그림 (가)에서 별 A, B의 위치와 지구의 방향을 고려하면, 별 A는 가장 빠른 시선 속도로 지구에 접근하고 있고 B는 가장 빠른 시선 속도로 지구로부터 멀어지고 있다. 따라서 (가)는 (나)의 ㉠일 때의 위치가 아니다.

✗. 별 A와 B의 공전 주기는 같다.

ㄷ. 별 A와 B의 질량의 합은 $m_A+m_B=\frac{a^3}{P^2}M_\odot$에서 구할 수 있다. $m_A+m_B=\frac{3^3}{3^2}M_\odot$에서 두 별의 질량의 합은 $3M_\odot$이고 B의 질량은

A 질량의 2배이므로 B의 질량은 $2M_{\odot}$이다. 따라서 $\frac{\text{B의 질량}}{\text{태양의 질량}}$은 2이다.

04 케플러 제2법칙

행성이 타원 궤도를 따라 공전할 때 태양과 행성을 잇는 선분은 같은 시간 동안 같은 면적을 쓸고 지나간다.

ㄱ. A의 공전 주기는 3년, B의 공전 주기는 81년이다. 따라서 $\frac{\text{B의 공전 주기}}{\text{A의 공전 주기}}$는 27이다.

ㄴ. 공전 궤도 긴반지름(a)의 세제곱은 공전 주기의 제곱에 비례한다. $\frac{{a_A}^3}{3^2}=\frac{{a_B}^3}{81^2}$에서 $\frac{a_B}{a_A}=9$이므로 B의 공전 궤도 긴반지름은 A의 9배이다.

ㄷ. A와 B가 1년 동안 쓸고 지나간 면적은 B가 A보다 넓다.

테마 13 천체의 거리

닮은 꼴 문제로 유형 익히기 본문 98쪽

정답 ③

(가)는 구상 성단, (나)는 산개 성단이다.

ㄱ. (가)는 (나)보다 전향점의 절대 등급이 크다. 구상 성단의 전향점은 산개 성단의 전향점보다 광도가 작은 곳에 위치하므로 (가)는 구상 성단이다.

ㄴ. $m-M=5\log r-5$에서 거리 지수($m-M$)가 5이면 거리(r)는 100 pc이다. (나)의 거리 지수($m-M$)는 5.7이므로 거리(r)는 100 pc보다 멀다.

ㄷ. 산개 성단인 (나)는 대부분 주계열성으로 이루어져 있고, 구상 성단인 (가)는 질량이 크고 광도가 큰 주계열성이 이미 진화하여 주계열을 떠났으므로 남아 있는 주계열성은 대부분 질량이 작고 광도가 작은 주계열성이다. 따라서 주계열성의 평균 광도는 (가)가 (나)보다 작다.

수능 2점 테스트 본문 99~100쪽

01 ④	02 ④	03 ③	04 ①	05 ③
06 ①	07 ①	08 ⑤		

01 별의 거리와 등급

연주 시차는 지구의 공전 때문에 나타나며, 거리가 가까운 별일수록 연주 시차가 크다.

ㄱ. 지구로부터 별까지의 거리(r)와 연주 시차(p) 사이에는 $r(\text{pc})=\frac{1}{p''}$의 관계가 성립하므로 별 A의 거리는 100 pc이고, 별 B의 거리는 200 pc이며, 별 C의 거리는 10 pc이다.

ㄴ. 겉보기 등급(m)과 절대 등급(M), 거리(r) 사이에는 $m-M=5\log r-5$의 관계가 성립한다. 별 A의 절대 등급은 $4-M=5\log 100-5$에서 -1, 별 B의 절대 등급은 $2-M=5\log 200-5$에서 -4.5이고, 별 C의 절대 등급은 $0-M=5\log 10-5$에서 0이다.

ㄷ. 거리 지수($m-M$)는 별 A가 5, 별 B가 6.5, 별 C가 0이다. 따라서 거리 지수는 B>A>C이다.

02 별의 연주 시차와 등급

별의 밝기는 등급으로 나타내며, 별의 등급은 숫자가 작을수록 밝기가 밝다.

④ ㉠ 별의 연주 시차는 별까지의 거리와 반비례하는 관계에 있으므로 연주 시차가 가장 큰 별은 지구로부터의 거리가 가장 가까운 별이

다. 겉보기 등급에서 절대 등급을 뺀 값($m-M$)이 클수록 별까지의 거리가 멀다. 세 별 A, B, C는 절대 등급이 같으므로 겉보기 등급이 작은 별일수록 거리가 가깝다. 따라서 지구에 가장 가까운 별은 겉보기 등급이 가장 작은 C이다.
ㄴ 그림에서 밝은 음영으로 표시되는 별일수록 밝게 관측되는 별, 즉 겉보기 등급이 작은 별이다. 따라서 겉보기 등급이 가장 작은 별은 C이고, 겉보기 등급이 가장 큰 별은 A이다.

03 별의 시차와 절대 등급

지구 공전 궤도의 양 끝에서 별을 바라보았을 때 생기는 각을 별의 시차라고 한다. 연주 시차는 시차의 $\frac{1}{2}$이다.

✗. A의 시차가 0.1″이므로 연주 시차는 0.05″이다.

✗. 지구에서 A까지의 거리는 $r(\text{pc})=\frac{1}{p''}$에서 20 pc이고, B까지의 거리는 $r(\text{pc})=\frac{1}{p''}$에서 200 pc이다. 따라서 A와 B 사이의 거리는 180 pc이다.

ⓒ. A와 B는 절대 등급이 같은데 A가 B보다 지구로부터의 거리가 가까우므로 겉보기 등급은 A가 B보다 작다.

04 겉보기 등급과 절대 등급

겉보기 등급은 우리 눈에 보이는 밝기에 따라 정한 등급이고, 절대 등급은 모든 별을 10 pc의 거리에 옮겼다고 가정했을 때의 밝기에 따라 정한 등급이다.

✗. A의 겉보기 등급은 4, B의 겉보기 등급은 5이다. 1등급 간의 밝기 비는 약 2.5배이므로 B는 A보다 약 2.5배 어둡게 보인다.

ⓛ. C의 절대 등급은 5, A의 절대 등급은 2이므로 C는 A보다 어두운 별이다. 그런데 겉보기 등급은 C가 1, A가 4이므로 C는 A보다 더 밝게 보인다.

✗. 거리 지수는 A가 2, B가 0, C가 −4이다. 거리 지수가 0인 별까지의 거리는 10 pc이고, 10 pc보다 가까운 거리에 있는 별은 거리 지수가 0보다 작고, 10 pc보다 먼 거리에 있는 별은 거리 지수가 0보다 크다. 지구로부터 10 pc보다 가까운 거리에 있는 별은 C이다.

05 별의 등급과 색지수

색지수는 (B 등급−V 등급)의 값으로, 별의 표면 온도가 높을수록 작다.

ⓐ. 별의 광도는 절대 등급이 작을수록 크다. 따라서 (가)는 (나)보다 광도가 크다.

✗. 색지수($B-V$)가 작을수록 별의 표면 온도는 높다. 따라서 (가)는 (나)보다 표면 온도가 낮다.

ⓒ. 거리 지수($m-M$)가 클수록 별까지의 거리가 멀다. 따라서 (가)는 (나)보다 별까지의 거리가 멀다.

06 별의 표면 온도와 색지수

색지수는 한 파장대에서 측정한 등급과 다른 파장대에서 측정한 등급의 차이로, 색지수를 통해 별의 표면 온도를 알 수 있다.

ⓐ. 복사 에너지를 최대로 방출하는 파장은 표면 온도가 높을수록 짧아진다. ㉠은 ㉡보다 복사 에너지를 최대로 방출하는 파장이 짧으므로 표면 온도가 높다.

✗. B 등급은 B 필터로 정해지는 겉보기 등급이다. B 필터를 통과한 빛의 양은 ㉠이 ㉡보다 많으므로 B 등급은 ㉠이 ㉡보다 작다.

✗. 색지수($B-V$)는 표면 온도가 높을수록 작으므로 ㉠이 ㉡보다 작다.

07 맥동 변광성의 주기 – 광도 관계

거문고자리 RR형 변광성은 변광 주기가 1일 이내인 맥동 변광성으로 변광 주기와 관계없이 절대 등급이 일정하다. 세페이드 변광성은 변광 주기가 약 1일~50일 정도인 맥동 변광성으로 변광 주기가 길수록 별의 광도가 크다.

ⓐ. (가)의 변광 주기는 약 0.3일이고 (나)의 변광 주기는 약 3일이므로, (가)는 (나)보다 변광 주기가 짧다.

✗. (가)의 평균 절대 등급은 0.5이고 (나)의 평균 절대 등급은 −2이므로, (가)는 (나)보다 실제 밝기가 어둡다.

✗. (나)의 평균 겉보기 등급은 3.0이고 평균 절대 등급은 −2이므로 $m-M=5\log r-5$에서 (나)까지의 거리는 100 pc이다.

08 산개 성단의 색등급도

산개 성단은 대부분 주계열성으로 이루어지며, 구상 성단에 비해 표면 온도가 높고 광도가 큰 별들이 많다.

ⓐ. 색등급도의 위쪽에 있는 광도가 큰 주계열성일수록 주계열을 먼저 떠나 적색 거성이나 초거성으로 진화한다.

ⓛ. M67의 전향점은 페르세우스 성단의 전향점보다 광도가 작은 곳에 위치하므로 M67은 페르세우스 성단보다 나이가 많다.

ⓒ. 플레이아데스 성단의 전향점은 히아데스 성단의 전향점보다 절대 등급이 작으므로 광도가 큰 곳에 위치한다.

수능 3점 테스트

본문 101~103쪽

01 ④ 02 ③ 03 ④ 04 ③ 05 ③ 06 ④

01 별의 거리와 연주 시차

1 pc은 연주 시차가 1″인 별까지의 거리로 약 3.26광년이다.

✗. A의 시차는 0.4″이므로 연주 시차는 0.2″이고 별까지의 거리는 5 pc이다. 1 pc은 약 3.26광년이므로 5 pc은 약 16.3광년이다.

ⓛ. A의 위치가 6개월 간격으로 A → A′ → A로 변하는 것은 지구의 공전 때문에 별을 보는 위치가 달라지기 때문이다.

ⓒ. 사진 촬영에서는 밝은 별일수록 밝은 음영으로 보인다. A, B, C 중에서 B의 밝기가 가장 어둡게 보이므로 겉보기 등급이 가장 크다.

02 태양의 겉보기 등급

겉보기 등급은 우리 눈에 보이는 밝기에 따라 등급을 정한 것으로 같은 광도의 별이라도 가까이 있는 별은 밝게 보이고, 멀리 있는 별은 어둡게 보인다.

ㄱ. 태양의 겉보기 등급은 -26.5이고 절대 등급은 4.8이므로 거리 지수($m-M$)는 -31.3이다.

ㄴ. 별의 밝기는 거리의 제곱에 반비례한다. 1 AU에서 겉보기 등급이 -26.5인데 100 AU로 거리가 100배가 되면 밝기는 $\frac{1}{100^2}$배가 되므로 겉보기 등급(㉠)은 -16.5이다.

~~ㄷ~~. 거리가 10배 멀어지면 겉보기 밝기는 $\frac{1}{10^2}$배가 되고 겉보기 등급은 5만큼 커진다.

03 세페이드 변광성을 이용한 거리 측정

세페이드 변광성의 변광 주기를 관측하여 별의 절대 등급을 구한 후, 겉보기 등급과 비교하여 별이 속한 성단이나 외부 은하까지의 거리를 측정할 수 있다.

~~ㄱ~~. 세페이드 변광성은 팽창과 수축을 반복하면서 밝기가 주기적으로 변하는 맥동 변광성이다.

ㄴ. 세페이드 변광성은 변광 주기가 길수록 광도가 큰 주기-광도 관계가 성립한다.

ㄷ. 세페이드 변광성의 변광 주기를 관측하여 별의 절대 등급을 구한 후, 거리 지수($m-M$)를 이용하여 별까지의 거리를 측정할 수 있다. '거리 지수'는 ㉠에 해당한다.

04 표면 온도와 색지수

별의 등급과 색을 측정하기 위해 일반적으로 B 필터와 V 필터를 많이 사용한다. B 필터는 파란색, V 필터는 노란색 근처의 빛을 통과시키고, 이들 필터로 정해지는 겉보기 등급을 각각 B, V 등급이라고 한다.

ㄱ. 표면 온도가 높을수록 B 등급과 V 등급의 차이($B-V$)가 작아지므로 색지수($B-V$)는 작아진다.

~~ㄴ~~. 표면 온도 10000 K의 별은 색지수($B-V$)가 0이며 흰색을 띤다. 붉은색 별은 표면 온도가 약 3500 K 이하이다.

ㄷ. 고온의 푸른색 별은 B 등급이 V 등급보다 작아 색지수($B-V$)가 (−) 값을 갖는다.

05 색등급도와 주계열 맞추기

색지수와 절대 등급이 알려진 표준 주계열성의 색등급도와 성단의 색등급도를 비교하면 성단을 구성하는 별들의 절대 등급을 알 수 있고, 이로부터 별이 속한 성단까지의 거리를 구할 수 있다.

ㄱ. X는 거리 지수($m-M$)이다. X가 클수록 성단까지의 거리는 멀어진다.

~~ㄴ~~. 성단 A의 거리 지수($m-M$)는 약 4이므로 $m-M=5\log r-5$에서 지구로부터 성단 A까지의 거리는 약 $10^{1.8}$ pc으로 100 pc이 안 된다.

ㄷ. ㉠은 ㉡보다 겉보기 등급이 약 2만큼 작다. 1등급 간의 밝기 비는 $\sqrt[5]{100}\simeq2.5$배이므로 ㉠은 ㉡보다 약 2.5^2배 밝다.

06 성단의 색등급도

별의 색지수를 가로축에, 별의 등급을 세로축에 표현한 그림을 색등급도(C-M도)라고 한다. (가)는 구상 성단, (나)는 산개 성단의 색등급도이다.

~~ㄱ~~. 색지수가 작은 주계열성일수록 표면 온도가 높고 질량이 크며 등급이 작으므로 진화 속도가 빠르다.

ㄴ. (가)는 (나)에 비해 겉보기 등급이 크므로 거리 지수가 커서 성단까지의 거리가 멀다.

ㄷ. (가)는 주계열성이 일부 남아 있고, (나)는 대부분의 별이 주계열성으로 구성되어 있다. 따라서 성단을 구성하는 별들 중 주계열성의 비율은 (가)가 (나)보다 낮다.

테마 14 우리은하의 구조

닮은 꼴 문제로 유형 익히기

본문 106쪽

정답 ③

(가)는 21 cm파 영상이고, (나)는 가시광선 영상이다.

ㄱ. (가)는 21 cm파 영상이며, 21 cm파는 중성 수소에서 방출된다.

X. (나)는 중심핵이 밝고, 빛을 내는 별의 분포를 나타내는 가시광선 영상이다.

ㄷ. 우리은하의 나선팔 방향은 성간 소광량이 크다. 따라서 나선팔 구조를 확인하기 위해서는 성간 소광의 영향을 상대적으로 적게 받는 21 cm파 영상이 가시광선 영상보다 적합하다.

수능 2점 테스트

본문 107~110쪽

01 ②	02 ②	03 ②	04 ②	05 ③
06 ②	07 ③	08 ①	09 ③	10 ②
11 ④	12 ③	13 ⑤	14 ④	15 ③
16 ⑤				

01 우리은하의 모양

(가)는 캅테인, (나)는 허셜이 주장한 우리은하의 모양이다.

X. (가)와 (나)의 우리은하 지름은 각각 약 16 kpc, 1.8 kpc으로, 우리은하의 크기는 (가)가 (나)보다 크다.

X. 우리은하의 모양에 대한 주장은 캅테인이 주장한 (가)가 허셜이 주장한 (나)보다 늦다.

ㄷ. 캅테인과 허셜은 모두 우리은하의 중심 부근에 태양이 위치한다고 생각하였다.

02 섀플리의 우리은하 모양

X. 구상 성단의 분포는 은하 중심을 기준으로 구형의 분포를 보이는 헤일로의 모양과 유사하다. 따라서 은하 중심은 B에 있다.

ㄴ. 섀플리는 구상 성단의 분포를 통해 우리은하의 모양을 알아냈다.

X. 구상 성단은 헤일로에 주로 분포하므로 우리은하의 원반 모양과는 관련성이 낮다.

03 우리은하의 구성

태양은 B에 위치하며, X는 구상 성단, Y는 산개 성단이다.

X. 구상 성단은 헤일로에, 산개 성단은 은하 원반에 주로 분포한다.

ㄴ. 태양은 은하 중심으로부터 약 8.5 kpc 떨어진 곳에 위치한다. 은하의 지름이 30 kpc이므로 태양의 위치는 B이다.

X. 성간 물질이 풍부한 은하 원반에서 많은 별들이 새롭게 태어난다.

04 성간 티끌

A는 얼음, B는 흑연이다. 다른 성간 티끌에는 B가 규산염인 경우도 있다.

X. 성간 티끌은 흑연 또는 규산염 입자를 얼음이 감싸고 있는 형태이다. 따라서 A는 얼음이다.

X. 성간 물질의 약 99 %(질량비)는 성간 기체, 약 1 %(질량비)는 성간 티끌이다.

ㄷ. 성간 티끌은 별빛을 흡수하거나 산란시켜 성간 소광을 일으킨다.

05 성간 물질

A는 고체 입자인 성간 티끌을, B는 성간 기체를 나타낸다.

ㄱ. 성간 물질 중 성간 티끌은 약 1 %(질량비), 성간 기체는 약 99 %(질량비)이다. 따라서 A는 성간 티끌인 고체 입자이다.

X. 성간 티끌은 온도가 낮아서 대체로 적외선 영역의 전자기파를 방출한다.

ㄷ. 수소와 헬륨은 성간 기체를 구성하는 주요 물질이므로 대부분의 수소와 헬륨은 B에 포함된다.

06 성간 소광

A는 가시광선, B는 적외선이다. 관측 파장이 길어질수록 성간 소광량이 줄어든다.

X. 파장이 길수록 성간 소광량이 줄어들어 투과율이 높아진다. 따라서 독수리 성운 뒤의 별들이 더 많이 보이는 (나)는 (가)보다 관측 파장이 더 길다.

ㄴ. (가)는 독수리 성운에 의해 배경별이 대부분 소광되었지만, (나)는 (가)보다 배경별이 더 많이 보인다.

X. 우리은하 원반에는 많은 수의 별과 큰 밀도의 성간 물질로 인해 성간 소광량이 많게 나타나서 가시광선 관측이 어렵다. 따라서 우리은하 원반에 있는 별의 분포를 알아보고자 할 때는 A보다 B로 관측하는 것이 유리하다.

07 성간 소광 및 소광 보정

겉보기 등급을 m, 절대 등급을 M, 성간 소광된 양을 등급으로 나타낸 것을 A라고 할 때, 소광 보정을 고려한 거리(r)는 $m-M-A=5\log r-5$로 계산할 수 있다.

ㄱ. 소광 보정한 거리 지수($m-M-A$)는 X와 Y가 각각 -1.1, -1.2이다. 따라서 실제 거리는 X가 Y보다 멀다.

ㄴ. 지구에서 관측되는 별의 밝기는 겉보기 등급으로 판단할 수 있으며, X가 Y보다 더 밝게 관측된다.

X. 성간 소광을 고려했을 때와 고려하지 않았을 때 계산한 별까지의 거리 차는 성간 소광된 양을 등급으로 나타낸 값을 비교하여 판단하며 X가 Y보다 작다.

08 반사 성운과 방출 성운

반사 성운은 주변 별빛이 산란되어서 빛을 내고, 방출 성운은 전리 수소 영역의 에너지 방출에 의해서 빛을 낸다.

ㄱ. 반사 성운은 성간 티끌에 의해 별빛이 산란되어 빛난다.

X. 대체로 반사 성운은 푸른색을 띠고, 방출 성운은 붉은색을 띤다.

ㄷ. 방출 성운은 HⅡ 영역에서 전리 수소가 전자와 결합하면서 빛을 낸다. 따라서 전리된 수소선은 (가)가 (나)보다 약하게 나타난다.

09 우주의 수소 분포

A는 분자운, B는 HⅠ 영역(중성 수소), C는 HⅡ 영역(전리 수소)이다.

ㄱ. 평균 온도는 HⅡ > HⅠ > 분자운이다. 따라서 A는 분자운이다.
ㄴ. 별은 상대적으로 밀도가 큰 분자운(A)에서 태어날 확률이 높다.
ㄷ. HⅡ 영역은 높은 온도로 인해 수소가 이온화된 영역을 나타낸다.

10 별의 공간 운동

별의 운동은 접선 속도와 시선 속도로 구분하여 계산할 수 있다. 접선 속도는 고유 운동과 거리로, 시선 속도는 도플러 효과로 계산한다.

ㄱ. 별의 공간 속도 계산을 위해서는 시선 운동 자료가 더 필요하다.
ㄴ. 거리는 접선 속도와 비례하고 고유 운동과 반비례한다. 따라서 거리는 A가 B보다 4배 멀다.
ㄷ. 1년 동안 천구상에서 이동한 각거리는 고유 운동을 나타내므로 A가 B의 0.5배이다.

11 중성 수소와 전리 수소

수소는 양성자와 전자로 구성되어 있으며, 전자의 유무에 따라 중성 수소와 전리 수소로 나뉜다.

ㄱ. 21 cm 전파는 중성 수소의 양성자와 전자의 스핀 방향에 따른 에너지 차로 발생된다. 따라서 (가)의 중성 수소 내에서 21 cm 전파가 발생한다.
ㄴ. HⅡ 영역은 전리 수소, HⅠ 영역은 중성 수소가 분포하는 영역이다.
ㄷ. 성간 기체는 대부분 수소 분자, 중성 수소, 전리 수소 중 한 형태로 구성된다.

12 21 cm 전파 관측

A에는 중성 수소 원자가, B에는 수소 분자가 주로 분포한다.

ㄱ. 나선팔의 모양을 나타내는 밝은색은 중성 수소 원자를, 어두운 영역은 수소 분자의 분포를 나타낸다.
ㄴ. 가시광선은 전파보다 성간 소광량이 더 크다. 따라서 가시광선은 전파보다 우리은하의 구조를 파악하기에 적합하지 않다.
ㄷ. 우리은하가 회전하면서 21 cm 전파의 도플러 이동이 발생하고, 그 양을 측정하여 나선팔의 위치를 파악할 수 있다.

13 우리은하의 회전

X는 A, Y는 B, Z는 C의 상대 복사 세기를 나타낸다.

ㄱ. X는 시선 속도가 음(−)의 값을 보이므로 관측자에게 다가오는 영역을 나타낸다. 따라서 X는 관측자보다 회전 속도가 느린 A의 복사 세기가 된다.
ㄴ. A, B, C 중 은하 중심에 가장 가까운 것은 C이며, 회전 속도가 가장 빠르다. 따라서 관측자로부터 가장 빨리 멀어지고 있는 Z에 해당된다.
ㄷ. C는 B보다 안쪽에서 위치하므로 공전 속도가 빠르다. 따라서 C와 B의 거리는 점차 가까워진다.

14 태양 부근 별의 상대 운동

시선 속도는 멀어질 때 양(+)의 값을, 다가올 때 음(−)의 값을 나타낸다.

ㄱ. 시선 속도는 은경 0°∼90°에서 양(+)의 값을, 90°∼180°에서 음(−)의 값을 나타내므로 은하 중심으로 갈수록 회전 속도는 빨라진다.
ㄴ. 은경 200°∼250°에서의 시선 속도는 양(+)의 값을 나타내므로 멀어지는 것처럼 관측된다.
ㄷ. 시선 속도의 크기는 0°, 90°, 180°, 270°에서 0이다. 따라서 270°에 있는 별의 시선 속도는 230°에 있는 별의 시선 속도보다 작다.

15 우리은하의 회전 곡선

A는 강체 회전, B는 회전 속도가 감소하는 구간, C는 회전 속도가 일정한 구간을 나타낸다.

ㄱ. A는 거리가 멀어질수록 속도가 빨라지는 강체 회전 구간이다.
ㄴ. 태양 주변은 은하 중심으로부터 멀리 있는 별일수록 속도가 느려지므로 공전 주기가 길어진다.
ㄷ. C는 우리은하의 질량 중 많은 부분이 바깥쪽에 분포하고 있음을 나타낸다.

16 암흑 물질

A. 암흑 물질은 전자기 복사를 방출하지 않으므로 전자기파를 통한 직접 관측이 불가능하다.
B. 암흑 물질은 질량을 가지고 있으므로 중력 렌즈 현상을 통해 확인이 가능하다.
C. 암흑 물질의 후보로는 액시온(AXION), 윔프(WIMP), 비활성 중성미자 등의 작은 입자들이 있다.

수능 3점 테스트

본문 111∼114쪽

01 ③	02 ③	03 ④	04 ③	05 ④
06 ①	07 ③	08 ①		

01 섀플리의 우리은하 모양

섀플리는 구상 성단의 분포로 우리은하의 모양을 나타내었다. 하지만 성간 소광을 고려하지 않아 별들이 어두운 이유를 단순히 멀리 있기 때문이라고 판단하여 우리은하의 크기를 실제보다 훨씬 크게 판단하였다. 따라서 A는 섀플리의 우리은하, B는 실제 우리은하를 나타낸다.

ㄱ. 섀플리는 구상 성단까지의 거리를 계산할 때, 성간 소광을 고려하지 않아서 우리은하의 크기를 실제보다 크게 생각하였다.
ㄴ. A와 B 모두 태양은 은하의 중심에 있지 않다.
ㄷ. 크기가 A보다 작은 B가 실제 우리은하이다.

02 성간 소광 보정

성간 소광 효과를 보정하여 계산한 것은 A, 보정하지 않은 것은 B

이다.

㉠. 성간 소광에 의해 별의 밝기는 어두워지고 겉보기 등급은 커지게 되므로 성간 소광 효과를 보정해주지 않으면 실제보다 더 멀리 있는 것으로 계산된다. 따라서 성간 소광 효과를 보정한 것은 더 가깝게 표시되는 A이다.

X. 성간 소광 보정 전에 계산한 거리는 보정 후에 계산한 거리의 10배이다. 별의 밝기는 거리의 제곱에 반비례하므로 성간 소광에 의한 별의 밝기가 100배 어두워졌다. 따라서 성간 소광이 없다면 지구에서 관측되는 이 별의 밝기는 현재보다 100배 밝아진다.

㉢. 성간 소광에 의한 밝기 변화가 100배이므로 성간 소광량은 5등급이며, 그래프를 통해 색초과가 1.5임을 알 수 있다. 이 별의 색지수 $(B-V)$가 0으로 관측되므로 고유한 색지수는 -1.5가 된다.

03 성간 소광

X는 A 방향에, Y는 B 방향에 위치한다. 별빛은 성간 티끌에 의해 산란되며, 산란 정도는 파장이 짧을수록 더 크게 나타난다. 따라서 상대적으로 파장이 긴 빛은 A 방향으로, 파장이 짧은 빛은 B 방향으로 진행하게 된다.

X. 별빛의 진행 방향과 나란한 A 방향의 빛은 성간 적색화의 영향으로 색지수$(B-V)$의 값이 커지고, 산란된 빛만 도착하는 B 방향의 빛은 색지수$(B-V)$의 값이 작아진다. 따라서 X는 A 방향에 위치한다.

㉡. 파장이 짧을수록 티끌에 의한 산란이 강하게 나타난다. 따라서 산란된 빛과 소광 후 관측되는 빛의 색상이 각각 청색과 적색을 띠므로, 실제 별 S는 스펙트럼상에서 두 색 사이의 색상을 보일 것이다.

㉢. A와 B 방향의 색이 다르게 나타나는 것은 파장의 길이가 짧을수록 산란 정도가 강하게 나타나기 때문이다. 반사 성운이 대체로 푸른색을 띠는 이유도 B와 같이 산란된 빛을 관측하는 경우가 많기 때문이다.

04 암흑 성운, 반사 성운, 방출 성운

성운은 성간 물질의 밀도가 상대적으로 큰 영역을 나타낸다. 그중 밀도가 매우 커서 배경의 별빛을 모두 차단하는 '암흑 성운', 주변의 밝은 빛의 산란을 통해 상대적으로 푸른 빛을 발하는 '반사 성운', H Ⅱ 영역에서 전리된 수소가 전자와 결합하면서 상대적으로 붉은 빛을 방출하는 '방출 성운'으로 구분한다. 따라서 상대적으로 푸른색에서 밝은 Ⅰ은 반사 성운, 붉은색에서 밝은 Ⅲ은 방출 성운, 전반적으로 어두운 Ⅱ는 암흑 성운이다.

㉠. (나)는 성운에 의해 배경의 별빛이 차단되므로 암흑 성운이다.

X. Ⅰ은 반사 성운이며, 반사 성운이 내는 빛의 대부분은 주변 별빛을 산란시킨 것이다.

㉢. 전리된 수소의 비율이 가장 높은 것은 H Ⅱ 영역이 존재하는 방출 성운(Ⅲ)이다.

05 별의 운동

별의 공간 운동은 접선 속도와 시선 속도를 각각 구하여 계산할 수 있다. 접선 속도는 고유 운동과 거리의 곱에 비례하며, 거리는 연주 시차의 역수와 같다. 시선 속도는 기준 파장에 대한 파장의 변화량 비를 광속에 곱하여 계산할 수 있다.

X. 접선 속도는 $\left(\text{고유 운동}\times\dfrac{1}{\text{연주 시차}}\right)$에 비례한다. 따라서 접선 속도는 B가 A의 4배이다.

㉡. 관측자를 기준으로 A와 B의 시선 속도 V_A와 V_B는 각각 300 km/s, -600 km/s이다. 따라서 B에서 관측한 A의 시선 속도는 $-(V_A-V_B)$이며, $-\{300-(-600)\}=-900$ km/s가 된다.

㉢. 별의 운동 방향과 시선 방향이 이루는 각 중 작은 각의 크기는 접선 속도가 클수록, 시선 속도가 작을수록 커진다. 접선 속도는 B가 A의 4배이고, 시선 속도는 B가 A의 2배이므로 별의 운동 방향과 시선 방향이 이루는 각 중 작은 각의 크기는 B가 A보다 크다.

06 은하의 회전 곡선

회전 중심까지의 거리와 회전 속도가 비례하는 경우 강체 회전(B)이고, 반비례하는 경우 케플러 회전(A)이다.

㉠. 태양 주변의 은하 회전 곡선은 중심으로부터 거리가 멀수록 속도가 느려지는 A와 가장 유사하다.

X. (나)는 은하 중심에서 거리가 멀수록 회전 각속도가 작아지는 형태이다. 따라서 A 또는 C에 포함된 별에서의 관측 자료이다.

X. 중심에 질량이 집중된 경우에는 A와 같은 케플러 회전과 유사한 형태가 나타난다. C는 바깥쪽에도 상당히 많은 질량이 분포하고 있음을 나타낸다.

07 우리은하의 질량 분포와 회전 곡선

A는 실제 우리은하의 회전 곡선을, B는 은하의 질량이 중심부에 밀집되어 있다고 가정했을 때 나타나는 회전 곡선이다.

㉠. A는 바깥쪽의 회전 속도가 거의 일정한 실제 관측된 우리은하의 회전 곡선이다.

㉡. 빛을 내는 천체의 분포만으로는 바깥쪽의 회전 속도가 일정한 구간을 설명할 수 없다. 비교적 어두운 은하 가장자리에 빛을 내지 않는 질량체인 암흑 물질이 존재해야 가능한 회전 속도 분포이다.

X. A는 태양보다 바깥쪽에 상당히 많은 양의 질량이 분포해야 가능한 회전 속도 분포이고, B는 은하 중심부에 질량이 집중되어 있을 때 나타날 수 있는 케플러 회전과 비슷한 회전 속도 분포이다.

08 중력 렌즈 현상

중력 렌즈 현상을 이용하면 이를 발생시키는 천체의 질량을 계산할 수 있다. 이렇게 계산한 천체의 질량은 빛을 내는 천체들의 총 질량보다 훨씬 크게 나타나므로 암흑 물질의 존재를 알 수 있다. A는 중력 렌즈 현상을 일으키는 은하, B는 중력 렌즈 현상에 의해 왜곡된 형태를 보이는 은하이다.

㉠. 관측자와의 거리는 A가 B보다 가깝다.

X. 중력 렌즈 현상은 은하 A의 중력이 볼록 렌즈 역할을 하여 빛이 휘어져서 나타난다. 따라서 B의 빛이 관측자까지 진행한 총 거리는 B와 관측자 사이의 직선거리보다 길다.

X. 중력 렌즈 현상은 A에 의해 B가 왜곡되어 나타나며, 이를 통해 A의 질량을 확인할 수 있다. 이렇게 확인한 질량과 빛을 내는 천체의 질량을 비교하여 암흑 물질의 분포를 확인할 수 있다.

테마 15 우주의 구조

닮은 꼴 문제로 유형 익히기 본문 116쪽

정답 ⑤

A는 필라멘트, B는 거대 공동이다.

ㄱ. 그물 형태로 나타나는 A는 필라멘트이고, 필라멘트 사이의 빈 공간인 B는 거대 공동이다.

ㄴ. 대부분의 은하는 필라멘트(A)에 분포한다.

ㄷ. 물질의 대부분은 필라멘트에 분포하므로 물질의 평균 밀도는 필라멘트(A)가 거대 공동(B)보다 크다.

수능 2점 테스트 본문 117쪽

01 ② 02 ① 03 ③ 04 ⑤

01 은하들의 집단

ㄱ. 우리은하가 속해 있는 가장 작은 단위의 은하 집단은 은하군이다.

ㄴ. 중력으로 묶여 있는 집단 중 가장 규모가 큰 것은 은하단이다. 초은하단은 중력으로 묶여 있지 않아서 우주 팽창에 따라 점차 흩어지고 있다.

ㄷ. 국부 은하군은 우리은하와 안드로메다은하 외 수십 개의 은하로 구성된다.

02 국부 은하군

국부 은하군을 구성하는 은하 중 우리은하와 안드로메다은하가 질량이 큰 편이며, 그 외에 수십 개의 은하로 구성된다.

ㄱ. 국부 은하군의 구성 은하들은 서로 중력으로 묶여 있다.

ㄴ. 국부 은하군의 질량 중심은 은하군 내에서 질량이 큰 우리은하와 안드로메다은하 사이에 있다.

ㄷ. 국부 은하군의 구성 은하들은 중력으로 묶여 있으므로 우주 팽창의 영향으로 흩어지지 않는다.

03 은하, 은하단, 우주 거대 구조

(가)는 은하단, (나)는 은하, (다)는 우주 거대 구조이다.

ㄱ. 규모는 우주 거대 구조>은하단>은하이다.

ㄴ. 은하단은 구성 요소 간에 중력으로 묶여 있는 천체들 중 규모가 가장 크다.

ㄷ. (가)와 (나)는 중력의 영향으로 우주 팽창에 의해 커지지 않는다. 하지만 (다)는 서로 중력으로 묶여 있지 않으므로 우주 팽창에 의해 부피가 팽창한다.

04 우주 거대 구조의 형성

(가)는 현재, (나)는 과거의 우주 거대 구조를 나타낸다.

ㄱ. 우주 초기의 미세한 물질 분포 차이가 시간이 지남에 따라 점점 커지면서 뚜렷한 차이를 보이게 된다.

ㄴ. 줄기 형태의 필라멘트 구조는 (가)가 (나)보다 뚜렷하다.

ㄷ. 중력에 의한 인력과 우주 팽창에 의한 부피 팽창의 영향으로 밀도 분포의 차이가 더 뚜렷해졌다.

수능 3점 테스트 본문 118쪽

01 ① 02 ⑤

01 우주 거대 구조

우주 거대 구조는 필라멘트로 불리는 줄기를 따라서 은하들이 밀집되어 나타나는 구조를 보인다. 그중 밀도가 상대적으로 높은 영역을 은하 장성이라 한다. 우주의 이러한 구조는 암흑 물질에 의한 것으로 여겨진다. A는 필라멘트 구조, B는 은하 장성, C는 거대 공동이다.

ㄱ. A는 일반적인 크기의 줄기인 필라멘트 구조이다.

ㄴ. 우주에서 볼 수 있는 구조 중 가장 큰 구조를 가진 것은 B(은하 장성)이다.

ㄷ. 거대 공동은 우주에 은하가 거의 없는 공간이다.

02 우주 거대 구조와 우주 배경 복사

우주 배경 복사의 미세한 온도 차이는 물질 분포가 완전하게 균질하지 않음을 나타낸다. 이러한 미세한 차이는 시간이 흐르면서 현재의 우주 거대 구조와 같이 뚜렷한 형태로 변화하였다. A는 필라멘트 구조, B는 거대 공동이다.

ㄱ. 필라멘트를 구성하는 많은 은하들의 탄생을 우주 배경 복사의 온도 편차로 설명할 수 있다. 따라서 필라멘트와 우주 공동의 분리에 우주 배경 복사의 온도 편차가 영향을 줄 수 있다.

ㄴ. 필라멘트 구조는 암흑 물질의 중력 작용으로 은하들이 밀집되어 나타나는 현상이다. 따라서 암흑 물질은 A에서가 B에서보다 많다.

ㄷ. 시간이 지날수록 중력의 작용과 우주 팽창이 복합적으로 작용하여 우주 거대 구조가 더 뚜렷해진다.

실전 모의고사 1회				본문 120~124쪽
01 ②	02 ④	03 ⑤	04 ①	05 ③
06 ③	07 ②	08 ③	09 ①	10 ②
11 ⑤	12 ⑤	13 ③	14 ②	15 ③
16 ②	17 ④	18 ①	19 ③	20 ⑤

01 지구 대기의 형성

주로 화산 활동으로 공급된 이산화 탄소는 대부분 해수에 용해된 후 화학적으로 침전되거나 생물 기원 퇴적물로 퇴적되어 지권에 저장되면서 급격히 감소하기 시작하였다. 산소는 광합성을 하는 남세균이 등장하여 바다에 산소를 공급하기 시작했고, 이후 대기에도 산소가 축적되기 시작하였다.

ㄱ. 지구 대기 중 산소는 약 23억 년 전에 급격하게 증가하기 시작하였으므로 B이다. A는 지질 시대 중 지구 대기에서 지속적으로 감소한 이산화 탄소이다.

ㄴ. 대기 중 A의 분압 변화 폭은 약 9기압이고, B의 분압 변화 폭은 약 0.3기압이다. 따라서 시간에 따른 기체의 분압 변화 폭은 A가 B보다 크다.

ㄷ. 오존층은 산소가 대기 중에 축적되어 태양으로부터의 자외선에 의해 광분해 되어서 형성되므로 대기 중 오존층의 형성에 대한 기여도는 산소(B)가 이산화 탄소(A)보다 크다.

02 지진파

같은 진앙 거리를 이동할 때 P파는 S파보다 속도가 빠르기 때문에 도착하는 데 걸리는 시간이 짧다.

ㄱ. 같은 진앙 거리에 대해 지진파가 도착하는 시간은 A가 B보다 늦으므로 전파 속도는 A가 B보다 느리다.

ㄴ. 전파 속도가 느린 A는 S파이고, 전파 속도가 빠른 B는 P파이다. 횡파인 A는 지진파의 진행 방향과 매질의 진동 방향이 서로 수직이고, 종파인 B는 지진파의 진행 방향과 매질의 진동 방향이 서로 나란하다. 따라서 지진파의 진행 방향과 매질의 진동 방향이 이루는 각은 A가 B보다 크다.

ㄷ. P파와 S파의 속도가 각각 일정할 때, 진원 거리에 대한 식을 이용하면 관측소 ㉠에서 진원까지의 거리에 대한 관측소 ㉡에서 진원까지의 거리 비$\left(\dfrac{\text{관측소 ㉡에서 진원까지의 거리}}{\text{관측소 ㉠에서 진원까지의 거리}}\right)$는

$\dfrac{\text{관측소 ㉡에서 측정한 PS시}}{\text{관측소 ㉠에서 측정한 PS시}}$에 비례하여 나타난다. 따라서

$\dfrac{\text{관측소 ㉡에서 측정한 PS시}}{\text{관측소 ㉠에서 측정한 PS시}} \simeq 2.14$이므로 관측소 ㉡에서의 진원 거리는 관측소 ㉠에서의 진원 거리의 2배보다 크다.

03 지구 자기장

편각, 복각, 수평 자기력을 지구 자기의 3요소라고 한다. 어느 지점에서 지구 자기장의 세기를 전 자기력이라 하며, 지구 자기장의 수평 성분의 세기를 수평 자기력, 연직 성분의 세기를 연직 자기력이라고 한다. 수평 자기력은 자극에서 0이고, 자기 적도에서 최대이다.

ㄱ. A 지점은 자기 적도를 기준으로 북반구에 위치한다. 북반구에서 복각은 (+)로 표시하고, 남반구에서는 (−)로 표시한다.

ㄴ. θ는 지구 자기장의 방향이 수평면에 대하여 기울어진 각으로 복각이다. 복각은 자기 적도에서 0°이고, 자북극에서 +90°이다. 따라서 자기 적도에 가까울수록 θ는 감소한다.

ㄷ. 수평 자기력(㉠)은 자기 적도에 가까울수록 커지고, 연직 자기력(㉡)은 자극에 가까울수록 커진다. 따라서 고위도에 위치한 A 지점이 저위도에 위치한 B 지점보다 $\dfrac{\text{연직 자기력(㉡)}}{\text{수평 자기력(㉠)}}$이 크다.

04 광물의 광학적 성질

편광 현미경에서 상부 편광판을 뺀 상태를 개방 니콜, 상부 편광판을 넣은 상태를 직교 니콜이라고 한다. 광학적 이방체 광물을 개방 니콜에서 관찰하면 다색성을, 직교 니콜에서 관찰하면 간섭색과 소광 현상이 관찰된다.

ㄱ. 망상 구조인 석영은 깨짐이 나타나고, 판상 구조인 흑운모는 한 방향의 쪼개짐이 나타난다. (가)와 (나)에서 A보다 B에서 한 방향의 쪼개짐이 관찰되므로 석영은 A이고, 흑운모는 B이다.

ㄴ. 무색 광물인 석영은 개방 니콜에서 관찰하면 특별한 색을 나타내지 않지만, 유색 광물인 흑운모는 개방 니콜에서 관찰하면 색과 밝기가 일정한 범위에서 변한다. 따라서 직교 니콜에서 관찰한 모습은 (가)이다.

ㄷ. 광물 내에서 방향에 관계없이 빛의 통과 속도가 일정한 광물은 광학적 등방체 광물이다. 흑운모(B)는 광학적 이방체 광물로서 광물 내에서 방향에 따라 빛의 통과 속도가 달라져서 굴절률에 차이가 생기는 광물이다.

05 화성암의 조직

화성암의 조직에는 세립질 조직, 반상 조직, 조립질 조직이 있다. 화성암을 편광 현미경으로 관찰하면 화성암의 종류에 따라 입자의 크기가 다양하게 나타난다. (가)는 입자의 크기가 크고 비교적 고른 조립질 조직으로 심성암에 주로 나타나고, (나)는 결정의 크기가 매우 작은 세립질 조직으로 화산암에 주로 나타난다.

ㄱ. A는 고유한 결정면을 갖추지 못한 타형 광물이고, B는 고유한 결정면을 가진 자형 광물이다. 마그마가 냉각되면서 광물의 결정이 만들어질 때 먼저 정출된 광물의 영향을 받으면 광물은 고유한 결정면을 갖추지 못하게 된다. 따라서 광물의 정출 순서는 A가 B보다 나중이다.

ㄴ. (가)는 화성암에서 나타나는 조립질 조직이고, (나)는 세립질 조직이다. 조립질 조직은 주로 지하 깊은 곳에서 형성되는 심성암에서 나타나고, 세립질 조직은 지표 부근에서 형성되는 화산암에서 주로 나타난다. 따라서 암석의 평균 생성 깊이는 (가)보다 (나)가 얕다.

ㄷ. 조립질 조직은 지하 깊은 곳에서 마그마가 천천히 냉각되어 굳어져서 형성되고, 세립질 조직은 지표 부근에서 마그마가 빨리 냉각되어 굳어져서 형성된다.

06 광물 자원

광물 자원에는 금속이 주성분으로 함유된 금속 광물 자원과 주로 비

금속 원소로 이루어진 비금속 광물 자원이 있다. 적철석은 금속 광물 자원이고, 고령토는 비금속 광물 자원이다.
㉠. 적철석으로부터 금속 광물 자원인 철을 추출하고, 비금속 광물 자원인 고령토는 도자기 등의 재료로 이용된다. 따라서 제련 과정을 거쳐야 하는 광물은 (가)이다.
✕. 고령토가 화학적 풍화 작용을 받아서 생성되는 광물이 보크사이트이다.
㉢. 적철석은 철분이 많이 포함된 암석이 풍화되어 생성되고, 고령토는 장석이 풍화 작용을 받아서 생성된다. 따라서 (가)와 (나)는 모두 퇴적 광상 중 풍화 잔류 광상에서 산출될 수 있다.

07 지질도

중앙을 기준으로 양쪽의 지층이 대칭적으로 반대 방향으로 경사져 있으면 배사 구조가 나타나고, 중앙을 기준으로 양쪽의 지층이 서로 마주보고 경사져 있으면 향사 구조가 나타난다.
✕. C층을 경계로 왼쪽의 A층과 B층은 남서쪽으로 경사져 있고, 오른쪽의 A층과 B층은 북동쪽으로 경사져 있다. 따라서 이 지역의 지층에는 배사 구조가 나타난다.
✕. 지층의 경사 방향은 지층 경계선에서 고도가 높은 주향선에서 고도가 낮은 주향선 쪽으로 주향선에 수직이 되도록 그은 화살표의 방향이다. B층의 주향이 북서쪽이므로 경사 방향은 남서쪽 또는 북동쪽이다.
㉢. 배사 구조에서는 배사축에 위치하는 지층이 가장 오래된 지층이다. 따라서 가장 오래된 지층은 C이다.

08 에크만 나선

해수면 위에서 바람이 일정한 방향으로 계속 불면 북반구에서 표면 해수는 전향력의 영향으로 바람 방향의 오른쪽으로 약 45° 편향되어 흐른다. 또한 수심이 깊어짐에 따라 해수의 흐름은 오른쪽으로 더 편향되고 유속이 느려져 해수의 이동 형태가 나선형을 이루는데 이를 에크만 나선이라고 한다.
㉠. 깊이가 깊어질수록 해수의 흐름은 오른쪽으로 치우쳐서 흐르므로 이 해역은 북반구에 위치한다. 또한 표면 해수는 전향력의 영향으로 바람 방향의 오른쪽으로 약 45° 편향되어 흐르므로 해수면 위의 바람 방향은 서 → 동이다.
✕. 에크만 수송은 마찰층(에크만층) 내에서 나타나는 해수의 평균적인 흐름으로, 북반구에서는 해수면 위의 바람 방향의 오른쪽 90° 방향으로 나타나고, 남반구에서는 바람 방향의 왼쪽 90° 방향으로 나타난다. 따라서 북반구에 위치한 이 해역에서 해수면 위의 바람이 서쪽에서 동쪽으로 불고 있으므로 에크만 수송의 방향은 남쪽으로 나타난다.
㉢. 마찰 저항 심도는 해수의 이동 방향이 표면 해수의 이동 방향과 정반대가 되는 깊이이다. 마찰 저항 심도는 전향력이 약할수록 깊어진다.

09 지형류

수압 경도력은 해수면이 높은 곳에서 낮은 곳으로 작용하며, 북반구에서 지형류는 수압 경도력의 오른쪽 90° 방향으로 흐른다. 지형류는 수압 경도력과 전향력이 평형을 이루어 흐르는 해류이며, 지형류의 유속은 위도가 낮을수록, 해수면의 경사가 급할수록 빠르다.
㉠. 수평 수압 경도력의 크기는 $g\frac{\Delta z}{\Delta x}$($g$: 중력 가속도, Δz: 해수면의 높이 차, Δx: 수평 거리)이다. 두 해역에서 중력 가속도와 수평 거리는 동일하고, 해수면의 높이는 (가)가 (나)보다 2배 더 높으므로 지형류에 작용하는 수평 수압 경도력의 크기는 (가)가 (나)의 2배이다.
✕. (가)와 (나)는 모두 지형류 평형 상태이므로 (가)와 (나)의 해수에 작용하는 전향력의 크기는 수평 수압 경도력의 크기와 같다. 따라서 지형류에 작용하는 수평 수압 경도력의 크기가 (가)보다 (나)에서 작으므로 지형류에 작용하는 전향력의 크기도 (가)보다 (나)에서 작다.
✕. 지형류의 유속(v)은 $\frac{1}{2\Omega\sin\varphi}\cdot g\frac{\Delta z}{\Delta x}$($\Omega$: 지구 자전 각속도, φ: 위도, g: 중력 가속도, Δz: 해수면의 높이 차, Δx: 수평 거리)이다. 두 해역의 중력 가속도(g)와 수평 거리가 같을 때, 지형류의 유속은 위도(φ)와 해수면의 높이 차(Δz)에 따라 달라진다. 수압 경도력의 크기는 (가)가 (나)의 2배이므로 (가)에서의 지형류 유속은 $\frac{1}{2\Omega\sin60^\circ}\cdot g\frac{2\Delta z}{\Delta x}$이고, (나)에서의 지형류 유속은 $\frac{1}{2\Omega\sin30^\circ}\cdot g\frac{\Delta z}{\Delta x}$이다. 따라서 $\frac{\text{(가)에서의 지형류 유속}}{\text{(나)에서의 지형류 유속}}=\frac{2}{\sqrt{3}}$이다.

10 해파

심해파는 수심이 파장의 $\frac{1}{2}$보다 깊은 곳을 진행하는 해파이고, 천해파는 수심이 파장의 $\frac{1}{20}$보다 얕은 곳을 진행하는 해파이다. 심해파는 해안으로 접근하면 천해파로 성질이 변한다. 심해파는 해저의 마찰을 받지 않으므로 물 입자는 원운동을 한다.
✕. A 해파와 C 해파는 파장이 같지만 속력이 서로 다르므로 천해파이다. 중력 가속도가 동일한 천해파의 속력은 $\sqrt{\text{수심}}$에 비례한다. A 해파의 속력이 50 m/s이고, C 해파의 속력이 5 m/s이므로 A 해파와 C 해파의 수심 비$\left(\frac{\text{A 해파의 수심}}{\text{C 해파의 수심}}\right)=\frac{50^2}{5^2}=10^2$이다. 따라서 해파의 수심은 A 해파가 C 해파보다 100배 깊다.
✕. 해파의 주기는 해파의 $\frac{\text{파장}}{\text{속력}}$이다. A 해파의 주기는 $\frac{10000}{50}=200$초이고, B 해파의 주기는 $\frac{100}{5}=20$초이며, C 해파의 주기는 $\frac{10000}{5}=2000$초이다. 따라서 해파의 주기가 가장 긴 해파는 C이다.
㉢. 심해파는 해저의 마찰을 받지 않으므로 물 입자는 원운동을 하고, 천해파는 해저의 마찰을 받으므로 물 입자는 타원 운동을 하며 수심이 깊어질수록 타원의 모양이 더욱 납작해지면서 궤도 이심률이 커진다. C 해파는 파장의 변화에 관계없이 일정한 속력을 나타내는 천해파이므로, 수심이 깊어질수록 물 입자 운동 궤도의 $\frac{\text{긴반지름}}{\text{짧은반지름}}$은 커진다.

11 조석 형태

밀물과 썰물에 의해 해수면의 높이가 주기적으로 변하는 현상을 조석이라고 한다. 만조 때와 간조 때 해수면의 높이 차를 조차라 하고, 만조에서 다음 만조 또는 간조에서 다음 간조까지 걸리는 시간을 조석 주기라고 한다. 조석의 형태는 지구의 적도면과 달의 공전 궤도가 서로 일치하지 않아서 지구상의 위치에 따라 달라진다.

ㄱ. (가)는 중위도에서 주로 나타나는 혼합조가 나타나고, (나)는 저위도에서 주로 나타나는 반일주조가 나타난다. 따라서 위도는 (가)보다 (나)가 낮다.

ㄴ. 혼합조는 하루에 만조와 간조가 약 두 번씩 일어나고, 연속되는 두 만조나 간조 사이의 수위와 시간 간격이 다르다. 반일주조는 하루에 만조와 간조가 약 두 번씩 일어나고 조차가 비슷하다. 따라서 (가)와 (나)는 하루에 두 번의 조석 주기가 나타나므로 조석 주기는 약 12시간 25분으로 거의 같다.

ㄷ. 만조 때와 간조 때 해수면의 높이 차를 조차라고 한다. 반일주조에서는 연속하는 만조나 간조 사이의 높이 차가 거의 비슷하지만, 혼합조에서는 연속하는 만조나 간조 사이의 높이 차가 다르게 나타난다. 따라서 조차의 변화 폭은 (가)보다 (나)가 작다.

12 푄

공기 덩어리가 산을 넘는 중에 구름이 형성되어 산 사면에 비를 내린 후 산을 넘어 건너편 지역으로 내려오면 산을 넘기 전과 비교해 기온은 상승하고 이슬점은 낮아져서 고온 건조한 바람이 되는데, 이를 푄이라고 한다. 지표에서 상승하는 공기 덩어리는 기온과 이슬점이 낮아지며, 기온과 이슬점이 같아지는 높이에서 수증기의 응결이 일어난다.

ㄱ. A 지점에서 공기 덩어리의 기온이 24 ℃이고, 이슬점이 12 ℃이므로 공기 덩어리가 단열 상승하여 구름이 생성되기 시작하는 고도인 상승 응결 고도는 1500 m이다. 상승 응결 고도에서 공기 덩어리의 기온과 이슬점은 9 ℃로 서로 같고, C 지점에서 공기 덩어리의 기온과 이슬점은 모두 7 ℃이므로 C 지점의 높이는 1900 m이다. 한편, E 지점은 산 정상인 D 지점에서 공기 덩어리가 단열 하강하는 구간에 위치한다. D 지점에서 공기 덩어리의 기온이 4 ℃이고, F 지점에서 공기 덩어리의 기온이 11 ℃이므로 E 지점의 높이는 1800 m이다. 따라서 ㉠>㉡이다.

ㄴ. 이슬점 감률은 불포화 상태에서는 0.2 ℃/100 m이므로, A 지점에서 단열 상승한 공기 덩어리는 높이 800 m인 B 지점에서 이슬점이 10.4 ℃이다. 한편, 산 정상인 D 지점에서 단열 하강한 공기 덩어리는 높이 1800 m인 E 지점에서 이슬점이 5.4 ℃이다. 따라서 ㉢은 ㉣의 2배보다 작다.

ㄷ. 공기 덩어리가 산을 넘는 동안 구름이 생성되어 비가 내린다면 산을 넘은 후 공기는 산을 넘기 전 공기와 비교했을 때 기온은 상승하고 이슬점은 하강하므로 상대 습도는 낮아진다.

따라서 $\frac{\text{A}\sim\text{D 구간에서의 상대 습도 변화 폭}}{\text{D}\sim\text{F 구간에서의 상대 습도 변화 폭}}$은 1보다 작다.

13 바람의 종류

지균풍은 높이 1 km 이상의 상층에서 등압선에 나란하게 부는 바람이고, 경도풍은 자유 대기에서 등압선이 원형이거나 곡선일 때 기압 경도력과 전향력의 합력이 구심력 역할을 하여 부는 바람이다. 지상풍은 지표면의 마찰력이 작용하는 지상에서 등압선에 비스듬하게 분다.

ㄱ. (가)는 경도풍이고, (다)는 지균풍이다. 중심부가 저기압인 경도풍에 작용하는 힘들은 '전향력=기압 경도력−구심력'(힘의 크기만 고려)을 만족하고, 지균풍에 작용하는 힘들은 '전향력=기압 경도력'을 만족한다. 따라서 기압 경도력이 같을 때 중심부가 저기압인 (가)는 (다)보다 풍속이 느리다.

ㄴ. (나)는 대기 경계층(마찰층)에서 부는 지상풍이다. 지상풍에서 마찰력이 커질수록 바람과 등압선이 이루는 각(경각)이 커지고 풍속은 느려진다.

ㄷ. 지상풍은 등압선이 직선일 때 기압 경도력, 전향력, 마찰력이 작용하고, 등압선이 원형이나 곡선일 때 기압 경도력, 전향력, 마찰력, 구심력이 작용한다. 지균풍에 작용하는 힘의 종류는 기압 경도력과 전향력이다. 따라서 바람에 작용하는 힘의 종류는 (나)가 (다)보다 많다.

14 해륙풍

해륙풍은 하루를 주기로 풍향이 변하는 중간 규모의 순환으로 낮에는 해풍이, 밤에는 육풍이 분다.

ㄱ. 해륙풍은 맑은 날 해안의 약 1 km 이하의 고도에서 육지와 바다의 온도 차에 의해 발생하는 바람이다. (가)에서는 B 쪽에서 A 쪽으로 바람이 불고 있고, (나)에서는 A 쪽에서 B 쪽으로 바람이 불고 있으므로 A는 육지이고, B는 바다이다. (가)는 바다에서 육지로 지표 부근의 바람이 불고 있으므로 해풍이 나타나는 시기이다. 해풍이 나타날 때 지표 부근에서는 바다 쪽이 육지 쪽보다 기압이 높고, 연직 상공에서는 바다 쪽이 육지 쪽보다 기압이 낮다. 따라서 해풍이 불 때의 대기 순환에서 연직 방향의 기압 변화 폭은 육지(A)가 바다(B)보다 작다.

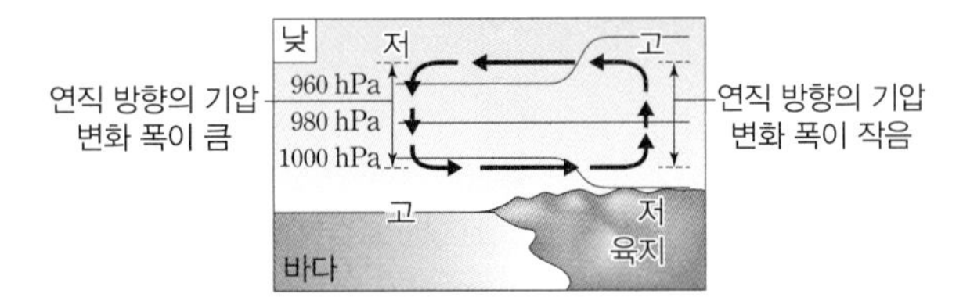

ㄴ. (나)는 육지에서 바다로 지표 부근의 바람이 불고 있으므로 육풍이 나타나는 시기이다. 육풍이 불 때 육지 쪽에서는 지표 부근의 상대적으로 낮은 기온으로 인해서 하강 기류가 나타나고, 바다 쪽에서는 지표 부근의 상대적으로 높은 기온으로 인해서 상승 기류가 나타난다. 육풍이 불 때 지표 부근의 평균 기온은 육지(A)가 바다(B)보다 낮다.

ㄷ. 육지는 바다보다 비열이 작으므로 하루 중 기온 변화가 크다. 따라서 지표 부근에서 기온의 일교차는 육지(A)가 바다(B)보다 크다.

15 천체의 좌표계

천구의 적도는 지구 자전축과 수직이고, 어떤 지역에서 지평선과 천체의 일주권이 이루는 각은 (90°−위도)이며, 천체의 일주권은 천구의 적도와 나란하다.

ㄱ. 적경은 춘분점을 기준으로 천구의 적도를 따라 천체를 지나는 시간권까지 시계 반대 방향(서 → 동)으로 잰 각이다. 그림에서 춘분날 자정에 방위각이 180°이고 고도가 30°인 별 C의 적경은 추분점의 적경에 해당하는 12^h이다. 별 A의 적경은 18^h와 0^h 사이이고, 별 B의 적경은 6^h이다. 따라서 적경은 별 A가 별 B보다 크다.

ㄴ. 적위는 천구의 적도를 기준으로 시간권을 따라 천체까지 잰 각으로, 천구의 적도를 기준으로 천체가 북반구에 있을 때는 (+) 값을 가지고, 남반구에 있을 때는 (−) 값을 가진다. 따라서 천구의 적도에서

0°가 되어 최소가 되고, 천구의 북극에 가까울수록 적위는 커진다. 그림에서 별 C는 춘분날 자정에 남중하는 별이고, 고도가 30°로 별의 일주권과 지평선이 이루는 각이 60°인 천구의 적도보다 30° 아래쪽에 위치하므로 적위는 −30°이다. 따라서 별 C는 천구의 적도에 위치하지 않는다.

ㄷ. 천구의 북극(북극성)의 고도는 관측 지역의 위도와 같다. 관측 지역의 위도가 30°N이므로 천구의 북극의 고도는 30°이다.

16 행성의 뜨는 시각

태양보다 먼저 뜨는 행성은 서방 이각에 위치하고, 태양보다 나중에 뜨는 행성은 동방 이각에 위치한다. 그리고 태양이 질 때 뜨는 외행성은 충 부근에 위치한다. A는 내행성이고, B는 외행성이다.

ㄱ. A는 8월에 태양보다 먼저 뜨다가 나중에 뜬다. 이는 A가 8월 초반에는 서방 이각에 위치하다가 이후에는 동방 이각에 위치한다는 것을 의미한다. 따라서 8월에 A는 외합 부근에 위치한다.

ㄴ. B는 3월에 태양보다 먼저 뜨므로 서방 이각에 위치하고, 6월에는 태양이 질 때 뜨므로 충 부근에 위치한다. 따라서 하늘에서 B를 관측할 수 있는 시간은 3월이 6월보다 짧다.

ㄷ. 4월에 A는 태양보다 먼저 뜨고, B도 태양보다 먼저 뜨므로 모두 서방 이각에 위치한다. 따라서 4월에 A와 B는 모두 새벽에 동쪽 하늘에서 관측할 수 있는 시기가 있다.

17 우주관의 변천

(가)는 금성이 주전원을 돌며 주전원의 중심이 지구를 중심으로 공전하고 있으므로 프톨레마이오스의 지구 중심설이다. (나)는 금성과 지구가 태양을 중심으로 공전하고 있으므로 코페르니쿠스의 태양 중심설이다.

ㄱ. (가)는 2세기경 프톨레마이오스에 의해 주장된 지구 중심설이고, (나)는 16세기에 코페르니쿠스에 의해 주장된 태양 중심설이다. 따라서 우주관의 출현 순서는 (가)보다 (나)가 나중이다.

ㄴ. 금성의 시지름은 지구에서 멀어질수록 작아지고, 가까워질수록 커진다. (가)에서 금성은 태양과 지구 사이에만 위치하지만, (나)에서 금성은 태양의 뒤쪽으로 이동할 수 있으므로 금성의 시지름 변화폭은 (가)보다 (나)가 크다.

ㄷ. 행성의 적경이 감소하는 시기가 관찰될 때 행성은 역행을 한다. (가)에서는 주전원을 도입하여 행성의 역행을 설명할 수 있고, (나)에서는 행성과 지구의 공전 속도 차이에 의해 역행을 설명할 수 있다. 따라서 (가)와 (나)는 모두 행성의 적경이 감소하는 시기가 나타난다.

18 행성의 공전 주기와 회합 주기

회합 주기는 내행성이 내합(또는 외합)에서 다음 내합(또는 외합)이 되는 데까지, 외행성이 충(또는 합)에서 다음 충(또는 합)이 되는 데까지 걸리는 시간이다. 내행성의 회합 주기는 공전 주기가 길수록 길어지며, 외행성의 회합 주기는 공전 주기가 길수록 짧아진다.

ㄱ. 행성 A는 행성 P보다 안쪽에서 공전하므로 P를 기준으로 할 때 A는 내행성에 해당한다. A의 공전 주기를 P_A, P의 공전 주기를 P_P, 회합 주기를 S라고 할 때 $\frac{1}{S}=\frac{1}{P_A}-\frac{1}{P_P}=\frac{1}{100}-\frac{1}{300}=\frac{1}{150}$이므로, A의 회합 주기는 150일이다.

ㄴ. 행성 B가 내행성일 때 공전 주기(P_B)는 회합 주기 식에 의해 $\frac{1}{900}=\frac{1}{P_B}-\frac{1}{300}$이므로 $P_B=225$일이고, 행성 B가 외행성일 때 공전 주기(P_B)는 회합 주기 식에 의해 $\frac{1}{900}=\frac{1}{300}-\frac{1}{P_B}$이므로 $P_B=450$일이다. 따라서 $\frac{\text{내행성일 때 ㉡}}{\text{외행성일 때 ㉡}}=\frac{1}{2}$이므로, $\frac{\text{내행성일 때 ㉡}}{\text{외행성일 때 ㉡}}<1$이다.

ㄷ. 행성의 공전 각속도 차가 클수록 다시 그 위치에 오는 시간이 짧아지므로 회합 주기는 짧아진다.

19 세페이드 변광성의 주기−광도 관계

세페이드 변광성의 변광 주기를 관측하여 절대 등급을 구한 후, 겉보기 등급과 비교하여 별의 거리를 구할 수 있다.

ㄱ. 변광 주기는 A가 약 30일이고, B가 약 11일이다. 따라서 변광 주기는 A가 B보다 길다.

ㄴ. A의 변광 주기가 30일이므로 절대 등급은 약 −5.5등급이고, B의 변광 주기가 11일이므로 절대 등급은 약 −4등급이다. 따라서 절대 등급은 A가 B보다 작다.

ㄷ. 세페이드 변광성은 세페이드 변광성의 주기－절대 등급(광도) 관계와 거리 지수(겉보기 등급－절대 등급)를 통해 지구로부터 별까지의 거리를 구할 수 있다. A의 평균 겉보기 등급은 13.5이고, 절대 등급은 −5.5이므로 거리 지수는 19이다. B의 평균 겉보기 등급은 14.5이고, 절대 등급은 −4이므로 거리 지수는 18.5이다. 따라서 지구로부터 세페이드 변광성까지의 거리는 A가 B보다 멀다.

20 은하들의 집단

수십 개의 은하들이 서로의 중력에 묶여 구성된 집단을 은하군이라 하고, 은하군과 은하단으로 이루어진 대규모 은하의 집단을 초은하단이라고 한다.

ㄱ. 처녀자리 은하단은 우리은하에서 가장 가까운 은하단이고, 처녀자리 초은하단에 속해 있다.

ㄴ. 암흑 물질은 빛을 방출하지 않아서 관측되지 않으므로 중력 렌즈 현상 또는 우리은하의 회전 속도 분석을 통해 간접적으로 존재를 추정하는 물질이다. 암흑 물질은 질량을 가지고 있으므로 은하의 다수를 차지하고 있다. 따라서 은하들의 집단인 은하단과 초은하단에는 모두 암흑 물질이 존재한다.

ㄷ. 은하단은 우주에서 서로의 중력에 묶여 있는 천체들 중 가장 규모가 큰 집단이고, 초은하단을 이루는 각 은하단들은 서로 중력적으로 묶여 있지 않고 우주가 팽창함에 따라 흩어지고 있다. 따라서 구성 천체들이 중력적으로 묶여 있는 집단은 (가)이다.

실전 모의고사 2회

본문 125~129쪽

01 ②	02 ④	03 ②	04 ④	05 ⑤
06 ④	07 ④	08 ⑤	09 ①	10 ①
11 ②	12 ③	13 ⑤	14 ⑤	15 ②
16 ⑤	17 ③	18 ③	19 ⑤	20 ②

01 지진파

지진이 발생하면 암석에 응축되었던 에너지가 파동의 형태로 사방으로 전달되는데, 이때 전달되는 파동을 지진파라고 한다. 지진파를 이용해서 지구 내부 구조를 확인할 수 있다.

ㄱ. P파의 암영대는 진앙에서 각거리가 103°～142°, S파의 암영대는 진앙에서 각거리가 103°～180°이므로 진앙에서 각거리가 103°～142° 사이에 위치한 관측소 C에서는 (나)와 같은 지진 기록은 관측할 수 없다.

ㄴ. P파는 매질의 진동 방향과 파의 진행 방향이 나란한 파로, 진앙에서 관측소까지의 거리가 가까울수록 먼저 기록된다.

ㄷ. 외핵과 내핵의 경계에서 지진파의 속도가 불연속적으로 변하므로 지진파의 전파 경로가 급격히 바뀐다.

02 중력 이상

중력 이상은 실측 중력에서 이론적으로 구한 표준 중력을 뺀 값이다. 중력 이상을 통해 지하 물질의 밀도와 분포를 알 수 있다.

ㄱ. 표준 중력은 위도에 따라 달라지는 이론적인 중력값으로, 위도가 높을수록 표준 중력값은 커진다. B가 A보다 고위도이므로 표준 중력은 A가 B보다 작다.

ㄴ. 동일한 위도의 A와 C에서는 표준 중력이 같으므로 실측 중력은 A가 C보다 크다. 따라서 동일한 단진자의 진동 주기는 실측 중력이 클수록 짧아지므로 A가 C보다 짧다.

ㄷ. 지하 물질의 평균 밀도는 중력 이상이 클수록 크므로 A가 C보다 크다.

03 지구 자기 3요소

지구의 자기력이 미치는 공간을 지구 자기장이라 하고, 지구 자기 3요소로는 복각, 편각, 수평 자기력이 있다.

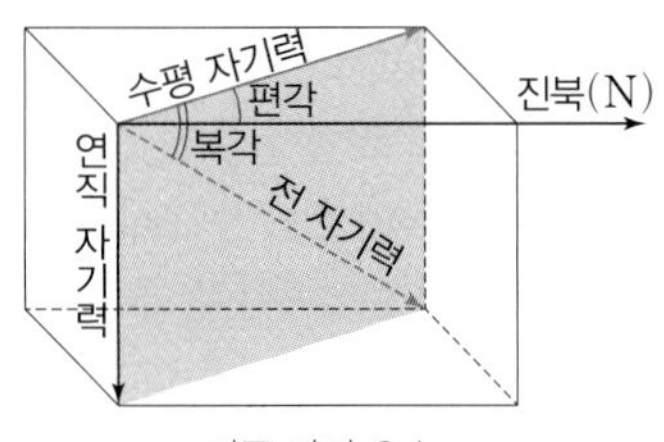

지구 자기 요소

ㄱ. (나)의 자기력선은 남쪽에서 북쪽으로 경사져 있으므로 B 지역의 자료에 해당한다. 자기 적도 부근에 위치한 A 지역에서는 자기력선이 지표면과 대체로 나란하게 나타난다.

ㄴ. 복각은 지구 자기장의 방향이 수평면에 대해 기울어진 각으로, 자북극에 가까울수록 큰 값을 나타낸다. 따라서 복각은 자기 적도 부근에 위치한 A가 B보다 작다.

ㄷ. 지구 자기장의 연직 성분 세기를 연직 자기력이라고 하며, 연직 자기력은 자극에서 최대이고 자극에서 멀어질수록 대체로 작아지며 자기 적도에서 0이 된다. 따라서 연직 자기력은 A가 B보다 작다.

04 지각 평형설

지각 평형설은 밀도가 작은 지각이 밀도가 큰 맨틀 위에 떠서 평형을 이룬다는 이론으로 프래트의 지각 평형설과 에어리의 지각 평형설이 있다.

ㄱ. 프래트의 지각 평형설은 밀도가 서로 다른 지각이 맨틀 위에 떠 있으며, 밀도가 큰 지각은 해발 고도가 낮고, 밀도가 작은 지각은 해발 고도가 높다. A, B, C 중에서 A의 해발 고도가 가장 낮으므로 밀도는 A가 가장 크다.

ㄴ. 모호면의 깊이가 같으므로 P_1과 P_2 지점에서의 압력은 같다.

ㄷ. 지각의 밀도가 다르고 모호면의 깊이는 같으므로 이 모형은 프래트의 지각 평형설에 해당한다.

05 편광 현미경을 이용한 광물 관찰

편광 현미경을 이용하여 광물을 관찰할 때, 상부 편광판을 뺀 상태는 개방 니콜이고 상부 편광판을 넣은 상태는 직교 니콜이므로, A 방법은 개방 니콜, B 방법은 직교 니콜 상태이다.

ㄱ. A 방법(개방 니콜)에서 흑운모 박편을 재물대에 올려놓고 회전시켰을 때 밝기가 변했으므로 다색성을 확인할 수 있다.

ㄴ. B 방법(직교 니콜)에서 석영 박편을 재물대에 올려놓고 회전시켰을 때 어두워졌으므로 소광 현상을 확인할 수 있다. 직교 니콜에서는 간섭색, 소광 현상을 확인할 수 있다.

ㄷ. 편광 현미경을 통해 광물을 확인할 수 있는 석영은 복굴절이 일어나는 광학적 이방체 광물이다.

06 해양 에너지를 이용한 발전 방식

A는 조류 발전, B는 조력 발전이다.

ㄱ. 조류 발전은 조류의 흐름을 이용하여 직접 터빈을 돌리는 방식으로, 조류의 흐름이 빠른 곳에서 유리하다. 조류 발전 방식은 조류의 흐름이 빠른 ㉡에서 유리하다.

ㄴ. 조력 발전은 만조와 간조 때 해수면의 높이 차를 이용하여 위치 에너지를 전기 에너지로 전환하는 방식이다.

ㄷ. 조류 발전 방식과 조력 발전 방식은 재생 가능한 해양 에너지를 이용한다.

07 지질도 해석과 변성 작용

지질도의 등고선과 지층 경계선을 이용하여 주향, 경사 등을 알 수 있다.

(가)는 혼펠스에서 나타나는 혼펠스 조직, (나)는 규암에서 나타나는 입상 변정질 조직을 확인할 수 있다.

ㄱ. 주향은 하나의 지층 경계선이 같은 등고선과 두 점에서 만날 때 이 두 점을 연결한 직선의 방향이므로 사암층의 주향은 주로 NS이다.

ㄴ. 셰일이 접촉 변성 작용을 받으면 혼펠스가 나타나므로 B 지역은 접촉 변성 작용을 받았다.

ㄷ. A 지역에서는 사암이 변성 작용을 받은 규암이 나타나므로 (나)를 관찰할 수 있다.

08 한반도 지질

암석의 종류와 연령, 지각 변동 등에 의해 특징적인 지질 구조를 구분하여 나타낸 것을 지체 구조라고 한다.

ㄱ. A는 대보 화강암, B는 불국사 화강암으로 A는 B보다 먼저 생성되었다.

ㄴ. ㉠은 대보 조산 운동, ㉡은 불국사 변동이다.

ㄷ. B는 불국사 화강암으로 불국사 변동에 의해 생성되었다.

09 지형류

지형류는 수압 경도력과 전향력이 평형을 이룬 상태에서 흐르는 해류이다.

ㄱ. 위도 간의 거리와 해수면 높이를 비교해 보았을 때, 평균 수평 수압 경도력은 A가 B보다 크다.

ㄴ. 0∼500 m 구간에서 평균 수온은 34°N이 약 17 ℃, 29°N은 약 12 ℃ 변화했으므로 0∼500 m 구간에서 평균 수온 변화율은 34°N이 29°N보다 크다.

ㄷ. A에서 해수면의 높이가 북쪽이 낮고 남쪽이 높으므로 수압 경도력의 방향은 북쪽이고, 전향력의 방향은 남쪽이다.

10 천해파와 심해파

(가)는 심해파, (나)는 천해파이다.

ㄱ. 심해파는 수심이 파장의 $\frac{1}{2}$보다 깊은 해역에서 진행하는 해파이고, 천해파는 수심이 파장의 $\frac{1}{20}$보다 얕은 해역에서 진행하는 해파이다. (가)는 파장의 $\frac{1}{2}$인 500 m보다 수심이 깊으므로 심해파이다.

ㄴ. (나)는 천해파로 해수 표층에서 물 입자는 타원 운동을 하고, 심해파는 해수 표층에서 물 입자가 원운동을 한다.

ㄷ. 천해파의 전파 속도는 $v=\sqrt{gh}$(g: 중력 가속도, h: 수심), 심해파의 전파 속도는 $v=\sqrt{\frac{gL}{2\pi}}$(L: 파장)이므로 $\frac{\text{(나)의 속도}}{\text{(가)의 속도}}=\sqrt{\frac{2\pi h}{L}}$이다. $\frac{\text{(나)의 속도}}{\text{(가)의 속도}}$는 1보다 작다.

11 조석 현상

A 지점에서는 일주조, B 지점에서는 반일주조가 일어난다. 달의 위치에 따라서 해수면이 부풀어 오르는 방향이 달라지고, 위도에 따라서 조석의 형태가 달라진다.

ㄱ. A에서는 하루에 만조와 간조가 한 번씩 나타나는 일주조가 일어나므로 조석 곡선 ㉡을 관측할 수 있다.

ㄴ. 조차는 만조 때와 간조 때의 해수면 높이 차로 ㉠이 ㉡보다 크다.

ㄷ. B에서는 하루에 만조와 간조가 두 번씩 나타나는 반일주조가 일어난다.

12 푄 현상

푄 현상은 공기 덩어리가 산 사면을 따라 산을 넘어갈 때 단열 변화가 일어나 산을 넘기 전에 비하여 고온 건조한 상태가 되는 현상이다.

ㄱ. 상승 응결 고도는 (기온−이슬점)에 비례하므로 이슬점은 A, B, C 중에서 A가 가장 높다.

ㄴ. h_1∼h_2 구간에서는 A는 상승 응결 고도보다 높은 구간으로 습윤 단열 감률이 나타나고 B는 상승 응결 고도보다 낮은 구간으로 건조 단열 감률이 나타나므로, 단열 감률은 A가 B보다 작다.

ㄷ. C는 높이 0∼2 km에서는 건조 단열 감률(10 ℃/1 km)에 의해 기온이 감소하고, 높이 2∼3 km에서는 습윤 단열 감률(5 ℃/1 km)에 의해 기온이 감소한다. 따라서 높이 3 km에서 C의 기온은 5 ℃이다.

13 편서풍 파동

편서풍 파동은 저위도와 고위도의 기온 차와 지구 자전에 의한 전향력에 의해 발생하며, 저위도에서 고위도로 에너지를 수송한다.

ㄱ. A에서는 바람이 서쪽에서 동쪽으로 향하므로 기압 경도력의 방향은 북쪽이다. 따라서 500 hPa의 등압면의 등고도선 값은 ㉠이 ㉡보다 크다.

ㄴ. 기압 마루에 위치한 A에서는 시계 방향의 흐름인 고기압성 경도풍이 분다.

ㄷ. 기압 경도력이 같을 때, A에서는 고기압성 경도풍, B에서는 저기압성 경도풍이 나타나므로 풍속은 A가 B보다 빠르다.

14 제트류와 대기 대순환

제트류는 편서풍 파동에서 축이 되는 좁고 강한 흐름으로 대류권 계면 부근에서 남북 간의 기온 차가 큰 곳에 나타난다.

ㄱ. 페렐 순환은 간접 순환으로 위도 약 30°에서 하강한 공기가 고위도로 이동한 후 위도 약 60°에서 상승한다.

ㄴ. A는 대류권 계면 부근에 위치하며, 남북 간의 기온 차가 크게 나타나는 곳이다. 즉, A가 위치한 곳은 아열대 제트류가 존재하는 곳으로 서풍 계열의 바람이 분다.

ㄷ. 대기 대순환은 시간 규모가 1주일 이상이고 공간 규모가 수천 km 이상인 지구 규모 순환이다.

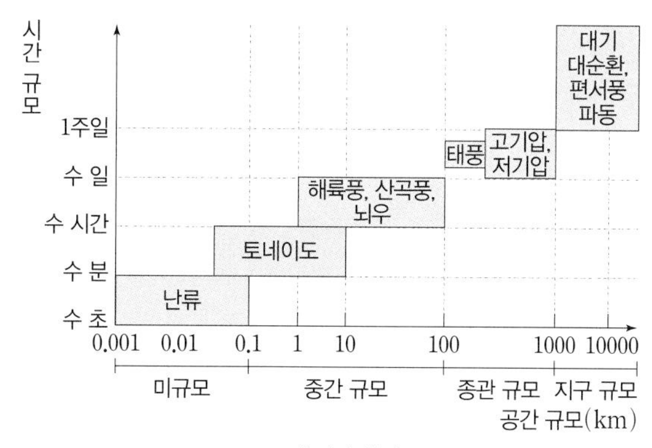

대기 순환의 규모

15 지구 중심설과 태양 중심설

A는 코페르니쿠스 우주관, B는 프톨레마이오스 우주관이다.

ㄱ. A는 코페르니쿠스 우주관으로 태양을 중심으로 수성, 금성, 지구, 화성, 목성, 토성이 원 궤도로 공전한다는 태양 중심설이다.
ㄴ. B는 프톨레마이오스 우주관으로 지구가 우주의 중심에 고정되어 있고, 행성들은 자기 궤도상에 중심을 두고 있는 주전원을 돌고 있다고 설명한다. 프톨레마이오스의 우주관에서는 행성이 공전하는 주전원의 중심이 지구 주위를 돈다고 설명하면서 행성의 역행을 설명하였다.

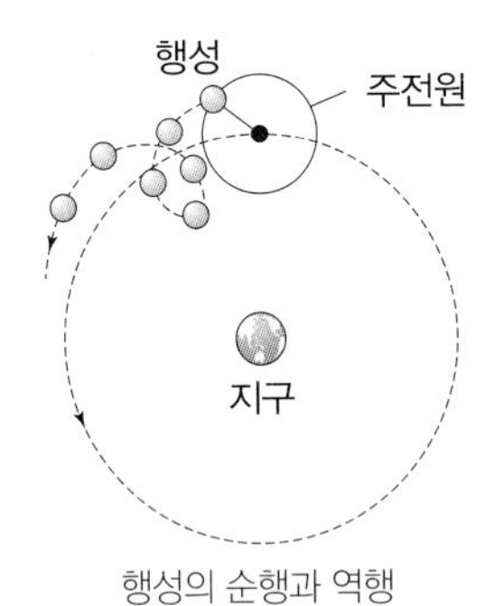

행성의 순행과 역행

ㄷ. 보름달 모양의 금성 위상이 관측되기 위해서는 지구에서 금성을 관측했을 때, 금성이 태양의 뒤쪽에 위치해야 하므로 금성이 태양과 지구 사이의 주전원에서만 공전하는 지구 중심설로는 보름달 모양의 금성 위상을 설명할 수 없다.

16 태양 고도의 변화

(가)는 하짓날, (나)는 동짓날 관측한 자료이다.
ㄱ. (가)와 (나)를 비교하였을 때, (가)는 (나)보다 남중 고도가 높으므로 하짓날이다.
ㄴ. 태양이 남쪽 자오선에 위치할 때의 고도를 남중 고도라고 하며 남중 고도(h)는 $h=90^\circ-\varphi+\delta$($\varphi$: 위도, δ: 적위)이다. 따라서 태양의 적위가 같을 때, 위도가 높은 지역일수록 태양의 남중 고도가 낮다.
ㄷ. (나)에서는 방위각 90°와 180° 사이에서 태양이 뜨므로 남동쪽에서 태양이 뜬다.

17 케플러 법칙

케플러 법칙에서 행성은 태양을 한 초점으로 하는 타원 궤도를 공전한다. 같은 시간에 태양과 행성을 잇는 선분이 쓸고 지나간 면적은 같다.
ㄱ. ㉠은 행성 B의 공전 궤도 긴반지름의 2배에서 근일점 거리를 빼면 구할 수 있다. 행성 B의 공전 궤도 긴반지름은 공전 주기를 이용하여 구할 수 있다. 행성 B의 공전 주기는 27년으로 $P^2=a^3$(P: 공전 주기, a: 공전 궤도 긴반지름)이므로 공전 궤도 긴반지름은 9 AU이다. 따라서 ㉠은 15 AU이다.
ㄴ. 행성 A는 근일점에서의 공전 속도가 원일점에서의 공전 속도보다 빠르므로 행성 A의 공전 속도는 P_2보다 P_1에서 빠르다.
ㄷ. 행성 A의 공전 주기는 8년이므로 공전 궤도 긴반지름은 4 AU이고, 공전 궤도 이심률(e)은 $e=\frac{c}{a}$(a: 공전 궤도 긴반지름, c: 타원 궤도의 중심에서부터 태양까지의 거리)이므로 A의 공전 궤도 이심률은 $\frac{4\text{ AU}-1\text{ AU}}{4\text{ AU}}=\frac{3}{4}$이다. 이와 같은 방법으로 B의 공전 궤도 이심률을 구하면 $\frac{9\text{ AU}-3\text{ AU}}{9\text{ AU}}=\frac{2}{3}$이므로, $\frac{\text{A의 공전 궤도 이심률}}{\text{B의 공전 궤도 이심률}}$은 1보다 크다.

18 성간 기체의 분류

(가)는 분자운, (나)는 HⅡ 영역이다. 성간 물질은 성간 기체(약 99 %), 성간 티끌(약 1 %)로 구성되어 있으며, 성간 기체는 대부분 수소로 이루어져 있다.
ㄱ. 분자운은 온도가 약 10 K이고, HⅠ 영역은 약 100 K이며, HⅡ 영역은 약 10^4 K이다.
ㄴ. (나)는 HⅡ 영역이다.
ㄷ. HⅠ 영역에는 수소가 중성 원자 상태로 밀집되어 있다.

19 산개 성단과 구상 성단

(가)는 구상 성단, (나)는 산개 성단의 색등급도이다. 구상 성단은 수만~수십만 개의 별들이 구형으로 매우 조밀하게 모여 있는 집단으로 주로 붉은색을 띤다. 산개 성단은 수백~수천 개의 별들이 느슨하게 모여 있는 집단으로 주로 파란색을 띤다.
ㄱ. (가)는 적색 거성이나 질량이 작은 주계열성으로 구성된 구상 성단의 색등급도이다.
ㄴ. 색지수($B-V$)의 값 약 0.5에서 (가)와 (나)의 겉보기 등급, (다)의 절대 등급을 이용하면 거리 지수($m-M$)를 구할 수 있다. 거리 지수가 클수록 거리가 멀어지므로 지구에서부터 성단까지의 거리는 (가)의 성단이 (나)의 성단보다 멀다.
ㄷ. (가)와 (나)의 전향점의 위치를 (다)와 비교해 보았을 때, 절대 등급이 (가)는 약 3이고 (나)는 약 0이다. 따라서 전향점의 절대 등급은 (나)가 (가)보다 작다.

20 우리은하의 회전 속도 곡선

㉠은 빛을 내는 물질을 관측하여 예측한 우리은하의 회전 속도 곡선이고, ㉡은 우리은하의 실제 회전 속도 곡선이다. 우리은하는 은하 중심으로부터 1 kpc까지는 회전 속도가 급격히 증가하여 최댓값을 나타냈다가 다시 감소하여 3 kpc 근처에서 최소가 되고, 그 바깥에서 다시 증가한다.
ㄱ. ㉠은 빛을 내는 물질을 관측하여 예측한 우리은하의 회전 속도 곡선이다.
ㄴ. ㉡인 우리은하의 실제 회전 곡선에서 1~2 kpc 구간에서는 케플러 회전과 유사한 분포를 보인다.
ㄷ. 우리은하의 실제 회전 속도 곡선이 빛을 내는 물질을 관측하여 예측한 우리은하의 회전 속도 곡선과 차이가 나는 이유는 관측되는 물질보다 더 많은 암흑 물질이 우리은하의 외곽부에 존재하기 때문이다.

실전 모의고사 3회 본문 130~134쪽

01 ②	02 ⑤	03 ①	04 ①	05 ②
06 ②	07 ⑤	08 ②	09 ③	10 ④
11 ③	12 ⑤	13 ④	14 ②	15 ③
16 ①	17 ⑤	18 ③	19 ④	20 ④

01 해양 자원

해양에서 얻을 수 있는 자원의 종류에는 해양 수산 자원, 해양 광물 자원, 해양 에너지 자원이 있다.

ㄱ. 해양 자원 중 브로민, 마그네슘, 망가니즈 등이 포함된 (가)는 해양 광물 자원이고, 석유, 가스수화물, 조력 발전 등이 포함된 (나)는 해양 에너지 자원이며, 해양 생물, 식량 자원 등이 포함된 (다)는 해양 수산 자원이다. 해양 광물 자원은 해저나 지하뿐만 아니라 해수에서도 얻을 수 있다.

ㄴ. 해양 에너지 자원 중 석유, 천연 가스 등 화석 연료는 태양 에너지가 전환된 것이지만 조력 발전에 이용되는 에너지는 달과 지구 사이의 인력에 의한 조력 에너지를 이용하는 것이므로 (나)가 모두 태양 에너지가 전환된 것은 아니다.

ⓒ. 바다 목장을 조성하는 것은 해양 생물을 양식하기 위한 것이므로 (다)의 해양 수산 자원과 관련이 있다.

02 지구의 중력장

중력 이상은 실측 중력과 표준 중력의 차이이다. 지하에 밀도가 큰 물질이 있는 곳에서는 중력 이상 값이 크게 나타난다.

㉠. 표준 중력은 지구 내부의 밀도가 균일하다고 가정한 지구 타원체에서 얻은 이론적인 중력값이므로 위도에 따라 달라진다. A와 B 지점은 동일한 위도에 위치하므로 A와 B에서 표준 중력은 같다.

㉡. A, B, C 지점은 동일한 위도에 위치하므로 세 지점에서 표준 중력은 같으며, '중력 이상=실측 중력−표준 중력'이므로 지하 물질의 밀도가 작은 곳일수록 실측 중력이 작아 중력 이상이 (−) 값으로 나타난다. A, B, C 중 중력 이상 값은 B에서 가장 작으므로 B 지점의 지하에는 A와 C에 비해 밀도가 작은 물질이 매장되어 있다. 따라서 B 지점의 지하에 있는 암염은 A와 C 지점의 지하에 있는 셰일보다 암석의 밀도가 작다.

㉢. B와 C 지점은 동일한 위도에 있고, 중력 이상 값은 B보다 C에서 크므로 실측 중력은 B보다 C에서 크다. 단진자의 길이를 l, 중력 가속도를 g라고 할 때, 단진자의 주기(T)는 $T=2\pi\sqrt{\frac{l}{g}}$이므로 동일한 단진자의 주기는 중력이 큰 지역일수록 짧다. 따라서 동일한 단진자의 주기는 B보다 C에서 짧다.

03 규산염 광물의 성질

석영, 각섬석, 흑운모에서 규산염 사면체의 결합 구조는 각각 망상형, 복사슬형, 판상형이다.

㉠. 석영, 각섬석, 흑운모 중 SiO_4 사면체의 결합 구조가 망상형인 B는 석영이며, 쪼개짐이 1방향인 A는 흑운모이고, $\frac{\text{Si 원자 수}}{\text{O 원자 수}}$가 $\frac{4}{11}$인 C는 각섬석이다. 흑운모는 판상 구조를 가지므로 판상형은 ㉠에 해당한다.

ㄴ. 석영의 $\frac{\text{Si 원자 수}}{\text{O 원자 수}}$는 $\frac{1}{2}$로 $\frac{4}{11}$보다 크다. 따라서 ㉡>$\frac{4}{11}$이다.

ㄷ. 각섬석은 두 방향의 쪼개짐이 나타난다. 따라서 C는 세 방향의 쪼개짐이 나타나지 않는다.

04 광물의 광학적 성질

석류석은 광학적 등방체이고, 석영은 광학적 이방체이다. 광학적 등방체는 복굴절하지 않으므로 직교 니콜에서 검게 보인다.

㉠. 투명 광물이 전체적으로 밝게 나타나는 (가)는 개방 니콜에서 관찰한 것이고, 간섭색과 소광 현상으로 인해 전체적으로 어둡게 나타나는 (나)는 직교 니콜에서 관찰한 것이다. 따라서 (가)는 개방 니콜에서 관찰한 것이다.

ㄴ. 석류석은 광학적 등방체이므로 직교 니콜에서 간섭색이 나타나지 않는다. (나)에서 석류석은 검게 보였으므로 간섭색이 나타나지 않았다.

ㄷ. 석영은 무색 광물이므로 (가)에서는 밝게 보이지만 광학적 이방체이므로 (나)에서는 간섭색이 나타난다. (나)에 나타난 석영의 간섭색은 (가)에 나타난 석영의 투명한 색과 다르다.

05 지구의 내부 구조

지구 내부에서 지진파의 전파 속도는 P파가 S파보다 빠르다. 외핵은 액체 상태이므로 S파는 외핵을 통과하지 못한다.

ㄱ. 지진파의 전파 속도가 빠를수록 같은 거리를 이동하는 데 걸리는 시간이 짧다. (가)에서 동일한 진앙 거리에 있는 지점까지 도달하는 데 걸린 시간은 A가 B보다 길다. 따라서 지구 내부에서 전파 속도는 A가 B보다 느리다.

ㄴ. 맨틀은 고체 상태이고 외핵은 액체 상태이므로 지진파가 맨틀에서 외핵으로 전파될 때 속도는 느려진다.

㉢. (가)에서 지진파의 속도는 A가 B보다 느리므로 A는 S파, B는 P파이다. (나)에서 ㉠에 도달하는 지진파는 외핵과 내핵을 통과하여 전달된 지진파이다. 지구 내부에서 외핵은 액체 상태로 되어 있으므로 S파는 전파되지 않는다. 따라서 ㉠에서는 P파인 B만 관측된다.

06 지질도 해석

지층 경계면의 경사 방향은 높은 고도의 주향선에서 낮은 고도의 주향선 방향이다. 상반이 하반에 대해 위로 이동한 단층은 역단층이다.

ㄱ. 사암층의 지층 경계선이 300 m 등고선과 만나는 주향선은 200 m 등고선과 만나는 주향선보다 동쪽에 나타난다. 따라서 사암층의 경사 방향은 서쪽이다.

㉡. 셰일층, 사암층, 역암층은 모두 서쪽으로 경사져 있으므로 가장 아래에 놓여 있는 지층은 역암층이며, 가장 위쪽에 놓여 있는 지층은 셰일층이다. 따라서 가장 먼저 퇴적된 지층은 역암층이다.

ㄷ. 단층 F−F′은 서쪽으로 경사져 있으므로 단층면 서쪽에 있는 지층이 상반이며, 단층면 동쪽에 있는 지층이 하반이다. 단층면 경사는 수직에 가까우므로 단층면의 경사각은 셰일, 사암, 역암층의 경사각

보다 크다. 한편 셰일, 사암, 역암층은 서쪽으로 경사져 있으므로 단층면 서쪽의 상반은 단층면 동쪽의 하반보다 위쪽에 나타난다. 따라서 단층 F−F′은 상반이 하반에 대해 위로 이동한 역단층이다.

07 한반도의 지질 계통

평안 누층군의 하부는 해성층으로 되어 있고 상부는 육성층으로 되어 있다. 대동 누층군과 경상 누층군은 모두 육성층이다.

㉠. A는 중생대 백악기에 퇴적된 경상 누층군, B는 중생대 트라이아스기 말에서 쥐라기 초에 퇴적된 대동 누층군, C는 고생대 석탄기 중기부터 중생대 트라이아스기 초까지 퇴적된 평안 누층군이다. 대보 조산 운동은 쥐라기 말에 일어났으므로 그 이전에 생성된 B와 C는 대보 조산 운동의 영향을 받았으나 그 이후에 퇴적된 A는 대보 조산 운동의 영향을 받지 않았다.

㉡. 평안 누층군의 상부에서는 양치식물 기원의 석탄층이 나타나며, 대동 누층군에서도 소규모의 석탄층이 나타난다. 따라서 석탄층은 B와 C에서 나타난다.

㉢. 방추충 화석은 고생대 말의 화석이다. 평안 누층군인 C에서는 하부의 해성층에서 방추충 화석이 발견된다.

08 지형류

북반구에서 지형류는 수압 경도력의 오른쪽 직각 방향으로 흐른다. 수압 경도력의 크기는 해수면의 높이 차에 비례하고 거리에 반비례한다.

ㄱ(✕). (가)에서 수압 경도력은 남쪽으로 작용한다. (가)는 북반구에 위치하고 북반구에서 지형류는 수압 경도력의 오른쪽 직각 방향으로 흐르므로 (가)에서 지형류는 서쪽으로 흐른다.

㉡. 두 지점 사이의 거리를 Δx, 해수면의 높이 차를 Δh, 중력 가속도를 g라고 하면 수압 경도력의 크기는 $g\frac{\Delta h}{\Delta x}$이므로 수압 경도력의 크기는 $\frac{\Delta h}{\Delta x}$에 비례한다. $\frac{\Delta h}{\Delta x}$는 (나)가 (가)의 1.5배이므로 수압 경도력의 크기는 (나)가 (가)의 1.5배이다.

ㄷ(✕). 지형류는 수압 경도력과 전향력이 평형을 이루며 흐르는 해류이다. 단위 질량에 작용하는 수압 경도력과 전향력의 크기는 각각 $g\frac{\Delta h}{\Delta x}$와 $2v\Omega\sin\varphi$(v: 지형류의 속력, Ω: 지구 자전 각속도, φ: 위도)이므로 $g\frac{\Delta h}{\Delta x}=2v\Omega\sin\varphi$에서 $v=\frac{g}{2\Omega}\cdot\frac{\Delta h}{\Delta x}\cdot\frac{1}{\sin\varphi}$이다. $\frac{\Delta h}{\Delta x}$는 (나)가 (가)의 1.5배이고, $\frac{1}{\sin\varphi}$은 (나)가 (가)의 $\frac{1}{\sqrt{2}}$배이므로 $\frac{\Delta h}{\Delta x}\cdot\frac{1}{\sin\varphi}$은 (나)가 (가)의 $\frac{1.5}{\sqrt{2}}$배이다. $\frac{1.5}{\sqrt{2}}>1$이므로 지형류의 속력은 (나)가 (가)보다 빠르다.

09 해파

지진 해일은 천해파이다. 천해파는 해수 표면의 물 입자가 타원 운동을 하며, 전파 속도는 수심에 따라 달라진다.

㉠. 지진 해일은 천해파이다. 천해파의 파장은 수심의 20배보다 크므로 지진 해일의 파장은 20×4000 m$=80$ km보다 크다. 따라서 x는 80보다 크다.

ㄴ(✕). 천해파가 전파될 때 해수면의 물 입자가 타원 운동을 하므로 A 지점의 물 입자는 타원 운동을 한다.

㉢. 수심을 h, 중력 가속도를 g라 할 때, 천해파의 속력(v)은 $v=\sqrt{gh}$로 표현된다. 천해파의 속력은 $\sqrt{h}$에 비례하고, B 지점의 수심은 A 지점의 $\frac{1}{400}$이므로, B 지점을 지날 때 지진 해일의 속력은 A 지점에서의 $\sqrt{\frac{1}{400}}=\frac{1}{20}$이다.

10 조석

달에 의한 기조력은 달의 인력과 지구와 달의 공통 질량 중심을 도는 원운동에 의한 원심력의 합력으로 나타난다. 하루 동안 만조와 간조가 변하는 것은 지구의 자전 때문이다.

ㄱ(✕). A와 B 지점은 현재 만조이므로 약 12시간 25분 후에 다음 만조가 되며, 이때 A와 B는 현재 위치에서 지구의 자전으로 반대편 방향으로 이동한다. A의 위도에서 현재 지구 반대편에 있는 지점은 B보다 만조 수위가 높으며, B의 위도에서 현재 지구 반대편에 있는 지점은 만조 수위가 B와 같다. 따라서 다음 만조 수위는 A가 B보다 높다.

㉡. A와 B는 현재 만조이므로 다음 간조 시각은 현재 위치에서 지구 자전으로 각 지점이 간조가 나타나는 지역으로 표시된 곳까지 이동하는 데 걸리는 시간만큼 지난 후에 나타난다. 각 지점이 간조가 나타나는 지역으로 표시된 곳까지 이동하는 데 걸리는 시간은 A에서는 12시간 25분의 절반보다 짧으며, B에서는 약 12시간 25분의 절반이다. 따라서 다음 간조 때까지 걸리는 시간은 A가 B보다 짧다.

㉢. 지표면에서 기조력은 각 지점에 작용하는 달의 만유인력과 지구와 달의 공통 질량 중심을 도는 원운동에 의한 원심력의 차이이다. 여기서 지구가 지구와 달의 공통 질량 중심을 도는 원운동을 할 때 지표면 상의 모든 지점은 반지름이 같은 원운동을 하므로 각 지점에서 원심력의 크기는 같다. 따라서 A와 B에서 지구와 달의 공통 질량 중심에 대한 원심력의 크기는 같다.

11 단열 변화

건조 공기가 상승할 때 기온은 건조 단열 감률로 변하며, 이슬점은 이슬점 감률에 따라 변한다. 습윤 공기가 상승할 때는 기온과 이슬점 모두 습윤 단열 감률에 따라 변한다.

㉠. 기온이 T(℃), 이슬점이 T_d(℃)인 공기의 상승 응결 고도(h)는 h(m)$=125(T-T_d)$이다. $(T-T_d)$의 값이 A는 8 ℃, B는 12 ℃이므로 h_A, h_B는 각각 1 km와 1.5 km이다. 산을 넘는 과정에서 $h_A\sim h_B$ 구간에서 A는 습윤 단열 감률로 기온이 감소하여 2.5 ℃ 감소하고, B는 건조 단열 감률로 기온이 감소하여 5 ℃ 감소한다. 나머지 구간에서는 높이에 따른 기온 변화율이 A와 B가 같다. 따라서 산을 넘은 후 기온은 A가 B보다 2.5 ℃ 높다.

㉡. B의 상승 응결 고도는 1.5 km이므로 h_B에서 B의 이슬점은 15 ℃이다. B의 이슬점은 $h_B\sim H$ 구간에서는 습윤 단열 감률로 감소하고, $H\sim$㉡ 구간에서는 이슬점 감률로 상승하므로 ㉡에서 B의 이슬점은 $15-5(H-1.5)+2H$ ℃이다. h_B와 ㉡에서 이슬점이 같으므로 $15-5(H-1.5)+2H=15$이며, $H=2.5$이다.

ㄷ(✕). 고도 $h_A\sim h_B$ 구간에서 B의 기온은 건조 단열 감률로 감소하고 이

습점은 이슬점 감률로 감소하므로 (기온−이슬점)은 8 ℃/km의 비율로 감소한다. h_A와 h_B의 고도 차이는 500 m이므로 B의 (기온−이슬점)은 h_A에서가 h_B에서보다 4 ℃ 높다.

12 대기를 움직이는 힘

정역학 평형 상태에 있는 공기는 아래에서 위로 향하는 연직 기압 경도력과 위에서 아래로 향하는 중력이 평형을 이룬다.

ㄱ. 북반구에서 지균풍은 기압 경도력의 오른쪽 직각 방향으로 분다. 이 지역에서 기압 경도력은 북쪽으로 작용하므로 지균풍은 동쪽으로 분다.

ㄴ. A 지점과 C 지점 사이의 기압 차(ΔP)는 42 hPa이고, 정역학 평형 상태에서 $\Delta P=\rho g \Delta Z$이므로 $42\times100\ \text{kg}\cdot\text{m/s}^2/\text{m}^2=\rho\times 10\ \text{m/s}^2\times600\ \text{m}$이다. 따라서 $\rho=0.7\ \text{kg/m}^3$이다.

ㄷ. 지균풍은 기압 경도력과 전향력이 평형을 이룬 상태에서 부는 바람이다. 공기 1 kg에 작용하는 수평 기압 경도력의 크기는 $\frac{1}{\rho}\cdot\frac{\Delta P}{\Delta x}$이고, 전향력의 크기는 $2v\Omega\sin\varphi$이므로 $\frac{1}{\rho}\cdot\frac{\Delta P}{\Delta x}=2v\Omega\sin\varphi$에서 지균풍의 속력($v$)은 $v=\frac{1}{2\rho\Omega\sin\varphi}\cdot\frac{\Delta P}{\Delta x}$이다. 4000 km 거리에서 두 지점의 기압 차는 42 hPa이므로

$$v=\frac{1}{2\times0.7\ \text{kg/m}^3\times(7.5\times10^{-5}/\text{s})\times\sin30^\circ}\times\frac{42\times100\ \text{kg}\cdot\text{m/s}^2/\text{m}^2}{4\times10^6\ \text{m}}=20\ \text{m/s}$$이다.

13 지균풍과 지상풍

지균풍은 마찰력이 작용하지 않는 상공에서 부는 바람이므로 기압 경도력과 전향력이 평형을 이룬 상태에서 부는 바람이다.

ㄱ. P 지점에서 기압 경도력은 850 hPa 등압선에서 800 hPa 등압선 방향으로 작용하며, 바람은 기압 경도력의 왼쪽으로 불고 있으므로 P 지점은 남반구에 위치한다.

ㄴ. (가)와 (나)에서 등압선 사이의 거리와 기압 차 및 공기의 밀도는 같으므로 P 지점과 Q 지점에 작용하는 기압 경도력은 같다. P 지점에서는 바람이 등압선과 나란하게 불고 있으므로 기압 경도력과 전향력이 평형을 이루고 있으며, P 지점에서 바람에 작용하는 전향력의 크기는 기압 경도력의 크기와 같다. Q 지점에서는 바람이 등압선과 나란하지 않은 방향으로 불고 있으므로 기압 경도력은 마찰력과 전향력의 합력과 평형을 이루며, Q 지점에서 바람에 작용하는 전향력은 기압 경도력보다 작다. 따라서 바람에 작용하는 전향력의 크기는 P 지점이 Q 지점보다 크다.

ㄷ. Q 지점에서 고도가 높아지면 마찰력이 감소하므로 바람과 등압선이 이루는 각(경각)은 감소한다.

14 편서풍 파동

편서풍 파동에서 기압골의 서쪽에서는 공기가 수렴하고 지상에 고기압이 발달하며, 기압골의 동쪽에서는 공기가 발산하고 지상에 저기압이 발달한다.

ㄱ. 상공에서 등압면의 고도가 높게 나타나는 곳일수록 같은 고도에서 기압이 높다. A는 주변보다 등압면의 고도가 낮게 나타나는 곳이다. 따라서 A에는 저기압이 위치한다.

ㄴ. 등압선이 원형인 곳에서는 경도풍이 분다. 고기압성 경도풍에서는 바람에 작용하는 전향력이 기압 경도력보다 크며, 저기압성 경도풍에서는 바람에 작용하는 전향력이 기압 경도력보다 작다. B에서는 고기압성 경도풍이 불고, D에서는 저기압성 경도풍이 불고 있으므로 기압 경도력이 같다면 바람에 작용하는 전향력은 B가 D보다 크다.

ㄷ. 우리나라 상공에서 기압골이 나타나는 곳의 서쪽에서는 상층 공기의 수렴이 나타나고 지상에는 고기압이 발달하며, 동쪽에서는 상층 공기의 발산이 나타나고 지상에는 저기압이 발달한다. C 지점은 기압골에 위치한 D 지점의 서쪽에 위치하므로 C의 지상에는 고기압이 발달한다.

15 천체의 좌표계

적경은 춘분점을 기준으로 지구의 자전 방향으로 측정하며, 적위는 천구의 적도를 기준으로 측정한다.

ㄱ. 그림은 올려다본 하늘의 모습이므로 고도가 0°인 가장 바깥쪽 원에서 방위각이 0°인 곳이 북점, 90°인 곳이 동점, 180°인 곳이 남점, 270°인 곳이 서점에 해당한다. 천구의 북극은 북점에서 고도가 37.5°인 곳에 위치하며, 하짓날 21시의 모습이므로 천구의 북극과 동점을 지나는 시간권에 위치한 천체의 적경은 21^h이다. 한편 천구의 북극과 동점을 지나는 시간권으로부터의 거리는 A가 B보다 가까우므로 별의 적경은 A가 B보다 크다.

ㄴ. 37.5°N 지역에서 올려다본 하늘에서는 천구의 적도가 동점과 서점 및 남점 위 고도 52.5°인 지점을 지나간다. A와 B의 적위는 천구의 적도에서 A와 B까지 수직으로 잰 거리이므로 적위는 B가 A보다 크다. A와 B의 적위 차는 A를 지나면서 천구의 적도에 나란한 원으로부터 B까지 수직으로 잰 거리이므로 A와 B의 고도 차보다 작다.

ㄷ. 북반구에서는 저위도 지방으로 갈수록 천구의 적도와 지평선이 이루는 각이 커지므로 30°N에서 관측하면, 동점과 서점을 지나는 천구의 적도는 37.5°N인 지역에서 관측할 때보다 천정에 더 가까워진다. 한편 천구의 적도에서부터 A와 B까지 수직으로 잰 거리인 A와 B의 적위는 관측 지역에 관계없이 일정하다. 같은 시각에 30°N에서 관측한 A와 B의 위치는 37.5°N인 지역에서 관측할 때보다 북점에 가까워지며, 북쪽으로 이동한 거리는 적위가 큰 B가 A보다 더 크다. 따라서 같은 시각에 127°E, 30°N에서 관측하면 방위각은 B가 A보다 작다.

16 행성의 겉보기 운동

내행성은 내합 부근에서 역행하며 외행성은 충 부근에서 역행한다.

ㄱ. A는 합과 충의 위치 관계를 나타내는 행성이므로 외행성이고, B는 내합과 외합의 위치 관계를 나타내는 행성이므로 내행성이다. 공전 주기는 외행성이 내행성보다 길다. 따라서 공전 주기는 A가 B보다 길다.

ㄴ. 8월에 외행성인 A는 충 부근에 있으므로 역행하는 시기가 있다. 8월에 내행성인 B는 서방 최대 이각과 외합 사이에 위치하므로 순행

한다. 따라서 8월에 A와 B가 모두 역행하지는 않는다.

ㄷ. B는 내행성이므로 공전 주기는 지구보다 짧다. 따라서 ㉠에서 ㉡까지 행성이 공전한 각도는 B가 지구보다 크다.

17 행성의 공전과 케플러 법칙

행성의 공전 주기는 회합 주기를 관측하여 구할 수 있다. 행성의 공전 주기의 제곱은 공전 궤도 긴반지름의 세제곱에 비례한다.

ㄱ. A의 공전 주기를 P, 지구의 공전 주기를 E, 회합 주기를 S라 할 때, $\frac{1}{E}-\frac{1}{P}=\frac{1}{S}$이므로 $\frac{1}{1}-\frac{1}{P}=\frac{1}{2}$에서 A의 공전 주기 P는 2년이다.

ㄴ. B의 공전 궤도 긴반지름은 4 AU이고, 공전 궤도의 중심에서 태양이 위치한 초점까지의 거리는 1 AU이다. 공전 궤도 긴반지름을 a, 이심률을 e라 할 때, 공전 궤도의 중심에서 초점까지의 거리는 ae로 표현되므로 $ae=1$이며, $a=4$, $e=0.25$이다. 따라서 B의 공전 궤도 이심률은 0.25이다.

ㄷ. 케플러 제3법칙에서 행성의 공전 주기의 제곱은 공전 궤도 긴반지름의 세제곱에 비례한다. B의 공전 궤도 긴반지름은 4 AU이므로 $\frac{4^3}{{P_B}^2}=1$에서 B의 공전 주기는 8년이다. 지구와 A의 회합 주기는 2년이므로 지구와 A는 2년마다 현재와 같은 위치에 오게 된다. 이때 B의 공전 주기는 8년이므로 지구, A, B는 8년마다 현재 위치에서 만난다.

18 천체의 거리

세페이드 변광성의 밝기 변화를 관측하여 구한 평균 겉보기 등급과 밝기 변화 주기를 이용하여 구한 절대 등급을 이용하면 변광성까지의 거리를 구할 수 있다.

ㄱ. (가)에서 이 별의 밝기는 4.5등급에서 3.5등급까지 변하며, 평균 겉보기 등급은 약 4등급이다.

ㄴ. (가)에서 이 별의 변광 주기는 약 5일이며, 이를 이용하여 (나)에서 구한 이 별의 절대 등급은 약 -3등급이다. 겉보기 등급이 m, 절대 등급이 M인 별의 거리 지수는 $m-M=5\log r-5$이므로 $4-(-3)=5\log r-5$에서 $\log r=2.4$이다. 따라서 별까지의 거리 r는 100 pc보다 멀다.

ㄷ. (가)에서 관측한 겉보기 등급은 성간 소광 효과로 인해 별의 밝기가 어두워진 상태이다. 성간 소광 효과를 보정하면 별의 밝기가 증가하므로 별의 평균 겉보기 등급은 4보다 작아질 것이다. 따라서 성간 소광 효과를 보정하면 거리 지수는 7보다 작아진다.

19 성간 물질

암흑 성운은 성간 티끌이 멀리서 오는 빛을 차단하여 검게 보이며, 방출 성운에서는 H Ⅱ 영역에서 방출된 빛이 관측된다.

ㄱ. H Ⅱ 영역에서 방출된 빛이 관측되는 (가)는 방출 성운이고, 성간 티끌로 인해 어둡게 보이는 (나)는 암흑 성운이다. 성간 소광은 성간 티끌로 인해 멀리서 오는 별빛이 차단되어 어둡게 보이는 현상이므로 성간 소광은 (나)가 (가)보다 크다.

ㄴ. 중성 수소 원자는 별에서 방출되는 자외선을 흡수하여 이온화되고, 이온화된 수소는 다시 자유 전자와 결합해 중성 수소로 되돌아가는데 이 과정에서 에너지가 방출된다. 이때 방출되는 에너지는 붉은색에 해당하는 방출선이 강하므로 성운이 붉은 빛을 띠게 된다. 따라서 H Ⅱ 영역에서 방출된 붉은 빛은 전리된 수소가 자유 전자와 재결합하는 과정에서 방출된 빛이다. 수소가 전리될 때는 빛을 흡수한다.

ㄷ. 암흑 성운과 방출 성운에서 가장 많은 양을 차지하는 물질은 수소이다. 따라서 '수소가 가장 많은 양을 차지한다.'는 ㉡에 해당한다.

20 은하의 회전

중성 수소에서 방출된 21 cm파를 관측하여 파장 변화를 분석하면 중성 수소 구름의 회전 속도를 구할 수 있다.

ㄱ. 삼각형 OBP에서 $\overline{OB}:\overline{OP}=1:2$이므로 $\angle OPB=30°$이다. 은하 중심에 대한 회전 속도가 v인 P에서 관측할 때 B의 접선 속도는 $0-(-v\sin60°)=v\sin60°$이고, A의 접선 속도는 $v\sin60°-(-v\sin60°)=2v\sin60°$이다. 따라서 P에서 관측한 접선 속도는 A가 B의 2배이다.

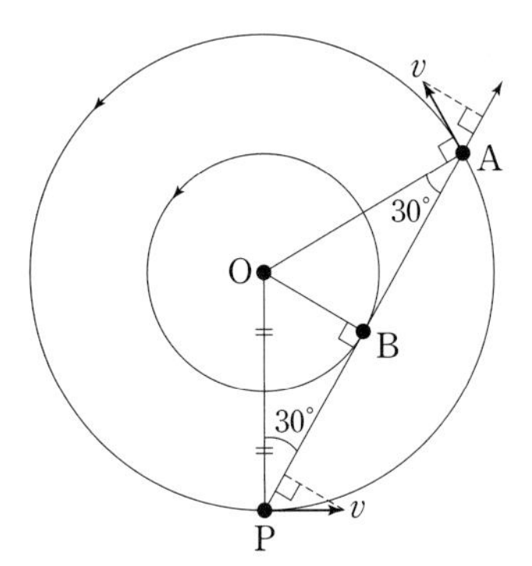

ㄴ. A와 P는 은하 중심에 대한 회전 속도가 같으므로 P에서 관측한 A의 시선 속도는 0이며, A에서 방출된 21 cm파를 P에서 관측하면 파장의 변화가 나타나지 않는다. 한편, A와 B에서 방출된 수소선의 파장이 P에서 같은 파장으로 관측되었으므로 P에서 관측한 B의 시선 속도도 0이다. P의 회전 속도를 v, B의 회전 속도를 V라 하면, P에서 관측한 B의 시선 속도는 $V-(v\cos60°)$로 표현된다. $V-(v\cos60°)=0$이므로 $V=v\cos60°=\frac{1}{2}v$이다. 따라서 은하 중심에 대한 회전 속도는 P가 B의 2배이다. A의 회전 속도는 P와 같으므로 은하 중심에 대한 회전 속도는 A가 B의 2배이다.

ㄷ. 은하 중심에 가까운 B보다 은하 중심에서 먼 A에서 회전 속도가 더 빠르므로 A와 B는 케플러 회전을 하지 않는다.

실전 모의고사 4회 본문 135~139쪽

01 ①	02 ④	03 ②	04 ③	05 ②
06 ①	07 ①	08 ③	09 ④	10 ⑤
11 ⑤	12 ④	13 ④	14 ⑤	15 ①
16 ①	17 ③	18 ③	19 ⑤	20 ③

01 지각 열류량

지각 열류량은 발산형 경계나 열점에서 가장 많으며, 일부 대륙에서는 방사성 동위 원소 붕괴열로 인해 적은 양의 지각 열류량이 나타날 수 있다.

ㄱ. 지각 열류량은 북태평양 동쪽 연안에서 가장 크게 나타나며, 대륙에서는 거의 없거나 적게 나타난다.

ㄴ. 지각 열류량은 판의 수렴형 경계가 주로 분포하는 북태평양 서쪽이 발산형 경계가 주로 분포하는 동쪽보다 비교적 적게 나타난다.

ㄷ. A 지점 주변은 발산형 경계가 분포하는 맨틀 대류의 상승류가 나타나는 지역이다. 이 지역은 지구 내부 에너지가 표면에 잘 전달되어 지각 열류량이 높게 나타난다.

02 지구 내부 구조와 지진파

A는 맨틀과 외핵의 경계인 깊이 약 2900 km까지만 전파되므로 S파이고, B는 지구 내부까지 전파되므로 P파이다. 외핵에 의해 103°~142° 사이에 P파 암영대가 나타난다.

ㄱ. (나)의 지진파는 외핵을 통과하므로 P파이며 B를 나타낸다.

ㄴ. P파 암영대에서 B(P파)가 관측되면서 내핵의 존재가 알려졌다.

ㄷ. B는 P파이므로 종파이고, 매질의 진동 방향과 파의 진행 방향이 나란하다.

03 편각과 복각

쌍극자 모델에서 지자기 북극은 자기력선이 모이는 곳이며, 지리상 북극은 지구 자전축과 만나는 지점이다.

ㄱ. 편각은 지리상 북극을 기준으로 지자기 북극의 방향과 각도를 나타내며, A에서 서쪽(W), B에서 동쪽(E)이다. 따라서 편각이 약 14°E로 측정되는 곳은 B이다.

ㄴ. 복각은 지자기 북극에 가까워질수록 커진다. 따라서 복각은 A에서가 B에서보다 작다.

ㄷ. 연직 자기력은 전 자기력과 복각이 클수록 크게 나타난다. 전 자기력과 복각은 모두 지자기 북극에 가까워질수록 커지므로 연직 자기력은 A에서가 B에서보다 작다.

04 광물의 분류

A는 각섬석, B는 흑운모, C는 석영이다.

ㄱ. 각섬석, 흑운모, 석영의 $\frac{\text{O 원자 수}}{\text{Si 원자 수}}$는 각각 $\frac{11}{4}$, $\frac{5}{2}$, 2이므로 A가 가장 크다.

ㄴ. B는 흑운모이며, 판상 구조를 나타낸다.

ㄷ. C는 석영으로 깨짐이 나타난다.

05 해양 에너지를 이용한 발전

그림은 해양 온도 차 발전을 나타낸 것이다.

ㄱ. 해양 온도 차 발전의 에너지원은 태양 복사 에너지이다.

ㄴ. 해양 온도 차 발전 효율은 표층수와 심층수의 온도 차가 클수록 좋으므로 A에서가 B에서보다 발전에 유리하다.

ㄷ. 낮과 밤에 따라 표층수의 온도 변화가 있으나 심층수와의 온도 차가 크므로 밤에도 에너지 발전이 가능하다.

06 한반도의 시대별 지질 분포

(가)는 중생대, (나)는 고생대 퇴적층 분포이다. A는 경상 누층군, B는 평안 누층군, C는 조선 누층군이다.

ㄱ. A는 경상 누층군으로 백악기 시대의 공룡 발자국 화석이 다수 발견된다.

ㄴ. C는 고생대 초에 퇴적된 조선 누층군이며, 이 시기에 우리나라에서 퇴적된 지층은 해성층이다.

ㄷ. 지층의 나이는 C>B>A이다.

07 지질도

지질도에서 습곡과 정단층이 나타난다.

ㄱ. 굵은 선은 단층선이며, 단층선을 기준으로 상반(오른쪽)이 하반(왼쪽)에 대해 아래로 이동한 정단층이다.

ㄴ. 지층 경계선이 고도가 가장 높은 곳을 기준으로 좌우 대칭을 이루고 있으며, 등고선과 지층 경계선이 만나는 주향의 고도가 중심에서 멀어질수록 낮아지므로 배사 습곡이다.

ㄷ. 습곡은 횡압력을 받아 형성되고, 정단층은 장력을 받아 형성된다.

08 수압 경도력

수압(P)은 밀도(ρ)×중력 가속도(g)×깊이(h)에 비례한다. 수평 수압 경도력(ΔP)은 해수면 기울기$\left(\frac{\Delta h}{\Delta x}\right)$와 중력 가속도($g$)에 비례한다.

ㄱ. (가)의 밀도는 (나)보다 2배 크고, 중력 가속도와 깊이는 같으므로 A에서의 수압은 (가)가 (나)의 2배이다.

ㄴ. 해수면 기울기는 (가)가 (나)의 0.5배이고, 중력 가속도는 같으므로 수평 수압 경도력은 (가)가 (나)의 0.5배이다.

ㄷ. 해수의 밀도가 일정할 때 수평 수압 경도력은 측정 깊이와 상관없이 해수면의 기울기와 중력 가속도에 의해 결정된다. (가)와 (나) 모두 해수면의 기울기와 중력 가속도가 0이 아니므로 수평 수압 경도력은 0이 아니다.

09 심해파와 천해파

(가)는 심해파에서 물 입자의 운동을 나타내고, (나)는 천해파에서 물 입자의 운동을 나타낸다.

ㄱ. 심해파의 속도는 수심과 관련 없이 파장에 의해 결정된다.

ㄴ. 천해파는 수심이 $\frac{1}{20}$A보다 얕을 때 나타난다.
ㄷ. 심해파와 천해파의 속도는 모두 중력 가속도의 제곱근에 비례한다.

10 조석

달에 의한 기조력은 만유인력과 원심력의 합력으로 나타난다.
ㄱ. X는 방향과 크기가 서로 다르고, Y는 모두 일정하다. 따라서 X는 만유인력, Y는 원심력이다.
ㄴ. 만유인력(X)이 가장 크게 나타나는 지점은 B이다.
ㄷ. 해수는 기조력을 따라 이동하여 그림과 같은 형태를 이룬다. 따라서 해수면의 높이는 B에서가 C에서보다 높다.

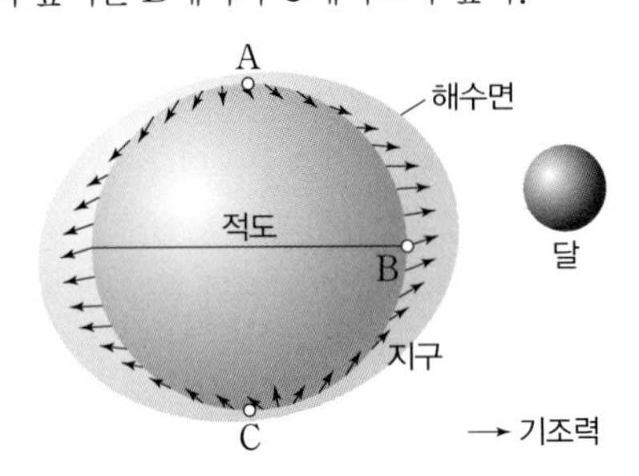

11 단열 변화

기온 또는 이슬점 모두 일정한 감률에 따라 감소하다가 응결이 시작되면 온도 감률이 변한다.
ㄱ. 고도 0~h km에서 온도 감률은 고도 h km보다 높은 곳의 습윤 단열 감률보다 작으므로 이슬점 변화를 나타낸 것이다.
ㄴ. 고도에 따른 온도 변화율이 바뀌는 h km에서 수증기 응결이 시작된다.
ㄷ. 고도 h km까지 건조 단열 감률에 따라 기온이 낮아졌으므로, 지상에서의 기온은 고도 h km에서의 기온 T_h℃보다 $10h$ ℃만큼 높다.

12 경도풍과 지균풍

X에서의 바람은 (가)에서 고기압성 경도풍, (나)에서 지균풍이 불고 있다.
X. (가)는 등압선이 곡선이므로 경도풍이 불고, (나)는 등압선이 직선이므로 지균풍이 분다.
ㄴ. 어느 지역에서 등압선 간격 및 기압 차, 공기의 밀도가 같을 때 풍속은 '고기압성 경도풍 > 지균풍 > 저기압성 경도풍'이다.
ㄷ. (가)와 (나)의 등압선 간격(1 km), 공기의 밀도, 등압선 사이의 기압 차이(4 hPa)가 동일하며, X 기준 위쪽으로 갈수록 기압이 낮아지므로 두 시기의 기압 경도력의 크기와 방향은 같다.

13 제트류

제트류는 대류권 계면 부근에서 남북 사이의 기온 차가 가장 큰 곳에서 나타난다.
X. 대류권 계면의 높이는 적도가 극보다 높다. 따라서 A는 상대적으로 고위도인 60°N이다.
ㄴ. 한대 전선 제트류는 위도 60°N 부근에서, 아열대 제트류는 위도 30°N 부근에서 발달한다.
ㄷ. 제트류의 풍속은 남북 간 기온 차가 큰 겨울철이 여름철보다 빠르다.

14 적도 좌표계

별의 적도 좌표는 거의 변하지 않으며, 태양은 1년을 주기로 적경과 적위가 변한다.
ㄱ. 태양의 적도 좌표는 다음 표와 같으며, 이 중 B는 추분날에 태양의 적도 좌표와 완전히 일치한다.

구분	춘분날	하짓날	추분날	동짓날
적경(^{h})	0	6	12	18
적위(°)	0	+23.5	0	−23.5

ㄴ. 적도에서는 적위와 상관없이 모든 별을 관측할 수 있다. 그중 하짓날 태양의 적경은 6^h이므로, 하짓날 자정에는 적경 18^h인 별이 지표면 위의 자오선에 위치한다.
ㄷ. 하루 중 별이 가장 높게 떴을 때의 고도 h_{max}는 $h_{max} \leq 90°$ 범위에서 $h_{max}=90°-$위도$+$적위로 계산된다. 위도 40°N에서 A, B, C의 h_{max}는 모두 $0° < h_{max} < 90°$이므로 하루 중 지평선 위에 존재하는 시기가 있다.

15 행성의 겉보기 운동

T 구간에서는 B → A 순으로 이동하며, 이 시기에는 역행, 그 외의 나머지 구간은 순행이다.
ㄱ. A는 역행에서 다시 순행으로 전환되는 시기로, 서방 최대 이각 부근에 금성이 위치한다. 따라서 새벽녘 동쪽 하늘에서 관측된다.
X. T 구간은 역행 구간으로 지구와의 거리가 비교적 가까운 내합 부근에 위치한다.
X. 행성의 겉보기 이동 방향은 B → A이며, B와 A 사이에 내합이 위치하므로 B일 때 금성은 지구에 가까워지고 있다.

16 케플러 법칙

케플러 제2법칙은 같은 시간 동안 중심별과 행성을 잇는 선분이 쓸고 지나간 면적은 항상 일정함을 나타낸다.
ㄱ. 공전 속도는 근일점에서 가장 빠르고, 원일점에서 가장 느리다. 따라서 행성이 원일점에서 근일점까지 이동하는 동안의 평균 속도는 전체 공전 궤도의 평균 속도와 같다. 따라서 원일점에서 근일점까지의 영역 중 원일점 쪽 일부 영역인 S_A에서의 평균 공전 속도는 전체 평균 공전 속도보다 느리다.
X. 공전 궤도의 전체 면적에 대한 같은 시간 동안 쓸고 지나간 면적 비는 A가 B보다 크다. 따라서 공전 주기는 A가 B보다 짧다.
X. 케플러 제3법칙에 따라 공전 주기가 길수록 공전 궤도 긴반지름은 길다. 따라서 공전 궤도 긴반지름은 A가 B보다 짧다.

17 산개 성단과 구상 성단

산개 성단은 구상 성단보다 나이가 적기 때문에 색등급도에서 주계열에 머물러 있는 별의 비율은 구상 성단보다 많다. 따라서 A는 산개 성단, B는 구상 성단이다.

ㄱ. A와 B에 포함된 주계열성 겉보기 등급은 표준 주계열성의 색지수가 같은 별의 절대 등급보다 크기 때문에 두 성단 모두 10 pc보다 멀리 있다. 그중 B의 등급이 A의 등급보다 크기 때문에 B의 거리는 A의 거리보다 멀다.
ㄴ. 산개 성단(A)은 은하면에, 구상 성단(B)은 중앙 팽대부와 헤일로에 상대적으로 많이 분포한다.
ㄷ. 성단을 구성하는 별들의 평균 나이는 산개 성단이 구상 성단보다 적다. 따라서 젊은 별에서만 나타날 수 있는 청색을 띠는 별의 구성 비율은 산개 성단이 구상 성단보다 높다.

18 태양계 부근 별의 상대 운동

태양계 부근의 별들은 은하 중심으로 다가갈수록 회전 속도가 빨라지는 케플러 회전을 한다.
ㄱ. 은하 중심 방향의 별은 시선 속도 없이 접선 속도만 존재한다. 따라서 A가 은하 중심 방향이다.
ㄴ. 은하 중심으로부터 거리는 B가 태양보다 짧다. 따라서 회전 속도는 B가 태양보다 빠르다.
ㄷ. 태양 주변 별들은 케플러 회전을 하며, 은하 중심 부근에서만 강체 회전과 비슷한 회전 곡선이 나타난다.

19 성간 소광

성간 티끌은 별빛을 흡수하거나 산란시켜 지구에 도달하는 별빛의 양을 감소시킨다. 별빛이 어두울수록 등급은 커진다.
ㄱ. 색초과 값은 관측 색지수($B-V$)에서 실제 색지수($B-V$)를 뺀 값이다. 따라서 $(3.0-1.5)-(2.0-1.0)=0.5$가 된다.
ㄴ. 파장이 짧을수록 산란이 많이 되어 성간 소광이 더 크게 나타난다.
ㄷ. 성간 소광 보정을 하지 않으면 실제 별빛보다 어둡게 관측되므로 실제 거리보다 더 멀게 계산된다.

20 우주 거대 구조

시간이 지남에 따라 우주가 팽창하면서 우주 거대 구조는 현재와 같이 점차 뚜렷해진다.
ㄱ. 우주 거대 구조가 뚜렷할수록 최근에 가까우므로 나이가 많다. 따라서 우주의 나이는 (다)>(가)>(나)이다.
ㄴ. 초기 우주의 미세한 밀도 차이가 우주 팽창에 따라 큰 밀도 변화를 만들어냈다.
ㄷ. 암흑 물질은 빛을 내지 않지만 질량을 가지고 있으므로 만유인력으로 인해 주변의 빛나는 물질들을 끌어당긴다. 따라서 밝은 곳에 암흑 물질들이 많이 분포한다.

실전 모의고사 5회

본문 140~144쪽

01 ②	02 ④	03 ③	04 ③	05 ③
06 ②	07 ④	08 ④	09 ④	10 ③
11 ②	12 ②	13 ③	14 ①	15 ③
16 ②	17 ④	18 ③	19 ④	20 ③

01 지구의 진화 과정

지구는 '마그마 바다 형성 → 맨틀과 핵의 분리 → 원시 지각과 원시 바다의 형성'을 거쳐 진화하였다.
ㄱ. 지표와 지구 내부의 상당 부분이 녹아 있는 액체 상태의 마그마 바다는 A(맨틀과 핵의 분리) 이전에 형성되었다.
ㄴ. 지표가 식으면서 단단한 원시 지각이 형성되었고, 원시 대기에 공급된 수증기가 응결하여 많은 비가 내리고, 이 빗물이 낮은 곳으로 모여 원시 바다를 형성하였다. 따라서 원시 지각은 B(원시 바다의 형성) 이전에 형성되었다.
ㄷ. 약 4억 년 전에는 대기 중의 산소가 충분히 증가하여 오존층이 형성되었다. 원시 지구는 A(맨틀과 핵의 분리) → B(원시 바다의 형성) → C(오존층의 형성) 순으로 진화하였다.

02 지구의 중력장

지구상의 물체에 작용하는 만유인력과 지구 자전에 의한 원심력의 합력을 중력이라 하고, 중력이 작용하는 지구 주위의 공간을 중력장이라고 한다.
ㄱ. ㉠은 적도에서 극으로 갈수록 크기가 커지므로 만유인력이고, ㉡은 적도에서 극으로 갈수록 크기가 작아지므로 지구 자전에 의한 원심력이다.
ㄴ. 적도에서 만유인력은 지구 중심을 향하고, 지구 자전에 의한 원심력은 자전축에 수직인 지구 바깥 방향을 향한다. 따라서 적도에서는 ㉠과 ㉡의 방향이 서로 반대 방향이다.
ㄷ. 적도에서는 만유인력과 지구 자전에 의한 원심력의 방향이 서로 반대이므로 표준 중력의 크기는 만유인력에서 지구 자전에 의한 원심력을 뺀 값이다. 따라서 적도에서 표준 중력의 크기는 $981.4-3.4=978.0$ Gal이다.

03 지구 내부의 구성 물질

지각은 산소, 규소, 알루미늄, 철 등으로 구성되고, 핵은 철이 가장 많고, 그 밖에 니켈, 황 등으로 이루어졌을 것으로 추정된다.
ㄱ. (가)는 핵을, (나)는 지각을 구성하는 성분의 질량비를 나타낸 것이다. 핵에 가장 많은 원소 ㉠은 철이고, 지각에 가장 많은 원소 ㉡은 산소이다. 따라서 ㉠은 ㉡보다 원자량이 크다.
ㄴ. P파의 평균 전파 속도는 (가) 핵보다 (나) 지각에서 느리다.
ㄷ. (가)의 85.0 %를 차지하는 철은 금속 원소이다. 그러나 (나)의 46.6 %를 차지하는 원소는 비금속 원소인 산소이다.

04 편각과 복각의 분포

편각은 어느 지점에서 진북 방향과 지구 자기장의 수평 성분 방향이 이루는 각이고 복각은 지구 자기장의 방향이 수평면에 대하여 기울어진 각이다. (가)는 편각, (나)는 복각의 분포를 나타낸 것이다.
㉠. 복각은 자침의 N극이 아래로 향하면 (+), 위로 향하면 (−)로 표시한다. 우리나라에서는 복각이 (+)로 나타나므로 자침의 N극이 수평면 아래로 향한다.
㉡. 진북 방향과 지구 자기장의 수평 방향 성분이 나란한 지점에서는 편각이 0°이다. (가)에서 북태평양에는 편각이 0°인 지점이 존재한다.
✕. 수평 자기력은 자기 적도에서 최대이고 자북극에서 0이며, 연직 자기력은 자기 적도에서 0이고 자북극에서 최대이다. 따라서 $\frac{\text{연직 자기력}}{\text{수평 자기력}}$은 자기 적도에서 자북극으로 갈수록 커진다.

05 지진 기록

지진계에는 P파, S파, 표면파의 모습이 차례대로 기록된다.
㉠. 그림에서 진앙까지의 거리는 PS시가 길수록 멀게 나타난다. 표에서 B는 A보다 PS시가 길게 나타나므로 진앙 거리는 A보다 B가 멀다.
✕. 그림의 가로축은 진앙 거리이고 세로축은 지진파의 도착 시간이므로 그래프 기울기의 역수가 지진파의 속도이다. P파는 S파보다 속도가 빠르므로 ㉠은 S파, ㉡은 P파의 주시 곡선이다.
㉢. B에서 PS시는 13초이다. 그림에서 진앙 거리가 80 km일 때 PS시는 약 10초이므로 B의 진앙 거리는 80 km보다 멀다.

06 지각 평형설

지각 평형설은 밀도가 작은 지각이 밀도가 큰 맨틀 위에 떠서 평형을 이룬다는 이론이다. 넓은 지역에 걸쳐서 지각이 서서히 융기하거나 침강하는 운동을 조륙 운동이라고 한다. 조륙 운동은 지각 평형을 지속적으로 유지하기 위한 지구의 운동이다.
✕. 이 실험은 조륙 운동이 일어나는 원리를 나타낸다. 습곡 산맥은 조산 운동에 의해서 형성되므로 이 실험은 습곡 산맥의 형성 원리와 관계없다.
㉡. $P=\rho gh$(P: 압력, ρ: 밀도, g: 중력 가속도, h: 나무토막의 두께)의 관계에서 보상면에서의 압력은 $0.7\times gh+0.5\times gh=1.0\times gh_2$이고 $h_1+h_2=2h$이므로 $\frac{h_1}{h_2}=\frac{2}{3}$이다.
✕. 나무토막 A와 B의 밀도가 모두 0.7 g/cm³라면 $0.7\times(h_1+h_2)=1.0\times h_2$이다. $h_1 : h_2=3 : 7$이므로 A와 B의 경계면은 수면보다 아래쪽에 위치한다.

07 규산염 광물의 결합 구조

규산염 광물은 1개의 규소와 4개의 산소가 결합된 SiO_4 사면체를 기본 단위로 하며, SiO_4 사면체가 다른 이온과 결합되어 이루어진 광물이다.
✕. A는 단사슬 구조를 보이는 휘석, B는 복사슬 구조를 보이는 각섬석, C는 판상 구조를 보이는 흑운모이다. 휘석과 각섬석은 2방향, 흑운모는 1방향의 쪼개짐이 나타난다.
㉡. 감람석 → 휘석 → 각섬석 → 흑운모 → 석영으로 갈수록 공유 산소 수가 많아지고 결합력이 강해지므로 화학적 풍화에 대한 안정도가 커진다.
㉢. 감람석 → 휘석 → 각섬석 → 흑운모 → 석영으로 갈수록 저온에서 정출되는 광물이며, 공유하는 산소 수가 많아지므로 $\frac{\text{Si 원자 수}}{\text{O 원자 수}}$가 커진다.

08 화성암의 조직과 분류

화성암은 마그마가 냉각되면서 만들어진 암석이다. 마그마가 급히 식으면 입자의 크기가 작은 화산암이 생성되고, 마그마가 지하 깊은 곳에서 천천히 식으면 입자의 크기가 큰 심성암이 생성된다.
✕. A는 SiO_2 함량이 63 % 이상인 산성암이고, 조립질 조직을 보이는 심성암이므로 화강암이다.
㉡. A는 마그마의 냉각 속도가 느려 입자의 크기가 크고 비교적 고른 조립질 조직이 나타나며, B는 마그마의 냉각 속도가 빨라 결정의 크기가 매우 작은 세립질 조직이 나타난다. 따라서 마그마의 냉각 속도는 A보다 B가 빠르다.
㉢. Fe, Mg이 함유된 광물의 함량비는 산성암인 A보다 염기성암인 B가 크다.

09 해양 에너지 자원

해양에서 얻을 수 있는 에너지 자원에는 가스수화물, 화석 연료, 조력 발전, 조류 발전, 파력 발전, 해양 온도 차 발전 등이 있다.
㉠. 조류 발전은 조류에 직접 터빈을 설치함으로써 해수의 운동 에너지를 전기 에너지로 전환한다. A는 조류 발전이다. 표층수와 심층수의 온도 차를 이용하여 전기를 생산하는 방법 B는 해양 온도 차 발전이다. C는 만조와 간조 때 해수면의 높이 차를 이용하는 조력 발전이다. 조류 발전은 조력 발전에 비해 생태계에 미치는 영향이 적다.
✕. 우리나라의 서해안은 조석 간만의 차가 커서 조력 발전을 하기에 적합하다. 시화호에는 조력 발전소가 운영되고 있다.
㉢. A, B, C 모두 태양의 직접적인 영향을 받지 않으므로 밤낮 구분 없이 전력 생산이 가능하다.

10 지형류

해수면에 경사가 있으면 수평 방향으로 수압 차이가 발생하는데, 이러한 수압 차이로 생긴 힘을 수압 경도력이라고 한다. 수압 경도력은 수압이 높은 곳에서 낮은 곳으로 작용한다. A에서 지형류는 남쪽으로 흐른다.
㉠. A에서는 수압 경도력이 서쪽으로 작용하고 전향력이 동쪽으로 작용한다. 그런데 지형류는 남쪽으로 흐르고, 남반구에서는 전향력이 물체 운동 방향의 왼쪽 직각 방향이므로 이 해역은 남반구에 위치한다.
㉡. B에서 수심이 가장 깊으므로 수압도 가장 높다.
✕. A와 C에서 수압 경도력은 각각 서쪽과 동쪽으로 작용한다. 따라서 전향력은 A에서는 동쪽으로, C에서는 서쪽으로 작용한다.

11 해파

심해파는 수심이 파장의 $\frac{1}{2}$보다 깊은 해역에서 진행하는 해파이고,

천해파(장파)는 수심이 파장의 $\frac{1}{20}$보다 얕은 해역에서 진행하는 해파이다.

ㄱ. (가)는 수심이 파장과 같으므로 심해파이고, (나)는 수심이 파장의 $\frac{1}{30}$이므로 천해파이다.

ㄴ. 심해파의 속도는 $\sqrt{\frac{gL}{2\pi}}$(g: 중력 가속도, L: 파장)이고, 천해파의 속도는 $v=\sqrt{gh}$(h: 수심)이다. 따라서 해파의 속도는 (가)가 (나)보다 느리다.

ㄷ. (가)는 심해파의 성질을 가지므로 물 입자는 원운동을 한다.

12 단열 변화

공기 덩어리가 상승하거나 하강할 때 외부와의 열 교환없이 주위 기압 변화에 의한 부피 변화에 의해 온도가 변하는 현상을 단열 변화라고 한다.

ㄱ. 지상에서 10 ℃인 불포화 공기가 100 m 상공에서는 9 ℃, 300 m 상공에서는 7 ℃이므로 건조 단열 감률은 1 ℃/100 m이다. 지상에서 10 ℃인 포화 공기가 100 m 상공에서는 9.5 ℃, 300 m 상공에서는 8.5 ℃이므로 습윤 단열 감률은 0.5 ℃/100 m이다. 따라서 $\frac{\text{건조 단열 감률}}{\text{습윤 단열 감률}}$은 2이다.

ㄴ. 풍선이 상승하는 동안 풍선 내부 불포화 공기의 기온과 이슬점의 차이가 작아지므로 상대 습도는 높아진다.

ㄷ. 풍선이 단열 상승하는 동안 풍선 내부 공기의 부피가 팽창하므로 절대 습도는 낮아진다.

13 대기 안정도와 구름

지상에서 강제 상승한 공기 덩어리는 건조 단열 감률로 기온이 낮아지다가 상승 응결 고도부터는 습윤 단열 감률로 기온이 낮아진다.

ㄱ. 기온 감률은 13 ℃/km이고 단열 감률은 10 ℃/km이므로 기온 감률이 단열 감률보다 크다.

ㄴ. 기온 감률이 단열 감률보다 큰 불안정한 상태이므로 공기의 연직 운동이 활발하여 대류가 잘 일어난다.

ㄷ. 상승시킨 공기 덩어리는 3000 m까지 건조 단열 감률인 10 ℃/km로 온도가 낮아지므로 구름이 생성되지 않는다.

14 지균풍

높이 1 km 이상의 상공에서 등압선이 직선으로 나란할 때 부는 바람은 지균풍이다. 지균풍은 기압 경도력과 전향력이 평형을 이루며 부는 바람이므로 $\frac{1}{\rho}\cdot\frac{\Delta P}{\Delta L}=2v\Omega\sin\varphi$의 관계가 성립한다.

ㄱ. 북반구에서 기압 경도력은 서쪽으로 작용하고 전향력은 동쪽으로 작용하므로 지균풍의 풍향은 남쪽에서 북쪽으로 남풍이 분다.

ㄴ. 풍속 $v=\frac{1}{2\rho\Omega\sin\varphi}\cdot\frac{\Delta P}{\Delta L}=\frac{1}{10^{-4}}\cdot\frac{1000}{5\times10^{5}}$이므로 20 m/s이다.

ㄷ. 단위 질량의 공기에 작용하는 기압 경도력은 $\frac{1000}{5\times10^{5}}=2\times10^{-3}$ N이다.

15 행성의 운동

내행성이 태양보다 서쪽에 위치할 때는 새벽에 동쪽 하늘에서 관측할 수 있고, 태양보다 동쪽에 위치할 때는 초저녁에 서쪽 하늘에서 관측할 수 있다.

ㄱ. 행성의 공전 속도는 태양에 가까울수록 빠르다. 2월에 화성은 충의 위치에 점점 가까워지므로 지구와 화성 사이의 거리는 점점 가까워진다.

ㄴ. 7월 말~8월 초에 금성은 태양보다 서쪽에 위치하며 서방 최대 이각의 위치를 지났다.

ㄷ. 11월에 금성은 태양보다 서쪽에 위치하므로 새벽에 관측할 수 있다. 반면, 화성은 태양보다 동쪽에 위치하므로 새벽에 관측할 수 없다.

16 회합 주기

내행성이 내합(또는 외합)에서 다음 내합(또는 외합)이 되는 데까지, 외행성이 충(또는 합)에서 다음 충(또는 합)이 되는 데까지 걸리는 시간을 회합 주기라고 한다.

ㄱ. 지구와의 회합 주기가 $\frac{27}{26}$년인 행성 Y의 공전 주기는 27년이고, 케플러 제3법칙에 의해 행성의 공전 주기를 P(년), 공전 궤도 긴반지름을 a(AU)라고 할 때 $P^2=a^3$의 관계가 성립하므로 행성 Y의 공전 궤도 긴반지름(㉠)은 9이다.

ㄴ. 공전 궤도 긴반지름이 4 AU인 행성 X의 공전 주기는 케플러 제3법칙을 이용하여 구할 수 있다. 행성의 공전 주기를 P(년), 공전 궤도 긴반지름을 a(AU)라고 할 때 $P^2=a^3$의 관계에서 행성 X의 공전 주기는 8년이다. 행성의 회합 주기(S)는 지구와 행성의 공전 주기를 각각 E, P라 할 때, $\frac{1}{S}=\frac{1}{E}-\frac{1}{P}$의 관계로 구해지며, 지구와 행성 X의 회합 주기(㉡)는 $\frac{8}{7}$년이다.

ㄷ. 행성 X의 공전 궤도 긴반지름은 4 AU, 행성 Y의 공전 궤도 긴반지름은 9 AU이므로 X와 Y는 모두 외행성이다.

17 케플러 법칙

케플러 제1법칙은 타원 궤도 법칙, 제2법칙은 면적 속도 일정 법칙, 제3법칙은 조화 법칙이다.

ㄱ. 소행성 X의 공전 주기를 P, 공전 궤도 긴반지름을 a라고 하면, 케플러 제3법칙에 의해 $\frac{a^3}{P^2}=\frac{a^3}{(2^3)^2}$이므로 $a=4$(AU)이다.

ㄴ. 소행성 X의 공전 궤도에서 두 초점 사이의 거리는 $2ae=1.12$ AU이다.

ㄷ. 소행성 X의 공전 궤도 이심률을 e라고 하면, 원일점 거리(㉠)는 $a(1+e)=4(1+0.14)=4.56$ AU이다. 근일점 거리(㉡)는 $a(1-e)=4(1-0.14)=3.44$ AU이므로, $\frac{㉠}{㉡}$은 $\frac{4.56}{3.44}=\frac{57}{43}$이다.

18 별의 밝기와 거리

별의 밝기는 등급으로 나타내는데, 밝은 별일수록 별의 등급이 작다. 겉보기 등급과 절대 등급이 같은 별까지의 거리는 10 pc이다.

ㄱ. 별의 광도는 절대 등급이 작을수록 크다. ㉠의 절대 등급은 −2,

㉡은 0이므로 광도는 ㉠이 ㉡보다 크다.

ㄴ. 별의 반지름은 별의 광도가 클수록, 표면 온도가 낮을수록 크다. 광도는 ㉠과 ㉢이 같은데 표면 온도는 ㉢이 ㉠보다 낮으므로 ㉢은 ㉠보다 반지름이 크다.

ㄷ. 별의 거리는 거리 지수($m-M$)가 클수록 멀다. 거리 지수($m-M$)를 계산하면 ㉠은 1, ㉡은 0, ㉢은 4이다. 따라서 지구로부터의 거리는 ㉢>㉠>㉡이다.

19 쌍성의 운동

쌍성은 두 개의 별이 서로 중력을 작용하면서 공통 질량 중심에 대해 공전하는 항성계이다.

ㄱ. 쌍성의 운동에서 질량이 작은 별의 공전 궤도가 크고 시선 속도의 변화 범위도 크므로, A는 B보다 질량이 작다.

ㄴ. 쌍성을 이루는 두 별 중 질량이 작은 별의 공전 속도가 빠르므로 A는 B보다 공전 속도가 빠르다.

ㄷ. t일 때 A는 공전 궤도상에서 지구로부터 가장 먼 위치에, B는 가장 가까운 위치에 있다. 따라서 이때 지구로부터의 거리는 A가 B보다 멀다.

20 21 cm 전파의 관측과 해석

중성 수소 구름에서 나오는 방출선의 파장은 우리은하의 회전 때문에 도플러 이동을 일으키게 되므로 시선 속도를 통해 위치를 알 수 있다.

ㄱ. 우리은하는 케플러 회전을 하므로 은하 중심에서 더 먼 A는 관측자보다 은하 중심에 대한 회전 속도가 느리다. 따라서 A는 관측자에 가까워지고 있다.

ㄴ. 시선 속도가 약 +65 km/s에 해당하는 상대 복사 세기인 ㉠은 C에서 방출한 것이다.

ㄷ. C는 관측자보다 은하 중심에 가까우므로 관측자보다 은하 중심에 대한 회전 속도가 빠르다.

[인용 사진 출처]

028p 가스수화물: ⓒ DOE Photo / Alamy Stock Photo
031p 시화호 조력 발전소: ⓒ 경기관광플랫폼(ggtour.or.kr)
042p 코노돈트 화석: ⓒ Custom Life Science Images / Alamy Stock Photo
043p 천매암: ⓒ Flickr by James St. John at https://flickr.com/photos/47445767@N05/4562522165

THE
기대돼!
한기대!
FUTURE
HAS
BEGUN
AT KOREATECH.
내일의 내 일에 대한 설렘,
그것은 이미 시작됐어!
가슴 뛰게 만드는 한기대에서.
KOREATECH
한국기술교육대학교